آقای ز

MR. Z

Mr. Z

From Halfway Gangster to Big-Shot Businessman

Subject: Memoirs

Author: Mr. Z

Copyright © 2025 by: **Ketab Corporation**

آقای ز

از هیچی به همه چی

موضوع: خاطرات

نویسنده: آقای ز

چاپ نخست شرکت کتاب: ۱۴۰۴ خورشیدی - ۲۰۲۵ میلادی

No part of this book may be reproduced in any manner without the express written consent of the author, except in the case of brief excerpts in critical reviews or articles.

For information about permission to reproduce selections from this book, write to Permissions @ ketab Corporation

The Library of Congress Cataloging-in-publishing Data is available upon request.

ISBN: 978-1-59584-873-4

Ketab Corporation:

12701 Van Nuys Blvd., Suite H,

Pacoima, CA, 91331, USA

www.ketab.com

1 2 3 4 5 6 7 8 25

فهرست

ایران
۱۹۴۸-۱۹۶۵
صفحه ۷

اسرائیل
۱۹۶۵-۱۹۶۸
صفحه ۱۱۳

آلمان
۱۹۶۹-۱۹۸۲
صفحه ۱۵۹

ایالات متحده
اکنون-۱۹۸۳
صفحه ۳۱۹

مقدمه

این کتاب داستان زندگی من است. می‌نویسمش چون جذاب بوده است. من در زندگی‌ام کارهای زیادی انجام داده‌ام. می‌توانم بگویم که اکثر مردم حتی بخش کوچکی از کارهایی که من انجام داده‌ام را از سر نگذرانده‌اند. بسیاری از اتفاقاتی که در کودکی برای من افتاد و با آن‌ها مواجه شدم را تا به امروز به‌وضوح به یاد می‌آورم و آن‌ها بر روی من و کارهایم تأثیرگذارند. در این کتاب هیچ نام واقعی وجود ندارد، چون من قصد ندارم فاش کنم چه کسی هستم.

علاوه بر آنچه در اینجا خواهید خواند، ماجراجویی‌های جنسی بی‌شماری وجود دارد که صحبت در مورد آن‌ها بیش‌از ۸۰۰ صفحه خواهد شد. فراتر از آن، ماجراها و حوادث غیرقانونی متعدد غیرمرتبط به سکس وجود داشتند که نمی‌توانم آن‌ها را فاش کنم، چون قول داده‌ام حقیقت را بگویم. می‌خواهم تأکید کنم که این کتاب عمداً به زبان سادهٔ خودم نوشته شده تا شما بتوانید درک بهتری نسبت به اینکه من واقعاً چه کسی هستم داشته باشید.

من در محلهٔ یهودی‌نشین تهران به دنیا آمدم و بزرگ شدم. در اسرائیل، آلمان و ایالات متحده زندگی کرده‌ام. حالا در هفتادوپنج‌سالگی دو بار ازدواج کرده‌ام، پدر سه فرزند و پدربزرگ دو نوه هستم. معتقدم که داستان زندگی من، تجربیاتی که از سر گذرانده‌ام، ممکن است برای بسیاری از مردم جالب باشد و بر زندگی آن‌ها تأثیر بگذارد.

راه و روش من در زندگی همیشه یادگیری از دیگران بوده است. از کنارِ گود نگاه می‌کردم و گوش می‌دادم. هرکسی چیزی برای یاددادن به شما دارد.

در این کتاب داستان‌ها، تجربیات و وقایع جالب‌توجه بسیاری از همه‌نوع را کشف خواهید کرد: شادی و غم، استثمار، شرارت و جنایات خشونت‌آمیز، داستان‌هایی از دنیای

زیرزمینی، قاچاق انسان‌ها از برلین شرقی یا از زندان. همه‌چیز حقیقت دارد. من بارها مرگ را فریب داده‌ام و از گذران سال‌هایی در زندان اجتناب کرده‌ام.

از زادگاهم در محلهٔ یهودی‌نشین تهران، ایران، به کشورهای مختلف سفر کرده و در آن‌ها زندگی کردم، و با شروع از صفر به هر چیزی که همیشه در زندگی می‌خواستم رسیدم. من خوب زندگی می‌کنم و به هر هدفی که در زندگی برای خودم در نظر گرفته‌ام، رسیده‌ام.

وضعیت مالی من عالی است و از هر نظر انسان خوشبختی هستم. یک‌جورهایی حس می‌کنم خدا همیشه با من بوده است. من به خدا ایمان زیادی دارم. او به من شخصیتی قوی داد و هنوز هم مرا راهنمایی می‌کند و مراقب من است.

ایران
۱۹۴۸-۱۹۶۵

فصل ۱

دوران کودکی در محلۀ یهودی‌نشین تهران

پدرم در اصفهان، سومین شهر بزرگ ایران، واقع در حدود ۳۴۰کیلومتری جنوب پایتخت، تهران، به دنیا آمد. وقتی ۲۰ساله بود، خانوادۀ خود را در آنجا ترک کرد و به‌دنبال سرنوشت خود به تهران، شهر بزرگ، نقل‌مکان کرد.

در آنجا با مادرم آشنا شد. مادرم ۱۷ سال داشت که ازدواج کردند. پدرم انواع شغل‌های عجیب‌وغریب را انجام می‌داد و مادرم البته در خانه می‌ماند تا از بچه‌ها مراقبت کند.

من در سال ۱۹۴۸ به دنیا آمدم، پسر دوم پدرومادرم، یکی از شش برادر و خواهر. همان‌طور که در شهرهای بزرگ ایران مرسوم بود، اکثر یهودیان در محلۀ یهودیان واقع در جنوب شهر زندگی می‌کردند. این‌ها بازماندگان جامعۀ یهودیِ باستانی بودند که در زمان تبعید بابلی‌ها به سرزمین ایران آمده بودند.

خانه‌ها در شهرهای ایران حیاط‌های بزرگی داشتند که چندین اتاق در اطراف آن پراکنده بودند و در هر اتاق یک خانوادۀ کامل زندگی می‌کردند. یک «خانه» درواقع یک اتاق واحد بود. تعداد کمی از خانه‌های این محله متعلق به یهودیان بود و مالک بیشتر آن‌ها مسلمان‌ها بودند. اکثر یهودیان مستأجر بودند.

تمام مؤسسات این محله یهودی بودند: مهدکودک، مدرسه، حمام (حمام بخار عمومی) و بیمارستان. آن سال‌ها در بیمارستان زایشگاه وجود نداشت. زنان در خانه زایمان می‌کردند. به‌جز کوچک‌ترین خواهرمان، من و همۀ برادران و خواهرانم در خانه به دنیا آمدیم.

در این محله هشت کنیسه وجود داشت. خیابانی که ما در آن زندگی می‌کردیم «کوچهٔ هفت کنیسه» نام داشت. یک قصابی محلی وجود داشت. همه‌چیز کوشر[1] بود. همهٔ یهودیان ایران کوشر نگه می‌داشتند. این یک تمرین استاندارد بود. هرکسی که کوشر نگه نمی‌داشت، جامعه به او به دیدهٔ تحقیر می‌نگریست. ما هرگز بیرون از خانه چیزی نمی‌خوردیم، چون غذاهایی که خارج از محله فروخته می‌شد، کوشر نبود.

وقتی‌که بچه بودم این خانه‌ها برق نداشتند. پخت‌وپز روی «چراغ فتیله‌ای»، یک اجاق قابل‌حمل انجام می‌شد و چراغ‌های نفتی تاریکی را روشن می‌کردند. آبِ لوله‌کشی در کار نبود. ما یک مخزن ذخیرهٔ آب داشتیم و ازآنجا آب می‌آوردیم. وسط هر حیاط یک حوض زینتی کوچک با یک پمپ آبِ پرسروصدا بود، مثل فیلم‌های گاوچران‌ها، که وقتی دسته را بالا و پایین می‌کردیم صدای «پُلق‌پُلق» می‌داد. توالت‌ها بیرون از اتاق‌هایی بودند که ما در آن‌ها زندگی می‌کردیم و برای همهٔ خانواده‌های داخل حیاط مشترک بودند. این زندگی‌ای بود که ما می‌شناختیم.

این چیزی است که ما قبل از داشتنِ برق برای روشنایی استفاده می‌کردیم.

یک چراغ‌نفتی قوی‌تری که داشتیم، با نوری درخشان‌تر

۱. کوشر یا کاشر، به غذایی گفته می‌شود که در آیین یهودی و بر پایهٔ قوانین کشروت، پاک (مشابه اصطلاح اسلامی حلال) به‌شمار می‌آید. (م.)

آقای ز با برادران و خواهرانش در حیاط بیرون از خانه‌شان در ایران

تصور کنید پنج فرزند (کوچک‌ترین خواهر ما بعداً به دنیا آمد) و پدرومادر در یک اتاق کوچک زندگی کنند که نقش اتاق نشیمن، اتاق غذاخوری، اتاق‌خواب، اتاق آماده‌سازی تکالیف ... را دارد. همه‌چیز در این تک اتاقِ کوچک انجام می‌شد.

وقتی پدرم از سفرهای کاری به خانه می‌آمد، جای کافی برای همهٔ ما نبود. او مردی قدبلند و قوی بود و یادم می‌آید که اغلب بیرون در حیاط می‌خوابید. بارها به او ملحق شدم. دوست داشتم کنارش بخوابم. او مرا در آغوش می‌گرفت. تا به امروز بوی او را به یاد دارم.

می‌دانستم که مرا خیلی دوست دارد. من در تمام عمرم او را دوست داشتم؛ حتی تا امروز دوستش دارم. پدرم همیشه تلاش می‌کرد که به چیزی برسد، وضعیت اقتصادی ما را بهبود ببخشد، اما هرگز موفق به انجام آن کار نشد.

برادران و خواهرانم از دست من عاصی بودند، چراکه من اغلب خشن و وحشی بودم. یادم هست یک بار با برادر کوچکم دعوا کردم. او را سوار دوچرخه به منطقه‌ای دورتر بردم و تهدیدش کردم که او را در آنجا رها می‌کنم و کسی می‌آید و او را می‌دزدد. بدجور گریه کرد. درنهایت او را به خانه برگرداندم. البته من واقعاً قصد نداشتم او را آنجا رها کنم.

۱۱

پدر آقای ز

او هم یک‌جور وحشی بود، اما ما پیوند محکمی نداشتیم و واقعاً باهم بزرگ نشدیم، زیرا ده سال اختلاف سنی بین ما بود و من در هفده‌سالگی خانه پدرومادرم را ترک کردم. این برادر درواقع بهتر از من هم بزرگ نشد؛ او هم تقریباً هرگز به مدرسه نرفت. حتی مدرسه را تمام نکرد. او بی‌سواد بود. یک بار از مدرسه فرار کرد و به شهر دیگری رفت تا اینکه او را پیدا کردند و برگرداندند.

من بیشتر به خواهر بزرگ‌ترم شارونا[1] وابسته بودم. او همیشه از من مراقبت می‌کرد و مواظبم بود. بچه که بودیم یک بار باهم دعوایمان شد و من بدجور او را زدم. وقتی بزرگ شدیم و او ازدواج کرده بود و بچه‌هایی داشت، اغلب آن دعوایمان را به من یادآوری می‌کرد و زخمی که به او زده بودم را به من نشان می‌داد.

---

1. Sharona.

آقای ز و خواهر بزرگ‌ترش شارونا در کودکی

فصل ۲

اولین خاطرات

یکی از اولین خاطرات من این است که پدرم مرا به کنیسه برد تا نان مَصای[1] عید پِسَح[2] را آماده کنیم. او ازجمله کسانی بود که این کار را خودشان با دست انجام می‌دادند. کنارش نشستم و او را تماشا کردم که خمیر را آماده می‌کرد.

همان‌طور که گفتم در محلهٔ ما هشت کنیسه وجود داشت و خیابان ما «کوچهٔ هفت کنیسه» نام داشت. در تهران فقط دو کنیسه بود که تنور پخت مَصا داشتند و هردوی آن‌ها در محلهٔ ما بودند. همهٔ یهودیان شهر می‌آمدند تا مَصایشان را از ما بخرند.

آن موقع زمان خاصی از سال بود. همه برای تعطیلات آماده می‌شدند، خانه‌هایشان را رنگ می‌کردند و لباس‌های نو می‌خریدند. در مدرسه، کت‌وشلوارهای نویی به ما می‌دادند که توسط ثروتمندان جامعهٔ یهودی اهدا شده بودند.

مهدکودک محله فقط مختص یهودیان بود. یک ساختمان سه‌طبقه با تعداد زیادی اتاق برای کودکان در هر سنی. در آنجا بودن را دوست نداشتم. صبح که مادرم مرا به آنجا می‌برد، لباسش را می‌گرفتم و رها نمی‌کردم. یکی از مربیان مهدکودک همسر یکی از دوستان پدرم بود. من او را از وقتی‌که هرازگاهی به خانهٔ ما می‌آمدند می‌شناختم. وقتی مادرم مرا در مهدکودک می‌گذاشت، تمام روز را به این مربی می‌چسبیدم. به‌جای اینکه بنشینم و با بچه‌های دیگر بازی کنم، همه‌جا به دنبال او می‌رفتم. چرا؟ تا به امروز هم نمی‌دانم.

وقتی شش‌سالم بود، یادم می‌آید که مادرم دستم را می‌گرفت تا به خرید برویم. در آن

---

۱. Matzah، نوعی نان فطیر که یهودیان به‌طور سنتی در تعطیلات یک‌هفته‌ای پسح می‌خورند. (م.)

۲. Passover، عید آزادی قوم یهود از قید برده‌داری فرعون‌های مصر است و یکی از سه عید بزرگ یهودیان به شمار می‌آید. (م.)

زمان هیچ یخچالی وجود نداشت، بنابراین زن‌ها مجبور بودند هر روز خرید کنند.

کودکی آقای ز در ایران.   مادر آقای ز در جوانی‌اش در ایران.

به مرکز محله می‌رفتیم که همه‌جور مغازه و یک رستوران کوشر در آنجا واقع بود. مامان می‌ایستاد و برایم فالوده، یک یخ تراشیده‌شدۀ طعم‌دار، می‌خرید. مغازه‌هایی هم بود که جوجه می‌فروختند و خاخامی که آن‌ها را درجا ذبح می‌کرد. یادم می‌آید عادت داشتیم که جوجه را در حال جنبیدن و بال‌بال زدن ببینیم. این روی من به‌عنوان یک کودک تأثیر شدیدی گذاشت.

ازآنجایی‌که خانه‌ها آبِ لوله‌کشی نداشتند، مادرم سطل‌های آب را از پمپ داخل حیاط پر می‌کرد و زیر آفتاب می‌گذاشت تا آب برای حمام و شست‌وشو گرم شود. نزدیک بعدازظهر لباس‌مان را درمی‌آورد و ما را در حیاط حمام می‌داد، کل بدن‌مان را صابون می‌زد و آب را روی سرمان می‌ریخت. این حمام کردن ما بود.

وقتی به گذشته نگاه می‌کنم، می‌فهمم که در شرایط بدی زندگی می‌کردیم، در کوچه‌های تاریکِ پر از گل‌ولای، بدون آبِ لوله‌کشی و بدون برق.

گاهی اوقات، از تکنولوژی امروز و تغییرات عظیم بین آن زمان و اکنون شگفت‌زده می‌شوم.

آب از کناره‌های کوچه‌ها داخل کانال‌های باز و بسته جاری می‌شد تا به «مخزن ذخیرهٔ آب» در حیاط مشترک می‌رسید. ماهی یک بار، مرد مسئول آب جریان را به حیاط دیگری هدایت می‌کرد، بنابراین هر خانه برای استفادهٔ منظم آب داشت.

در امتداد جادهٔ اصلی خندقی به عمق یک‌مترونیم با آب تمیز و زلال وجود داشت. برای تمیز نگه‌داشتن آب، شب‌ها به داخل خانه‌ها سرازیر می‌شد. در طول روز جریان آب در کانال ضعیف بود.

تابستان‌ها بسیار گرم بود. ما استخر نداشتیم و کولر هم در کار نبود. فقط ثروتمندانِ شمال تهران ممکن بود چنین تجملاتی داشته باشند. بنابراین ما بچه‌ها تخته بزرگی را در کانال می‌گذاشتیم تا جریان آب را مسدود کند تا آن‌قدر بالا بیاید که بتوانیم داخل آن بپریم و در آن حمام کنیم.

حمامی هم برای یهودیان وجود داشت. این حمام در این محله ساخته شد، زیرا مسلمان‌ها اجازه نمی‌دادند یهودیان از حمام آن‌ها استفاده کنند. یهودیان برای آن‌ها نجس محسوب می‌شدند.

وقتی خیلی کوچک بودم، پدرم مرا به حمام می‌برد. حیاط سرپوشیده‌ای بود با حوضی کوچک و یک فوارهٔ کوچک تزئینی در وسط. در فضای آنجا صندلی و گلدان وجود داشت. مردم نشسته بودند و منتظر نوبتِ خود بودند تا در خلوت حمام کنند.

آن سالن بزرگ به حمام‌ها منتهی می‌شد. در ورودی، از اتاقی با کمدهای کوچک و پیشخوانی که می‌توانستی روی آن بنشینی، عبور می‌کردی. اینجا لباس‌هایمان را درمی‌آوردیم و آن‌ها را داخل کمدها می‌گذاشتیم. کمدها قفل نبودند. آن موقع‌ها دزدی نبود.

سپس از اتاق بزرگی که حوض کوچکی در وسط داشت عبور می‌کردی. پدرم کنار حوض روی زمین می‌نشست، خودش را با صابون می‌شست و با آب حوض حمام می‌کرد. بعدازآن دوباره دوش می‌گرفتیم و حمام می‌کردیم. همچنین یک میقوه[1]، حوض پاک‌سازی مذهبی، نیز وجود داشت. مردم داخل آن فرومی‌رفتند و به اتاق رختکن برمی‌گشتند تا خشک شوند و لباس بپوشند.

یادم می‌آید که پدرم مرا در سالن بزرگ می‌گذاشت تا برود یک حولهٔ بزرگ از کمد بیاورد و مرا در آن بپیچد. مرا بلند می‌کرد و روی پیشخوان می‌نشاند و در آنجا خشکم می‌کرد و لباسم را می‌پوشاند. بعد خودش لباس می‌پوشید و ما به خانه برمی‌گشتیم.

---

۱. حمامی خاص است که در یهودیت برای غسل کردن مورد استفاده قرار می‌گیرد. (م.)

فصل ۳

روزهای مدرسه

در دبستان که بودم، حداقل ماهی یک بار ما را از مدرسه به حمام می‌بردند. هر بار کلاس متفاوتی می‌رفت. وقتی ما بچه‌ها در رختکن لباس‌هایمان را درمی‌آوردیم و وارد حمام می‌شدیم، آن‌ها پودر دِدِتِ روی لباس‌زیر و لباس‌هایمان می‌ریختند.

من از آن متنفر بودم! خشک‌کردن بعداز حمام و پوشیدن لباس با پودر دِدِتِ نفرت‌انگیز بود. من نمی‌خواستم این کار را انجام دهم، اما چاره‌ای نداشتم.

یک آرایشگر ماهی یک بار به مدرسه می‌آمد و هر بچه‌ای که موهای بلند داشت مجبور بود موهایش را کوتاه کند. موها نمی‌توانست بیشتر از یک سانتیمتر باشد. در آن زمان، نمی‌دانستم که چرا همه باید موهایشان را آن‌طور کوتاه کنند. امروز می‌دانم برای جلوگیری از ابتلای ما به شپش بوده است.

در مرکز محله، نه‌چندان دور از خانهٔ ما، میدان بزرگی بود که ما بچه‌ها بعداز مدرسه همدیگر را می‌دیدیم و گروهی بازی می‌کردیم و هر گروه در گوشه‌ای متفاوت بود. بعضی‌ها تیله‌بازی می‌کردند، بعضی‌ها استیکبال[1] ـ بازی‌ای کمی شبیه بیسبال ـ بازی می‌کردند. برخی فوتبال بازی می‌کردند و برخی والیبال. گروه ما یک بازی انجام می‌داد یا وارد بازی گروه دیگری می‌شد. اگر آن‌ها به ما اجازه بازی نمی‌دادند، بازی آن‌ها را به هم می‌زدیم.

سارا، یکی از دو عمه‌ام، نزدیک ما در مرکز محله زندگی می‌کرد. من خیلی به او سر می‌زدم، چون از بودن با او خوشم می‌آمد و همچنین به این دلیل که، خانه‌اش در مرکز، در منطقه‌ای بود که ما بازی می‌کردیم.

---

1. Stickball.

یک مدرسهٔ یهودی در ایران.

او زنی باهوش و سخت‌کوش بود. با مردی به نام ربیع ازدواج کرد که زن و فرزندِ دیگری در شمال تهران داشت. او را به‌عنوان همسر دوم گرفت چون با همسر اولش کنار نمی‌آمد. نمی‌دانم چرا او را طلاق نداد. او هر دو خانواده را تأمین می‌کرد تا اینکه درنهایت از کمک به همسر اول دست کشید. درمجموع، او مرد خوبی بود، مردی مهربان و آرام.

نزدیک خانه آن‌ها جایی بود که در زمستان آش می‌فروختند. یک‌جور آش گندم بود، خیلی خوش‌مزه. یک دیگ بزرگ بود و آش بیست‌وچهارساعته می‌جوشید. ما بچه‌ها برای آن آش که آن مرد در یک کاسه کوچک با قاشق چوبی برایمان سرو می‌کرد، چند سکه می‌دادیم.

در یک دورهٔ خاص، پدرم مغازهٔ کوچکی در محله اجاره کرد و در آنجا کله‌پاچه درست می‌کرد. در تهران شش هفت مغازه ازاین‌دست بود، مخصوصاً در زمستان، و آن را با تمام قسمت‌های داخلیِ برّه درست می‌کردند. کله‌پاچه تمام شب پخته می‌شد و صبح مردم می‌آمدند تا دیگ‌هایشان را از آن پر کنند. این یک غذای گرم و چرب بود که بدن را گرم می‌کرد.

من همیشه وحشی بوده‌ام. در دنیای خودم زندگی کردم و قوانین خودم را وضع کردم. می‌دانستم چه می‌خواهم و به‌راحتی تسلیم نمی‌شدم. اغلب به چیزی که دنبالش بودم می‌رسیدم.

من اصلاً مدرسه را دوست نداشتم. سه بار در کلاس‌های دوم، سوم و چهارم مردود شدم. متوجه نمی‌شدم چه خبر است و آن‌ها در کلاس چه می‌گویند. درس برای من مثل یک زبان خارجی بود.

من در ردیف آخرِ یک کلاس ۲۵نفره می‌نشستم. همهٔ مشکل‌سازها را کنار هم می‌گذاشتند. من با بداخلاق‌ترین و سرکش‌ترین بچه‌ها بودم. تمام روز می‌خندیدیم و درس‌ها را مختل می‌کردیم و باهم متحد بودیم.

زیاد دعوایم می‌شد و اگر کسی می‌خواست مرا کتک بزند، بعداً پشیمان می‌شد.

بودجهٔ این مدرسه توسط سازمان یهودی تأمین می‌شد. بسیاری از خانواده‌های منطقهٔ ما فقیر بودند. اکثر آن‌ها خانه‌های خود را اجاره کرده بودند و به‌سختی از پس اجارهٔ آن برمی‌آمدند. تقریباً هیچ‌یک از دوستانم پول نداشتند. شهریهٔ مدارس با توجه به درآمد آن‌ها اخذ می‌شد. بااین‌حال، به‌سختی قادر به پرداخت شهریه بودند.

پدرم هر سال با مدیر مدرسه صحبت می‌کرد و او را متقاعد می‌کرد که پول زیادی از ما نگیرد. یادم می‌آید که بابا چطور این‌طرف و آن‌طرف می‌رفت و ترتیب پذیرش ما را می‌داد. در یک مقطعِ زمانی او، هم‌زمان، پنج بچه‌مدرسه‌ای داشت.

گاهی اوقات بابا ما را به پیاده‌روی می‌برد. همه لباس مرتب می‌پوشیدیم و می‌رفتیم شمال شهر تا به ویترین مغازه‌ها نگاه کنیم.

در بین راه، پدرم گاهی به تابلویی در بالای مغازه‌ای اشاره می‌کرد و به من می‌گفت آن را بخوانم. اما من خواندن و نوشتن بلد نبودم، اگرچه تا آن زمان باید بلد می‌بودم.

وقتی به آن فکر می‌کنم، مدرسه برای من مثل زندان بود. معلم‌ها ایرانی (بعضی مسلمان) و خیلی بدجنس بودند. اگر یکی از آن‌ها در خانه مشکل داشت، عصبانی و چوب‌به‌دست به کلاس می‌آمد و ما را می‌زد. همهٔ این‌ها بخشی از روال مدرسه بود.

باید از خودم محافظت می‌کردم تا از معلم و مدیر مدرسه کتک نخورم. همچنین باید از خودم در برابر بچه‌های قلدر دفاع می‌کردم. تعداد زیادی از آن‌ها را در مدرسه داشتیم.

سردستهٔ گروه شرّی که من عضوی از آن بودم به ما می‌گفت انواع شیطنت‌ها را انجام دهیم، مثل پیچاندن مدرسه یا دویدن روی پشت‌بام‌های محله.

یک بچهٔ کوتاه‌قد بود که خیلی قوی بود. او هم یک شر بود. به‌اندازهٔ بچه‌های گروه من

وحشی نه، اما گاهی اوقات به ما ملحق می‌شد. من از او می‌ترسیدم، اما همیشه می‌توانستم روی او حساب کنم و درنهایت تبدیل به دوستان خوبی شدیم.

مدرسه ما یک «مدرسه آلیانس[1]» بود. پسرها و دخترها در دو بخش مجزا تحصیل کردند. دختر و پسر اجازه نداشتند باهم صحبت کنند یا باهم وقت بگذرانند. در مدرسه زبان فرانسه هم می‌خواندیم. معلم فرانسوی دختری جوان و زیبا اهل فرانسه بود که به سبک اروپایی لباس می‌پوشید. برای ما، این غیرعادی بود. زنان و دختران محلهٔ ما بسیار محافظه‌کار بودند و محجوبانه لباس می‌پوشیدند.

وقتی معلم فرانسوی روی میز دانش‌آموزی خم می‌شد، پسری که پشت سر او بود مدادی را روی زمین می‌انداخت تا بتواند زیرِ دامن او را دید بزند. همه به‌نوبت این کار را می‌کردند. او اول متوجه نشد چه اتفاقی دارد می‌افتد، اما وقتی فهمید، حواسش بود که بیشتر مراقب باشد.

یک روز وقتی او روی میز دانش‌آموزی خم شده بود، پسر کناری من انگشتش را روی او تکان داد. من روی دستش زدم و انگشت او به پشت معلم خورد.

معلم می‌دانست که من پسر بد کلاس هستم، برگشت و سیلی محکمی به من زد. بعد مرا به دفتر مدیر مدرسه برد و به او گفت که چه کرده‌ام. او مجبورم کرد یکی‌دو ساعت گوشه‌ای کنار دیوار بایستم.

بعداً متوجه شدم که مدیر و معلم‌ها همه به این ماجرا خندیدند. حتی معلم فرانسه هم خندید ... راستش بعداز آن اتفاق، ما رابطهٔ خوبی برقرار کردیم. شروع به درس خواندن کردم و بهترین شاگرد کلاسِ او شدم. حتی توانستم به زبان فرانسه مکالمه داشته باشم.

یک روز معلم دیگری از دست بچهٔ کناردستی من عصبانی بود. معلم یک خودنویس در دست داشت. این معلم دیوانه نوک خودکارش را به گردن پسر کوبید و گردنش را برید. بلند شدم و داد زدم. «چطور جرئت می‌کنی همچین کاری کنی؟» فریادزنان به حیاط مدرسه دویدم. چه قیل‌وقالی به راه انداختم ... آن پسر را فرستادند تا به بریدگی گردنش رسیدگی شود و مدیر مدرسه همه‌چیز را پنهان کرد.

در حیاط مدرسه، یک‌جور زمین با تور وجود داشت که در آن می‌شد والیبال بازی کرد. در زنگ تفریح، بچه‌های کلاس آن زمین را اشغال می‌کردند، اما ازآنجاکه من آدم خیلی عاقلی بودم، معمولاً من را بازی نمی‌دادند.

گاهی اوقات معلم‌ها و مدیر زمین را برای خودشان می‌گرفتند و نمی‌گذاشتند ما

1. Alliance School.

بچه‌ها بازی کنیم. عصبانی می‌شدیم، اما کاری از دستمان برنمی‌آمد. می‌ترسیدیم، چون می‌توانستند ما را بدجور کتک بزنند.

معلم‌ها با یک چوب بلند ما را می‌زدند. در تمام مدارسِ ایران اوضاع همین‌طور بود، نه‌فقط در مدرسهٔ ما. در آن زمان این روشی برای آموزش بچه‌ها به‌حساب می‌آمد. مدیر مدرسه هم چوبِ بزرگی داشت و وای به حال دانش‌آموزانی که با آن آن‌ها را می‌زد. به پسر دستور می‌داد که دستش را دراز کند و با چوب محکم روی آن می‌کوبید که مثل آتش می‌سوخت، یا اینکه گوش بچه را می‌گرفت و می‌پیچاند. خیلی دردناک بود.

بارها سرکشی کردم. یک معلمی بود که خیلی من را می‌زد، چون همیشه کلاسش را به هم می‌ریختم تا اینکه بالاخره یک روز متوجه شد که زدن من ارزش ندارد.

وقتی معلم‌ها می‌خواستند من را بزنند، مجبور می‌شدم دستم را دراز کنم. اما با پایین آمدن چوب، دستم را می‌قاپیدم. این کار را که با مدیر مدرسه هم انجام دادم، او آن‌قدر عصبانی شد که با چوبش به تمام بدنم ضربه زد.

یک روز که معلم‌ها و مدیر، زمین بازی را از بچه‌ها گرفتند، پشتم را به میلهٔ تور تکیه داده و ایستادم. دستم را بلند کردم و تور را گرفتم. وقتی مربی توپ را به هوا فرستاد ـ تور را پایین کشیدم و سپس رها کردم. تور بالا پرید و مانع از عبور توپ از روی آن شد و باعث شد او امتیاز را از دست بدهد.

مدیر مدرسه به صورتم سیلی زد و بینی‌ام به‌شدت خون‌ریزی کرد.

همه دیدند چه اتفاقی افتاد و من احساس حقارت کردم.

شروع کردم به فحش دادن به مدیر و مدرسه. فریاد زدم: «وایسید و ببینید می‌خوام چی‌کار کنم!» خون را روی تمام صورتم مالیدم و مدیر مدرسه رنگش پرید. به‌سمتِ درِ مدرسه دویدم و فریاد زدم: «همین‌الان می‌رم وزارت آموزش‌وپرورش!»

مدیر و معلم‌ها شوکه شده بودند. مدیر مدرسه رو به دربان فریاد زد: «بگیرش، نذار بره بیرون!» اما آن مرد جرئت نکرد جلوی من را بگیرد و من به بیرون دویدم.

عمویم عَمرام[1] که با خاله‌ام شوشانا[2] ازدواج کرده بود، مردی محترم بود. او یک دفتر و یک تجارت واردات لاستیک داشت. همیشه جذاب به نظر می‌رسید و کت‌وشلوار و کراوات می‌پوشید. او دوست داشت معاشرت کند و مشروب بنوشد و با بسیاری از افراد مهم شهر مانند رئیس پلیس و افراد نزدیک به شهردار ارتباط داشت. او همچنین با افرادی

---

1. Amram.
2. Shoshana.

در وزارت آموزش‌وپرورش ارتباط داشت ...

وقتی خونین‌ومالین از مدرسه بیرون زدم، از یک تلفن عمومی با دفترش تماس گرفتم و به او گفتم چه اتفاقی افتاد. گفت دارد می‌آید و از جایم تکان نخورم. تقریباً یک ساعت منتظرش ماندم.

او با ماشین همراه با خانمی مسن و با ظاهری محترم از راه رسید. او را به‌عنوان مدیر وزارت آموزش‌وپرورش یا چیزی شبیه به آن به من معرفی کرد و گفت: «بجنب، بیا برویم.»

با ماشین به‌سمتِ مدرسه رفتیم و پیاده به‌سمتِ در رفتیم. دربان ما را دید که داریم می‌آییم و منتظر بود ببیند چه می‌شود. بقیه هم همگی منتظر بودند.

از در عبور کردیم و من آن‌ها را به‌سمتِ دفتر مدیر راهنمایی کردم. پشت میزش نشسته بود. وقتی ما را دید، تقریباً نفسش بند آمد. عمویم خودش و آن خانم مرتبط با وزارت آموزش‌وپرورش را معرفی کرد. مدیر مدرسه نزدیک بود بیهوش شود.

از من خواستند بیرون منتظر بمانم تا صحبت کنند. نمی‌دانم چه گفتند. اما وقتی بیرون آمدند عمویم به من گفت صورتم را بشویم و برگردم سر کلاس. او قول داد که همه‌چیز درست می‌شود و از این به بعد مدیر مدرسه دیگر به من دست نمی‌زند.

به کلاس برگشتم و از آن روز مدیر و هیچ معلم دیگری جرئت نکردند روی من دست بلند کنند. البته هیچ‌کدام از بچه‌های دیگر هم این کار را نکردند.

عَمرام، روحش شاد، مردی که آقای ز را در ایران نجات داد، یک بار از دست پلیس و یک بار در مدرسه.

حالا رفتار وحشیانه‌ام را به چشم غریزهٔ بقا می‌بینم. در ابتدا موردقبول دیگران قرار نمی‌گرفتم و این روی رفتارم تأثیر می‌گذاشت. این روشِ من برای مقابله بود.

در ابتدا سعی می‌کردم کارها را با ملایمت انجام دهم، و اگر نتیجه نمی‌داد، بدرفتار می‌شدم. «آنچه با حرف به نتیجه نمی‌رسد، با زور جواب می‌دهد.» این عبارتی است که بعدها، زمانی که در یک مزرعهٔ اشتراکی در اسرائیل زندگی می‌کردم، با آن آشنا شدم.

من در سن ۱۵سالگی پس‌از نه سال، و با سه بار مردودی، از مدرسه فارغ‌التحصیل شدم. گواهی فارغ‌التحصیلی‌ام را تا الان هم دارم.

فصل ۴

یوم کیپور[1] در تهران

وقتی در «کوچهٔ هفت کنیسه» زندگی می‌کردیم، کنیسهٔ بزرگ درست روبه‌روی خانهٔ ما بود. حیاطی بزرگ داشت با یک سالن بزرگ در داخل، برای مراسم.

پدرومادرم خیلی مذهبی نبودند. ما فقط در ایام اعیاد به آنجا می‌رفتیم ـ دقیق‌تر بگویم، عمدتاً در یوم کیپور.

من دورهٔ ایام اعیاد و مخصوصاً یوم کیپور را خیلی دوست داشتم. حتی یهودیانی که به دلیل بهبود وضعیت اقتصادیِ خود به شمال تهران نقل‌مکان کرده بودند، برای تعطیلات به کنیسه‌های محله برمی‌گشتند. به همین دلیل تعداد آن‌ها بسیار زیاد بود.

در روز یوم کیپور، کسانی که از شمال شهر می‌آمدند نمی‌توانستند به خانه برگردند و شب را در خودِ کنیسه می‌خوابیدند.

تشک‌ها و بالش‌ها دورتادور پهن شده بودند و هرکسی گوشه‌ای را اشغال می‌کرد. بزرگ‌ترها داستان‌ها و جوک‌های تورات را تعریف می‌کردند و همه می‌خندیدند. من به‌عنوان یک کودک این را دوست داشتم. شب را در آنجا سپری می‌کردم، باوجوداینکه درست روبه‌روی کنیسه زندگی می‌کردیم. پدرم ترجیح می‌داد به خانه برود و بخوابد. صبح، کنیسه و حیاط مملو از جمعیت بود. «عزرت نشیم» ـ بخش زنان ـ نیز کاملاً پر می‌شد. واقعاً فضای خوبی بود.

در شب یوم کیپور، گابایی[2]، مسئول اجرای قوانین و مقررات کنیسه، شمعی بزرگ به طول یک متر روشن می‌کرد که تا پایان عید دوام می‌آورد. وقتی تمام می‌شد، موم ذوب‌شده

---

۱. روز بخشایش گناهان، روز آمرزش. مهم‌ترین جشن مذهبی یهودیان و مقدس‌ترین روز در گاه‌شمار عبری است. (م.)
2. Gabai.

را بین مردمی که از چرخاندن آن دور دستان خود لذت می‌بردند، توزیع می‌کرد. مانند خاک رسِ سفالگری قهوه‌ایِ روشن بود و بویی مطبوع داشت. یادم هست گابایی می‌آمد و یک تکه به من می‌داد. من عاشق فضای خاص عید بودم.

حداقل سالی یک بار یکی‌دو خانواده که وضع مالی‌شان بهتر شده بود محله را ترک می‌کردند. هم‌زمان، یهودیان از مناطق روستایی و شهرهای کوچک‌تر وارد تهران می‌شدند و مکان طبیعی برای رفتن آن‌ها محلهٔ یهودی‌نشین تهران بود (مایلم تأکید کنم که من تنها کسی هستم که آن را «محلهٔ یهودی‌نشین» می‌نامم. چون برای من چنین حسی داشت). آن‌ها می‌توانستند یک اتاق را ارزان اجاره کنند، و کنیسه‌های کافی، مغازه‌های قصابیِ کوشر و هرچیزِ دیگری که برای داشتن یک زندگی یهودی لازم است در آنجا وجود داشت.

ازقضا، هیچ امکانات کوشری در شمال شهر که یهودیان ثروتمند در آن زندگی می‌کردند وجود نداشت، بنابراین آن‌ها هفته‌ای یک بار به محله می‌آمدند تا خرید خود را از ما انجام دهند. جامعه و مدرسه از این تجارت سود می‌بردند.

فصل ۵

پدر و دوستانش

پدرم و دوستانش عصرها، هر بار در خانه‌ای متفاوت، ملاقات می‌کردند. هرچند وقت یک‌بار، او من را با خودش می‌برد. آن‌ها در اطراف یک میز پوشانده‌شده با رومیزی می‌نشستند، می‌خورند و داستان و جوک تعریف می‌کردند. هرکدامشان در مورد فروشی که کرده بود و اتفاقاتی که برایش افتاده بود حرف می‌زد. آن‌ها سعی می‌کردند کوشر را نگه دارند و خودشان غذا را آماده می‌کردند. وقتی برای کار به خارج از شهر می‌رفتند، گاهی اوقات یک خروس می‌خریدند. پدر من آن را قصابی می‌کرد، و آن‌ها آن را می‌پختند و می‌خوردند. آن‌ها بازرگانانِ پارچه بودند که پارچه را از بازار بزرگ در تهران خریداری می‌کردند، سپس به شهرها و روستاهای کوچک سفر می‌کردند، خانه به خانه می‌رفتند و پارچه را می‌فروختند.

مردم در خیابان اصلی محله جمع می‌شدند. والدینِ من نیز به آنجا می‌رفتند، آجیل می‌شکستند و می‌خورند و حرف می‌زدند. بعدازظهرهای روزهای جمعه، یک فضای بسیار جشن‌مانند وجود داشت، چون همه باافتخار گندیِ[1] معروف همسرشان، یک غذای کوفته‌قلقلی یهودی فارسی را با خود می‌آوردند. ما روی پیاده‌رو می‌نشستیم و می‌خوردیم.

بیش‌از یک بار، وقتی دوستان پدرم سوار تاکسی بودند، پدرم من را روی دوچرخه، پشت سرش، می‌نشاند و ما با دوچرخه در کنار آن‌ها می‌راندیم. همهٔ آن‌ها درحالی‌که تاکسی در حال حرکت بود، صحبت می‌کردند و می‌خندیدند.

یک بار، هنگامی‌که پدرم با دوستانش ملاقات کرد ـ فکر می‌کنم حدوداً پنج‌ساله بودم ـ او فکر کرد که من در سنی هستم که نمی‌فهمم چه خبر است، بنابراین جرئت کرد من را

1. Gandi.

با خودش ببرد. من را سوار دوچرخه کرد و آن‌ها به یک‌جور حیاط در یک خانهٔ خصوصی رفتند. یک زن مسئول آنجا بود.

پدرم من را به او معرفی کرد. پدر و دوستانش داخل شدند. به یاد دارم که آن زن بسیار مهربان بود. او من را برای پیاده‌روی در اطراف آن محله برد و برایم آب‌نبات خرید. بعد پدر و من به خانه برگشتیم. سال‌ها بعد بود که فهمیدم آن جایی که رفته بودیم یک فاحشه‌خانه بود.

فصل ۶

دوچرخه

وقتی حدوداً ده‌ساله بودم، دوچرخه اجاره می‌کردیم و در اطراف محله و خارج از محله هم سوار می‌شدیم. بعضی از بچه‌ها پول داشتند. اما من هرگز هیچ پولی نداشتم.

در خانه، به‌جای کمد، یک ساک داشتیم که همهٔ لباس‌هایمان در آن بود. یک‌بار وقتی داشتم آن را می‌گشتم، در جیب کت پدرم مقداری اسکناس پیدا کردم. من نمی‌دانستم که آن‌ها قدیمی و نادر، بسیار باارزش و خارج از گردش بودند.

چندین بار یک اسکناس از آنجا کش رفتم و به مردی که دوچرخه را با آن اجاره می‌داد پرداختم. او از چنین اسکناس ارزشمندی راضی بود، اما طوری رفتار می‌کرد که گویی فقط نیم تومان (معادل نیم شِکِل[1]) ارزش دارد. من با آن یک دوچرخه اجاره می‌کردم، اما بقیهٔ مناسب ارزش پول را دریافت نمی‌کردم.

یک روز پدرم فهمید که مقداری از پولش گم شده. دادوبیداد و همهمه بود. من کناری نشستم و چیزی نگفتم. آن موقع بود که فهمیدم آن پول ارزش ویژه‌ای داشت. هرگز آن را فراموش نکرده‌ام و متأسف شدم. در طول زندگی بزرگ‌سالی‌ام به دیگران کمک کرده‌ام و سعی در جبران آن داشته‌ام.

سکه‌های دوریالی ایرانی.

---

۱. Shekel، واحد پول اسرائیل که در سرزمین‌های فلسطینی نیز استفاده می‌شود. (م.)

فصل ۷

پدربزرگ یوسف و مادربزرگ تووا[1]

پدرِ مادرم، یوسف، مردی نسبتاً ثروتمند بود. او یک پسر و چهار دختر داشت و تنها یهودی‌ای بود که خانه‌اش در ضلع شرقی محله واقع بود، جایی که مسلمان‌ها زندگی می‌کردند. او در آنجا با مادربزرگ تووا و پسرش منوچهر زندگی می‌کرد، در خانه‌ای محصورشده با حیاطی بزرگ که همه‌اش مال خودش بود.

منوچهر همیشه کت‌وشلوار و کراوات‌های زیبایی می‌پوشید. به‌ندرت در خانه بود و هرگز دوروبرِ محله پیدایش نمی‌شد. او به‌هیچ‌وجه با محله تناسب نداشت و من هرگز نمی‌دانستم که او چه می‌کند.

او با زنان مسلمان قرار می‌گذاشت و با دو زن مسلمان ازدواج کرد، اما فرزند نداشت. ازآنجاکه تنها پسر در بین چهار خواهر دیگر بود، پدربزرگ با او بسیار ویژه رفتار می‌کرد و هرآنچه می‌خواست را به او داد.

یکی از همسرانِ مسلمانش بسیار زیبا بود. همه در خانواده او را دوست داشتند. او انسانی بزرگ بود. یک بار به دیدار ما آمد، اما سرانجام دایی منوچهر او را طلاق داد و با یک زن بزرگ‌تر از خودش ازدواج کرد که دائماً با او دعوا می‌کرد و او را نفرین می‌کرد. دایی از او می‌ترسید. بعضی اوقات از دست او فرار می‌کرد و به خانهٔ پدربزرگ می‌رفت. سال‌ها قصد داشت از شر او خلاص شود و نتوانست. احتمالاً قبل از ازدواج نوعی توافق‌نامه بدون هیچ مبلغ مشخص‌شده در صورت طلاق امضا کرده بود، و همسرش می‌توانست درازای هر مبلغی که می‌خواست، از او شکایت کند. در آن زمان در ایران، اگر بدهی را پرداخت نمی‌کردید، به زندان می‌افتادید. این‌گونه بود که آن زن به او چسبیده بود.

1. Tova.

وقتی پنج‌شش‌ساله بودم، پدربزرگ و مادربزرگم هنوز در محله زندگی می‌کردند، در خیابانی که به بازار منتهی می‌شد. آن‌ها یک درخت توت در حیاط داشتند با شاخه‌هایی که روی کل خانه پخش شده بودند. به آنجا که می‌رفتیم، ما بچه‌ها از پشت‌بام بالا می‌رفتیم و توت می‌خوردیم.

یادم می‌آید مادربزرگ تووا قدکوتاه و چروکیده بود، اما زنی عالی بود. او یک کلبهٔ کوچک در فضای باز بدون پنجره و بدون هیچ‌چیزی داشت که در آن می‌نشست و آشپزی می‌کرد. یادم می‌آید که چطور چوب‌های کوچک تنهٔ درختی را می‌شکست تا در زیر یک قابلمهٔ سفالی آتش روشن کند تا غذا بپزد. آن پخت‌وپزی آهسته، مانند آشپزی روی آتش، در فضای باز بود. اما خدای من، چه غذاهای خوش‌مزه‌ای درست می‌کرد! یادم می‌آید که چطور عادت داشت برای پسرش که بزرگ شده بود و فکر می‌کنم چهل سال داشت آشپزی کند. آشپزی و شست‌وشو، این تمام کاری بود که او صبح تا شب انجام می‌داد. این زندگی او بود.

او برای پسرشان زندگی می‌کرد، نه برای همسرش. پدربزرگ با او مهربان نبود. سرش داد می‌زد و او را تهدید می‌کرد. به یاد دارم که مادربزرگ چگونه برای محافظت از خودش جیغ می‌کشید.

هربار که به دیدن او می‌رفتیم، به ما آب‌نبات می‌داد که لای یک دستمال در کمد پنهان می‌کرد. من یک بار آن‌ها را پیدا کردم، بدون اینکه او بفهمد. در مورد مخفیگاه به خواهرانم گفتم و دستمال را با تمام آب‌نبات‌ها برداشتم.

دفعهٔ بعد که رفتیم، مادربزرگ رفت آب‌نبات‌ها را بردارد که به ما بدهد و نتوانست آن‌ها را پیدا کند. من فکر می‌کنم او می‌دانست که این کار من بود، اما بابتش قیل‌وقال نکرد ... چه زنی بود ... یک فرشته!

از طرف دیگر پدربزرگ یوسف فقط به خودش و پسرش اهمیت می‌داد. او واقعاً مردم را اصلاً دوست نداشت. کسانی بودند که او بهشان احترام می‌گذاشت و کسانی که برایشان احترامی قائل نبود. او اهمیتی نمی‌داد که برای افراد پیرامونش چه اتفاقی می‌افتد.

یک بار وقتی به دیدن او رفتیم، یک انار را برداشت و آن را فشار داد تا اینکه تمام آبش در داخل آن جمع شد، سپس سوراخی در آن ایجاد کرد و تمام آن آب را مکید. بعد آن انار خشک را به من یا خواهرم داد که بخوریم. من آن را تا به امروز به یاد می‌آورم. چطور توانست این کار را با نوه‌های خود بکند؟

اگرچه من با احترام با او رفتار کردم، اما هرگز خودخواهی او را فراموش نخواهم کرد.

پدرم نیز از دست او بسیار آزرده‌خاطر بود.

بعضی اوقات مادربزرگ تووا حدود یک هفته در خانه ما می‌ماند و مادرم مجبور نبود کاری انجام دهد. به‌عنوان یک بچه، این موضوع برایم عجیب بود. بعدها فهمیدم قضیه از چه قرار است.

وقتی مادر دورهٔ عادت ماهیانه‌اش را می‌گذراند، اجازه نداشت دست به غذا بزند. بنابراین مادربزرگ می‌آمد و غذاهایی خوش‌مزه برای ما درست می‌کرد. مادر من نیز آشپز خوبی بود، اما نه به‌خوبیِ مادربزرگ تووا.

من فکر می‌کنم که نیدا[1]، هفت روزی که یک زن به دلیل خونریزی قاعدگی ناپاک است، وقتی دست زدن به غذا برای مادرم ممنوع بود، بعدها بر روی روابط من با زنان تأثیر گذاشت.

1. Nida.

فصل ۸

نخستین مشاغل برای پول توجیبی

ما فقیر بودیم، و من همیشه برای انواع چیزها به پول نیاز داشتم. به همین دلیل از همان سنین پایین، انواع کارها را ـ با تشویق مادرم ـ پیدا کردم.

وقتی هشت‌ساله بودم، در راه بازگشت از مدرسه، جلوی یک مغازهٔ الکتریکی متوقف شدم، در بیرون ایستادم و نگاه کردم. مرد جوانِ داخل مغازه پرسید که آیا کار می‌خواهم. گفتم علاقه‌مندم. او به من قول پول خوبی داد. می‌خواستم ببینم چه‌جور کاری است. او مرا به ته مغازه برد. یک درب کوچک در زیر پله‌ها وجود داشت، یک مکان تاریک با سیم‌های زیادی که آن اطراف قرار داشتند، و او به من گفت که سیم‌ها را جدا کنم.

وقتی داخل رفتم تا مشغول کار شوم، او شروع کرد به لمس کردن من. به صورتش لگد زدم و بر سرش داد کشیدم، درحالی‌که همچنان محکم لگد می‌زدم. او رفت بیرون، چمباتمه زده در درگاه مغازه نشست، درحالی‌که بینی‌اش داشت خونریزی می‌کرد. بیرون رفتم و فرار کردم. بعد فکر کردم که چطور می‌توانم از این پسر عوضی به خاطر آنچه سعی کرد با من انجام دهد انتقام بیشتری بگیرم.

چندین بار در شب وقتی مغازه بسته بود به آن حوالی رفتم. یک بار توی قفل مغازه‌اش سیمان ریختم تا نتواند در را باز کند، و یک بار کبریت روشن به داخل انداختم. هر بار انواع مختلفی از آسیب را انجام می‌دادم تا از او انتقام بگیرم.

در طول مدتی که در کوچهٔ هفت کنیسه زندگی می‌کردیم، همسر صاحب‌خانهٔ آنجا با ما در همان حیاط زندگی می‌کرد. آن‌ها مسلمان بودند. شوهرش با او زندگی نمی‌کرد، چون همسر دیگری داشت. در ایران در آن روزها، هم مردان یهودی و هم مردان مسلمان می‌توانستند با چندین زن ازدواج کنند.

صاحب‌خانه یک تاجر بود که در بازار فرش و چادر می‌فروخت. من بعداً برای او هم کار کردم. او من را به سراغ یک فروشندهٔ تریاک می‌فرستاد تا از او تریاک بخرم چون خودش یک مصرف‌کننده بود. بسیاری از افراد در ایران عادت داشتند تریاک بکشند. در آن روزها مجاز بود. بعداً ممنوع شد، اما حتی همان موقع هم قانون اجرا نشد و مردم به کشیدن ادامه دادند.

یک بار که رفته بودم برایش تریاک بخرم، یک بست تریاک مدادمانند بود، کمی بلندتر از انگشت دست. وقتی آن را به مغازه‌اش بردم، او آنجا نبود. بنابراین تریاک در جیب من ماند و من یادم رفت و او هم یادش رفت.

بعداً مادرم آن را در جیب من پیدا کرد و به‌شدت وحشت کرد. او متوجه نشد که من با آن چه می‌کردم. من هشت یا نه ساله بودم. به او گفتم که این برای صاحب‌خانه است و به‌اشتباه دست من باقی مانده، و او به سراغ صاحب‌خانه رفت تا ببیند من راست می‌گویم یا نه.

❋ ❋ ❋

شب‌های شنبه، بچه‌های محله به سینما می‌رفتند و بعداز آن بستنی می‌خریدند. من بارها و بارها نرفتم، چون پول نداشتم و خیلی ناامید می‌شدم. روز بعد، در طول زنگ تفریح در مدرسه، همهٔ بچه‌ها دورهم جمع می‌شدند و با اشتیاق در مورد فیلمی که در سینما تماشا کرده بودند صحبت می‌کردند.

من شروع کردم به برداشتن پول از قلک‌های کوچک خواهرانم، طفلکی‌ها... دو تومان برمی‌داشتم ـ حدود دو شِکِل. پول زیادی نبود، اما برای آن‌ها خیلی بود ـ و به سینما می‌رفتم. از هرجایی که می‌توانستم پول برمی‌داشتم تا بتوانم با بقیه بچه‌ها بروم. در حقیقت، همیشه مطمئن می‌شدم که برای خرید بستنی یخی یا اجاره کردن دوچرخه به مدت یک ساعت برای پرسه زدن با دوستانم پول دارم. همیشه کم‌وبیش از پسش برمی‌آمدم.

یک روز، وقتی ۱۰ یا ۱۱ ساله بودم، یک بازار عمده‌فروشی دیدم که اسباب‌بازی‌های پلاستیکی کوچک می‌فروخت ـ اتومبیل، عروسک، حیوانات، حدود پنجاه قطعه در یک کیسه. من یک کیسه خریدم و در نزدیکی مهدکودک نشستم. وقتی مادران بچه‌ها در پایان روز برای بردن آن‌ها می‌آمدند، من کاغذی روی زمین پهن می‌کردم، همهٔ اسباب‌بازی‌ها را مرتب می‌چیدم و آن‌ها را به مادران کودکانی که از مهدکودک خارج می‌شدند می‌فروختم. یکی را یک سکه می‌فروختم، یکی دیگر را ده سکه. این روش دیگری برای کسب درآمد بود.

یک بار برای یک مرد یهودی که صاحب یک بقالی بود کار کردم. او پنیر شور درست

می‌کرد و آن را در مغازه می‌فروخت. من دو پسر او را می‌شناختم. آن‌ها هم‌سن من بودند و به همان مدرسهٔ من می‌رفتند. من در مغازهٔ پدر آن‌ها کار می‌کردم و برای آخر هفته چند سکه درمی‌آوردم. این احساس را داشتم که او واقعاً به من نیاز ندارد، اما به من پول می‌داد تا بتوانم هر شنبه‌شب با پسرانش به سینما بروم.

تابستان‌ها، مادرم مجبورم می‌کرد که بیرون بروم و کار پیدا کنم، چون وقتی پدرم در خانه نبود، او به‌شدت به پول نیاز داشت. در ۱۰سالگی، برای یک یهودی به نام میر[1] کار می‌کردم که چادر مسافرتی‌های بزرگ را اجاره می‌داد، می‌فروخت و تعمیر می‌کرد. کار کردن برای او خوب بود، چون او بهتر از سایر فروشندگان پول می‌داد.

او مرد بسیار خوبی بود. برایم ناهار می‌خرید، و خوب پول می‌داد. سرم را نوازش می‌کرد، و کم‌کم نوازش‌ها افزایش یافت. من آن را دوست نداشتم، بنابراین از او دوری می‌کردم.

یک روز، او مبلغی سخاوتمندانه برای کار در یک رویداد بزرگ در حیاط خانه‌اش به من پیشنهاد داد ـ یک مهمانی نامزدی برای یکی از فرزندانش. وقتی مراسم تمام شد، او گفت که خیلی دیر شده که من را به خانه ببرد. پیشنهاد کرد که من در خانه او بخوابم و صبح مرا بازگرداند. یک پتو در حیاط پهن کرد، به من گفت که آنجا بخوابم و کنار من دراز کشید ... وقتی خواب بودم، سعی کرد من را لمس کند ـ من تا آنجا که می‌توانستم دور شدم تا نزدیکِ او نخوابم. پس از آن دیگر برای او کار نکردم.

بار دیگر در بازار برای مرد مسلمانی که صاحب‌خانهٔ ما بود و فرش‌فروش، کار کردم. وقتی مشتری برای دیدن فرش‌ها می‌آمد، به همراه یک بچه دیگر، فرش‌ها را یکی‌یکی پهن می‌کردم تا خریدار بتواند همه آن‌ها را ببیند. صاحب‌خانه سعی می‌کرد خریدار را متقاعد کند که مردی قابل‌اعتماد است و به سر من قسم می‌خورد، انگار که من پسرش بودم. دست خود را روی شانهٔ من می‌گذاشت و به خریدار می‌گفت: «به جانِ پسرم، این همین‌قدر برام دراومده.» من هرگز آن را فراموش نمی‌کنم. غیرازاین، او مرد خوبی بود.

بعضی اوقات پدر پول برای پرداخت اجاره نداشت، اما صاحب‌خانه هرگز مشکلی برای ما درست نکرد. همسر مسلمانِ او که در حیاط ما زندگی می‌کرد نیز زن خوبی بود، به‌جز اینکه گهگاه فریاد می‌زد که در خانه سکوت برقرار شود. اما در کل او با ما بچه‌ها مهربان بود. او تنها فرد مسلمان در کوچه‌هایی بود که تقریباً همهٔ افراد یهودی بودند.

در همان سن ـ ۱۰، ۱۱سالگی ـ من برای شخصی در یک بخش تجاری در شمال

---

1. Mir.

شهر، یک منطقهٔ نسبتاً مرفه، کار کردم. آنجا نزدیکِ تنها پاساژ در تهران بود. فروشگاهی بزرگ بود که می‌توانستی همه‌چیز ازآنجا بخری، از وسایل خانگی گرفته تا لباس. همچنین چندین مغازهٔ یهودی در این منطقه وجود داشت. این‌ها یهودیانی بودند که پول خوبی کسب کرده بودند و از محله به شمال شهر نقل‌مکان کرده بودند. در حقیقت، کسانی که در محله باقی مانده بودند، کسانی بودند که موفق نشده بودند.

یک فروشگاه یهودیِ بزرگ پارچه وجود داشت، و در کنار آن، به طول کل فروشگاه، یک قفسه جوراب و لباس‌زیر قرار داشت که متعلق به یک تاجر دیگر بود. من برای او کار می‌کردم.

ما روی جعبه‌هایی در پیاده‌رو می‌نشستیم و چیزهایی را برای فروش به رهگذران ارائه می‌دادیم. بعضی اوقات او به خرید می‌رفت و من به‌تنهایی آنجا می‌ماندم و کار فروش را انجام می‌دادم.

ظهر، رئیس من وارد فروشگاه می‌شد، می‌نشست و غذایش را در پشت پیشخوان می‌خورد و مقداری برای من می‌گذاشت. یهودیان ناهار خود را از خانه می‌آوردند. ازآنجاکه آن‌ها کوشر بودند، بیرون غذا نمی‌خوردند. هنگامی‌که غذایش تمام می‌شد، او به پَستو، غرفه، برمی‌گشت و من به داخل می‌رفتم و می‌نشستم و غذایم را می‌خوردم، سپس به سرِ کار خود برمی‌گشتم.

من پشت پیشخوان می‌نشستم تا غذا بخورم. یک روز متوجه شدم که کشوی پول نقد باز است. یک صندوق پول نبود، بلکه فقط یک کشو بود و هیچ‌چیز بین من و کشو وجود نداشت. فهمیدم که پول زیادی در آنجا وجود دارد.

البته، درست مثل گرسنه‌ای که غذا می‌بیند، کاملاً کور شده بودم. یک روز، دستم را دراز کردم و یک اسکناس برداشتم. آن هفته، من به‌اندازهٔ روتشیلد[1] ثروتمند بودم. البته اشتهای من زیاد شد و به برداشتن پول ادامه دادم تا زمانی که گیر افتادم و آن کار را از دست دادم.

من از مواردی ازاین‌دست درس زندگی آموختم. به‌هیچ‌وجه بابت هر کاری که کردم و آنچه پشت سر گذاشتم متأسف نیستم.

قبلاً در مورد مصا، نان بی‌نظیر برای عید پسح که در کنیسهٔ محله تهیه می‌شد، به شما گفتم. عید پسح همچنین فرصتی برای ما بچه‌ها برای کسب درآمد بود. مصا مانند پیتاهای بزرگ، به قطر نیم متر بود و به همان روش پیتاها در فر پخته می‌شد. کار ما این بود که مصا

1. Rothschild.

را از فر دربیاوریم و آن را روی نیمکت‌های کنیسه در حیاط قرار دهیم تا خشک شود. پس‌از خشک شدن، آن را جمع می‌کردیم و به انبار می‌آوردیم تا فروخته شود.

مردم اتومبیل‌های خود را در خیابان اصلی پارک می‌کردند و برای خرید مصا مسیری طولانی تا کنیسه را از میان کوچه‌ها پیاده می‌آمدند. آن‌ها نان‌ها را روی همدیگر می‌گذاشتند و آن‌ها را در پارچه‌ای که با خود می‌آوردند، می‌پیچیدند.

ما بچه‌ها در صف می‌ایستادیم و منتظر مشتری بعدی می‌شدیم و مصا را برای خریدار، تمام مسیر تا خیابان، یا ماشینش یا خانه‌اش می‌بردیم و چند سکه برای آن کار می‌گرفتیم.

ما گاهی اوقات برای مصا «ماهیگیری» هم می‌کردیم. یکی از بچه‌ها از پشت‌بام کنیسه بالا می‌رفت، یک سیم را با یک گیره لباس می‌چرخاند، و هنگامی‌که یک مصای پخته‌شده از فر تا میزِ خشک شدن در راه بود ـ من آن را به گیره وصل می‌کردم و آن بچه آن را به بالای پشت‌بام می‌کشید. مثل ماهی گرفتن.

در تابستان، همهٔ پسرها به دنبال کار بودند. من یک بار برای یک میوه‌فروش با یک گاری کار کردم. او در خیابان در وسط محله متوقف می‌شد و مردم می‌آمدند و از او میوه و سبزیجات می‌خریدند. من میوه را برای مشتری‌ها بسته بندی می‌کردم، کارتن‌ها را باز می‌کردم و این‌جور کارها، و کمی پول درمی‌آوردم.

فصل ۹

خانهٔ جدید

وقتی ده‌یازده‌ساله بودم، والدینم تصمیم گرفتند که باید خانه‌مان را عوض کنیم چون دو فرزند دیگر هم داشتند و اتاقی که در آن زندگی می‌کردیم زیادی کوچک بود.

ما به خانهٔ دیگری نقل‌مکان کردیم و اتاقی را اجاره کردیم که کمی بزرگ‌تر از اتاق قبلی بود. آن اتاق دو در چوبی سنگین داشت. برای رسیدن به آن، از یک بالکن عبور می‌کردیم که در آنجا دو اتاق دیگر وجود داشت. در هر یک از آن‌ها خانواده‌ای زندگی می‌کردند. در کنار ما در سمت راست پله‌هایی قرار داشت که به حیاط منتهی می‌شد و در آنجا هم دو اتاق دیگر وجود داشت. چهار خانواده در حیاط زندگی می‌کردند که در کنار ساختمانِ سه‌طبقهٔ مهدکودک بود، همانی که من وقتی کوچک بودم به آنجا می‌رفتم.

مخزن ذخیرهٔ آب در زیر دو اتاق واقع در بالکن قرار داشت و در زیر اتاق ما توالت‌ها و یک اتاق سردخانه، یک زیرزمین خنک و مرطوب قرار داشت. مستأجران مواد غذایی خود را در آنجا نگه می‌داشتند تا خراب نشوند. البته آشپزخانه نداشتیم. ما در کنار اتاق خود یا در زیرزمینِ تاریک و سرد غذا می‌پختیم.

تشک هم نداشتیم. روی پتوهای ضخیمی می‌خوابیدیم که مادرم هر شب کف اتاق پهن می‌کرد. هرکسی در گوشه‌ای می‌خوابید. صبح‌ها، او تمام پتوها را تا می‌کرد و آن‌ها را در گوشه‌ای روی‌هم می‌چید. این بخشی از کارهای روزمرهٔ مادر بود.

در تابستان، از پشت‌بام بالا می‌رفتیم، پتوها را پهن می‌کردیم و بیرون می‌خوابیدیم چون داخل هوا بسیار گرم بود.

در اواسط یک شبِ تابستان که در پشت‌بام خواب بودیم، یک زلزلهٔ ناگهانی رخ داد. ما را از خواب بیدار کرد و ما می‌توانستیم حس کنیم که کل پشت‌بام مانند تاب به جلو و

عقب تکان می‌خورد. بلوک‌های زغالی شروع کردند به سقوط از ساختمان مهدکودک که بسیار نزدیک و بالاتر از خانهٔ ما بود. مادرم ترسیده بود و شروع کرد به فریاد زدن تا همه ما به‌سرعت از پله‌ها پایین و بیرون از خانه داخل خیابان اصلی برویم. همه از خانه‌های خود به خیابان آمدند، آن دوروبر ایستادند و با هیجان صحبت می‌کردند. پسرعمویم منوچهر را آنجا دیدم. شروع کردیم به راه رفتن در خیابان اصلی به‌سمتِ منطقهٔ مسلمان‌ها و دیدیم که افرادی در خیابان روی تشک خوابیده‌اند. دیروقت بود و آن‌ها از بازگشت به خانه‌های خود می‌ترسیدند. ما سروصدایی کردیم تا آن‌ها را بترسانیم و فرار کردیم.

همهٔ ساکنان ساختمان ما قبل از ورود به اتاق خود، کفش‌هایشان را در حیاط درمی‌آوردند. یک روز خیلی ناراحت به خانه آمدم. یادم نمی‌آید چرا، اما تصمیم گرفتم دق‌ودلی‌اش را سرِ کفش همسایه‌ها خالی کنم. همه آن‌ها را برداشتم و داخل حوض زینتی با پمپ که وسط حیاط بود انداختم.

وقتی مادرم به خانه آمد و دید که چه اتفاقی افتاده است، به‌شدت عصبانی شد. شروع کرد به داد زدن سرِ من و دنبالِ من کردن، درحالی‌که سعی داشت من را بگیرد و کتک بزند. من دورِ حوض دویدم، اما او من را گرفت، چند بار به پشت من زد و سرم فریاد کشید تا قبل از اینکه کسی کفش‌ها را ببیند کمک کنم که آن‌ها را از حوض بیرون بیاوریم.

همسایه‌هایی که آن موقع در خانه بودند، از جیغ و فریاد ناراحت نشدند، چون آن‌ها به شنیدن جیغ‌های مادرم عادت داشتند. او سعی کرد با دست‌هایش به کفش‌ها برسد و موفق نشد. حوض کوچک، اما عمیق بود. من می‌ترسیدم داخل آن بروم چون شنا کردن بلد نبودم.

قبل از تلویزیون، رادیو منبع سرگرمی ما بود.

پمپی شبیه آنچه ما در حیاط برای مخزن آب داشتیم.

مادر یک‌جور چوب‌لباسی فلزی با قلاب‌هایی که از دو جهت تقسیم می‌شدند را بیرون آورد. آن را به طناب گره زد، مثل چوب ماهیگیری و برای گرفتن کفش‌ها، چوب‌لباسی را به داخل آب انداخت، اما فایده نداشت. کفش‌ها مرتباً از قلاب می‌افتادند. او مرتب جیغ می‌زد و من را کتک می‌زد و بیشتر و بیشتر عصبانی می‌شد. من شروع کردم به دویدن به‌سمتِ پله‌های خروجی خانه.

وقتی در نیمه‌راه پله‌ها بودم، او چوب‌لباسی را به‌سمتِ من انداخت. خوشبختانه به کمرم فرورفت و نه جایی دیگر. درحالی‌که گریه می‌کردم و فریاد می‌کشیدم، خودم را چند پله بالا کشیدم و به در خانه رسیدم. او به من رسید و سعی کرد چوب‌لباسی را بیرون بکشد اما نتوانست، و همچنان گریه می‌کرد، فریاد می‌کشید و من را می‌زد.

همسایه‌ها بیرون آمدند و سعی کردند جلوی او را بگیرند. یادم نمی‌آید که آیا آن‌ها موفق شدند قلاب را از پشت من بیرون بیاورند یا اینکه من را به بیمارستان بردند.

هنگامی‌که دولت بعدها کانال‌ها را با لوله‌های آبی که آب را به داخل هر حیاطی می‌رساندند جایگزین کرد، آن‌ها از شر پمپ وسط حیاط خلاص شدند. آب اضافی داخل یک استخر زینتی کوچک جاری می‌شد. تمام خانواده‌هایی که در حیاط زندگی می‌کردند از یک شیر آب واحد استفاده می‌کردند. هنوز آبِ لوله‌کشی در حمام وجود نداشت.

در مقطعی، برق در تمام اتاق‌ها وصل شد. هیجان زیادی وجود داشت. هر اتاق یک لامپ داشت که از سیمی از سقف اتاق آویزان بود و یک پریز برق.

پدرم باعجله برای خرید رادیویی که می‌توانست آن را به پریز بزند، بیرون رفت. قبل از آن، او فقط یک رادیوی ترانزیستوری داشت که با باتری کار می‌کرد. هر وقت باتری‌ها تمام می‌شدند، او مجبور می‌شد باتری نو بخرد که هزینه زیادی داشت. او به خاطرِ رادیو برقی جدید بسیار خوش‌حال بود. دائماً به دنبال ایستگاه‌هایی بود که از جاهای دور پخش می‌کردند و تا شب دیروقت به موسیقی گوش می‌داد.

تنها وقت‌هایی که من در خانه می‌ماندم برای پخش یک نمایش بود که همگی دوست داشتیم به آن گوش کنیم. این یک درام جنایی بود. تمام خانواده در کنار هم می‌نشستند و گوش می‌دادند، یا به گیرنده رادیویی یکی از همسایگان در حیاط گوش می‌دادیم. این واقعاً هیجان‌انگیز بود، یک اتفاق بزرگ، یک تنوع در زندگی روزمره. من فکر می‌کنم همه در ایران به آن برنامه گوش می‌دادند.

فصل ۱۰

داستان‌های بیمارستان

محله یک بیمارستان یهودی داشت، اگرچه کل کارکنان یهودی بودند، اما به مسلمان‌ها نیز خدمات ارائه می‌دادند.

آن‌ها در این بیمارستان من را به‌خوبی می‌شناختند چون من بارها در اورژانس آنجا بودم. اغلب وقتی کتک می‌خوردم و زخمی می‌شدم به آنجا می‌رفتم.

پیرمردی در محله بود که به خاطرِ جا انداختن استخوان‌ها و مفاصل معروف بود. او پزشک نبود، این علم را در مطالعات پزشکی به دست نیاورده بود. او ... یک قصاب و یکی از دوستان پدرم بود. هردوی آن‌ها از اصفهان آمده بودند.

من چندین بار پیشِ او رفتم، چون هر چند وقت یک بار انگشت شست دست راستم درمی‌رفت. وقتی برای اولین بار دررفت، پدرم من را پیشِ آن پیرمرد برد. او دست من را گرفت و درحالی‌که با پدرم صحبت می‌کرد و حواس من را پرت می‌کرد، آن را ماساژ می‌داد. و یک، دو، سه، او انگشت شستم را جا انداخت! درد وحشتناکی بود که می‌توانستی به خاطرش غش کنی.

پس‌از آن، من به‌تنهایی، بدون پدرم پیش او می‌رفتم و او از من مراقبت می‌کرد.

وقتی ۱۲ساله بودم، احساس کردم که کمرم دارد خمیده می‌شود و شکمم دارد بیرون می‌زند. کند راه می‌رفتم. مامان مرا پیش پزشکی در بیمارستان برد. او یک سری آزمایش انجام داد و گفت من یک مورد جدی روماتیسم دارم و در بیمارستان بستری شدم.

پنجره‌های اتاق بیمارستان رو به خیابان اصلی بود، جایی که دوستانم هر روز عصر قرار می‌گذاشتند، بازی می‌کردند و سروصدا راه می‌انداختند. به‌طور معمول، من هم با آن‌ها بودم. اما در مدتی که در بیمارستان بستری بودم، هر روز عصر پشت پنجره می‌ایستادم و

فقط با آن‌ها صحبت می‌کردم.

در طی سه ماهی که آنجا بودم، اصلاً هیچ درمانی دریافت نکردم. در ابتدا با خودم گفتم، من هیچ دردی ندارم، پس آن‌ها از من چه می‌خواهند؟ اما خوش‌حال بودم که مجبور نبودم به مدرسه بروم.

می‌ترسیدم که اگر هیچ دردی و هیچ مشکلی نداشته باشم، ممکن است من را مرخص کنند و مجبور شوم به مدرسه برگردم. بنابراین به ذهنم خطور کرد که شاید باید به خودم آسیب برسانم. شروع کردم به فشار دادن بیضه‌هایم طوری که درد بگیرند. ده تخت در اتاق بود. یک دیوار شیشه‌ای بزرگ آن را از ایستگاه پرستاران جدا می‌کرد و ازآنجا آن‌ها می‌توانستند به ما نگاه کنند و ما را چک کنند. البته، درست بعداز شام آن‌ها چراغ‌ها را خاموش می‌کردند و شب‌به‌خیر می‌گفتند، و ما مجبور می‌شدیم برویم زیر پتو. من شوخی می‌کردم و همه را بیدار می‌کردم، و دیگران را نیز به این کار وامی‌داشتم ... پرستاران داخل اتاق می‌شدند، سرِ ما فریاد می‌زدند و ما را تهدید می‌کردند.

یک بار به همه بچه‌های دیگر گفتم بلند شوند و سروصدای زیادی به پا کنند. و به‌محض ورود پرستاران، ساکت شدیم و وانمود کردیم که خواب هستیم. ما این کار را چندین بار تکرار کردیم. پرستاران بارها و بارها داخل شدند و هر بار ما تظاهر می‌کردیم که خوابیم. یک روز، یکی از پزشکان از دست من عصبانی شد و به من سیلی زد. من آن را خیلی خوب به یاد می‌آورم. یک‌جورهایی، همیشه وقتی کسی چنین کاری با من می‌کرد، من از او انتقام می‌گرفتم و تا زمانی که آن کار را نمی‌کردم، تسلیم نمی‌شدم. اما این بار، احساس کردم که حق با اوست و آن را پذیرفتم.

بعداز گذشت چند ماه در در بیمارستان، خیلی حوصله‌ام سر رفت. مطب پزشکان در طبقهٔ همکف بود و بیماران در طبقهٔ اول بودند. وقتی سایر بیماران خواب بودند، من با لباس‌خواب از پله‌های بیمارستان پایین می‌رفتم و پیشِ دوستانم می‌رفتم. بالاخره گیر افتادم. کارکنان بیمارستان این کار را دوست نداشتند.

در اتاق ما در بیمارستان، یک دختر کوچولوی خیلی بانمک بود. می‌گفتند که والدینش او را فروخته‌اند، و یک زن و شوهر از آمریکا می‌آیند تا او را به سرپرستی بگیرند. در آن زمان شایعات زیادی در مورد زوج‌های آمریکایی که می‌آمدند و از یهودیان بچه می‌خریدند وجود داشت. وقتی آن زوج آمدند و او را از بیمارستان بردند را یادم هست. این من را خیلی ناراحت کرد که او نمی‌توانست در کنار والدینش باشد.

یک دختربچه فقیر هم در بیمارستان بود که تمام بدنش پر از سوختگی بود. هر روز،

می‌آمدند تا پانسمان‌های او را عوض کنند. برایش ناراحت بودم.

اگرچه من یک‌جورهای خاصی خشن هستم، اما یک فرد دلسوز هم هستم. همیشه از رنج دیگران ناراحت می‌شدم. تا به امروز وقتی چیزهایی ازاین‌دست را می‌بینم، همان احساس را دارم. وقتی خشن بودم، دلیلی منطقی وجود داشت که باعث طغیان من می‌شد.

اما همیشه بعداز یک عمل خشونت‌آمیز، احساس درد و رنج می‌کردم و افسرده می‌شدم. وقتی به افراد نزدیک به خودم آسیب می‌رساندم، گریه می‌کردم و متأسف می‌شدم، و قلبم به خاطر آنچه انجام داده بودم فشرده می‌شد. اما اگر در دفاع از خود کسی را می‌زدم، هرگز پشیمان نمی‌شدم.

چسبیده به دیوار حیاط خانهٔ ما یک کوچهٔ باریک بود که به در پشتی مهدکودک منتهی می‌شد. بعداز اینکه بچه‌ها به خانه می‌رفتند، «خلاف‌کارها» می‌رفتند و در آنجا می‌نشستند. برخی از آن‌ها موادی مانند هروئین و تریاک می‌کشیدند. همچنین برای پول قمار می‌کردند.

در محلهٔ ما، فقط چند یهودی به هروئین معتاد بودند. آن‌ها بسیار لاغر بودند و پوستشان زرد بود. بارها و بارها به آن کوچه نزدیک می‌شدم و می‌دیدم که آن‌ها در آنجا نشسته‌اند، هروئین می‌کشند و می‌فروشند. در گروه معتادها مسلمان‌ها هم حضور داشتند.

برخی سارق بودند. از مغازه‌ها و خانه‌ها دزدی می‌کردند. هنگامی از خانه‌ای دزدی می‌شد، پلیس همیشه به سراغ معتادها می‌رفت تا بررسی کند که آیا آن‌ها این کار را انجام داده‌اند یا نه.

من یکی از آن‌ها را خیلی خوب می‌شناختم، چون برادر کوچکش با من در مدرسه بود. او من را تشویق می‌کرد که مدرسه را بپیچانم و دردسر درست کنم. یک دوره، باند خلاف‌کارِ او چند سکه به من می‌داد تا ته خیابان نگهبانی بدهم. کار من این بود که با نزدیک شدن افسر پلیس سوت بزنم.

آن افسر پلیس مکان‌هایی را که معتادین برای نشستن و مواد کشیدن استفاده می‌کردند، می‌شناخت. وقتی او نزدیک می‌شد من سوت می‌زدم و آن‌ها به‌سرعت از بلند می‌شدند و فرار می‌کردند. ازآنجایی‌که چندین بار دستگیر شده بودند، من را نگهبان خود کرده بودند. اگر امنیتی در کار نبود، آن پلیس آن‌ها را در حال قمار دستگیر می‌کرد و پولشان را می‌گرفت. بعضی اوقات به او التماس می‌کردند و او کاری به کارشان نداشت و گاهی اوقات مقداری از پول را به او می‌دادند و او آزادشان می‌کرد.

پس‌از مدتی، پلیس فهمید که برای مدتی طولانی آن‌ها را حین ارتکاب جرم دستگیر

نکرده و فهمید که من به آن‌ها هشدار می‌دهم. او به من پیشنهاد داد که خودش به من پول بدهد که به آن‌ها خبر ندهم. من پول او را گرفتم، اما هرگز «خلاف‌کارها» را لو ندادم. این‌طوری از هر دو طرف درآمد کسب کردم و همه کار خودشان را انجام دادند.

فصل ۱۱

پدر و خانواده‌اش

پدرم، یک برادر و یک خواهرش در تهران زندگی می‌کردند. هرازگاهی، آن‌ها به اصفهان می‌رفتند تا به اقوام خود که در آنجا مانده بودند سر بزنند. آن‌ها خانواده‌ای بسیار بزرگ بودند. پدربزرگ من مالک خانه‌ای با حیاطی بزرگ و اتاق‌های زیادی بود که خانواده در آن زندگی می‌کردند. وقتی حدوداً هشت‌ساله بودم، برای اولین بار با پدرم به اصفهان رفتم.

وقتی پدرم به دیدن برادرانش می‌رفت، من معمولاً تنها کسی بودم که با او همراه می‌شدم. یادم نمی‌آید که او هیچ‌کس دیگری را ببرد. او مرا خیلی دوست داشت، باوجودی‌که برای او دردسرهای زیادی درست می‌کردم. من از بودن با او در این سفرها لذت می‌بردم و عاشق این بودم که کل خانواده‌ای که در آنجا زندگی می‌کردند را ببینم.

اصفهان یک شهر بزرگ، باستانی و زیبا بود. چیزهای زیادی برای دیدن وجود داشت. در مرکز شهر یک بازار بسیار بزرگ با مغازه‌ها و غرفه‌های صنعتی بسیار قرار داشت.

وقتی با پدر به اصفهان رفتم، پدربزرگم قبل از آن فوت کرده بود و من هیچ‌وقت او را ندیدم. اما مادربزرگ هنوز زنده بود. او من را بغل می‌کرد و قربان‌صدقه‌ام می‌رفت. او بسیار کوچک و چروکیده بود. من در عمرم او را تنها دو یا سه بار دیدم. موهای خاکستری او همیشه زیرِ یک روسری بود.

یادم هست که او سکه‌هایی را در یک دستمال سفید می‌گذاشت و آن‌ها را در سینه‌بند خود پنهان می‌کرد. هر وقت نوه‌ها به دیدارش می‌آمدند، دستمال را بیرون می‌آورد و به هرکدام یک سکه می‌داد.

همچنین بارها با پدرم به مکانی در جنوب اصفهان سفر کردم که برای یهودیان مقدس

بود. اسم آن «غار سارا بَت آشِر[1]» بود. بسیاری از مؤمنان با شروع ماه الول تا یوم کیپور برای زیارت به آنجا می‌رفتند. کوهی بود با یک تونل باریک. آن‌ها خم می‌شدند تا داخل شوند. در انتهای آن یک گودال عمیق بود. بعدها فهمیدم که این مکان با یک افسانهٔ معروف مرتبط است.

زیارت سالانه به مقصدِ غار و گورستان کنار آن بود[2]. یک حیاط بسیار بزرگ وجود داشت که با اتاق‌های روبازِ بدون در احاطه شده بود.

کسانی که زودتر می‌رسیدند و چند سکه به نگهبان محلی می‌دادند، یک اتاق می‌گرفتند. کسانی که بعداً می‌آمدند جایی در بالکن می‌گرفتند. آخرین کسانی که می‌آمدند جایی در فضای باز حیاط گیرشان می‌آمد.

برای رفتن از یک مکان به دیگری، مجبور بودی از این حیاط عبور کنی، و گاهی اوقات نمی‌توانستی مانع از قدم گذاشتن روی مردم و وسایل آن‌ها شوی.

آنجا پر بود و شادی زیادی وجود داشت. کل خانواده‌ها می‌رفتند. موسیقی و رقص در جریان بود. همه این تعطیلات را دوست داشتند و منتظر آن بودند. برای من به‌عنوان یک بچه، به‌اندازهٔ خروج یهودیان از مصر[3] هیجان‌انگیز بود.

ما چندین روز می‌ماندیم. شب‌ها، تقریباً هیچ‌کس نمی‌خوابید. مردم به‌صورت گروهی جمع می‌شدند و داستان تعریف می‌کردند، آواز می‌خواندند ـ عمدتاً بزرگ‌سالان. بچه‌ها نیز همان اطراف جمع می‌شدند و یک فضای بسیار خاصی بود. شب‌ها، یک نفر در دیگی بزرگ غذا درست می‌کرد ـ عدس، گندم یا حلیم ـ تا صبح‌ها بفروشد. یکی از کسانی که غذا می‌فروخت، یاکوف[4]، برادر کوچک‌تر پدرم بود که او هم در تهران زندگی می‌کرد.

خانواده‌ها نیز برای خودشان آشپزی می‌کردند. یک حیاط پر از مردم را تصور کنید، هر خانواده یا قبیله‌ای در گوشهٔ مخصوص خود در حال آشپزی روی یک چراغ فتیله‌ای.

در طول روز، بچه‌ها باهم بازی می‌کردند. یک منطقهٔ خاص برای ما وجود داشت که دورهم جمع شویم. آواز خواندن، موسیقی یا رقصیدن بر پا بود. شگفت‌انگیز بود.

---

۱. نام دقیق آن ساراچ بَت آشر است، اما در دوران کودکی آقای ز، آن‌ها آن را سارا بت آشر تلفظ می‌کردند.

۲. بر طبق افسانه، در قرن شانزدهم یا هفدهم، معجزه‌ای در آنجا اتفاق افتاد: سارا دختر آشر، نوهٔ یعقوب پدر ما که زندگی جاودانی نصیبش شده بود، در شمایل یک کبوتر از تیر و کمان‌های شاه فرار کرد. سپس به شکل یک زن زیبا بر شاه ظاهر شد و خواستار حذف احکام تحمیل‌شده به یهودیان در آن زمان شد. طبق افسانه‌ای دیگر، این غار تا اورشلیم امتداد دارد. اینجا به مکانی برای زیارت تبدیل شد که شامل یک کنیسه و یک گورستان یهودی بود.

3. Exodus.

4. Yaakov.

وقتی ۱۰، ۱۱ ساله بودم، پدر من را سرِ قبر پدرش در اصفهان برد. عمویم یاکوف را آنجا دیدیم. او و پدرم سال‌ها باهم اختلاف داشتند. هر وقت به هم می‌رسیدند، باهم بحث می‌کردند.

پدرم ایستاد و به قبر نگاه کرد و برای اولین بار، این دو برادر بدون جنگیدن در کنار یکدیگر ایستادند. پدرم که معمولاً سیگار نمی‌کشید، در آن لحظه سیگاری بیرون آورد و آن را روشن کرد. عمو یاکوف نیز یک سیگار از او خواست. خوش‌حال شدم که به نظر می‌رسید آن‌ها داشتند باهم سازگار می‌شدند، اما هیچ نتیجه‌ای حاصل نشد. آن‌ها بعداز آن راهشان را از هم جدا کردند و دیگر هرگز باهم صحبت نکردند. من واقعاً عاشق این عمویم بودم و هر وقت او را می‌دیدم، بامحبت با او صحبت می‌کردم و سعی می‌کردم به او نزدیک‌تر شوم.

در سفر دیگری به اصفهان، وقتی ۱۱، ۱۲ ساله بودم، با پسر همسایه‌های مسلمان درگیر شدم. شروع کردیم به کتک زدن همدیگر. من به داخل کشاله ران او لگد کردم و او خون ادرار کرد. مادر پسر آمد و به عموهایم که در حیاط نشسته بودند، یک لیوان پر از خون نشان داد. عموهایم به او پول دادند تا موضوع را مسکوت نگه دارد. اندکی پس از آن، ما به خانه‌مان در تهران بازگشتیم.

پدرم شش برادر و دو خواهر داشت. او اولین کسی بود که اصفهان را ترک و به تهران نقل‌مکان کرد. پس‌از او، یاکوف آمد. او قبل از بچه‌دار شدن پدرومادرم با آن‌ها در اتاق اجاره‌ای‌شان زندگی می‌کرد. مادرم برای او آشپزی می‌کرد و لباس‌هایش را می‌شست. این کار برای او بسیار دشوار بود و عموی من همیشه شکایت داشت. آن‌ها می‌گفتند که او بدعنق بود و هیچ‌وقت راضی نمی‌شد.

پدرم او را شریک مغازه‌ای کرد که در آن کله‌پاچه‌ای آماده می‌کرد که تمام شب در حال پختن بود.

این شراکت طولانی نبود. یاکوف تمام پولش را از آن بیرون کشید، چون گفت که برای ازدواج به آن احتیاج دارد. این‌گونه بود که اختلاف آن‌ها شروع شد. آن‌ها شراکت را بر هم زدند و دیگر با یکدیگر صحبت نکردند. هر بار که همدیگر را می‌دیدند، باهم بحث می‌کردند، به‌جز همان یک بار کنار قبر پدرشان.

بعدها، خواهر کوچک‌تر پدرم نیز به تهران، در نزدیکی ما، به محلهٔ یهودی‌نشین نقل‌مکان کرد.

چراغ فتیله‌ای شبیه همانی که مادرم برای آشپزی استفاده می‌کرد.

یک روز، شنیدم که یاکوف پس از حکومت‌نظامی به خیابان رفت. آن‌ها فریاد زدند که متوقف شود، اما او این کار را نکرد، بنابراین پلیس به‌سمتِ او شلیک کرد و پایش را زخمی کرد.

اگرچه او و پدرم مدام اختلاف و کشمکش داشتند، اما وقتی او زخمی شد، پدر به دیدار او رفت. در مواقع اندوه و گرفتاری، آن‌ها به‌واقع نزدیک می‌شدند. عمو یاکوف یکی از پسران خود را در سن کم از دست داد. به‌طور اتفاقی برق او را گرفت. شنیدم که پدرم هر روز برای همدردی با برادرش به شیوا[1] می‌رفت.

خانواده یاکوف در ضلع شرقی محلهٔ یهودی‌نشین زندگی می‌کردند، طرف بهتر. همسرش قدبلند و لاغراندام بود و چندین فرزند داشتند. من سه تا از پسرانش را به یاد می‌آورم. منوچهر کوچولو که دقیقاً شبیه مادرش بود، برای بازی در کوچه‌های ضلع غربی به ما ملحق می‌شد.

یک روز که داشتیم بازی می‌کردیم، من با بزرگ‌ترین پسر یاکوف دعوایم شد و او سیلی محکمی به من زد. والدین ما به ما هشدار داده بودند که به یکدیگر نزدیک نشویم، و این فقط آتش ما را بیشتر می‌کرد. به همین دلیل او احساس کرد که سیلی زدن به من اشکالی ندارد. بااین‌وجود بعداً باهم دوست شدیم.

وقتی پدر پدرم درگذشت، او و عمو یاکوف سعی کردند بفهمند که چه میراثی به‌جا گذاشته است. در آن روزها، مردم پول در بانک نمی‌گذاشتند، اما سکه‌های طلا جمع می‌کردند و آن‌ها را پنهان می‌کردند. شنیده بودم که پدربزرگ یک مرد ثروتمند بود که گنج داشت ـ کوزه‌های سفالی بزرگ پر از طلا، علاوه بر زمین‌ها و ساختمان‌هایی که متعلق به او بود.

---

۱. Shiva، در یهودیت، دوره یک هفته سوگواری برای بستگان درجه‌یک است. (م.)

او یک باغ داشت که آن را اجاره داده بود، و یک خانه با حیاط بزرگ با اتاق‌هایی زیاد که تمام دارایی او بود. فرزندان متأهل او در این حیاط زندگی می‌کردند و هر زوج یک اتاق داشت.

برادران پدر من در اصفهان سهم بسیار خوبی نصیبشان شد و پدر من و برادر کوچک‌ترش از این میراث چیزی گیرشان نیامد. برادران دیگر به آن‌ها گفتند که هیچ پولی در کار نیست، اما خودشان ثروتمندتر شدند.

شایعاتی مبنی بر اینکه داماد یکی از عموها بیشترِ طلاها را به سرقت برده بود، وجود داشت. او از همه افراد دیگر ثروتمندتر شد. بعدها، هنگامی‌که به اسرائیل مهاجرت کرد، چندین مغازه در اورشلیم افتتاح کرد و بسیار در رفاه زندگی کرد.

وقتی‌که ما هرازگاهی به اصفهان می‌رفتیم، بعداز اینکه همه به‌جز کسانی که در تهران بودند ارثیه خود را دریافت کرده بودند، یکی از برادران به پدر من کمک مالی می‌کرد. یادم هست که او را دیدم که مقداری پول در جیب پدرم گذاشت. من هرگز آن را فراموش نکردم.

یکی از دوستان پدرم این فکر به ذهنش رسید که اتوبوس بخرد و هر یک از آن‌ها ـ ازجمله راننده ـ یک‌سوم هزینه آن را پرداخت کنند. پدرم می‌خواست شریک شود تا خودش را به پدربزرگ یوسف ثابت کند.

او از هرکسی که می‌توانست، به‌ویژه از خواهرش، تنها عضو خانواده‌اش که در محلهٔ ما زندگی می‌کرد، پول قرض گرفت.

اما پدر یک سکه از کل قرارداد هم نصیبش نشد و وضعیت مالی ما حتی از گذشته نیز بدتر بود.

شنیدم که شریکش به او خیانت کرد و زندگی مرفهی داشت، درحالی‌که پدرم هیچ‌چیز نداشت، به‌جز اتاقی که در آن زندگی می‌کردیم.

سرانجام، اتوبوس تصادف کرد. آن‌ها به پدر گفتند که هیچ بیمه‌ای وجود ندارد و همه‌چیز از بین رفته است.

سال‌ها طول کشید تا پدر بدهی خود را پس بدهد. درنتیجه، او با خواهرش دعواهای زیادی داشت. هربار که بخشی ازآنچه بدهکار بود را می‌پرداخت، مبلغ آن را روی دیوار می‌نوشت. اما پدر ادعا می‌کرد که عمه ارقام را تغییر داده است.

به همین دلیل، دعوای بدی بین پدر و خواهرش به وجود آمد. تا آن زمان، ما روابط بسیار خوبی داشتیم. او به همراه خانوادهٔ خود در خیابان اصلی محله زندگی می‌کرد و من دوست داشتم به دیدن آن‌ها بروم.

فصل ۱۲

داستان‌های پلیس

یک روز، وقتی حدود سیزده سال داشتم، با بچه‌ای در محله درگیر شدم و یک نفر با پلیس تماس گرفت. یک افسر پلیس آمد و بازوی من را گرفت تا مرا به کلانتری ببرد. ما از بین کوچه‌ها به‌سمتِ خیابان اصلی رفتیم و او همچنان بازوی من را چسبیده بود.

او یک چماق پلاستیکی سفت با نوار آهنی در داخلش داشت. اگر با آن به بازو یا پایت می‌زد، بدجور آسیب می‌دید. پلیس در ایران اجازه داشت مردم را بزنند. آن‌ها گاهی اوقات بی‌دلیل مردم را مورد ضرب‌وشتم قرار می‌دادند.

به‌هرحال، افسر پلیس داشت من را به کلانتری می‌برد و من می‌دانستم که این بد خواهد بود چون پدرومادرم باید بیایند تا من را بیرون بیاورند و مجبور می‌شوند به پلیس رشوه بدهند و این یک بلبشوی واقعی خواهد بود.

این بود که وقتی به خیابان اصلی رسیدیم، دست پلیس را گاز گرفتم. او بازوی من را رها کرد و من دویدم. او شروع کرد به فحش دادن و تعقیب من، درحالی‌که چماقش را تکان می‌داد. می‌دانستم که اگر من را با آن می‌زد، می‌توانست من را بکشد. آن‌قدر دویدم تا اینکه در کوچه‌ها ناپدید شدم. او در تمام محله به دنبال من گشت.

مدتی پس‌از آن، این افسر منتقل شد و این پایان داستان بود.

او پلیس همیشگی محله که من همیشه با او رابطهٔ خوبی داشتم نبود. اگر او می‌خواست بداند چه خبر است، می‌آمد و از من می‌پرسید.

من همیشه سعی می‌کردم از دست پلیس فرار کنم که من را به کلانتری نبرند. مجبور بودی به آن‌ها رشوه بدهی و افرادی که تو را می‌شناختند را به‌عنوان ضامن ببری؛ در غیر این صورت، واقعاً در بد مخمصه‌ای می‌افتادی.

بارها، وقتی دعوایم می‌شد یا اتفاقی می‌افتاد که من در آن دخیل بودم، عمویم عَمرام به من کمک می‌کرد. او به کلانتری محله می‌آمد و من را بیرون می‌آورد.

یک بار، مردم پیش مادرم آمدند تا از کاری که من انجام داده بودم شکایت کنند. این بار پدرم در خانه بود. او خشمگین شد و من را کتک زد. بابا گفت که نمی‌داند با من چه کند و به من گفت که خانه را ترک کنم.

من بیرون رفتم و در خیابان‌ها قدم زدم. نمی‌دانستم باید چه کنم. جایی برای خوابیدن نداشتم، اما می‌دانستم که وقتی پدرم «از یک درخت بالا می‌رود»، همیشه به دنبال راهی برای پایین آمدن است. بنابراین، فکر کردم که به او کمک کنم. به سراغ یکی از دوستان او رفتم و شروع به گریه کردم و به او گفتم پدرم اجازه نمی‌دهد به خانه برگردم. از آن مرد خواستم با او صحبت کند.

آن مرد من را به خانه برد و البته دیدم پدرومادرم در آنجا نشسته‌اند و منتظر بازگشت من هستند. به‌محض اینکه عصبانیتشان فروکش کرده بود، شروع کرده بودند به نگران شدن. پدر از دیدن من خوش‌حال شد، اما سعی کرد آن را نشان ندهد. از طرف دیگر، بر سر من داد هم نزد، بنابراین من نمی‌ترسیدم.

من و دوست پدرم روی پله‌ها بودیم و آن مرد به پدرم گفت که تضمین می‌کند که من خوب رفتار خواهم کرد. او گفت که من قول داده‌ام که دیگر دردسر درست نکنم، و به مدرسه می‌روم و آن‌طور که باید درس یاد می‌گیرم. پدرم بی‌سروصدا نشست و گوش کرد. دیدم که چطور داشت جواب می‌داد و پدرم را از درخت پایین می‌آورد ...

بعداز اینکه بابا آرام شد، حتی سرم را نوازش کرد و من را در آغوش کشید. آن را دوست داشتم. پدرومادرم تقریباً هرگز من را در آغوش نگرفتند و من از آن چند دقیقه بسیار لذت بردم.

فصل ۱۳

لباس‌های کهنه و نو

ما هر سه یا چهار روز یک بار لباس عوض می‌کردیم. شب‌ها، من با همان لباسی که در طول روز می‌پوشیدم می‌خوابیدم. یادم نمی‌آید که هرگز لباس‌خواب تن کرده باشم. در خانه حمام وجود نداشت، بنابراین هفته‌ای یک بار برای تمیز کردن خود به حمام عمومی می‌رفتیم. گاهی اوقات لباس‌های جدید داشتیم، اما آن‌ها معمولاً لباس‌های استفاده‌شدهٔ برادران و خواهران بزرگ‌تر بودند، یا اینکه لباس و کفشِ دست‌دوم می‌خریدیم. کفش‌ها را پیش کفاش می‌بردیم که یک پاشنه به آن‌ها اضافه می‌کرد، بنابراین کفش‌ها در وضعیت مناسبی قرار می‌گرفتند.

زمستان‌ها در ایران بسیار سرد بودند. وقتی برف می‌آمد، یادم می‌آید که پاهایم خیس می‌شد، چون کفش‌هایم سوراخ بودند. من به‌خوبی از آن‌ها یا لباس‌هایم مراقبت نمی‌کردم. شلوارها و پیراهن‌هایم همیشه سوراخ بودند. شلوارها در قسمت زانو پاره می‌شدند. وقتی کوچک بودم، لباس‌هایم همیشه وصله داشتند.

برای عید پسح، یک دست کت‌وشلوار نو از مدرسه دریافت می‌کردیم، هدیه‌ای از یک خانواده ثروتمند یهودی. چند هفته قبل از تعطیلات، مدیر با سه دانش‌آموز وارد کلاس می‌شد: یکی کوچک، یکی متوسط قامت و دیگری بزرگ. تمام دانش‌آموزان کلاس کنار آن‌ها می‌ایستادند تا ببینند با کدامشان هم‌اندازه‌اند. آن‌ها این‌طوری ما را اندازه‌گیری می‌کردند. مدیر اندازه همه را در کنار نامشان می‌نوشت. درست قبل از عید پسح، آن‌ها لباس‌های نو را برای ما می‌آوردند. یادم می‌آید که هیجان‌انگیز بود. ما هرگز از والدین خود هدیه‌ای دریافت نکردیم. چنین چیزی وجود نداشت، چون آن‌ها توان مالی‌اش را نداشتند.

فصل ۱۴

میمونا[1] در پارک

همیشه آماده‌سازی‌های زیادی برای تعطیلات عید پسح وجود داشت. نه‌تنها لباس نو گیرمان می‌آمد، بلکه پخت مصا و خودِ تعطیلات هم بود، وقتی تمام خانواده دورهم جمع می‌شدند.

یک قصاب یهودی در محله بود که یک مغازه داشت. او و برادرش بسیار قوی بودند و قلدری می‌کردند. بعضی اوقات مسلمان‌ها دنبال ما می‌کردند. این قصاب با قلدری آن‌ها را رد می‌کرد تا نشان دهد که مسئول محله است و هیچ مسلمانی جرئت ایجاد مزاحمت برای ما یهودیان را نداشت.

برای جشن میمونا، قصاب فضایی در پارکی در شمال اجاره می‌کرد. یک اتوبوس کرایه می‌کرد و به مردم بلیت‌های ورودی می‌فروخت. همه با باروبندیل، پتو و سیخ‌های خود می‌آمدند و گوشت و غذای خوبی به راه بود. در طول روز، تعداد بیشتری از مردم از راه می‌رسیدند.

همه حال‌وهوای خوبی داشتند. برخی از افراد الکل می‌نوشیدند و برخی سازهای موسیقی می‌آوردند. یک گروه اینجا بود، گروه دیگری آنجا، مردم حلقه زده بودند و کسی در وسط می‌رقصید. این یک مراسم یک بار در سال بود و ما چشم‌به‌راه آن بودیم.

بعضی اوقات ما نمی‌توانستیم به سفر برویم. وقتی پدرم دور بود، پرداخت هزینهٔ آن دشوار بود.

یک بار، رقابتی با قصاب قلدر وجود داشت. آن‌یکی هم فضایی در یک پارک برای میمونا اجاره کرد. در دو پارک جشن‌هایی برگزار شد، اما خیلی خوب نبود. وقتی همه‌چیز

۱. میمونا شب آخر عید پسح است و یهودیان ایرانی آن را «روز باغ» می‌نامند و رسمی شبیه سیزده‌بدر است. (م.)

در یک پارک بود، همه در آنجا باهم دیدار می‌کردند: همهٔ افراد محله و حتی کسانی که محله را ترک کرده و نقل‌مکان کرده بودند. این تجربه‌ای بود که هرگز فراموش نخواهم کرد. بااین‌حال، وقتی‌که به دو گروه تقسیم شدند، شانس دیدار نصیب همه نشد.

از زمان تبعید بابلی‌ها، یهودیانی که وارد این سرزمین شدند در شهرها و روستاهای مختلف پراکنده شدند. در هر منطقه‌ای، یهودیان در یک منطقهٔ مشخص یا محصور زندگی می‌کردند. این مکان‌ها امروزه هنوز هم وجود دارند. بااین‌حال، یهودیان کم‌کم از محله‌های یهودی‌نشین بیرون آمدند و در میان مسلمان‌ها سکنی گزیدند. درعین‌حال، آن‌ها در معرض پیشرفت و فرهنگی متفاوت قرار گرفتند و سنت‌های یهودی کمتری را حفظ کردند. استاندارد زندگی آن‌ها بهبود یافت. در مساکن بهتر با مبلمان مناسب زندگی می‌کردند و به‌جای روی زمین نشستن روی صندلی می‌نشستند.

یک‌وقتی، پدرم یک میز آهنی با شش صندلی برایمان خرید. یک میز تاشو بود، چون در غیر این صورت جایی برای قرار دادن آن نداشتیم. صندلی‌ها هم می‌توانستند تا شوند. اما ما خیلی تنبل بودیم که میز را برای شام باز کنیم و همچنان روی زمین غذا می‌خوردیم. ما معمولاً سوپ با برنج داشتیم و گاهی اوقات میوه می‌خریدیم. مادرم میوه‌ها را پنهان می‌کرد تا ما بچه‌ها خیلی سریع همهٔ آن را نخوریم.

فصل ۱۵

بابا در جاده

یادم نمی‌آید که پدرم زیاد در خانه باشد. او بیشتر اوقات برای کار دور از خانه بود. در تعطیلات به خانه بازمی‌گشت و بعد چند ماه دیگر به دنبال کار خود می‌رفت. به مادرم خیلی سخت می‌گذشت. وقتی‌که در نزدیکی مهدکودک زندگی می‌کردیم، پدرم در حال فروش خانه‌به‌خانهٔ پارچه بود. او رول پارچه را به شکل عمده می‌خرید، بسته‌بندی می‌کرد و با اتوبوس به شهری در شمال ایران سفر می‌کرد.

در آنجا معمولاً در یک مسافرخانه می‌ماند و در یک اتاق با شریکش زندگی می‌کرد. آن‌ها هر روز صبح بیرون می‌رفتند تا پارچه‌هایشان را در روستاها بفروشند.

ما پنج فرزند در خانه بودیم و مادرم پول بسیار کمی داشت. قبل از اینکه پدرم تهران را ترک کند، مقدار زیادی مواد غذایی می‌خرید که مدت‌زمانی طولانی تمام نشوند. سیب‌زمینی و قوطی‌های بزرگ روغن می‌خرید. پیاز را نیز به‌صورت عمده می‌خرید. مامان پیازها را جدا می‌کند تا مطمئن شود که آن‌ها خشک بمانند و خراب نشوند.

هنگامی‌که پدر از سفر خود در شمال بازمی‌گشت، یکی‌دو جعبه پرتقال، و یک کیسه برنج یا یک دبهٔ پُر روغن می‌آورد. علاوه بر خریدهایی که پدرم انجام می‌داد، ما به محصولات غذایی دیگری که نمی‌شد مدت طولانی آن‌ها را حفظ کرد نیز احتیاج داشتیم ـ شیر، نان، تخم‌مرغ، گوشت، میوه و سبزیجات.

بابا قبل از رفتنش، به مامان پول می‌داد. بسیاری اوقات، آن پول کافی نبود. وقتی مامان به کمک نیاز داشت، از دوستان پدرم قرض می‌گرفت. به‌طور خلاصه، زندگی ما وقتی مادر دست‌تنها بود، سخت می‌گذشت.

گاهی اوقات وقتی پدر پس از دو یا سه ماه به خانه می‌آمد، او و مامان بحث می‌کردند.

مادر سرش جیغ می‌کشید و می‌گفت که بابا به او خیانت کرده، و پدر عصبانی می‌شد و فریاد می‌زد. آن‌ها همیشه دعوا داشتند.

این موضوع خیلی من را آزرده می‌کرد. شب‌ها گریه می‌کردم، می‌ترسیدم که آن‌ها طلاق بگیرند. این یک اشتباه از جانب پدر بود که کاری را انتخاب کرد که باعث می‌شد مجبور شود خیلی اوقات دور از خانه باشد. به نظر من، داشتن یک زندگی خانوادگی خوب و نبودن در خانه برای ماه‌ها و ماه‌ها در طول سال‌ها غیرممکن است. مطمئنم که این مسبب بخش اعظم مشکلات آن‌ها بود. همچنین مطمئنم که او وقتی‌که دور بود، راه‌هایی برای برآورده کردن نیاز جسمی خود پیدا می‌کرد. انواع و اقسام داستان‌ها در مورد فروشندگان دوره‌گرد وجود دارد. برای آن‌ها مرسوم بود که زن دیگری در شهرهای مختلف داشته باشند. بعضی اوقات مامان پدرم را متهم می‌کرد که همسر دوم گرفته است. من می‌دانم که او همسر دیگری نداشت، اما قطعاً زنان دیگری را اینجاوآنجا داشته.

بیشتر اوقات، در خانه دعوا و جروبحث بود. فضای خوبی نبود. به‌ندرت پیش می‌آمد که همه ما باهم بنشینیم و در آرامش غذا بخوریم.

بین من و مادرم هم تنش وجود داشت. او را سرزنش نمی‌کنم. او چندین فرزند داشت و مجبور بود مسئولیت کل خانواده را خودش به‌تنهایی بر عهده بگیرد، که کار خیلی سختی بود.

مادرم گاهی اوقات روی آتش کباب می‌پخت. ما عاشق آن بودیم. ما یک کباب‌پز کوچک داشتیم که آن را بیرونِ اتاق کوچک خود می‌گذاشتیم و مامان در کنار آتش می‌نشست و با دستش به جلو و عقب روی کباب‌پز باد می‌زد.

یک روز، روی یک تختهٔ چوبی در بیرون نشسته بودیم و مادرم در حال پخت‌وپز روی آتش بود. گوشت مابین ما بود. ما شروع به جروبحث کردیم، و وقتی‌که من می‌خواستم به داخل بروم، به کباب‌پز لگد زدم. همه‌چیز پرتاب شد. احساس بدی پیدا کردم، اما آن را نشان ندادم. به سرکش بودن ادامه دادم. مامان یک سیخ برداشت و من را با آن زد. بعد به عقب تکیه داد و گریه کرد.

مواردی ازاین‌دست اغلب اتفاق می‌افتاد. من می‌دانم که او من را دوست داشت، و همیشه هم همین‌طور بود. وضعیت آشفتهٔ خانه‌مان موجب اختلاف بین ما شده بود و واکنش‌های من عصبی بود.

وقتی به سن بر میتصوا[1] رسیدم، پدرم دور از خانه بود. همان‌طور که گفتم، ما مذهبی

---

۱. Bar Mitzvah، یک سنت یهودی است. هنگامی‌که یک پسر یهودی به سن ۱۳ سالگی می‌رسد، برای اولین بار از او خواسته می‌شود که از تورات در کنیسه بخواند. از این روز، او مرد محسوب می‌شود.

نبودیم، اما همسایه‌ای داشتیم که هر شبات[1]، روز دعای یهودی‌ها، به کنیسه می‌رفت. وقتی سیزده سال داشتم، او من را با خودش برد. او مرد خوش‌قلبی بود. هرگز آن روز را فراموش نمی‌کنم. آن‌ها به من اجازه دادند برای اولین بار در زندگی از روی تورات بخوانم. لحظه‌ای بسیار احساسی بود.

سال‌ها بعد، فهمیدم که آن مرد در لس آنجلس زندگی می‌کند. به دیدار او و همسر و فرزندانش رفتم. این یک رویداد بسیار مسرت‌بخش بود.

کنیسه‌ای در ایران.

1. Shabbat.

فصل ۱۶

خانوادهٔ مادر

همان‌طور که گفتم، مادرم یک برادر و سه خواهر داشت.

یک روز، مادرم و خواهرشوهرش، عمه سارا، تصمیم گرفتند برای دیدار با خانوادهٔ پدرم به اصفهان بروند. آن‌ها من و پسرِ عمه سارا که همبازی من بود را با خود بردند.

عمه‌ام یک نوزاد کوچک نیز داشت که بغلش می‌کرد. این سفر با اتوبوس و معمولاً در شب بود. ما طرف‌های غروب سوار اتوبوس می‌شدیم و در ساعات اولیه صبح می‌رسیدیم.

اتوبوس‌ها همیشه در یکی از مسافرخانه‌های کنار جاده توقف می‌کردند. آن‌ها مکان‌های بسیار زیبایی بودند. من باغ‌های پر از درختان، جوی آبی که از میان آن‌ها عبور می‌کرد و رستوران‌های پر از مردم را به یاد می‌آورم. اتوبوس‌های زیادی در پارکینگ بودند. فضای خوبی در میان کوه‌ها بود. یهودیانی که غذای کوشر با خود آورده بودند، پیک‌نیک به پا می‌کردند.

وقتی به اصفهان می‌رفتیم، اوقات خوبی داشتیم. همیشه مورد استقبال خوبی قرار می‌گرفتیم و خوش می‌گذشت، با کلی غذای خوب. میهمانان زیادی می‌آمدند. مادرم و خواهرشوهرش، سارا، همیشه در این بازدیدها مقداری پول می‌گرفتند. می‌فهمیدم که خانواده داشت از آن‌ها حمایت می‌کرد.

من هنوز هم عاشق عمه سارا هستم، و ما در طی این سال‌ها در ارتباط بوده‌ایم. او آخرین نفر از تمام عموها و عمه‌هایم بود که زنده مانده بود. سرانجام، به اسرائیل مهاجرت کرد و من هر بار که آنجا بودم او را می‌دیدم. چند سال پیش، به دلیل کهولت سن درگذشت.

مادرم یک خواهر بزرگ‌تر به نام توران داشت که او هم در اسرائیل زندگی می‌کرد. او وقتی من پنج‌شش‌ساله بودم از ایران مهاجرت کرده بود.

یک بار، او به همراه فرزند دوسالهٔ خود به دیدار ما آمد و فرزند دیگری را باردار بود.

او آمد تا در ایران وضع حمل کند، تا برادرش که فرزندی نداشت، در بریت[1] ـ ختنه آیینی ـ اگر بچه پسر بود، پدرخوانده باشد. درواقع، پسری متولد شد و آن‌ها این جشن را برگزار کردند. پس‌از آن، توران با دو فرزند به اسرائیل بازگشت.

---

۱. Brit، یک نوع مراسم ختنه‌سوران پسران در دین یهود است در هشتمین روز زندگی نوزاد مذکر توسط یک موهل انجام می‌شود. (م.)

خانم آقا، خواهرِ دیگر مادرم، عاشق یک مسلمان شد و با او ازدواج کرد. این اتفاق وقتی من خیلی کوچک، سه یا چهارساله بودم افتاد. او به اسلام گروید و برای همه اهداف و نیات به‌عنوان یک مسلمان زندگی کرد. او سه پسر و یک دختر به دنیا آورد.

او در جایی بسیار دور زندگی کرد و وقتی من ۱۰، ۱۱ ساله بودم، به همراه همسر و فرزندانش برای دیدار با پدربزرگ آمد. آن یک جشن سلطنتی بود. من به یاد می‌آورم پدربزرگم ـ پدر مادرم - برای احترام به آن‌ها سفره‌ای با تمام چیزهای خوب پهن کرد.

همان‌طور که قبلاً گفتم، این پدربزرگم به‌هیچ‌وجه به پدرم احترام نمی‌گذاشت. برعکس. او را تحقیر می‌کرد و به او توهین می‌کرد. پدرم همیشه از دست او عصبانی بود و هر وقت که با مامان دعوایش می‌شد، به پدرش فحش می‌داد.

فصل ۱۷

پدربزرگ

پدربزرگ یوسف، پدرِ مادر من، یک فالگیر بود. او این کار را تمام عمر خود انجام داد. معروف بود و مردم از راه‌های دور به دیدن او می‌آمدند. او یک اتاق انتظار داشت. آنجا معمولاً پر از زنان بود، نوددرصد آن‌ها مسلمان و ده‌درصد یهودی بودند. او همه انواع مشکلات را برای آن‌ها حل می‌کرد و من تماشا می‌کردم که او چطور این کار را انجام می‌داد.

او انواع طلسم‌ها را داشت. به‌عنوان مثال، به زنی که عاشق کسی بود که او را دوست نداشت، مهره‌های جادویی کوچکی می‌داد و به او می‌گفت که آن‌ها را در زمین دفن کند یا از یک درخت بلند آویزان کند.

گاه‌وبیگاه، او راهی پیدا می‌کرد تا من کمی پول به دست بیاورم. اگر به کسی می‌گفت مهره‌ها را از درخت آویزان کند، من این کار را می‌کردم و آن‌ها برای آن پول خوبی به من می‌دادند.

من حدوداً ۱۲، ۱۳ ساله بودم که آن‌ها شروع به برق‌کشی خانه‌ها کردند. پدربزرگ من یک رادیو و یک تلویزیون سیاه‌وسفید خرید. او در خانه تلفن هم داشت. من و خواهر بزرگ‌ترم عصرها برای تماشای تلویزیون به خانهٔ او می‌رفتیم. بعضی اوقات فیلم می‌دیدیم.

یک روز داشتیم یک فیلم بسیار ترسناک را همراه با دایی منوچهر که با پدربزرگ زندگی می‌کرد، تماشا می‌کردیم. خیلی دیروقت بود که فیلم تمام شد و من و خواهرم می‌ترسیدیم به‌تنهایی به خانه برویم، بنابراین دایی ما را برد. من و خواهرم اغلب از آن مسیر رد می‌شدیم و می‌ترسیدیم، چون از ساعت هشت به بعد، هیچ‌کس در خیابان‌ها نبود و نمی‌توانستی در تاریکی چیزی ببینی. مکان‌هایی وجود داشت که ما وحشت می‌کردیم از میانشان عبور کنیم.

پدربزرگ من یکی از اولین افراد در محله بود که تلویزیون داشت.

یک پشت‌بام روی حیاط خانه پدربزرگ وجود داشت. همیشه یک همسایهٔ مسلمان در آنجا می‌نشست و چادر بر سر داشت. او برای تماشای تلویزیون به داخل خانهٔ پدربزرگ سرک می‌کشید.

ازآنجا تقریباً چیزی نمی‌دید، اما بازهم می‌نشست و نگاه می‌کرد. وقتی من و خواهرم از کنار پنجرهٔ پدربزرگ عبور می‌کردیم، پدربزرگ از ما می‌خواست دولا شویم تا دیدِ او را مسدود نکنیم. پدربزرگ با حسادت از آبروی همسایگان مسلمان خود محافظت می‌کرد، چون می‌ترسید آن‌ها در کار او و به‌عنوان یک فالگیر خللی ایجاد کنند.

فصل ۱۸

روی پشت‌بام‌ها

من عضو گروهی از بچه‌ها بودم که بالای پشت‌بام‌ها بازی می‌کردیم. ما تنها افراد در محله بودیم که این کار را می‌کردیم. از پشت‌بامی در محلهٔ کنار خانه‌مان بالا می‌رفتیم و از یک پشت‌بام به پشت‌بامی دیگر می‌پریدیم. خانه‌ها به سبک عربی بودند، یک‌طبقه، و به یکدیگر راه داشتند.

ما از فواصل طولانی حتی از شکاف بین خانه‌ها و کوچه‌ها می‌پریدیم. (امروز این به ورزشی به نام «پارکور»[1] تبدیل شده است) درنهایت، در محله‌ای کاملاً متفاوت پایین می‌آمدیم.

ما انواع تجربیات را داشتیم. افرادی که در خانه‌های زیر پایمان زندگی می‌کردند، صدای ما را بالاسرشان می‌شنیدند و دنبالمان می‌کردند. یکی از آن‌ها سگ داشت و وقتی صدای ما را در پشت‌بام می‌شنید، سگش را آزاد می‌کرد تا دنبال ما بدود.

یک مسیری وجود داشت که دوستانم از روی آن می‌پریدند، اما من از انجام این کار می‌ترسیدم. من در نزدیکی دیوار می‌نشستم و روی آن می‌خزیدم تا به‌طرف دیگر آن برسم. یک بار آن سگ به طبقهٔ بالا آمد و شروع به تعقیب ما کرد، بنابراین من چاره‌ای جز پریدن نداشتم. موفق شدم از روی کوچه عبور کنم.

مکان‌هایی وجود داشت که درخت‌های بزرگ میوه تا بالای پشت‌بام سر برآورده بودند و ما میوه‌ها را می‌چیدیم. یکی از صاحب‌خانه‌ها می‌فهمید که ما داریم از درخت او میوه می‌چینیم و بالا می‌آمد و دنبالمان می‌کرد تا دور شویم.

یکی از پسرعمه‌هایم، به نام مراد، مثل من مدرسه را می‌پیچاند و با ما روی پشت‌بام‌ها

---

1. Parkour.

می‌دوید. او فرزند سارا، عمه‌ام بود که در مرکز محله زندگی می‌کرد. من و او همیشه وقت زیادی را باهم می‌گذراندیم. او مدرسه را تمام نکرد. حداقل من مدرسهٔ ابتدایی را تمام کردم و گواهی‌نامه دریافت کردم که با افتخار آن را تا همین امروز هم نگه داشته‌ام. آن گواهی‌نامه برای من مهم است چون من را به یاد جهنمی می‌اندازد که در مدرسه از سر گذراندم، که شما جلوتر در مورد آن خواهید خواند.

برخی از چیزهای جالب را من و مراد شب‌ها انجام می‌دادیم. وقتی به خانه می‌آمدم، همه خواب بودند.

یکی از کوچه‌هایی که عادت داشتیم از روی پشت‌بام‌هایش بپریم.

فصل ۱۹

شیطنت کردن

هرازگاهی دست‌فروش‌هایی سوار بر الاغ به محلهٔ ما می‌آمدند که میوه می‌فروختند. آن‌ها یک سینی روی زمین می‌گذاشتند و جنس‌های خود را روی آن پخش می‌کردند. الاغ در کناری می‌ایستاد و استراحت می‌کرد، و دست‌فروش چهارزانو کنار ترازویی می‌نشست و جنس می‌فروخت.

در طول تابستان، وقتی مدرسه نمی‌رفتیم، کلافه پرسه می‌زدیم و به دنبال کار می‌گشتیم، بنابراین این فروشندگان را اذیت می‌کردیم و میوه‌هایشان را می‌دزدیدیم. این باعث شد که آن‌ها درازای چند سکه ما را استخدام کنند.

بعضی اوقات فوتبال بازی می‌کردیم و چیزهایی شبیه اسکوتر می‌ساختیم. من یک بار یک اسکوتر خاص با استفاده از یک جعبه با دو چرخ در پشت، یک چرخ در جلو و یک فرمان درست کردم. این یک پیشرفت به‌حساب می‌آمد، چون می‌توانستی داخل جعبه بنشینی و جهتِ سفر را کنترل کنی. این‌ها اسباب‌بازی‌های ما بودند، و ما این‌گونه زندگیِ روزانهٔ خود را می‌گذراندیم.

یک بار یک مار مرده در یکی از کوچه‌ها پیدا کردم. من و دوستم نمی‌دانستیم با آن چه کار کنیم، بنابراین یک طناب برداشتیم و آن را به دم مار بستیم.

به سراغ پنجرهٔ همسایه‌ها رفتیم. من سر مار را به داخل می‌بردم و ناگهان صدای جیغ‌وداد می‌شنیدیم. مار را رو به عقب بیرون می‌کشیدم و مثل دیوانه‌ها پا به فرار می‌گذاشتیم. نمی‌دانم چرا همیشه از این‌جور کارها می‌کردم.

در نزدیکی خانهٔ ما، دو تیر چراغ‌برق در نزدیکی یکدیگر وجود داشت که من همیشه از آن‌ها بالا می‌رفتم. در بخش فوقانیِ تیر سوراخ‌هایی وجود داشت و به دلایلی زنبورها

به داخل آن‌ها می‌رفتند. ما بالا می‌رفتیم، دست خود را داخل یک سوراخ می‌گذاشتیم، به داخل فوت می‌کردیم و وقتی زنبورها بیرون می‌آمدند، آن‌ها را می‌گرفتیم.

یک روز که داشتم از تیر چراغ‌برق کنار خانه‌مان بالا می‌رفتم، یک پسر مسلمان داشت رد می‌شد. پایم را گرفت و من را به پایین کشید. بدنم در قسمت آهنی پایین تیر چراغ‌برق گیر کرد. زخمی شدم و خون زیادی از من رفت. من پسر را با پاهایش گرفتم و او را در هوا بلند کردم، درحالی‌که سرش رو به پایین بود و او را به زمین کوبیدم. نمی‌دانم بعداز آن چه اتفاقی برای او افتاد، چون من به‌سمتِ بیمارستان دویدم تا به زخمم رسیدگی کنند.

فصل ۲۰

اردوی تابستانی

سازمان محلی که تمام امور یهودیان را هماهنگ می‌کرد، انجمن نام داشت[۱]. این بخشی از کمیتهٔ مرکزی سازمان صهیونیستی در ایران بود. بزرگ‌ترین شعبه در تهران بود، بنابراین یهودیان بیشتری به آنجا نقل‌مکان می‌کردند. حمام، بیمارستان، مدرسه و کنیسه‌ها ـ همه تحت مدیریت انجمن بودند. یک مرکز برای حزب پیشاهنگی وجود داشت با فعالیت‌هایی برای کودکان و نوجوانان. این سازمان همچنین به نیازمندان کمک می‌کرد.

وقتی تابستان فرامی‌رسید، آن‌ها اردوهایی یک‌ماهه را در دو نوبت ترتیب می‌دادند.

این سازمان مزرعه‌ای را خارج از شهر، در شمال، با تعداد زیادی درخت، تعدادی کلبه و استخر اجاره می‌کرد و در آنجا چادرهایی بر پا می‌کردند. هشت بچه در یک چادر می‌خوابیدیم با چهار تخت در هر طرف.

برای اردوگاه تابستانی و همچنین برای مدرسه، با توجه به میزان درآمد والدین، مبلغی صعودی پرداخت کردیم. آن‌ها می‌دانستند چه کسی پول دارد و چه کسی ندارد. اگر یک خانواده چندین فرزند داشتند، همه آن‌ها را نمی‌پذیرفتند، فقط یک نفر از هر خانواده. من چندین بار به این اردوگاه رفتم و خیلی خوش گذشت. من تاکستان آنجا، استخر و غذای خوب را به یاد می‌آورم. آن یک تجربهٔ عالی بود.

هر بچه‌ای که می‌خواست به اردوگاه تابستانی برود، باید واکسینه می‌شد. آن‌ها به تک‌تک بچه‌ها واکسن می‌زدند، و فقط در آن صورت به شما اجازهٔ رفتن به اردوگاه تابستانی می‌دادند. من از آمپول می‌ترسیدم و کاملاً از دریافت آن امتناع کردم. بنابراین به من گفتند که به‌جای آن باید قرص‌های زیادی را قورت بدهم. من نمی‌دانستم چطوری قرص‌ها را

---

۱. انجمن، کمیتهٔ اصلی سازمان صهیونیستی در ایران برای اهداف آموزشی بود.

قورت بدهم، بنابراین آن‌ها را جویدم. طعم آن بسیار تلخ بود؛ من سعی کردم فقط به اردوی تابستانی فکر کنم تا بتوانم آن را تحمل کنم.

در طول اردوی تابستانی، با یک پسر دعوا کردم و او زخمی شد. آن‌ها تصمیم گرفتند من را بیرون بیندازند. من سوار بر یک ماشین به شهر برگردانده شدم. افسرده شده بودم و از عالم‌وآدم متنفر بودم. فکر کردم، الان همه‌چیز رو از دست دادەم، همهٔ بچه‌های دیگه دارن خوش می‌گذرونن و منو برگردوندن به محله و هیچ کاری ندارم که انجام بدم. تابستان‌ها همیشه خیلی خیلی گرم بود.

سال بعد، حدوداً ۱۴ سال داشتم و دلم می‌خواست به اردوگاه تابستانی برگردم، اما آن‌ها به‌رغم التماس‌های من، من را نپذیرفتند. من ایستادم و تماشا کردم که همهٔ بچه‌ها با خوش‌حالیِ زیاد سوار اتوبوس می‌شدند و والدینشان با آن‌ها خداحافظی می‌کردند. می‌توانید تصور کنید که چه احساسی داشتم. تصمیم گرفتم که تسلیم نشوم. می‌دانستم اردوگاه کجاست و مسیر رفتن به آنجا را پرسیدم. چندین اتوبوس سوار شدم و شب به آنجا رسیدم.

یک نگهبان دم در ورودی بود و به داخل رفت تا بگوید من آمده‌ام. مشاور مسئول وقتی من را دید، شوکه شد. به من اجازه داد وارد شوم و در یک چادر بخوابم. صبح روز بعد او و چند مشاورِ دیگر اردوگاه من را صدا کردند تا تصمیم بگیرند با من چه‌کار کنند، من را برگردانند یا به من اجازه دهند که بمانم. آن‌ها فکر می‌کردند که اگر من تمام تلاش خود را کرده‌ام و به‌تنهایی به آنجا رسیده‌ام، احتمالاً واقعاً می‌خواهم در آنجا باشم، بنابراین متقاعد شده بودند که اوضاع روبه‌راه خواهد بود و به من اجازه دادند که بمانم.

آن تعطیلات تابستانی خوب پیش رفت و من خوش‌حال بودم. یکی از مشاوران، فرهاد، فرزند یکی از دوستان پدر من بود. مادرش معلمی بود که من قبلاً در مهدکودکی که از رفتن به آن متنفر بودم به او می‌چسبیدم.

اینکه کسی را بشناسی حس خوبی داشت. او به من نزدیک شد، ما باهم دوست شدیم و او باعث شد من حال خوبی داشته باشم. من از آن مرد خوشم می‌آمد. آن رابطه را حفظ کردم و هر فرصتی که پیش می‌آمد به دیدنش می‌رفتم.

به‌هرحال، چهل سال بعد، وقتی از ایالات متحده برای سر زدن به اسرائیل رفتم، شنیدم که والدین فرهاد در راملا[1] زندگی می‌کنند و به دیدن آن‌ها رفتم. به‌عنوان سوغاتی باهم عکس گرفتیم و این یک اتفاق بسیار مسرت‌بخش برای من بود. حس کسی را داشتم که یک

1. Ramla.

میلیون دلار برنده شده است. مواردی ازاین‌دست برای من بسیار مهم هستند.

هرچه بزرگ‌تر شدم، متوجه شدم که دوست دارم با خانواده و دوستان و به‌خصوص با افرادی که یک بار در حق من خوبی کرده‌اند، در ارتباط باشم. من هرگز آن‌ها را فراموش نمی‌کردم و هرکسی که در حقم بدی کرده بود را هم فراموش نمی‌کردم.

دیدار آقای ز در اسرائیل با یکی از دوستان پدرش و همسر او که مربی مهدکودک او و در ایران بود.

همان‌طور که قبلاً به شما گفتم، در سن ۱۰-۱۲سالگی، من و دوستانم عادت داشتیم مدرسه را بپیچانیم. ما به سینما می‌رفتیم یا در جاهای مختلف پرسه می‌زدیم، درحالی‌که مزاحمت ایجاد می‌کردیم و کارهای احمقانه انجام می‌دادیم. حواسمان بود که قبل از پایان روز به مدرسه برگردیم تا کیف‌هایمان را از کلاس برداریم و به خانه برویم.

مدرسه در حاشیهٔ محلهٔ یهودی بود. در راه خانه، مجبور بودیم از کنار یک منطقهٔ مسلمان‌نشین عبور کنیم. بعضی اوقات پسران مسلمان ما را اذیت می‌کردند و ما را کتک می‌زدند. ما معمولاً با مسلمان‌ها رابطهٔ خوبی داشتیم، اما جوان‌ترها ما را اذیت می‌کردند. گاه‌وبیگاه من و دوستانم و همچنین سایر بچه‌های یهودی را می‌زدند یا دشنام می‌دادند. اغلبِ آن‌ها فرار می‌کردند. فقط من و گروهم می‌جنگیدیم، متقابلاً سیلی می‌زدیم و در بیشتر موارد، آن‌ها را کتک می‌زدیم.

ما سعی کردیم به راه‌هایی برای محافظت از خود و چگونگی انتقام گرفتن از پسرهای

مسلمان فکر کنیم. شروع کردیم به گذاشتن پاشنه‌کش‌های آهنی در جیب‌هایمان. آن‌ها را آنجا می‌گذاشتیم، ظاهراً برای کمک به پوشیدن کفش‌هایمان، اما آن‌ها را بیرون می‌آوردیم و بچه‌های مسلمان را می‌زدیم. از پاشنه‌کش به پیچ‌گوشتی و بعدتر، حتی به چاقوهای کوچک روی آوردیم. اما همه چاقو نداشتند، فقط گروه ما. من یک کمربند هم داشتم و آن را از سگک روی مچ دستم می‌تاباندم و هرکسی که نزدیکم می‌شد را با آن می‌زدم.

بارها پیش آمد که ما مجبور می‌شدیم از خودمان دفاع کنیم یا به افراد دیگری که مورد حمله قرار می‌گرفتند کمک کنیم.

برادر کوچک‌تر پدرم یاکوف پسری هم‌سن من داشت، منوچهر ـ همان‌طور که قبلاً نیز اشاره کردم. ما دوستان خوبی شدیم، اما مخفیانه، به دلیل اختلاف بین پدرانمان.

هر دو وحشی بودیم. در نزدیکی بیمارستان بازی می‌کردیم و با مسلمان‌ها دعوا می‌کردیم. منوچهر دانش‌آموز خوبی بود و فرار نمی‌کرد. ما دوستان خوبی بودیم و تا به امروز هم هستیم.

ما همچنین در اردوگاه تابستانی باهم وقت گذراندیم و تجربیات زیادی باهم داشتیم.

فصل ۲۱

مسافرت: اتوبوس، دوچرخه یا کالسکه

وقتی ما بچه‌های کوچکی بودیم، معمولاً پولی برای رفتن به‌جایی نداشتیم. برای رفتن از جایی به‌جایی دیگر، دنبال اتوبوس می‌دویدیم، از پشت آن بالا می‌رفتیم، روی سپر یا نردبان می‌ایستادیم، نرده‌های کنار پنجره را می‌گرفتیم ـ یا هرچیزِ دیگری که می‌توانستیم بگیریم. و این‌طوری این‌طرف و آن‌طرف می‌رفتیم.

همچنین کالسکه‌هایی با اسب بودند که به‌عنوان تاکسی خدمت می‌کردند. در پشت جا برای دو کودک وجود داشت. اما اگر کالسکه‌چی احساس می‌کرد که کسی دارد از پشت بالا می‌رود، با شلاق بلند خود به‌سمتِ پشت شلاق می‌زد و ما در وسط جاده پایین می‌افتادیم.

در آن زمان، تعداد کمی از یهودیان نوعی وسیله نقلیه داشتند و آن‌هایی هم که داشتند عمدتاً تاجر بودند. برخی از افراد دوچرخه‌ای با یک موتور کوچک داشتند ـ نیمی دوچرخه، نیمی موتورسیکلت. برخی از افراد برای رسیدن به‌جایی که می‌خواستند بروند، سوارِ دوچرخه می‌شدند.

پدرم یک دوچرخه بزرگِ زیبا داشت. امروزه دیگر به آن شکل دوچرخه نمی‌سازند. وقتی او از سفرهای فروش خود به خانه می‌آمد، با آن در اطراف تهران سواری می‌کرد. پدر دوچرخه را در انبار آویزان می‌کرد، بر روی دو قلاب محکم بر روی دیوار با ارتفاع از زمین.

مدرسهٔ راهنمایی کمی دور و در شمال شهر بود. برخی از دانش‌آموزان با اتوبوس می‌رفتند، برخی از کامیونی که در مسیر مستقیم می‌رفت بالا می‌رفتند و برخی دیگر با دوچرخه به آنجا می‌رفتند. من هم می‌خواستم چنین کنم.

یک روز عزم خود را جزم کردم و دوچرخه پدرم را از دیوار پایین آوردم. دیدم که یک

لاستیکِ پنچر دارد و آن را بردم که تعمیر کنند. بعد از آن، برای مدتی با آن به مدرسه می‌رفتم. از سوارشدن بر آن دوچرخه احساس غرور می‌کردم.

البته وقتی پدرم به خانه آمد، فهمید، اما در کمال تعجب من عصبانی نشد. فقط به من گفت که امیدوار است که من در جاده مراقب بوده باشم و همه‌اش همین بود.

بعضی اوقات ما بچه‌ها در یک ایستگاه اتوبوس منتظر می‌ماندیم و سعی می‌کردیم رایگان سوار شویم. در اتوبوس در پشت بود، جایی که مأمور بلیت، بلیت‌ها را می‌گرفت. برای سوارشدن باید بلیت می‌خریدی و مردی بود که کارش چک کردن بلیت‌ها بود. او آن‌ها را می‌گرفت و به دو قسمت پاره می‌کرد. ما در ایستگاه اتوبوس می‌ایستادیم و التماس می‌کردیم که لطفاً، لطفاً اجازه بده ما سوار شویم. بعضی اوقات مأمورهای بلیت مهربان بودند و می‌گذاشتند ما به‌صورت رایگان سوار اتوبوس شویم.

در سایر مواقع دزدکی سوار اتوبوس می‌شدیم. اگر چند نفر بودیم، دو گروه می‌شدیم، بنابراین مأمور بلیت متوجه نمی‌شد. یک روز، چندنفری در ایستگاه اتوبوس ایستادیم و به مأمور بلیت التماس کردیم که به ما اجازه دهد سوار شویم. او قبول کرد که به من اجازه دهد سوار شوم، اما درست همان وقتی که داشتم سوار می‌شدم، یک نفر از پشت سرم پایم را کشید و من از اتوبوس افتادم، درست همان وقتی که داشت شروع به حرکت می‌کرد. چرخیدم و مشتی به دهان آن بچه زدم. واقعاً عصبانی شده بودم.

مردی که من را از اتوبوس بیرون کشیده بود، روی زمین دراز کشیده بود و من روی بالاتنۀ او نشستم. انگشتم را آن‌قدر محکم داخل چشمش کردم که چشمش بیرون زد. دیوانه‌وار فریاد زد و من بلند شدم و سریع فرار کردم. می‌دانم که واقعاً به چشم او آسیب رسانده بودم.

اگر کسی من را می‌زد، عصبانی می‌شدم و به آدمی کاملاً متفاوت تبدیل می‌شدم. مثل یک حیوان از کنترل خارج می‌شدم. از خشم و عصبانیت کور می‌شدم.

به‌عنوان یک بچه، اگر کسی کاری با من می‌کرد، بی‌خیالش نمی‌شدم. از خودم دفاع می‌کردم و برای حق‌وحقوق خودم می‌جنگیدم. من این‌طوری مشکلات درونی‌ام را حل می‌کردم ـ با سرکشی و انفجار آن‌ها را تخلیه می‌کردم.

همه مثل من نبودند. از حدود صد بچه، فقط پنج یا شش نفر به‌اندازۀ من وحشی بودند و فقط یک یا دو نفر مانند من سرکشی می‌کردند. این چموشی ما را به هم وصل کرد و ما یک گروه شدیم.

همان‌طور که گفتم، اگر کسی کاری با من می‌کرد، من بی‌خیالش نمی‌شدم یا آرام

نمی‌نشستم، تا اینکه از بچه یا بزرگ‌سالی که باعث رنجش من شده بود انتقام می‌گرفتم. هرگز نمی‌توانستم بی‌تفاوت باشم. همیشه از آن‌ها انتقام می‌گرفتم و به دنبال راه‌های مختلف برای انجام آن می‌گشتم.

فکر می‌کنم من یکی از بچه‌هایی بودم که بیشترین دعواهای خیابانی را داشت. من نمی‌دانستم که چرا این‌طوری بودم. فکر می‌کنم حالا می‌توانم توضیح دهم. فکر می‌کنم این به دلیل شرایطی بود که ما در آن زندگی می‌کردیم، اینکه پدرم هرگز پیشِ ما نبود. من همیشه با مادرم و با همسایه‌ها و افراد دیگر مشاجره می‌کردم. بعضی اوقات آن‌ها به خانه می‌آمدند و به مامان شکایت می‌کردند. او عصبانی می‌شد و من را می‌زد، و وقتی این کار را می‌کرد، کوتاه نمی‌آمد.

فصل ۲۲

بادبادک

همان‌طور که قبلاً گفتم، ما بازی‌ها و اسباب‌بازی‌های بازاری نداشتیم، بنابراین خودمان آن‌ها را می‌ساختیم: بادبادک، تیر و کمان، قلاب‌سنگ، روروئک یا اسکوتر. یکی از کارهای موردعلاقه ما ساختن بادبادک بود. ما بین گروه‌ها رقابت داشتیم تا ببینیم چه کسی می‌تواند بزرگ‌ترین بادبادک را بسازد.

برای انجام این کار، به یک میلهٔ چوبیِ انعطاف‌پذیر نیاز داشتی تا چهارچوبی از این سر تا آن سر باشد. این باعث می‌شد که بادبادک کشیده و باز باقی بماند.

یک تکه کاغذ مربعی‌شکلِ بزرگ برمی‌داشتیم، آن را در حالتی زاویه‌دار قرار می‌دادیم و یک دنباله با زنجیری از حلقه‌های ساخته‌شده از تکه‌کاغذهای رنگی به آن وصل می‌کردیم.

هرچه سطح بزرگ‌تر باشد، بادبادک بزرگ‌تر می‌شود و بهتر پرواز می‌کند. ما همیشه برای پیدا کردنِ مواد انعطاف‌پذیر که بتوانیم آن را تا کنیم و به شکل یک قوس، مانند هلالِ ماه از یک سمت تا سمت دیگر بچسبانیم، مشکل داشتیم.

یک روز، من در مهدکودکِ کناری‌مان یک سایه‌بان دیدم که با طناب رو به بالا و پایین باز و بسته می‌شد. از تکه‌های چوبِ محکم، اما انعطاف‌پذیر ساخته شده بود که می‌توانست خم شود. به‌سمتِ پنجره رفتم، یک تکه از آن را بریدم و با آن یک بادبادک درست کردم ـ بزرگ‌ترین و محکم‌ترین بادبادکی که تا آن‌وقت ساخته بودم.

طبیعتاً، به‌خوبی از آن مراقبت می‌کردم.

یک روز، به پشت‌بام رفتم تا باد خوبی برای پرواز بادبادک گیر بیاورم. آن‌قدر بالا رفت که تقریباً داشتم با آن بالا می‌رفتم. من را کشید تا اینکه به لبه پشت‌بام رسیدم و تقریباً افتادم.

ما شب‌ها مسابقات را برگزار می‌کردیم و بادبادک‌ها را در آسمان پرواز می‌دادیم. وقتی که

تاریک بود، ما یک جعبه از کاغذ رنگی نازک می‌ساختیم و شمعی داخل آن قرار می‌دادیم تا آن را مانند یک فانوس روشن کند. جعبه از کاغذ بسیار سبک‌وزن ساخته می‌شد. ما جعبه را با فاصله ده متر به طنابِ بادبادک وصل می‌کردیم و طناب دیگری را به آن‌یکی وصل می‌کردیم. هر ده متر یک فانوس کاغذی اضافه می‌کردیم. آن بالا در آسمان کلی چراغ‌های رنگی وجود داشت. شگفت‌انگیز بود. کل محله شبانه به آسمان نگاه می‌کردند. ظاهری رؤیایی داشت.

بعضی اوقات شمع می‌توانست جعبه را آتش بزند و این می‌توانست خودِ طنابِ بادبادک را بسوزاند، بنابراین ما به‌سرعت بخش زیادی از طناب را باز می‌کردیم تا بادبادک بیفتد ـ و شعله داخل جعبه خاموش شود.

ما مسابقات مختلفی داشتیم ـ بادبادک چه کسی زیباترین بود و کدام‌یک بالاترین پرواز را انجام می‌داد. برای اینکه یک بادبادک مسافتی طولانی پرواز کند، به طنابی طویل و محکم نیاز داشتی، و درنتیجه مدتی طول می‌کشید تا بادبادک را به پایین برگردانی و طناب را به‌آرامی جمع کنی.

یکی از دوستانم که یکی از «بچه‌های خوب» بود، انواع دستگاه‌های مکانیکی را ساخت. او اشیائی را پیدا می‌کرد و از آن‌ها برای انواع اختراعات استفاده می‌کرد. به‌عنوان مثال، یک ساعت زنگ‌دار برداشت، دو شمعدان به طرفین آن اضافه کرد و یک پنکهٔ شخصی از آن درست کرد. او همچنین چیزی ساخت که طناب بادبادک را جمع می‌کرد تا به‌سرعت آن را پایین بیاورد. در آن روزها، این کارها نشان می‌داد که او ذهن خوبی دارد.

یک روز او یک حلقه فیلم گیرش آمد و از یک جعبه مقوایی نوعی پروژکتور فیلم ساخت. بعداز مراسم نماز بلیت‌ها را در کنیسه فروخت. همه بچه‌ها برای دیدن فیلم بلیت خریدند. همهٔ ما نشستیم و تماشا کردیم. اگرچه فیلم دقیقاً آن‌طور که باید اجرا نشد، اما بسیار هیجان‌انگیز بود و همه ما از آن لذت بردیم.

این پسر هم مهاجرت کرد. من او را در اسرائیل ملاقات کردم و دیدم که با دینام، هرآنچه مربوط به سیستم‌های برقی خودرو بود، سروکار دارد.

فصل ۲۳

شرارت‌ها و شوخی‌های بیشتر

بعد از مدرسه مستقیم به خانه نمی‌رفتم. در راهِ رفتن به آنجا، اتفاقات زیادی رخ می‌داد ـ دعوا، هرج‌ومرج و قیل‌وقال. وقتی بالاخره به خانه می‌رسیدم، چیزی می‌خوردم و به‌سرعت به‌سمتِ خیابان اصلی در نزدیکی بیمارستان می‌دویدم، جایی که ما بچه‌ها همیشه باهم ملاقات می‌کردیم.

یک پیاده‌رو عریض بین بیمارستان و خیابان وجود داشت. در نزدیکی خیابان، یک باغ حصارکشی‌شده با درختان نحیف و بلند وجود داشت. یکی از ترفندهای ما این بود که با پشت به نرده تکیه دهیم، دست راستمان را بالا ببریم و شاخه‌ای از درخت را بگیریم. هنگامی که یک شیخ یا ملا (مسلمان مذهبی) با عمامه‌ای (پارچه‌ای که به دور سر پیچیده می‌شد) بر سر عبور می‌کرد، شاخه را پایین می‌آوردیم، عمامه را می‌پراندیم و فرار می‌کردیم. او دنبالمان می‌کرد و ما می‌خندیدیم. خیلی خوش می‌گذشت.

برخی از مسلمان‌ها در محله زندگی می‌کردند و کسب‌وکار داشتند. آن‌ها خرج زندگی خود را از یهودیان درمی‌آوردند. این افراد با یهودیان مشکلی نداشتند و همهٔ ما باهم خوب بودیم.

در خیابان اصلی یک فروشندهٔ مسلمان آب‌نبات و کلوچه وجود داشت. او تمام جنس‌های خود را روی سینی بزرگی می‌گذاشت که روی دو الاغ چوبی قرار داشت. مردم در آنجا می‌ایستادند و هر شیرینی‌ای را که می‌خواستند می‌خوردند و سپس پولش را به آن مرد می‌پرداختند.

ما بچه‌ها هم‌زمان دوسه نفری می‌رفتیم و شروع به خوردن می‌کردیم. هر یک از ما چندین چیز می‌خوردیم. فروشنده گیج می‌شد و بحثی پیش می‌آمد. همهٔ ما فرار می‌کردیم

و البته او نمی‌توانست اجناسش را رها کند. او فقط به ما فحش می‌داد. ما می‌خندیدیم و همچنان می‌دویدیم.

یک‌بار با ترفند متفاوتی به سراغ او رفتیم. ما نمی‌توانستیم به او نزدیک شویم چون ما را می‌شناخت. من درست در، بالای جایی که او ایستاده بود، به بالای پشت‌بام رفتم. یک تایر دوچرخه با خودم داشتم. وقتی دوستانم که همان نزدیکی بودند به من اشاره کردند، تایر دوچرخه را رها کردم تا روی او پایین بیاید و دست‌های او را به درون خود به دام بیندازد. در همین حال، دوستان من اجناس را برداشتند و پا به فرار گذاشتند.

ما در خیابان اصلی خوش‌گذرانی‌های بیشتری هم داشتیم. یکی از ما در یک‌طرف می‌ایستاد و پسر دیگری در آن‌طرف خیابان بود. طناب ضخیمی را در سراسر جاده می‌گذاشتیم. ماشین‌ها رد می‌شدند و ما منتظر می‌ماندیم که کسی سوار الاغ، معمولاً روستائیان، عبور کنند. بعد طناب را می‌کشیدیم، پای الاغ گیر می‌افتاد، و مرد و الاغ می‌افتادند. این موجب خندۀ ما می‌شد.

ترفند دیگری که داشتیم با مردی بود که با الاغ خود برای فروش کالاهایی مانند سیب به محله می‌آمد. من یک بلال برمی‌داشتم و آن را با یک سس تند داغ آغشته می‌کردم. پسر دیگری دم الاغ را بلند می‌کرد و من بلال را در ماتحت الاغ فرومی‌کردم. الاغ دیوانه‌وار جفتک می‌انداخت و همه اجناس پایین می‌افتادند. بعد ما سیب‌ها را به‌صورت رایگان می‌خوردیم.

به گذشته که نگاه می‌کنم، ما کلک‌های بدی می‌زدیم. امروز برای افرادی که این کارها را سرشان آوردیم متأسفم. اما همان‌طور که گفتم، شرایط برای ما بچه‌ها آسان نبود. ما کار دیگری نداشتیم. بعضی از بچه‌ها به‌محض تاریک شدن هوا، ساعت هفت عصر به رختخواب می‌رفتند. تلویزیون یا هیچ‌چیز دیگری وجود نداشت، تا زمانی که به خانه‌ها برق دادند، و حتی آن موقع هم ما فقط یک رادیو داشتیم که می‌توانستیم در حیاط به آن گوش کنیم. همۀ ما می‌نشستیم و دورِ آن جمع می‌شدیم و به نمایش‌های رادیویی گوش می‌دادیم.

فصل ۲۴

کار با پدرم در شهری در شمال کشور

یک‌بار، در طول تعطیلات تابستانی، پدرم تصمیم گرفت من را با خودش به شهری در شمال کشور بنام چالوس ببرد، جایی که او در آنجا خانه‌به‌خانه پارچه می‌فروخت. شریکش هم پسرش را که حدود ۱۰، ۱۱ ساله و هم‌سن من بود آورد.

آن شهر فقط یک جادهٔ اصلی داشت. یک ایستگاه اتوبوس وجود داشت که مردم از شهرهای دیگر وارد می‌شدند. و همچنین یک رستوران با یک مسافرخانه وجود داشت که پدرِ من و شریکش همیشه در آنجا می‌ماندند.

صاحب رستوران یک مرد مسلمانِ خوب بود. او با پدر من و شریکش مهربان بود. پدر من پس‌از اتمام کارش در رستوران به او کمک می‌کرد و بعد جلوی رستوران وقت می‌گذراند.

او و شریکش می‌نشستند و با افراد دیگری که آن‌ها هم به سفرهای کاری برای فروش آمده بودند ملاقات می‌کردند. این‌ها بازرگانانی بودند که شهر به شهر سفر می‌کردند.

در طی آن سال‌ها، پدر من فقط در این شهرِ خاص متمرکز بود و گاهی ازآنجا به شهرهای کوچکِ اطراف می‌رفت. هرازگاهی یک دورهمی میان چندین بازرگان برگزار می‌شد، و همه آن‌ها در مسافرخانه‌ای یکسان یا مسافرخانه‌هایی دیگر در همان نزدیکی می‌نشستند یا می‌خوابیدند. شب‌ها می‌نشستند و باهم غذا می‌خوردند، چون پدر من برای آن‌ها آشپزی می‌کرد. او در این کار بسیار ماهر بود.

وقتی بابا با شریکش سرِ کار می‌رفت، من و پسر شریکش در رستوران یا مسافرخانه می‌ماندیم و خودمان را مشغول می‌کردیم. در پشت رستوران یک حیاط با درختان میوه وجود داشت.

بسیاری اوقات من تا دیروقت می‌خوابیدم، گاهی اوقات حتی تمام روز را. یک روز، پدرم حدود ساعت پنج بعدازظهر برگشت و دید که من خوابم. عصبانی شد و سرِ من فریاد زد. وقتی فهمید که حوصله‌ام سر رفته، روز بعد من را با خودش سرِ کار برد.

او همچنین در آن زمان یک کارگر داشت که بسته‌های بزرگ و سنگین پارچه را روی کمرش حمل می‌کرد. این کار سختی بود. تمام روز آن‌ها در روستاها راه می‌رفتند. پدرم فریاد می‌زد، «پارچه، پارچه! پارچه پیراهنی، کت‌شلواری.»

هرازگاهی، دری باز می‌شد و شخصی او را به داخل خانه دعوت می‌کرد. پدرم داخل می‌شد و می‌نشست و اجناسش را ارائه می‌کرد و می‌کوشید چیزی بفروشد. من کناری می‌نشستم و تماشا می‌کردم. او یک چوب به طول یک متر داشت که برای اندازه‌گیری استفاده می‌شد. پدرم خودش را به‌عنوان یک عرب اهل مکه معرفی می‌کرد ـ و مردم از اینکه این پارچه از شهر مقدس آمده بود، هیجان‌زده می‌شدند.

درحالی‌که از میان روستاها عبور می‌کردیم، پدرم هر درخت و گیاهی را که در راه دیدیم با اشاره به من نشان می‌داد و توضیح می‌داد که آن‌ها چه هستند.

او خیلی راه می‌رفت. حتی وقتی در خانه بود و کار نمی‌کرد، هر روز قدم می‌زد. او سریع راه می‌رفت. من این را از او به ارث بردم.

در این مدت، افکاری به ذهنم خطور کردند ـ دلم به خاطرِ کارِ سخت پدرم و معدود سکه‌ای که از آن به دست می‌آورد، می‌سوخت. من می‌دانستم که او در تهران چقدر برای خرید عمدهٔ پارچه‌ها پرداخت می‌کرد. و وقتی قیمتی که داشت آن‌ها را می‌فروخت را دیدم، یادم هست که بلافاصله فکر کردم که او هیچ پولی درنمی‌آورد!

فکر کردم شاید به این دلیل باشد که در زمان کودکیِ او مدرسه‌ای وجود نداشت. بچه‌ها خیلی زود سرِ کار می‌رفتند، چه برای کمک به والدین خود چه مشغول شدن در انواع مشاغل یا کارخانه‌ها. فکر کردم شاید به این دلیل باشد که پدرم بی‌سواد بود و نمی‌توانست محاسبات ریاضی را انجام دهد. او حتی نمی‌دانست چطور اسم خودش را بنویسد. خیلی دلم برای او سوخت، چطور او برای حمایت از یک خانوادهٔ بزرگ تلاش می‌کرد و چه مشکلاتی را پشت سر گذاشت.

فصل ۲۵

بده‌بستان

وقتی من ۱۲ تا ۱٤ ساله بودم، انواع شغل‌های عجیب‌وغریب را انجام دادم. در ایران ذرت کبابی (بلال) می‌خوردند. من از آن دوروبر مقدار زیادی ذرت می‌خریدم، روبه‌روی حمام می‌رفتم و آتش روشن می‌کردم. می‌نشستم و بلال را روی منقل آماده می‌کردم و آن را به مردم می‌فروختم.

علاوه بر مشاغلی که خودم آغاز می‌کردم، من هم مانند پسرعمویم برای یک مرد یهودی در محله به نام منوچهر کار می‌کردم. این مرد در خیابان اصلی یک فروشگاه بزرگ لباس داشت. او پیراهن و تی‌شرت می‌فروخت. او پدرومادرم را می‌شناخت و به من اجازه داد در آنجا به‌عنوان دستیار او کار کنم.

من در بازار به او ملحق می‌شدم و هنگام خرید با او بیرون می‌رفتم. برایم جالب بود. معابری با چندین طبقه وجود داشت و در هر یک تولیدکننده یا مغازه‌های متفاوتی وجود داشت که کالا های خود را می‌فروختند. او از بین آن‌ها انتخاب می‌کرد و مازاد تولیدکنندگان را می‌خرید.

معامله را تمام می‌کرد و مطمئن می‌شد که من هم انعامی بگیرم، چون من در حمل کالا به ماشین او کمک می‌کردم. خوش‌حال بودم، برای من پول خوبی بود. من دستیار مغازه بودم. کارتن‌ها را باز می‌کردم و وسایل را می‌چیدم. سرانجام، شروع به فروش اجناس در فروشگاه کردم. از دیگران یاد گرفتم که چطور صحبت کنم، چطور بفروشم و چطور اجناس را نشان بدهم. من تمام تکنیک‌ها و ترفندهای تجارت را یاد گرفتم و در سن ۱۴سالگی وارد فروش شدم.

یک روز که داشتم یک فروشنده را تماشا می‌کردم، ایده‌ای به ذهنم رسید. او به دختری

که می‌خواست جنسی را بخرد، گفت که قیمتش چهل تومان است. البته دختر با او در مورد قیمت چانه زد ـ مردم در ایران همیشه در مورد قیمت چانه می‌زنند و این قابل‌قبول بود. او با چهل تومان شروع کرد و آن دختر تا سی تومان قیمت را پایین آورد.

درحالی‌که او با فروشنده چانه‌زنی می‌کرد، من به فروشنده گفتم، «سلام، گوش کن، من وقتی رئیس اون رو خرید همراهش بودم ... و اون سی تومن پرداخت کرد. چطوری می‌تونی بدون هیچ سودی بفروشیش؟»

همین‌طوری این را گفتم. قیمتش واقعاً سی تومان نبود، کمتر بود. اما دیدم که این کار کمک کرد. فروشنده هم می‌دانست که قیمتش کمتر بود. درِ گوش من گفت، «برو، دیگه چیزی نگو، اون پول زیادی نداره.» دختر بلافاصله آن جنس را خرید.

وقتی شروع به فروش در فروشگاه کردم و یک زن برای خریدِ چیزی وارد می‌شد، می‌گفتم «پنجاه». او سعی می‌کرد تا بیست تومان قیمت را پایین بیاورد. من با گفتن، «بهتون قول می‌دم، وقتی رئیس اون رو خرید، من همراهش بودم، بیست‌وپنج تومن خرید، به من سی تومن داد.» او را متقاعد کنم.

آن زن همچنان امتناع می‌کرد.

بنابراین می‌گفتم، «بذارید ببینیم رئیس چی می‌گه. رئیس همیشه برای کنترل آنچه در فروشگاه اتفاق می‌افتاد، روی یک صندلی می‌ایستاد. من جنس را در دستم نگه می‌داشتم و به فارسی فریاد می‌زدم، «آقا ـ پنجاه تومن. به ایشون چند بدم؟» من عدد پنجاه را به عِبری می‌گفتم، چون در آنجا همه الفبا و اعداد عبری را بلد بودند.

بنابراین رئیس به فارسی فریاد می‌زد «پنجاه». وقتی آن زن این را می‌شنید، به او می‌گفتم، «اشکالی نداره، من به شما سی تومن می‌دم، مهم نیست ...»

و بنابراین تبدیل به یک فروشندهٔ بسیار خوب شدم.

یک روز، به خودم مرخصی دادم و به شمال رفتم. در شمال تهران جایی برای اسکی در زمستان وجود داشت. من و پسرعمویم منوچهر تصمیم گرفتیم که این مکان را پیدا کنیم، اما دقیقاً نمی‌دانستیم که کجاست. وقتی به آنجا رسیدیم، فهمیدیم که لباس‌های مناسبی همراه نبرده‌ایم و داشتیم یخ می‌زدیم، اما برای خودش تجربه‌ای بود.

به خانه که رسیدیم خسته‌وکوفته بودیم و روز بعد همدیگر را دیدیم و به آن خندیدیم. تمام مشکلات خانه ما را اذیت نمی‌کرد، چون آن تجربه از هرچیزی مهم‌تر بود.

همان‌طور که اشاره کردم، در کوچه‌ای که در آن زندگی می‌کردیم، یک حیاط بسیار بزرگ وجود داشت که متعلق به تاجر یهودی بود که من برایش کار می‌کردم، همانی که

خیاط بود و چادرهای بزرگی را برای رویدادها اجاره می‌داد. همسر او به‌عنوان مدیر گروه موسیقی برای جشن‌ها و عروسی‌ها معروف بود.

آن‌ها یک دختر زیبا داشتند. او به‌عنوان «خانم مهربون» محله معروف بود. همه او را رُزا پنج‌زاری صدا می‌کردند ـ نصفه تومان ـ نمی‌دانم چرا، شاید برای بیان اینکه نشان دهند چقدر ارزان است. مادرش هم به‌عنوان یک کارجورکُن شناخته می‌شد. او برای مردان یهودی سکس ترتیب می‌داد، معمولاً با زنان مسلمان، و از آن کسب درآمد می‌کرد.

علاوه بر این دختر، او دو پسر داشت که در همان حیاط زندگی می‌کردند. هردوی آن‌ها همسران زیبایی داشتند که هوش از سرِ همه می‌بردند. من هرگز آن‌ها را فراموش نمی‌کنم. در طول دوره‌ای که من برای آن یهودی در بازار کار می‌کردم، وارد حیاط خانهٔ آن‌ها می‌شدم. هیچ‌کدام از بچه‌های دیگر جرئت نمی‌کردند به آنجا بروند چون کوچه تاریک بود و بچه‌ها از آن‌ها می‌ترسیدند (این همان خانه‌ای بود که ما مار مرده را داخل اتاق عروس قرار دادیم).

یکی از پسرها قلدری عضلانی بود. یادم نمی‌آید که کارشان چه بود. رُزا پنج‌زاری عاشق یک مرد مسلمان بود، یک مرد قدبلند و خوش‌تیپ به نام علی. من واسطه‌ای بودم که نامه‌ها را بین آن‌ها ردوبدل می‌کردم. علی در یک بخش ثابت در اطراف محله قدم می‌زد. فکر می‌کنم او از صاحبان فروشگاه برای محافظت کردن پول می‌گرفت، چون هیچ کار دیگری برای امرارمعاش نداشت.

من نامه‌های بین او و رُزا را می‌بردم و او به من پول می‌داد و مراقبم بود. او همان کسی بود که بعدها وقتی‌که در دبیرستان با مدیر به مشکلی برخوردم با من به مدرسه آمد.

فصل ۲۶

هورمون‌ها

وقتی ده‌ساله بودم، یک بار در حمام، پسری کمی بزرگ‌تر از خودم را دیدم که به داخل حمام می‌رفت و برای مدتی طولانی بیرون نمی‌آمد.

یک روز وارد حمام کناری او شدم. از دیوار بالا رفتم تا ببینم چه خبر است، و دیدم که او مشغول خودارضایی است. دیدن چنین چیزی شگفت‌آور بود. من در بیرون او را گیر انداختم و از او پرسیدم که داشت چه می‌کرد. نمی‌دانستم چه بود، و برایم عجیب به نظر می‌رسید.

او به من گفت، صبر کن، صبر کن. وقتی به‌اندازهٔ کافی بزرگ شدی که اسپرم داشته باشی، آلت خودت رو حتی تو سوراخی داخل دیوار می‌کنی. نمی‌دانستم منظورش چیست، اما این چیزی بود که مدتی طولانی در ذهنم باقی ماند.

در آن روزها، البته، ما هیچ دوست‌دختری نداشتیم. ما اجازه نداشتیم به دخترها نزدیک شویم. وقتی ۱۱، ۱۲ ساله بودم، یک دختر زیبا و شیرین در مدرسه بود که من به او توجه داشتم و همیشه آن حوالی منتظر می‌ماندم تا او را دید بزنم.

منتظر می‌ماندم که او از مدرسه بیرون بیاید و بدون اینکه مرا ببیند، تا خانه او را دنبال می‌کردم. هرگز جرئت صحبت با او یا نزدیک شدن به او را نداشتم.

من واقعاً عاشق او بودم. خیلی زیاد مشتاقانه منتظر دیدن او بودم. او در خیابان اصلی محله زندگی می‌کرد، در حیاط همان یهودی که صاحب فروشگاه پوشاک تی‌شرتی بود که من یک‌وقتی برایش کار می‌کردم. من به دیدن آن تاجر می‌رفتم که فقط بتوانم آن دختر را ببینم.

یک روز که داشتم او را از مدرسه دنبال می‌کردم، یکی از دوستان بسیار خوبم، نجات،

همراهم آمد. یکی از بچه‌های شر نبود. سوار دوچرخه‌اش بود. من پشت دوچرخه‌اش سوار شدم و او را دنبال کردیم. در یک لحظه خاص، خیلی نزدیک شدیم. او نتوانست متوقف شود، و ما با چرخ جلو به آن دختر زدیم. همگی افتادیم.

یادم هست که دلم می‌خواست بمیرم. چطور ممکن بود چنین اتفاقی بیفتد و او من را این‌طوری ببیند؟! او بلند شد و یک کلمه هم نگفت، خودش را به‌سرعت تکاند، وسایلش را جمع کرد و به راه رفتن ادامه داد.

او حتماً به مادرش گفته بود، چون یک روز وقتی‌که به حیاط آن‌ها رفتم، مثلاً برای دیدن صاحب مغازه، مادرش بیرون آمد و به من سیلی زد. به من گفت، خجالت بکش، دیگه حق نداری به دختر من نزدیک بشی. واقعاً معذب شدم. نمی‌دانستم باید چه‌کار کنم، چون من واقعاً آن دختر را دوست داشتم. من فقط می‌خواستم او را ببینم. من فقط از صِرفِ دیدن او بسیار لذت می‌بردم.

یک بار او از کنار من گذشت و من موهای او را بو کردم ... چقدر عاشق آن بو بودم.

آن موضوع به هیچ سرانجامی نرسید، چون من دل و جرئت برقراری ارتباط با دختران را نداشتم. برای هرچیزِ دیگری شجاعت داشتم، به‌جز معاشقه با یک دختر. جرئتش را نداشتم.

تا وقتی‌که در سن ۱۷سالگی ایران را ترک کردم، هرگز با یک دختر نخوابیده بودم.

من و نجات دوستانی خیلی صمیمی بودیم. او بچهٔ خوبی بود، کوچک‌ترین پسرِ والدینش که او را زیادی لوس کرده بودند. خانواده‌اش خانه‌ای با حیاطی بزرگ داشتند. من اغلب به دیدن آن‌ها می‌رفتم، چون مادرش او را لوس می‌کرد، بنابراین من هم همراه او چیزهای خوبی گیرم می‌آمد.

پدرش صاحب یک مغازهٔ قصابی در حیاط بود که به‌سمتِ جاده منتهی می‌شد و قسمت‌های داخلی گاو و گوسفند می‌فروخت.

یک موقعی، من برای پدر نجات کار می‌کردم. هر روز صبح او به کشتارگاه یهودی می‌رفت. یک روز از او خواستم من را با خودش ببرد. برای من جذاب و تکان‌دهنده بود. دیدم که چطور گاوها و گوسفندان را آویزان کرده بودند، چطور پوست آن‌ها کنده می‌شد، تمیز می‌شد و بریده می‌شد. من تمام خون حیواناتی که ذبح شده بودند را دیدم.

بخشی وجود داشت که او در آنجا تمام قسمت‌های داخلی را جمع می‌کرد. همه آن‌ها را داخل یک کیسه برنج خالی می‌انداخت. بعد کیسه را روی پشتش می‌انداخت، به‌سمتِ محله می‌راند، آن قطعات را روی پیشخوان می‌گذاشت و آن‌ها را می‌فروخت.

فصل ۲۷

اسباب‌کشی

یک‌وقتی مجبور شدیم از خانهٔ کنار مهد برویم، چون مالکش می‌خواست حیاط را به همراه همهٔ اتاق‌ها بفروشد. او همهٔ مستأجران را بیرون کرد. و ما دچار مشکل شدیم. پدر من با ناامیدی به دنبال یک اتاق بود و پیدا کردن آن دشوار بود. و ازآنجاکه این محله زیادی پرجمعیت بود، افرادی که اتاقی برای اجاره دادن داشتند، مجموع پولی مازاد به‌عنوان رهن کامل می‌خواستند، نوعی هزینه ورودی. پدر من هیچ پولی برای این کار نداشت و از صاحب‌خانه‌ای که در خانه‌اش زندگی می‌کردیم خواست کمک کند و به او پول بدهد تا بتواند هزینهٔ ورودی در جایی دیگر را بپردازد.

آن مرد اصلاً موافق نبود. من آن را از کنار دیدم، و این من را بسیار عصبانی کرد. به مادرم گفتم که از دست صاحب‌خانه عصبانی‌ام و می‌خواهم بلایی سرِ او بیاورم. این اولین و آخرین بار در عمرم بود که مادرم من را به انجام چنین عملی ترغیب کرد. بعداز اینکه اتاق را تخلیه کردیم، از پشت‌بام وارد آنجا شدم. اتاق‌ها خالی بود. من شیشه‌های پنجره همهٔ آن‌ها را شکستم. خشمم را خالی کردم، بعد فقط ازآنجا بیرون زدم.

پدرم می‌دانست که پدربزرگ یوسف یک اتاق و نیم در حیاط خود دارد. او از پدربزرگ خواست به ما اجازه دهد در آنجا زندگی کنیم چون پیدا کردن اتاق بسیار سخت بود. اما پدربزرگ، که همان‌طور که قبلاً گفتم از پدرم خوشش نمی‌آمد، قبول نکرد.

پدرم همیشه سعی می‌کرد خودش را به پدربزرگ، که نسبت به او بی‌انصاف بود و رفتار درستی نداشت، ثابت کند. به‌هرحال، پدربزرگ به عَمرام، شوهرخاله‌ام احترام می‌گذاشت. پدرم از این موضوع واقعاً رنج می‌برد. این موجب بحث بین پدرومادرم می‌شد. با توجه به آنچه من از این پدربزرگ به یاد می‌آورم، پدرم صددرصد حق داشت.

یک‌وقتی، ما متوجه شدیم که خاله‌ام، شوشانا، همسرش عَمرام و چهار دخترشان به آن یک اتاق و نیم در طبقهٔ همکف خانه پدربزرگ اسباب‌کشی کرده‌اند. پدرم از این امر بسیار ناراحت شد، علاوه بر تمام ضربه‌هایی که قبلاً از پدربزرگ خورده بود.

وقتی شوشانا و همسرش عَمرام به خانهٔ پدربزرگم نقل‌مکان کردند، دوست داشتم به خاطرِ آن‌ها به آن خانه بروم. آن‌ها سه دختر موقرمز و یک دختر مومشکی داشتند که همه آن‌ها زیبا بودند. آن‌ها دخترهایی مهربان و دانش‌آموزانی خوب بودند. آن‌ها زندگی درجه‌یکی داشتند، واقعاً در سطحی بالا، نه مثل ما، «مردم محله.»

دو تا از دخترها هم‌سن من بودند و اسباب‌بازی‌های زیادی داشتند. آن‌ها حتی یک سه‌چرخهٔ قرمز داشتند! من حتی وقتی ۱۰، ۱۱ ساله بودم، در حیاط سوار آن می‌شدم.

یادم هست که یک روز خاله‌ام درحالی‌که داشتم با مادرم دعوا می‌کردم به دیدار ما آمد و من فرار کردم. می‌خواستم خاله‌ام من را به خانه‌اش ببرد. مسیرِ میان‌بُر خانهٔ او را بلد بودم. نزدیکِ خیابان اصلی راه رفتم و در وسط آن نشستم تا او من را ببیند. من را دید و پرسید که آنجا چه‌کار می‌کنم، و بعد مرا به خانه‌اش برد. البته من با خوش‌حالی رفتم. واقعاً از حضور در آنجا لذت می‌بردم. سال‌های سال همین‌طور بود، حتی وقتی در مدرسهٔ راهنمایی بودم. مادربزرگ هم همیشه مهربان بود. من آنجا را دوست داشتم. عَمرام، شوهرخاله‌ام، همان کسی بود که به من کمک کرد تا مدیر مدرسهٔ ابتدایی را وقتی‌که به من سیلی زد، تهدید کنم. عَمرام همچنین چندین بار من را از مشکل با پلیس نجات داد.

وقتی‌که یکی از ما بچه‌ها بدرفتاری می‌کرد، مادرم او را به دنبال نخودسیاه به خانهٔ مادربزرگ می‌فرستاد. او این کار را می‌کرد تا به‌طور موقت از شر آن بچه خلاص شود. مادربزرگ این نکته را می‌فهمید که مادرم می‌خواسته آن بچه را برای مدتی در خانه‌اش مشغول کند.

وقتی من به خانهٔ مادربزرگ فرستاده می‌شدم، او من را می‌نشاند و به من غذا و نوشیدنی می‌داد. برایم میوه می‌آورد و من را لوس می‌کرد.

من این را یاد گرفتم، بنابراین گاهی اوقات می‌آمدم و به او می‌گفتم که مادرم من را دنبالِ نخود سیاه فرستاده است. می‌نشستم و چندساعتی را با مادربزرگ می‌گذراندم.

ایران یک جشن ملی دارد که به آن «جشن آتش‌بازی» نیز گفته می‌شود. مردم لباس نو می‌پوشند، تمام خانواده جمع می‌شوند، آتشی از یک بوته خار روشن می‌شود و همه از روی آتش می‌پرند، می‌رقصند و آواز می‌خوانند. در روز جشن، دست‌فروش‌ها می‌آمدند و بوته‌های خاری را که از مزارع جمع‌آوری کرده بودند می‌فروختند.

جشن ایرانی که در آن مردم از روی آتش می‌پرند.

من و پسرعمه‌ام مراد هم می‌خواستیم خارها را بفروشیم و کمی پول دربیاوریم. بنابراین سوار اتوبوس شدیم. ما واقعاً نمی‌دانستیم که دارد به کجا می‌رود، اما می‌دانستیم که به خارج از شهر می‌رود. در وسط راه مزارع با بوته‌های خار را دیدیم و از راننده خواستیم که پیاده شویم. با خودمان چند کیسه و طناب و یک چوب برای از ریشه درآوردنِ بوته‌ها برده بودیم. و شروع به کار کردیم.

❋ ❋ ❋

خانه‌ای در نزدیکی این مزرعه وجود داشت و درحالی‌که ما در حال جمع‌کردن خارها بودیم، یک زن از خانه بیرون آمد و ما را صدا کرد. وارد خانه او شدیم و او برایمان آب خنک ریخت و به ما غذا داد. دلش برای ما سوخته بود که چنین بچه‌های کوچکی بودیم و داشتیم آنقدر سخت کار می‌کردیم. او می‌دانست که ما چرا داشتیم خارها را جمع می‌کردیم.

هنگامی که کار جمع‌آوری بوته‌های خار تمام شد، راننده‌ها به ما اجازه نمی‌دادند که آن‌ها را داخل اتوبوس ببریم. نمی‌دانستیم چطوری برگردیم. سرانجام، پس از التماس کردن، سوار یکی از اتوبوس‌ها شدیم، به خانه رسیدیم و برای فروش غنیمت خود به خیابان در محله رفتیم.

تابستانی که من ۱۲ساله بودم، پدرم در شهر دیگری مشغول به کار بود. من عزمم را جزم کردم و با چند تن از دوستان به اصفهان رفتم. سفر در شب بود و ما صبح می‌رسیدیم.

من کت‌وشلواری که از مدرسه گرفته بودم و یک کاپشنِ زیبا پوشیدم. در طول سواری در شب، همه به‌جز من موفق شدند روی صندلی‌ها بخوابند.

من در راهرو دراز کشیدم، کاپشنم را درآوردم، آن را زیر سرم گذاشتم و تمام مدت در آنجا خوابیدم. وقتی صبح از خواب بلند شدم، به دلایلی کاپشنم را در اتوبوس جا گذاشتم. تا وقتی به خانهٔ خانواده پدرم رسیدم، نفهمیده بودم که کاپشن ندارم و واقعاً استرس گرفتم. همراه یکی از دوستانی که با من آمده بود و او هم در اصفهان فامیل داشت، با عجله به ایستگاه اتوبوس رفتم. اتوبوسی که سوارش بودیم را پیدا کردیم و راننده برای پیدا کردنِ کاپشن مژدگانی می‌خواست. ما به او پنج تومان دادیم تا کاپشن را پس بگیریم.

در سراسر شهر قدم زدیم. من به خاطر انجام چنین سفر طولانی به‌تنهایی به خودم افتخار می‌کردم و به خانه برگشتم.

❋ ❋ ❋

در دوران کودکی من، این اتوبوس‌ها برای مسافرت بین شهرها استفاده می‌شدند.

هر تیشا بِآو[1]، کل اتوبوس‌ها محله را به مقصد گورستان یهودیان در تهران ترک می‌کردند، و آلیه[2] ای به‌سوی گورستان ترتیب می‌دادند ـ تا شب را در آنجا بخوابند.

در دوران کودکی من، این اتوبوس‌ها برای مسافرت بین شهرها استفاده می‌شدند.

---

۱. نهمین روز از ماه آو عبری که شوم‌ترین روز تاریخ یهود نام دارد و یهودیان در این روز روزه می‌گیرند. (م.)

۲. اشاره دارد به مهاجرت یهودیان از اسرائیل و فلسطین به سمت شهر مقدس یهودیان، اورشلیم. (م.)

عصرِ قبل از تعطیلات، همه خوش‌حال بودند و جشن می‌گرفتند و غذایی قبل از روزه گرفتن می‌خوردند. یک گاو ذبح، کبابی و پخته می‌شد و این یک آیین کامل بود. پسری آنجا بود که ماشین داشت. جاده خلوت بود و هیچ ترافیکی وجود نداشت. او به هرکسی که می‌خواست، اجازه می‌داد که به‌نوبت چرخی با ماشین بزنند. من هم مجبور شدم این کار را انجام بدهم و این یک تجربهٔ فراموش‌نشدنی بود.

روز بعد تضاد کاملی با عصر روزِ قبل بود. شادی مردم به اندوه تبدیل می‌شد. همه سرِ قبرهای اعضای مرحوم خانواده خود می‌رفتند.

مرسوم بود که گلاب روی قبرها بریزند. من و پسرعمویم منوچهر بطری‌های کوچک گلاب را می‌خریدیم و آن‌ها را با خودمان می‌بردیم. صبح که همه مردم سرِ قبرها گریه و هق‌هق می‌کردند، ما به آن‌ها بطری‌های گلاب می‌فروختیم تا روی قبرها بریزند.

وقتی بطری‌ها خالی می‌شدند، آن‌ها را جمع می‌کردیم و به محله می‌بردیم. مردی در آنجا بود که نوعی فروشگاه بازیافت داشت. او بطری‌های خالی را از ما می‌خرید و آن‌ها را می‌فروخت.

فصل ۲۸

زندگی در ضلع شرقی

از خانهٔ کنار مهدکودک، ما به بخش شرقی و بهتر محله، در آن‌طرف خیابان اصلی نقل‌مکان کردیم. یهودیان در آنجا هم زندگی می‌کردند، اما خانه‌ها بهتر و تمیزتر بودند و خیابان‌ها هم تمیزتر بودند. به همه‌چیز رسیدگی بهتری می‌شد، چون مسلمان‌ها بیشتری در آنجا زندگی می‌کردند. ما روبه‌روی محلهٔ یهودی‌نشین زندگی می‌کردیم.

ضلع غربی که قبلاً در آن زندگی می‌کردیم، خودِ زاغه بود. تقریباً هیچ جادهٔ آسفالتی در آنجا وجود نداشت. همه‌چیز پر از گِل بود، با وجودی که بیشتر یهودیان در آنجا زندگی می‌کردند و تمام دادوستدها در آنجا انجام می‌شد.

خانه جدید شبیه به خانه قبلی بود ـ یک اتاق بزرگ با دو در که رو به یک بالکن با اتاق‌های دیگر باز می‌شد و پله‌هایی که به‌سمتِ حیاط پایین می‌آمد. روبه‌روی ما خانه‌ای تک‌اتاقه بود و زیر اتاق ما یک انبار و توالت‌ها قرار داشتند.

من ۱٤، ۱۵ ساله بودم که در خانهٔ ضلع شرقی زندگی می‌کردیم، و این زمانی است که خواهر کوچکم نوا[1] به دنیا آمد، کوچک‌ترین دختر والدینم. او درست مثل یک عروسک کوچک بود. یک بار شایعاتی وجود داشت که کسانی می‌خواستند بیایند و او را بخرند. من واقعاً، او را خیلی دوست داشتم. او سه‌ساله بود که من ایران را ترک کردم و با آلیهٔ جوانان به اسرائیل مهاجرت کردم.

1. Nava.

فصل ۲۹

مدرسه راهنمایی

سعی کردم در مدرسه راهنمایی آلیانس در شمال شهر پذیرفته شوم، اما آن‌ها نمی‌خواستند مرا در آنجا بپذیرند چون شنیده بودند که من شر هستم. مدیر فرانسوی بود و فقط فرانسوی صحبت می‌کرد. او اصلاً فارسی صحبت نمی‌کرد. همیشه دانش‌آموزی کلاس‌بالایی را با خودش همراه می‌کرد که تسلط خوبی بر هر دو زبان داشت، که آنچه به زبان فارسی گفته می‌شد را برای او ترجمه می‌کرد.

بعد از اصرار زیاد، پذیرفته شدم. من در این مدرسه خوش‌حال نبودم. نمی‌فهمیدم که در کلاس چه گفته می‌شود و آن‌ها از زندگی من چه می‌خواستند. من هنوز در دنیایی کاملاً متفاوت زندگی می‌کردم، نه دنیای مدرسه.

مثل دبستان، به ما یک ساعت در روز عبری آموزش داده می‌شد. یک سالن غذاخوری وجود داشت که هزینهٔ آن نیز مطابق با درآمد والدین بود. اما پدر من اقدامی در آن زمینه نکرده بود، بنابراین من نمی‌توانستم برای ناهار بروم، با وجودی که مدرسه ساعت چهار تمام می‌شد.

اوایل، دزدکی به سالن غذاخوری می‌رفتم و بدون اینکه کسی متوجه شود غذا می‌خوردم. در اتاق ناهارخوری تعداد زیادی میز و صندلی بود. پنج دانش‌آموز هر طرف آن می‌نشستند. قسمت بالایی میز، یک دانش‌آموز کلاس بالایی می‌نشست، که مانند یک نگهبان نظم آن میز را حفظ می‌کرد.

آن‌ها کاسه‌های غذا را با چرخ‌دستی می‌آوردند و یکی را روی هر میز می‌گذاشتند. دانش‌آموزِ نگهبان غذا را به بقیه توزیع می‌کرد. هنگامی‌که غذا خوردن تمام می‌شد، بلند می‌شدند و خداحافظی می‌کردند، بعد بیرون می‌رفتند تا در طول زنگ تفریح ناهار، بازی کنند.

این کار ادامه یافت تا اینکه آنها فهمیدند که من در لیست نیستم و من را از سالن غذاخوری و از میزی که پشتِ آن نشسته بودم بیرون کردند.

عصبانی شدم و احساس بدی داشتم. و البته، من ـ من برای خودم می‌جنگیدم. همان‌طور که گفتم، اگرنه با حرف، پس با زور. این روش زنده ماندنِ من بود.

بعداز اینکه آرام شدم، راه‌حلی پیدا کردم. به سراغ شخص مسئول میز رفتم و او را خفت کردم. با فشار و تهدید، به او گفتم که مجبور است با من همکاری کند و وقتی به دیگران غذا می‌دهد، همیشه بشقابی را هم برای من پر کند و مطمئن شود که من غذا می‌گیرم. وقتی همه غذا خوردن را تمام می‌کردند و دعای بعداز غذا را می‌خواندند، می‌رفتند و غذا روی میز باقی می‌ماند. من دم در صبر می‌کردم، داخل سالن غذاخوری می‌رفتم، تنها می‌نشستم، ناهارم را می‌خوردم و می‌رفتم.

در کنار مدرسه یک کافهٔ کوشر وجود داشت. همهٔ بچه‌های ثروتمند به آنجا می‌رفتند و ساندویچ‌های خوش‌مزه می‌خوردند.

رؤیایم بود که برای چنین چیزی پول‌توجیبی داشتم. در خانوادهٔ من اصلاً مرسوم نبود که پول‌توجیبی بدهند. هرازگاهی آخر هفته‌ها، برای بیست سکه یا دو تومان التماس می‌کردم که به سینما بروم یا یک تعطیلات آخر هفته بیرون باشم، و این هم همیشه اتفاق نمی‌افتاد.

یادم می‌آید که یک بار در کافه غذا خوردم. نمی‌دانم از کجا پول برای خرید یک ساندویچ در آنجا را به دست آورده بودم، اما رؤیایی را برآورده کردم ... احساس می‌کردم که یک رتبه بالا رفته‌ام. عالی بود. من آن را خیلی زیاد می‌خواستم.

مدیر فرانسوی‌زبان معاونی داشت، یک ایرانیِ میان‌سال که درواقع امور روزانهٔ مدرسه را اداره می‌کرد. مدیر فرانسوی فقط درگیر برنامهٔ آموزشی بود.

زنگ که می‌خورد، مدیر فرانسوی دنبال بچه‌هایی که در حیاط مانده بودند می‌کرد و آن‌ها را باعجله به داخل می‌فرستاد. او با چوبی در دست آن‌ها را دنبال می‌کرد و فریاد می‌زد: !allez,vit, vit (فرانسوی: برو، سریع!)

من دائماً دردسر درست می‌کردم و با معلم‌ها در کلاس خودم مشکل داشتم. نسبت به آن‌ها بی‌ادب بودم، چون حتی در اینجا هم مجبور بودم به معلم‌ها بفهمانم که قرار نیست کتک بخورم.

اگر یک معلم سعی می‌کرد من را بزند، من در جواب آن‌ها را نمی‌زدم، اما به‌اندازهٔ کافی بزرگ بودم که از خودم دفاع کنم و اجازه نمی‌دادم که من را بزنند.

در آن زمان، این را هم فهمیدم که من از آن دسته آدم‌هایی هستم که نمی‌توانم قبول کنم

کسی به من دستور بدهد. این همیشه من را عصبانی می‌کرد.

یک اتفاق غیرمعمول در کلاس من رخ داد. یک بار به یک معلم حمله کردم. دقیقاً به یاد نمی‌آورم که چرا ـ قبل از پایان سال بود و معاون تصمیم گرفت من را از مدرسه بیرون کند.

من مدرسه را ترک کردم. پدرم دور بود. استرس گرفتم. به خیابان‌ها رفتم، پرسه می‌زدم و فکر کردم: خدایا، حالا قراره چه اتفاقی بیفته؟ اگه پدرم به خونه بیاد و متوجه بشه، منو می‌کشه. من از مادرم زیاد نمی‌ترسیدم.

یک راه‌حل پیدا کردم. بازهم، اگرنه با حرف، پس با زور. من به سراغ علی، دوست‌پسر مسلمانِ رُزا پنج زاری رفتم، همان کسی که نامه‌هایش را می‌رساندم. او قلدر محله، قدبلند، خوش‌تیپ و عضلانی بود که همیشه از من مراقبت می‌کرد. به او گفتم چه اتفاقی افتاده است. به او گفتم که این پایانِ کار من است، که حتی نمی‌توانم به خانه بروم، و او باید به من کمک کند تا با مدیر موضوع را حل‌وفصل کنم.

علی مثل یک خلاف‌کار واقعی صحبت می‌کرد. می‌دانستم که اگر پیش مدیر برود، مشکل من را حل می‌کند. وقتی با او صحبت کردم، او داشت به تشییع‌جنازهٔ یک مسلمان می‌رفت. به من گفت، گوش کن، با من به مراسم تشییع‌جنازه بیا، وقتی تمام شد، باهم به مدرسه می‌رویم.

من با او به مراسم تشییع‌جنازه رفتم. این اولین باری بود که فرصتی برای حضور در مراسم تشییع‌جنازهٔ مسلمان‌ها داشتم. برای من بسیار جالب بود. شبیه به مراسم تشییع‌جنازهٔ یهودی بود: بدن در پارچه‌ای پیچیده شده ـ شخص مرده در طول مسیر همراهی می‌شود. تفاوت این بود که آن‌ها سکه‌ها را به‌سمتِ قبر می‌انداختند ـ انگار که بدهی‌های او را پرداخت می‌کردند، و بچه‌ها همه می‌دویدند و تمام سکه‌ها را جمع می‌کردند. پس‌از آن آن‌ها مراسم صرف غذا داشتند.

مراسم تشییع‌جنازه به پایان رسید و او با من به مدرسه آمد. وارد دفتر شد و خواست تا با معاون ایرانی صحبت کند. منشی از او پرسید که او کیست، و او به منشی گفت که به مدیر بگوید که امری فوری و بسیار مهم است، مسئلهٔ مرگ و زندگی. منشی رفت تا به او بگوید و معاون ما را به داخل صدا کرد. ما وارد دفتر شدیم و روبه‌روی معاون که در آنجا با کت‌وشلوار کاملاً رسمی نشسته بود، نشستیم.

او گفت، بله، بفرمایید، چه‌کاری می‌تونم براتون انجام بدم؟ و نگاهی به من کرد با این مفهوم که «به‌هرحال من آنجا چه‌کار می‌کنم ...؟»

علی به معاون خیره شد. او هم کت‌وشلوار پوشیده بود. کتش را باز کرد و یک چاقوی بلند در غلاف در آنجا بود. من نمی‌دانستم که او آن را داشته، درست مثل فیلم‌ها بود. او چاقو را به معاون نشان داد و گفت: «اینو می‌بینی؟ اگه بهش اجازه ندی به مدرسه برگرده، امروز به خونه نمی‌رسی.»

رنگ از رخ معاون پرید.

علی چیز بیشتری نگفت و از جا بلند شد که برود. معاون بسیار ترسیده بود و به او اطمینان داد که همه‌چیز درست می‌شود. علی قلدر رفت.

معاون بلافاصله دانش‌آموزی کلاس بالایی را صدا کرد. او همان پسری بود که من در اردوگاه تابستانی به‌عنوان مربی دیده بودم، فرهاد، و ما خیلی صمیمی شده بودیم.

در آن روز، یک امتحان در کلاس من برگزار می‌شد. معاون به او گفت که مرا به‌سرعت به کلاس ببرد تا بتوانم در امتحان شرکت کنم، اما فرهاد گفت که امتحان تمام شده.

معاون او را کنار گذاشت و گفت: «بذار اون امتحان بده و مطمئن شو که قبول بشه.»

فرهاد تقریباً تمام امتحان را برای من نوشت، چون من نمی‌دانستم چه خبر است ... و قبول شدم.

من نمی‌خواستم در این مدرسه ادامه دهم. بنابراین والدینم من را به مدرسه راهنمایی اورت[1] فرستادند که در آن برق، مکانیک و مهندسی می‌خواندند. من ۱۵، ۱۶ ساله بودم. در آنجا هم سازگار نشدم. تمرکز نداشتم و در مدرسه عملکرد خوبی نداشتم. از پسِ شرایط برنمی‌آمدم. چند ماه در آنجا بودم و سرانجام مدرسه را ترک کردم.

---

1. Ort.

فصل ۳۰

کبوترها

وقتی ۱۵، ۱۶ ساله بودم، دوره‌ای بود که یک جفت کبوتر بزرگ می‌کردم. از آن‌ها مراقبت می‌کردم، مطمئن می‌شدم که تخم می‌گذارند و جوجه‌کشی می‌کردم. دیدن از تخم درآمدنِ جوجه‌کبوترها و اینکه کبوترها چطور بعداز آزاد شدن دوباره به همان مکان برمی‌گشتند، تجربه‌ای ناب بود.

در آن زمان تعدادی پرورش‌دهندهٔ حرفه‌ای کبوتر هم در آنجا بودند. برخی از آن‌ها روی پشت‌بام قفس‌هایی بزرگ با ده‌ها کبوتر در داخلشان داشتند. کبوترها با خوش‌حالی در آسمان پرواز می‌کردند، بعد به همان پشت‌بامی برمی‌گشتند که صاحبشان به آن‌ها غذا می‌داد و آن‌ها را به قفسشان برمی‌گرداند.

مسابقه‌ای برای طبقه‌بندی کبوترهایی که از پشت‌بام‌ها پرواز می‌کردند وجود داشت ـ که آیا آن‌ها «خوب» هستند یا نه.

من سروصدایی را که کبوترها هنگام پرواز ایجاد می‌کردند، به یاد می‌آورم. بعضی کبوترهای غیرعادی بودند که بال‌های خود را در هوا تکان می‌دادند تا صدای خاصی مثل طبل ایجاد کنند. اگر کسی مالک چنین کبوتری بود، می‌توانست برای آن قیمت بالاتری را نسبت به سایرین طلب کند.

اگر یک کبوترِ تک در آسمان دیده می‌شد، رقابتی ایجاد می‌شد که ببینند چه کسی می‌تواند آن را بگیرد. هرکسی که کبوتر تنهایی را می‌دید، کبوترهای خود را در هوا پرتاب می‌کرد تا پرواز کنند تا آن کبوتر تنها به گله آن‌ها بپیوندد و با آن‌ها به زمین بنشیند.

یکی از کبوترهای من یک بار پرواز کرد و راه خود را گم کرد و کسی او را گرفت. من خیلی ناراحت بودم و خیلی گریه کردم چون او جوجه داشت. مادرم به من کمک کرد. باهم

به سراغ تک‌تکِ پرورش‌دهندگان کبوتر رفتیم و به آن‌ها التماس کردیم که او را پس بدهند، تا اینکه مردی که او را گرفته بود پیدا کردیم و او موافقت کرد که کبوتر را به من برگرداند.

یک بار که به سراغ قفس رفتم، دیدم که سر یک جوجه خورده شده است. فهمیدم که یک موش این کار را کرده است. بنابراین تقسیم‌کننده‌ای با توری روی آن درست کردم که در قسمتِ جلوی آن دری قرار داشت تا کبوترها هنگام بازگشت از پرواز بتوانند وارد شوند، اما موش قادر به ورود به آن نبود.

فصل ۳۱

دوباره هورمون‌ها

یک روز، خواهر بزرگ‌ترم یکی از دوستانش را به خانه آورد. ما در آن زمان در خانه صندلی نداشتیم و روی فرش می‌نشستیم. دوست خواهرم در قسمت ته اتاق بود. زانوهایش بالا بود و دامنش پایین کشیده شده بود. شورت او گشاد بود و وقتی تکان می‌خورد، می‌توانستم واژنش را ببینم. مو به تنم سیخ شد. احساس می‌کردم ماهی‌های کوچک درون بیضه‌های من در حال حرکت هستند و خون به‌سمتِ سرم می‌رود. نمی‌فهمیدم چه اتفاقی داشت می‌افتاد. هرگز آن لحظه را فراموش نکرده‌ام، واقعاً از آن لذت بردم.

یادِ پسری که در حمام دیدم و کاری که می‌کرد افتادم، و به خودم آموختم که خودارضایی کنم. من در سن مناسب برای آن کار بودم. من و دوستانم تجسم کردن‌های خود را به یکدیگر می‌گفتیم، و اینکه چه‌کار می‌کنی و چطور مالش می‌دهی و داستان‌ها را باهم به اشتراک می‌گذاشتیم.

یکی از دوستان من، ناصر، «سردستهٔ» افراد شرور بود. ما باهم مدرسه را می‌پیچاندیم. او یک دوست‌دختر داشت، دخترِ آرایشگرِ محله. آن دو عاشقِ هم شده بودند، و او به ما گفت که برای آن دختر مهم نیست که ما برویم و تماشا کنیم که آن‌ها باهم سکس می‌کنند.

من و یکی دیگر از دوستانم به اتاق زیرشیروانی خانهٔ آن دختر رفتیم، جایی که ما ایستادیم و تماشا کردیم که دوست ۱۵سالهٔ ما ناصر با آن دختر سکس می‌کرد، و او فریاد می‌زد و بیشتر طلب می‌کرد.

من و دوستم در شوکی کامل بودیم. گیج و رنگ‌پریده آنجا را ترک کردیم. این اولین بار بود که ما یک عمل جنسی دیده بودیم. آن اتفاق تا به امروز در حافظهٔ من باقی مانده است. نمی‌توانم آن دختر، آن مکان یا آن پسر را فراموش کنم.

وقتی ۱۴، ۱۵ ساله بودم، می‌شنیدیم که بعضی از بچه‌های محله که کمی بزرگ‌تر از ما بودند، داشتند به سراغ فاحشه‌ها می‌رفتند.

ما از این موضوع بسیار هیجان‌زده بودیم و از آن‌ها خواستم که به آن‌ها بپیوندیم. در ابتدا موافق نبودند، اما سرانجام قانع شدند و ما را با خود بردند. آنجا در جنوب شهر، یک مکان مطرود، مثل یک روستای کوچک بود. در کل خیابان‌ها فاحشه‌ها در ورودی خانه‌ها یا خارج از آن‌ها ایستاده بودند. خیابان‌ها پر از مردم بود.

بیش از ۱۰، ۱۵ دقیقه طول نکشید که آن‌ها ببینند که ما خیلی کم‌سن هستیم. آن‌ها چند سیلی به ما زدند و دنبالمان کردند که از آنجا دور شویم. اصلاً و ابداً شانس رسیدن به دخترها را پیدا نکردیم.

وقتی به‌اندازهٔ کافی بزرگ شدم که محتلم شوم، یاد گرفتم که مَنی چیست، منظور از ارگاسم چیست و چگونه خودم را مالش دهم. من خیلی شهوتی بودم و واقعاً دلم می‌خواست بدن یک دختر را لمس کنم.

ما یک گروه از پسرها و دخترها داشتیم که آن‌ها هم به دنبال کسی بودند که آن‌ها را «گرم» کند. با وجود تمام ممنوعیت‌ها، فهمیدیم که دخترها هم نیاز به لمس یک مرد را حس می‌کنند. ما مهارت‌هایی را در مورد چگونگی دستیابی به دخترها یاد گرفتیم. وانمود می‌کردیم که قایم باشک بازی می‌کنیم، و هر پسر یک دختر را می‌گرفت، با او «پنهان» می‌شد و در گوشه‌وکناری به او می‌چسبید و ارضا می‌شد.

فصل ۳۲

پدربزرگ به اسرائیل مهاجرت می‌کند

پدربزرگم، همانی که در کارِ فالگیری و جادو بود، بارها به خاطرِ آن به مشکل برخورده بود. آن کار غیرقانونی بود و شامل پرداخت رشوهٔ زیادی می‌شد. همان‌طور که گفتم، او خانه و حیاطی داشت با اتاق‌هایی متعلق به خودش، تلویزیون، یخچال و تلفن که نشان می‌داد او پول زیادی دارد.

یک روز، او به خانهٔ ما آمد و فریاد زد که پلیس می‌خواهد او را دستگیر کند. او فرار کرده بود و تمام روز پیشِ ما ماند و سرانجام با ترس‌ولرز به خانه بازگشت. در مقطعی، تصمیم به مهاجرت به اسرائیل گرفت. همسر و پسرش نمی‌خواستند ایران را ترک کنند، بنابراین او به‌تنهایی رفت و آن‌ها در ایران ماندند.

فصل ۳۳

شاه و انقلاب

من از زبانِ پدربزرگم داستان‌های زیادی دربارهٔ شاه شنیده بودم. مادرِ شاه یکی از مشتری‌های او بود. او پنهانی به دیدنِ پدربزرگم می‌آمد و پدربزرگم هر نوعِ مشکلی را برایش حل می‌کرد.

پدربزرگم مشتری‌های عالی‌رتبه‌ای هم در ارتش و دولت داشت. او در کارِ خودش یکی از مشهورترین‌ها بود.

او به پسرش هم این مهارت را آموخت و بعداز اینکه خودش از ایران رفت، پسرش کارِ او را ادامه داد. او ارتباطی بسیار قوی با افراد زیادی داشت. اما همیشه کسانی بودند که او را اذیت می‌کردند و می‌خواستند او را به دردسر بیندازند، با این ادعا که او از مشتریانش غیرقانونی پول می‌گیرد.

در آن زمان، شاه همسر زیبایی داشت ـ همسر دومش ـ اما آن‌ها فرزندی نداشتند و شاه درنهایت او را طلاق داد. او به هالیوود رفت و هنرپیشه شد. اسم او ثریا بود.

بعد شاه همسر دیگری اختیار کرد که او هم زیبا بود. وقتی او باردار شد، می‌خواست نشان دهد که یکی از خودِ مردم است، بنابراین تصمیم گرفت پسرش را در جنوب تهران، خیلی نزدیک به محلهٔ ما به دنیا بیاورد.

من اسکورت موتوری به دنبالِ کادیلاکِ او وقتی‌که از بیمارستان مرخص شد را تماشا کردم. خیابان‌ها به‌افتخارِ این رویداد بسته شده بودند و مردم در هر دو سمت خیابان ایستاده بودند و دست می‌زدند.

یادم می‌آید که او از پنجره بیرون را نگاه می‌کرد و دست تکان می‌داد. من برای لحظه‌ای نگاهم با او تلاقی کرد و عشق خاصی را نسبت به او حس کردم.

مرسوم بود که وقتی شاه از خارج از کشور برمی‌گشت و هواپیمایش به زمین می‌نشست، کاروان همراهش در جایگاه‌های مختلف در طولِ مسیر می‌ایستادند و یک گاو به‌افتخار او ذبح می‌شد.

شاهِ ایران در آن روزها.

یک قلدر یهودی بود در محلهٔ بازار به نام جمشید ـ کسی که میمونا را ترتیب می‌داد ـ که با شاه ارتباط خوبی داشت و تصمیم گرفت به‌افتخار او گاوی را ذبح کند. مغازهٔ قصابی او کوشر بود و در خیابان اصلی منطقهٔ یهودی واقع شده بود. او دو اتوبوس کرایه کرد، آن‌ها را با مردم محله پر کرد و همه آن‌ها را به مکانی که شاه قرار بود از آنجا عبور کند، برد.

او می‌خواست که ذبح کوشر باشد، چون گوشت بین فقرا توزیع می‌شد. او می‌ترسید که یک مسلمان بیاید و گاو را ذبح کند، و گوشت آن تریف[1]، غیرکوشر، شود، بنابراین یک قصاب یهودی همراه خود آورد. این کار باید به‌سرعت انجام می‌شد، چون شاه در یک جا مدتی طولانی نمی‌ماند. به‌محض اینکه کاروان شاه متوقف شد، جمشید قلدر گاو را از شاخ‌هایش گرفت، گردنش را پیچاند تا اینکه به پهلو به زمین افتاد و قصاب به‌سرعت گاو را جلوی شاه ذبح کرد و او بلافاصله سفر خود را ادامه داد.

---

1. Treyf.

فصل ۳۴

یهودیان در تهران

با گذرِ سال‌ها، یهودیان بیشتری ثروتمند شدند، چون آن‌ها با رژیم شاه همکاری می‌کردند. برخی از یهودیان به موقعیت‌های بسیار بالایی رسیدند. دستوری صریح از جانب شاه برای کار و تجارت با یهودیان وجود داشت. بنابراین آن‌ها به یهودیان اجازه دادند که مسئولِ واردات باشند. یهودیانی که در شمال شهر زندگی می‌کردند، آن «ده درصد برتر»، از نزدیک با شاه همکاری داشتند.

جامعهٔ یهودیان در ایران مبتنی بر طبقه بود. یهودیانی که در شمال زندگی می‌کردند هرگز با زنان منطقهٔ ما ازدواج نمی‌کردند، چون آن‌ها در سطحشان نبودند. دختران ما فقط می‌توانستند در محله ازدواج کنند.

یهودیان ثروتمند که از شاه حمایت می‌کردند به انجمن یهودی فقیر در محلهٔ ما کمک می‌کردند و انجمن نیازهای مردم را برآورده می‌کرد.

یهودیان ثروتمندی در ایران وجود داشتند که واقعاً در آنجا مثل حاکمان بودند و افراد فقیری هم بودند که به لطفِ افراد ثروتمند روزگار می‌گذراندند. این واقعیت که من می‌دیدم که ثروتمندان چطور می‌آیند و به جامعه کمک می‌کنند، در زندگی من تأثیر زیادی گذاشت. آن‌ها از مدارس، یک بیمارستان و یک حمام حمایت می‌کردند ـ چون آن‌ها هم اهل همین محلهٔ یهودی‌نشین بودند، از آن رفته بودند و موفق شده بودند. من از محله‌ای حرف می‌زنم که سال‌ها قبل از تولد من وجود داشت. از قبل از سال ۱۹۰۰.

آن یهودی ثروتمندی که به هر بچه یک کت‌وشلوار می‌داد ـ یا به هر بچه‌ای در مدرسه ابتدایی ناهار می‌داد ـ گاهی اوقات خودش تنهایی می‌آمد، در ورودیِ سالن غذاخوری می‌ایستاد و به هر بچه یک سیب یا پرتقال می‌داد. او فرزندی نداشت و به بچه‌ها پول اهدا

می‌کرد.
در شهرهای خارج از تهران، ضدستیزیِ بیشتری وجود داشت، بنابراین یهودیانِ آنجا مغازه‌ها و حمام‌های خودشان را داشتند. یهودیان ثروتمند اطمینان حاصل کردند که با اهدا پول زیادی به شاه، رابطهٔ خودشان را با او حفظ کنند.

فصل ۳۵

انقلاب در ایران

وقتی من حدوداً ۱۴ساله بودم، اولین انقلاب در ایران آغاز شد. خمینی می‌خواست شاه را از کشور بیرون کند، و بسیاری از مشکلات ایران با افرادِ حاکم بر منطقهٔ تهران، مردم بازار و بازار عمده‌فروشی میوه، آغاز شد.

خمینی مردی که بازار عمده‌فروشی را کنترل می‌کرد را متقاعد کرد تا در برابر شاه به او بپیوندد. او افراد خودش از بازار را به خیابان‌ها فرستاد، درحالی‌که خمینی افرادِ خودش را از مساجد آورد و باهم شروع به تظاهرات کردند. تظاهرات از منطقهٔ بازار در جنوب تهران پخش شد و به‌تدریج به‌سمتِ محلهٔ ما حرکت کرد.

طرفداران خمینی به‌شدت مذهبی بودند و علیه آداب‌ورسوم لیبرالِ غیرمذهبی‌ها می‌جنگیدند. آن‌ها خواستار سادگی و متانت پوشش و لباس، ممنوعیت شرب خمر و پخش موسیقی بودند. آن‌ها به هر مغازه‌ای که الکل می‌فروخت حمله می‌کردند و آن را خراب می‌کردند.

در محلهٔ ما، مغازه‌ای وجود داشت که سازهای موسیقی می‌فروخت، که متعلق به صاحب‌خانهٔ قبلی ما بود. وقتی تظاهرات به محلهٔ ما رسید، من دویدم و به او گفتم که طرفدارانِ خمینی دارند می‌آیند. او درها را بست تا آن‌ها نتوانند ببینند که او در آنجا سازهای موسیقی دارد و مغازه‌اش در امان ماند. اما در خیابان اصلی، یک فروشگاه موسیقی متعلق به یکی از اقوام وی وجود داشت و شورشیان وارد شدند و همه‌چیز را شکستند. این‌گونه بود که انقلاب آغاز شد.

حتی قبل از انقلاب نیز شورش‌هایی علیه یهودیان در کار بود. برخی از افراط‌گرایان

می‌خواستند به محلهٔ یهودی بیایند و آن را نابود کنند. شاه مداخله کرد. او سربازان را برای محاصره کردن کل محله با کامیون فرستاد. همچنین برای محافظت از یهودیان، سربازانی در پشت‌بام‌ها بودند و از جاده‌ها محافظت می‌کردند.

خمینی.

من در آن زمان ۱٤ساله بودم. یادم هست که احساس می‌کردم کسی دارد از ما محافظت می‌کند. شروع کردم به توجه کردن و شنیدم که چگونه یهودیان از شاه به‌خوبی صحبت می‌کنند، که او همیشه مراقب ماست.

همچنین نماینده‌ای از یهودیان در مجلس نمایندگان ایران وجود داشت که حافظ منافع ما بود. اگر یهودیان با دولت یا با مسلمان‌ها مشکلی داشتند، جامعهٔ یهود به سراغ او می‌رفت. ما همیشه حمایت او را داشتیم.

اما در طول انقلاب خمینی، سربازان برای محافظت از ما نیامدند. افراد تظاهرکننده به مغازه‌های یهودی که خیلی نزدیک به خیابان اصلی بودند حمله می‌کردند، اما داخل محله نمی‌رفتند.

برخی از خانواده‌های مسلمان هم بودند که در این محله زندگی می‌کردند، اما آن‌ها با مسلمان‌های خارج از محله بسیار متفاوت بودند. آن‌ها با ما دوستانه بودند و رفتار بسیار خوبی داشتند. مسلمان‌های محله افراد بسیار خوبی بودند و با یهودیان مدارا می‌کردند اما خارج از محله‌ای‌ها ما را «یهودی‌های کثیف» خطاب می‌کردند و متفاوت بودند. همان‌طور

که قبلاً گفتم، آن‌ها از حمام‌های ما استفاده نمی‌کردند، و وقتی ما در فروشگاه‌های آن‌ها به خرید می‌رفتیم، اجازه نداشتم به اجناس دست بزنیم چون آن‌ها را «نجس» می‌کردیم.

در طول انقلاب، نفرت زیادی نسبت به شاه وجود داشت. اجتماعات زیادی از افرادی بود که می‌خواستند علیه او شورش کنند. به همین دلیل، شاه مردم را به جاسوسی برای خود فرستاد و کسانی که می‌خواستند شورش کنند را دستگیر کرد. این جاسوس‌ها پنهانی به مکالمات مردم گوش می‌دادند و هرکسی را که در حال صحبت علیه شاه می‌دیدند، از بین می‌بردند.

شاه می‌دانست که یهودیان بومی از او حمایت می‌کنند. او همچنین با دولت اسرائیل روابط خوبی داشت. ایران با اسرائیل معامله می‌کرد و میوه و مرغ وارد می‌کرد، اما آن‌ها این دادوستد را پنهانی انجام می‌دادند و می‌گفتند که این محصولات از لبنان وارد شده‌اند.

در انقلابی که خمینی آغاز کرد، شورشیان از مسیرِ خیابان اصلی به‌سمتِ شمال پیش می‌رفتند. در حین انجام این کار، کامیون‌های سربازانِ وفادار به شاه از راه رسیدند. آن‌ها به همه دستور دادند که به خانه‌های خود بروند و به افرادی که اطاعت نمی‌کردند شلیک می‌کردند.

من در خیابان اصلی ایستاده بودم و همراه بقیه شروع به دویدن کردم. گلوله‌ها از بالای سرم سوت می‌کشیدند و برای اولین بار در عمرم احساس کردم که قرار است بمیرم.

گروهی از مردم در مسیری که من داشتم می‌رفتم می‌دویدند، اما وقتی تیراندازی شروع شد، همه از همه طرف شروع به فرار کردند.

من به‌تنهایی وارد یک کوچه شدم. باریک و بن‌بست بود.

به اطراف نگاه کردم و دو در دیدم. هر دو را زدم، و یکی از آن‌ها باز شد.

یک زن مسن در را باز کرد و من به‌سرعت به داخل خانه او دویدم. فقط چند لحظه قبل از رسیدن یک سرباز به آنجا بود. ساعت‌ها در تاریکی نشستم تا اینکه تیراندازی متوقف شد.

وقتی بیرون آمدم، افراد کشته و زخمی زیادی را دیدم که در خیابان افتاده بودند.

مردم شروع کردند به بیرون آمدن از خانه‌های خود و راه رفتن در اطراف. سربازان کامیون و تراکتور آوردند. آن‌ها شروع کردند به جمع‌آوری اجساد مردگان و زخمی‌ها با تراکتورها و آن‌ها را به داخل کامیون‌ها می‌انداختند. کامیون‌ها دور شدند و ما فهمیدیم که آن‌ها همه را، مرده و زنده در یک گور دسته‌جمعی دفن کردند.

شاه هیچ رحمی نداشت. با هرکسی که علیه او شورش می‌کرد، بی‌رحمانه رفتار می‌شد.

دستور این بود همهٔ کسانی که ضد او بودند به معنای واقعی کلمه از بین بروند.

خمینی دستگیر شد، اما شاه می‌ترسید که اگر او را اعدام کند، شورش دیگری رخ دهد. اوضاع بسیار حساس بود و شاه همچنان هواداران خمینی را شناسایی می‌کرد.

بسیاری از هواداران روحانیون مسلمان بودند که به آن‌ها ملا می‌گفتند. آن‌ها در مساجد سخنرانی می‌کردند و مردم را علیه شاه تحریک می‌کردند. درنتیجه سربازان شاه آن‌ها را دستگیر می‌کردند. بنابراین برای اینکه گرفتار نشوند، شروع به تراشیدن ریش خود کردند و از پوشیدن عبا دست کشیدند.

بعداز آشوب‌ها، افرادِ شاه گردن‌کلفتِ بازار عمده‌فروشی را دستگیر کردند. او یک کله‌گنده بود که بر تمام دادوستدها در بازار کنترل داشت و می‌توانست هر بخشی از آن را که دوست نداشت کنسل کند. شایعه‌ای وجود داشت مبنی بر اینکه می‌خواهند او را اعدام کنند.

آن‌ها می‌ترسیدند که اعدام باعث ایجاد شورش شود، بنابراین ترفندی به کار بستند. دولت تاریخ و مکانِ اجرای اعدام را منتشر کرد، اما آن‌ها شب قبل از تاریخ تعیین‌شده او را به محل اعدام آوردند و او را نیمه‌شب به دار آویختند.

روز بعد این داستان در روزنامه منتشر شد و این‌گونه ماجرا پایان یافت. آن ترفند جواب داد. کم‌کم مردم آرام شدند و همه‌چیز به حالت عادی برگشت.

خمینی به فرانسه تبعید شد. او در سال ۱۹۷۹ بازگشت، هنگامی‌که انقلاب دوم آغاز شد و سپس شاه سرنگون شد. در آن زمان من دیگر در ایران زندگی نمی‌کردم.

من در اولین انقلاب در تهران بودم و نمی‌خواستم آن‌طور که در ایران مرسوم بود در سن ۱۸سالگی به ارتش اعزام شوم. هرازچندگاهی، یک کامیون با سربازان مسلح به یک مکان مرکزی می‌رفت. آن‌ها در جست‌وجوی هرکسی که ۱۸ساله یا بیشتر به نظر می‌رسید به این‌طرف و آن‌طرف می‌رفتند، آن‌ها را می‌گرفتند و سوار کامیون می‌کردند. اگر کسی می‌توانست ثابت کند که ۱۸ساله نیست، او را آزاد می‌کردند. اگر راهی برای اثبات آن نداشت، والدینش باید آن را ثابت می‌کردند. در غیر این صورت، او مجبور می‌شد به ارتش بپیوندد. هرکسی که سرپیچی و فرار می‌کرد، کشته می‌شد.

من تا ۱۷ سالگی در ایران زندگی کردم و هر کاری برای زنده ماندن انجام دادم. برایم مهم نبود که چه‌کاری انجام دهم؛ نکته اصلی این بود که پول کافی برای بیرون رفتنِ آخر هفته‌ها داشته باشم.

من کار نمی‌کردم که لباس بهتری بپوشم، یا برای خودم چیزهای گران‌قیمت بخرم. من

فقط برای سفر یا سینما رفتن پول توجیبی می‌خواستم.

دوران کودکی من را مجبور به تلاش برای زنده ماندن کرد. مجبور بودم راهی برای گذران زندگی پیدا کنم. من معتقدم اگر کودکی‌ام متفاوت بود، امروز کاملاً خودم را گم می‌کردم. نمی‌خواهم به این فکر کنم که اگر در ایران می‌ماندم چه سرنوشتی پیدا می‌کردم. وقتی به آن فکر می‌کنم، احساس فشار می‌کنم و انگار دارم خفه می‌شوم. نمی‌توانم تصور کنم که در ایران زندگی کنم. هر وقت به آن فکر می‌کنم، این حس به سراغم می‌آید.

فصل ۳۶

دورۀ پیشاهنگی

در ۶۴-۱۹۶۳، وقتی حدود ۱۷ سال داشتم، با دوستانم چرخ می‌زدیم و به‌جایی در محله به نام «هِشالوتز[1]» - «پیشاهنگ» می‌رفتیم. اسرائیلی‌ها به همراه گروه یهودی محله، این مکان را اداره می‌کردند. این یکی از فعالیت‌های سازمانِ آلیه جوانان بود.

آن‌ها خانۀ حیاط‌دار بزرگی با تعداد زیادی اتاق در اختیار داشتند و در هر اتاق چیز متفاوتی وجود داشت. جوان‌ها در اوقات فراغتِ خود به آنجا می‌رفتند. چیزهای جالبی برای سرگرم نگه‌داشتن آن‌ها در آنجا وجود داشت. آنجا مثل بهشت بود.

یک کلاس برای پسرها و یک کلاس برای دخترها بود و حتی در حیاط نیز فعالیت‌هایی برای پسران و دختران در کنار هم وجود داشت. آن‌ها را خیلی از هم جدا نمی‌کردند.

در آنجا مهمانی‌ها، رویدادها، تئاترها و وعده‌های غذایی برگزار می‌شد. بهترین چیزهای دنیا در آن مکان بود. هر بچه‌ای در محله می‌خواست بخشی از آن باشد، اما تعداد مکان‌ها محدود بود و همه پذیرفته نمی‌شدند.

طبیعتاً آن‌ها نمی‌خواستند من را بپذیرند، بنابراین شروع کردم به دردسر درست کردن: از پشت‌بام‌ها بالا می‌رفتم ـ در این کار قهرمان بودم. آن‌ها را اذیت می‌کردم، یک‌چیزهایی به‌سمتِ آن‌ها می‌انداختم. کاری کردم بفهمند که اگر اجازه ندهند من به داخل بروم، روی آرامش را نخواهند دید. آن‌ها من را پذیرفتند، اما به‌شرط اینکه همه‌جوره قول بدهم که حُسنِ رفتار داشته باشم. من در فعالیت‌ها شرکت کردم و خیلی تلاش کردم که قوانین را رعایت کنم، نشان دهم که آرام هستم و می‌توانم با جریان پیش بروم. و در آنجا اوقات خوبی داشتم.

---

1. HeChalutz.

سخنرانی‌هایی هم در مورد دولت اسرائیل وجود داشت که در آن‌ها سعی می‌کردند ما را متقاعد کنند که مهاجرت کنیم و کلی شست‌وشوی مغزی در مورد اسرائیل. همهٔ بچه‌ها مشتاق بودند. یک هیئت از دانش‌آموزان به آنجا سفر کردند. شگفت‌انگیز بود.

وقتی در مورد دانش‌آموزانی که می‌خواستند سفر کنند، شنیدیم، نمی‌توانستیم باور کنیم که آن‌ها می‌خواهند کشور را ترک کنند و به چنین سفری عالی بروند. ما به‌ندرت به سفر می‌رفتیم، به‌جز یک بار در سال در میمونا.

وقتی این گروه برگشتند، در مورد تجربیات خود به ما گفتند. داستان‌ها شگفت‌انگیز بودند و ما را به وجد می‌آوردند. فهمیدیم که آنجا دنیایی کاملاً متفاوت از آنچه در آن زندگی می‌کردیم بود.

برای ما، چیزی مثل صحبت کردن یا لاس زدن با یک دختر در خیابان، یا حتی نزدیکِ یک دختر شدن وجود نداشت.

داستان‌هایی که در مورد اسرائیل به گوش ما می‌رسیدند باورنکردنی بودند. پسرها و دخترها باهم، و دربارهٔ طرز لباس پوشیدن دخترها. آن‌ها به ما دربارهٔ مزارع اشتراکی و صبحانه‌هایی که در آنجا می‌خوردند، گفتند.

ما حتی نمی‌توانستیم صبحانه‌ای مانند آنچه که آن‌ها توصیف می‌کردند را تصور کنیم. به نظر می‌رسید بهترین چیز در جهان است. آن‌ها دربارهٔ کارهایی که در مزرعهٔ اشتراکی انجام می‌دادند و دربارهٔ تمام گردش‌هایی که رفته بودند به ما گفتند.

من بسیار مشتاق بودم، و به این نتیجه رسیدم این همان چیزی است که من در زندگی‌ام به دنبال آن بوده‌ام. از خودم پرسیدم، من اینجا در تهران چه‌کار می‌کنم؟ ناگهان، احساس کردم که به آنجا تعلق ندارم.

کم‌کم احساس خفقان کردم، حس کردم که هوایی برای نفس کشیدن ندارم. دیگر نمی‌خواستم آنجا باشم، همه‌چیز برایم تیره‌وتار بود.

در سرتاسرِ دوران کودکی، با تمام اتفاقاتی که از سر گذراندم، به‌جز همراه بودن با پدرومادرم نمی‌خواستم جای دیگری باشم ـ تا ۱۷ سالگی. اما در آن زمان، دیگر نمی‌خواستم در تهران بمانم. احساس کردم این فصل از زندگی‌ام به پایان رسیده است.

مهاجرت به اسرائیل آینده‌ای درخشان به نظر می‌رسید که همان نزدیکی در انتظار من بود.

شروع کردم به صحبت با والدینم دربارهٔ خواسته‌ام برای مهاجرت. به آن‌ها گفتم که چطور جوان‌ها را به اسرائیل می‌برند. مواردی وجود داشت که بچه‌ها بدون والدین خود

به‌تنهایی مهاجرت می‌کردند، از طریق آلیه جوانان سازمان هشالوتز.

ازآنجاکه والدین من نمی‌خواستند به اسرائیل مهاجرت کنند، از آن‌ها خواستم که به من اجازه دهند که خودم به‌تنهایی بروم، اما آن‌ها قبول نکردند. بنابراین شروع کردم به‌کلی دردسر درست کردن و سرکشی. دیگر به مدرسه اُرت نرفتم. همهٔ افراد پیرامونم را زجر می‌دادم تا اینکه والدینم سرانجام موافقت کردند که من را ثبت‌نام کنند.

همه یهودیان مخالفِ فرستادنِ فرزندان خود به ارتش ایران بودند. این یکی از دلایلی بود که من توانستم والدینم را متقاعد کنم که من را به اسرائیل بفرستند.

هرکسی که داشت به سن سربازی نزدیک می‌شد، مجبور بود مجوز ویژه‌ای برای ترک کشور بگیرد. گرفتن گذرنامه غیرممکن بود. فعالان آلیه جوانان از آژانس یهود و دولت اسرائیل که در ایران فعالیت می‌کردند، تمام این بوروکراسی را اداره می‌کردند.

ما فقط باید دو فرمِ امضاشده به همراهِ دو قطعه عکس می‌بردیم و در یک روز و زمان خاص در فرودگاه حاضر می‌شدیم.

در طی سال‌هایی که در ایران زندگی می‌کردم، چیزِ زیادی دربارهٔ دنیا، زندگی و به‌خصوص خودم نمی‌دانستم. فقط یک‌چیز می‌دانستم: اینکه می‌خواستم از ایران خارج شوم. هیچ توقع دیگری نداشتم. یادم می‌آید که از رفتن می‌ترسیدم، می‌ترسیدم که به خاطرِ مشکلِ زبان نتوانم موفق شوم. بالاخره، وقتی به اسرائیل رسیدم، طی شش ماه عبری را خیلی خوب یاد گرفتم و از قبل از دورانِ مدرسه هم کمی فرانسوی بلد بودم.

فصل ۳۷

مهیا شدن برای آلیه

پسر دیگری هم بود که بدون پدرومادرش در آلیه جوانان ثبت‌نام کرد و با من مهاجرت کرد که نامش ایرج بود. ما به مدت چند ماه به اولپان[1] رفتیم تا برای آلیه آماده شویم. در زمستان بود ـ نوامبر، دسامبر، ژانویه. در فوریه ۱۹۶۵ به اسرائیل رفتیم.

در آن ماه‌ها ما را برای مهاجرت آماده کردند و شروع کردند به آموزش زبان عبری. یک ساعت در روز درس داشتیم و بقیه اوقات فقط پرسه می‌زدیم و وقت می‌گذراندیم، عملاً هیچ کاری نمی‌کردیم.

هر روز یک فنجان شکلات داغ و یک تخته شکلات به ما می‌دادند. در زمستان سرد وقتی بیرون برف می‌بارید، خیلی می‌چسبید. شکلات داغ را در یک اتاق گرم می‌نوشیدیم و آن‌ها به ما می‌گفتند در اسرائیل چه چیزی در انتظار ماست و به ما فیلم نشان می‌دادند.

به‌عنوان بخشی از آمادگی برای مهاجرت به سرزمین اسرائیل، از من خواسته شد که برای بررسی اینکه آیا تحصیلات پایه دارم یا خیر، به دفتر آلیه جوانان بروم.

وارد دفتر شدم. مردی که آنجا نشسته بود شروع به پرسیدن انواع سؤالات از من کرد. مثلاً چند شهر در شمال وجود دارد؟ من حتی نمی‌دانستم شمال کجاست. نام شهرها را می‌دانستم، اما نمی‌دانستم کجا قرار دارند.

از من سؤالات ریاضی پرسید و من پاسخ آن‌ها را نمی‌دانستم.

از من خواست که چیزی بنویسم، اما اشتباهات زیادی داشتم. شروع کردم به عرق کردن. وقتی از من خواست جمله‌ای بنویسم، نمی‌دانستم چگونه. اما او به‌نوعی به من در تمام آن‌ها کمک کرد. او مصمم بود که من به اسرائیل مهاجرت کنم.

---

۱. Ulpan، مؤسسه‌ای برای مطالعهٔ فشردهٔ زبان عبری. (م.)

فصل ۳۸

انجام آلیه

عمویم، یاکوف، می‌دانست که من قرار است بروم، چون وقتی چند روز قبل از سفر در خیابان همدیگر را دیدیم، به او گفته بودم. او مرا در آغوش گرفت و بوسید و یک سکهٔ ۲۵ لیره‌ای از جیبش بیرون آورد، مقداری پول اسرائیلی داشت. به من داد و گفت: «بگیر و برای خودت یه‌چیزی بخر.»

دفتر خاطرات آقای ز که پیش از ترک ایران خرید.

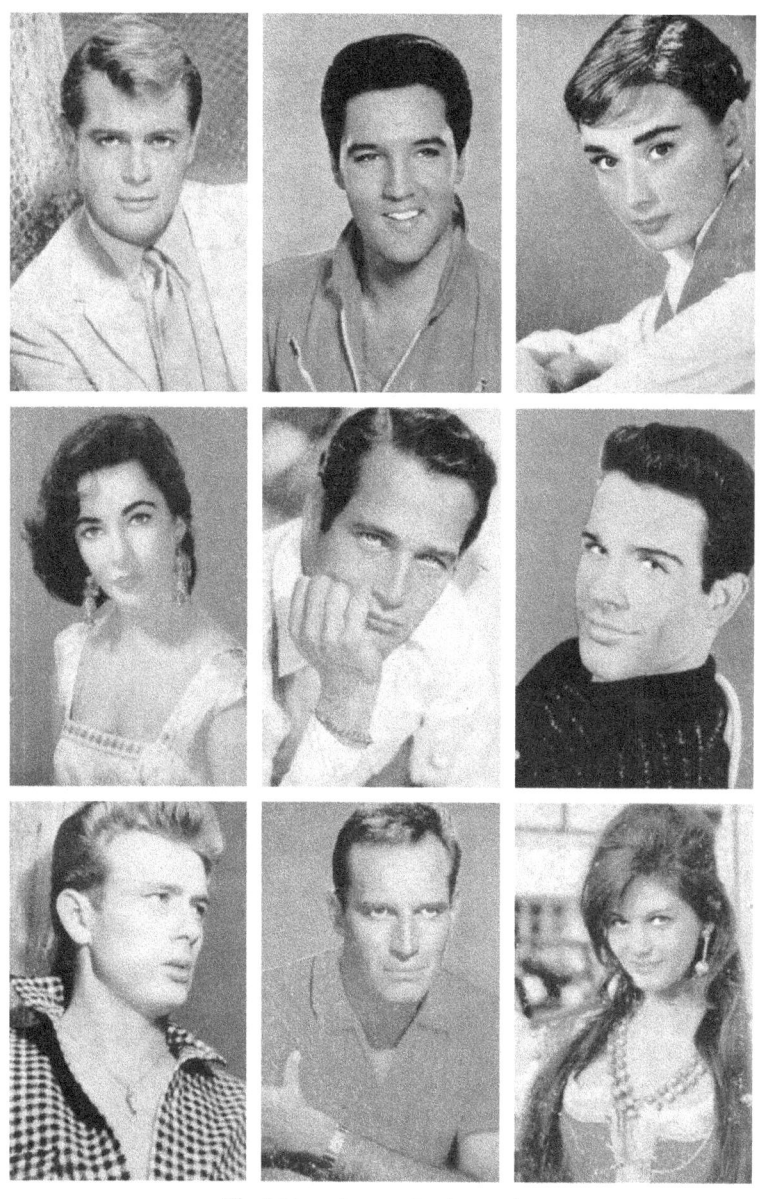

هنرمندان معروفِ وقت در دفتر خاطرات آقای ز.

روزی که من باید به اسرائیل پرواز می‌کردم از راه رسید. چیز زیادی برنداشتم، فقط یک چمدان کوچک با چند لباس. دو پسری که با من پرواز می‌کردند را دیدم.

یکی از آن‌ها ایرج، از اهالی محله بود. دیگری اهل شمال تهران بود که اسمش جان بود. پسری قدبلند و باهوش بود، باهوش‌تر و مدرن‌تر از بچه‌هایی که در محله‌ام می‌شناختم.

پدرومادرم با من به فرودگاه آمدند. داشتند گریه می‌کردند. قبل از اینکه با پدرم خداحافظی کنم، او بیست دلار به من داد و گفت: «این تنها چیزیه که دارم که بهت بدم.»

یک دلار در آن زمان در ایران بسیار ارزشمند بود. حتی امروز هم برای مردم عادی ایران ـ مثل ما ـ یک دلار حقوق یک روز کار است.

پدرم پول را به من داد و با چشم گریان با من خداحافظی کرد.

در فرودگاه با نماینده‌ای از آژانس یهود آشنا شدیم، مرد بسیار مهربانی که چهره و حرف‌هایش را هرگز فراموش نمی‌کنم. او یک یهودی اهل ایران بود که سال‌ها قبل به اسرائیل مهاجرت کرده بود و یکی از مقامات آژانس یهود شده بود. کار او این بود که به ایران بیاید و سرپرستی آلیه جوانان را بر عهده بگیرد. وقتی او را دیدیم، از جیبش برای من و دو پسر دیگر پاسپورت درآورد.

ما با یک هواپیمای ایرلاین اسرائیلی اِل آل[1] که تقریباً خالی بود از ایران به اسرائیل پرواز کردیم. مهماندار زیبایی داشتیم که لباس غیرایرانی بر تن داشت. لبخندش را به خاطر می‌آورم و اینکه چگونه به ما خوشامد گفت.

1. El Al.

اسرائیل
۱۹۶۸-۱۹۶۵

فصل ۳۹

دخترهای دوچرخه‌سوار

هواپیمای من در فوریه ۱۹۶۵ در اسرائیل به زمین نشست.

وقتی فرود آمدیم هیجان زیادی وجود داشت.

من به کشوری رسیدم که در مورد آن بسیار شنیده بودم ـ سرزمین مقدسی که در آن همه یهودی هستند و در آن یهودستیزی وجود ندارد، بسیار متفاوت با ایران، جایی که بعضی‌ها یهودیان را دوست نداشتند.

نماینده‌ای از طرف آلیه جوانان در فرودگاه لاد[1] به پیشواز ما آمد. وقتی گواهی مهاجرت خود را دریافت کردیم، من دیدم که اسمم اشتباه نوشته شده است. این خیلی ناراحتم کرد.

از آن‌ها خواستم اشتباه را تصحیح کنند، اما این کار را نکردند. گفتند باید برای تغییر نام اقدام رسمی کنم. بعدها اسم کوچکم را تغییر دادم، چون اسم اصلی‌ام فارسی ـ عربی بود.

مردی که در اسرائیل به دیدار ما آمد، اوراق ما را به ما داد و آدرس هر خویشاوندی که در اسرائیل داشتیم را گرفت. آدرس توران، خاله‌ام که در محلهٔ هاتیکوا[2] زندگی می‌کرد را دادم.

ما را سوار ون کرد. خودش با یک مسئول دیگر از آژانس، جلو در کابین راننده نشست.

ما پشت نشستیم که با برزنت پوشیده شده بود.

وقتی ماشین حرکت کرد، برزنت باز شد و ما سه نفر به جاده نگاه کردیم. خیابان‌ها، ماشین‌ها و تعداد زیادی از مردم را دیدیم. به وجد آمده بودیم.

این اولین بار بود که دختری را در حال دوچرخه‌سواری می‌دیدیم، چون در ایران دخترها اجازه دوچرخه‌سواری نداشتند.

---

1. Lod Airport.
2. Hatikva.

اول من را به هاتیکوا بردند. نمی‌دانستم خویشاوندهای دو نفر دیگری که با من آمده بودند کجا زندگی می‌کردند، اما مطمئنم محله‌های بهتری بودند.

به خانه خاله توران که رسیدم، او از دیدن من شوکه شد. نمی‌دانست که من قرار بود به خانه‌اش بروم. برنامهٔ اولیه این بود که ما را از فرودگاه مستقیماً به مزرعهٔ اشتراکی ببرند.

خاله توران با آغوشی از من استقبال کرد و بلافاصله با او به خرید در بازار هاتیکوا رفتم. وقتی وارد دروازه‌های بازار شدیم، فوراً عاشق آنجا شدم باوجودِ تمامِ فریادها، بوها و ازدحام مردم ... دیدم خاله‌ام چطور چانه می‌زند تا قیمت چیزهایی که خریده را پایین بیاورد ... بالاخره برگشتیم خانه و من شوهر و فرزندانش را دیدم.

خاله من شش فرزند داشت. یکی از آن‌ها همان‌طور که قبلاً اشاره کردم در ایران زمانی که خاله‌ام مخصوصاً به خاطرِ زایمان کردن آمده بود، به دنیا آمد. پس از او پسر دیگری داشت.

آن‌ها در یک خانهٔ کوچک با دو اتاق زندگی می‌کردند ـ همه بچه‌ها در این دو اتاق کوچک زندگی می‌کردند. برای رفتن به توالت یا حمام، باید بیرون به داخلِ حیاطی کوچک می‌رفتی. یک توالت کوچک و یک حمام با سردوشِ دستی وجود داشت. به خاطرِ آبِ لوله‌کشی و بخاری خورشیدی بسیار هیجان‌زده بودم.

در ایران نه‌تنها آب گرم نداشتیم، بلکه اصلاً به‌ندرت آبِ لوله‌کشی داشتیم. و البته حمام هم نداشتیم.

کارت شناسایی صادرشده برای آقای ز
در سال ۱۹۶۵.

سه روز پیشِ او ماندم و بعد من را به دفتر آلیه جوانان در خیابان ابن جورول[1] فرستادند. رامی[2] پسر توران مرا به آنجا برد چون خاله‌ام مسیرش را بلد نبود.

زنی که به پروندهٔ من رسیدگی کرد را به یاد می‌آورم. او چاق، ساده، بدون آرایش و نه‌چندان آراسته، اما زن بسیار مهربانی بود. او بچه‌ها را خیلی دوست داشت و به‌تنهایی به پرونده چند پسری که به اسرائیل مهاجرت کرده بودند رسیدگی می‌کرد. او برای ما ـ سه بچه‌ای که از ایران آمده بودیم ـ مکانی را در مزرعهٔ اشتراکی اشدوت یاکوف[3]، نزدیک دریای جلیل[4] ترتیب داد.

---

1. Ibn Gvirol Street.
2. Rami.
3. Kibbutz Ashdot Ya'akov.
4. Sea of Galilee.

فصل ۴۰

در مزرعهٔ اشتراکی

در مزرعهٔ اشتراکی استقبال گرمی از ما شد. ما را در یک کلبهٔ چوبی دوطبقه اسکان دادند. هر طبقه یک ردیف اتاق داشت، و در هرکدام دو یا سه مرد جوان بودند. دختر و پسر جدا بودند.

مزرعهٔ اشتراکی بچه‌هایی از چندین کشور را پذیرفته بود. گروه ما مهاجرانی از مراکش، رومانی، فرانسه و کشورهای دیگر بودند.

ما سه نفری که از ایران مهاجرت کردیم در یک اتاق بودیم، حرکتی بسیار هوشمندانه، چون خانواده‌مان همراهمان نبودند و این کار به ما کمک کرد کمی بیشتر احساس راحتی کنیم.

یک مرد سرسخت، از نوعِ «کیبوتسنیکی» بود که مسئول تمام فعالیت‌های ما بود. همچنین یک مربی باشگاه و یک معلم عبری داشتیم که کمی در مورد سیاست منطقه و روابط اسرائیل و کشورهای عربی به ما درس می‌داد.

یک زن مسن‌تر هم آنجا بود که به‌نوعی «مادرِ خانه» بود. وظیفهٔ او رسیدگی به تمام نیازهای ما بود. او مسئولِ شستن لباس‌های ما و تعویض ملحفه‌ها بود و صابون و تیغ برای کسانی که نیاز داشتند می‌گرفت.

کلاس‌های مزرعهٔ اشتراکی در بعدازظهر بود. صبح زود بیدار می‌شدیم و سرِ کار می‌رفتیم. برای من سخت بود.

کارهایی که به ما می‌دادند را بلد نبودم، اما به‌مرور زمان یاد گرفتم که کدام‌ها ارزش انجام دادن دارند و کدام‌ها نه. ما را بیرون می‌بردند تا در یک گاری متصل به تراکتور کار کنیم. همهٔ ما چیزی را که به آن «کووا تِمبل[1]» ـ نوعی کلاه چتری ـ می‌گفتند، بر سر

---

1. Kova tembel.

می‌گذاشتیم و با آن سرِ کار می‌رفتیم.

قبل از صبحانه به محل کار می‌رفتیم. شروع به کار می‌کردیم و دو ساعت بعد برایمان صبحانه می‌آوردند.

من و دو دوست ایرانی‌ام برای کار در باغ موز داوطلب شدیم. کار در آنجا به ما این فرصت را داد که کمی موز بخوریم. موز در ایران بسیار گران بود و فقط ثروتمندان توانایی خرید آن را داشتند. فقرا فقط می‌توانستند موزهایی بخرند که بیش‌از حد رسیده و تقریباً خراب شده بودند.

روز اول کار، یک دسته موز رهاشده روی زمین دیدیم و با خودمان بردیم. آن‌ها هنوز نرسیده بودند، اما ما آن‌ها را یکی پس از دیگری با لذت خوردیم. روز بعد معده درد شدیدی داشتیم. تازه یک هفته بعد بود که طعم یک موز رسیده را چشیدیم.

آقای ز در یک مزرعهٔ اشتراکی در اسرائیل.

کار ما گاهی بسته‌بندی موزها و گاهی کندنِ برگ‌ها بود. یک بار مجبور شدیم موزها را بچینیم و بعد درخت را از ریشه بکنیم. سخت‌ترین قسمت این کار پایین آوردن شاخهٔ موز در هماهنگی با تراکتورِ در حالِ حرکت بود. درحالی‌که یکی از ما شاخه را نگه می‌داشت، دیگری موز را با چاقو می‌برید، بعد آن را به‌سوی گاری متصل به تراکتور حمل می‌کردیم.

پس‌از آن ما را برای چیدن بادمجان منتقل کردند. ده نفر در یک صف می‌ایستادند ـ سمت چپ و راست بوته‌های بادمجان. با عبور از میان آن‌ها خم می‌شدیم، با قیچی بادمجان‌ها را می‌بریدیم و در سطل می‌گذاشتیم. وقتی سطل پر می‌شد آن را داخل کارتن‌های موجود در مسیر خالی می‌کردیم و بعد کیبوتسنیک‌ها کارتن‌های پر را جمع می‌کردند.

من و دوستانم آهسته کار می‌کردیم. حرف می‌زدیم و داستان تعریف می‌کردیم، درحالی‌که آن‌هایی که جلوی ما بودند سریع‌تر کار می‌کردند و بین صف‌ها فاصله ایجاد می‌شد. به‌جای اینکه ردیف خود را تمام کنیم، قسمتی را جا می‌انداختیم و بدون دیده شدن جلو می‌دویدیم، یا اینکه روی زمین می‌نشستیم.

بعداز مدتی به دنبال کارهای دیگری برای انجام دادن بودم. مرا به باغ‌های انگور فرستادند. از همان ساعات اولیه صبح قبل از طلوع آفتاب کارمان را شروع و زود تمام می‌کردیم چون به‌محض طلوع آفتاب زنبورها روی انگورها می‌نشستند و ادامه کار غیرممکن بود.

پیرمردی در مزرعه برای ما صبحانه می‌آورد. غذا زیاد بود. این غذا شامل فرنی، نان، تخم‌مرغ آب‌پز، کره، مربا، زیتون و ترشی بود. خوب غذا می‌خوردیم و برمی‌گشتیم سرِ کار.

ناهار در سالن غذاخوری بود که بسیار بزرگ بود، چون تمام اعضای مزرعه آنجا غذا می‌خوردند.

زندگی در مزرعهٔ اشتراکی برایم عجیب بود. این مردم خانه‌های خود را داشتند، اما هیچ‌کس در خانه‌اش غذا نمی‌خورد.

نکتهٔ دیگری که تعجب من را برانگیخت این بود که نوزادان در خانه همراه با والدین خود نمی‌خوابیدند. یک «خانهٔ کودکان» آنجا بود و در آنجا از آن‌ها مراقبت می‌شد. همه در مزرعه نقشی داشتند و نقش والدین این بود که کار خود را انجام دهند نه مراقبت از کودکان را. اما کم‌کم فهمیدم که این روش مزرعه است و همهٔ جاهای اسرائیل این‌طور رفتار نمی‌کردند. شروع کردم به فهمیدن تفاوت‌ها بین مزرعه و شهر.

فصل ۴۱

زندگی اجتماعی

یک روز با پسری موقرمز آشنا شدیم که قبل از ما از ایران آمده بود. من و دوستانم خوش‌حال بودیم که فردی با پیشینه‌ای مثل خودمان پیدا کردیم که مدتی در مزرعه بوده است. او خیلی به ما کمک کرد و ما را راهنمایی کرد. به‌جز او یک ایرانی دیگر هم در گروه ما بود که با پدرومادرش به اسرائیل آمده بود. او برای یادگیری زبان عبری به مزرعه فرستاده شده بود.

مردان و زنان جوان غیریهودی هم از اروپا برای دوره‌های کوتاهی به مزرعه می‌آمدند تا داوطلبانه کار انجام دهند. برخی از دخترها با پسرهای گروه ما دوست شدند. اما من و ایرج شانسی پیدا نکردیم. از آن‌طرف، جان همیشه می‌توانست دخترها را جذب کند.

تا آن زمان هرگز با دختری نخوابیده بودم. نه حتی در مزرعه. من خجالتی و ساکت بودم. البته اگر حال‌وهوای جنگنده داشتم، سکوت درونم ناپدید می‌شد. اما حوصلهٔ صحبت کردن با دختر را نداشتم.

فکر می‌کنم تفاوت ما به این دلیل بود که جان از شمال تهران آمده بود، جایی که بین دخترها و پسرها جدایی کمتری وجود داشت، بنابراین ارتباط برقرار کردن با آن‌ها برایش راحت‌تر بود.

مزرعه یک استخر بزرگ داشت و ما بعداز کار به آنجا می‌رفتیم. هفته‌ای یک بار شنای شبانه برگزار می‌شد. من شنا بلد نبودم. سعی می‌کردم با یک دست کنار استخر را بگیرم، اما می‌ترسیدم.

یک روز چند نفر لبهٔ استخر بودند و من و دوستانم شروع کردیم به هل دادن آن‌ها در آب.

بالاخره یک نفر من را هل داد و من افتادم داخل. وقتی روی آب آمدم شروع کردم به

تکان دادن دست‌وپاهایم به اطراف تا اینکه به کناره رسیدم. ناگهان احساس کردم می‌توانم شنا کنم. وقتی این اتفاق افتاد، جرئتم را جمع کردم و شروع کردم به دور شدن از کناره‌ها.

آقای ز در مزرعه‌ای در اسرائیل.

من با یکی از بچه‌های رومانیایی در اولپان دعوایم شد. یک بار آن‌ها به من گفتند برو به یکی از دخترهای رومانیایی چیزی به زبان رومانیایی بگو. تا به امروز آن کلمات را به یاد دارم:

«فوتا، فوتا، سینچی مینوتای.» البته آن‌ها من را گول زدند. فکر کردم دارم چیز خوبی به او می‌گویم اما درواقع گفتم: «بیا پنج دقیقه باهم باشیم» یا چیزی شبیه به آن. آن دختر در جا به من سیلی زد.

یکی از رومانیایی‌ها پسری قدبلند و عضلانی بود. یک بار می‌خواست من را کتک بزند. باهم بحثمان شد. من هنوز عبری بلد نبودم، بنابراین پسرِ موقرمز حرف‌های من را برای آن پسرِ رومانیاییِ جدی ترجمه کرد. اما به‌جای ترجمه به شکلی که اوضاع را آرام

کند، فحش‌های خودش را اضافه کرد که واقعاً آن پسر را عصبانی کرد. او به‌سمتِ من آمد تا مشتی به صورتم بزند، اما دستش خطا رفت و از دیوار چوبی گذشت ... یک سوراخ بزرگ ایجاد کرد.

بلافاصله همه شروع به دعوا کردند و تمام اتاق به هم ریخت تا اینکه یکی از مسئولان مزرعه وارد شد و ما را از هم جدا کرد. من و رومانیایی تنبیه شدیم، اما بعداز آن باهم دوست شدیم و همیشه به این ماجرا می‌خندیدیم. در میان گروه‌هایی که از جاهای مختلف آمده بودند، چیزهای زیادی ازاین‌دست وجود داشت.

هر جمعه با لباس کار و لباس شَبات و انواع وسایلی که استفاده می‌کردیم به انبار می‌رفتیم، چه برای تهیه لباس نو یا گرفتن لباس تمیز برای تعویض کردن. دختر مسئول انبار نیز کوپن‌های خرید خواربارفروشی مزرعه را به ما می‌داد، «پول توجیبی‌ای» به ارزش چند لیره.

علاوه بر این، او به کسانی که می‌توانستند اصلاح کنند، تیغ می‌داد. گرچه من و دوستم اصلاح نمی‌کردیم اما تیغ می‌گرفتیم. ما آن‌ها را به بچه‌هایی می‌فروختیم که بیشتر ازآنچه به آن‌ها می‌دادند نیاز داشتند. ما کوپن‌های خواربارفروشی هفتگی آن‌ها را به‌عنوان هزینه می‌گرفتیم تا بتوانیم آب‌نبات یا آجیل بیشتری بخریم.

من مدام از شغلی به شغل دیگر می‌رفتم. یک روز تصمیم گرفتند من را برای کار در مرغداری بفرستند. کار متعفنی بود. می‌خواستم فوراً آن را ترک کنم، اما مجبورم کردند بمانم. بنابراین یک روز دروازه مرغداری را باز کردم و همه جوجه‌ها فرار کردند. بعداز آن، برای کار در اسطبل گاوها رفتم. که حتی بوی بدتری داشت. یک روز هم دوام نیاوردم.

بعداز تمامِ این داستان‌ها، آن‌ها نمی‌دانستند من را کجا سرکار بگذارند. از من پرسیدند که می‌خواهم چه‌کار کنم. ساده‌ترین و راحت‌ترین کارشان را خواستم، به همین دلیل من را به‌عنوان ظرف‌شور در آشپزخانه گذاشتند.

یکی دو هفته در آشپزخانه کار کردم. کار آسانی بود و روز کاری به‌سرعت به پایان می‌رسید.

وقت آزاد زیادی داشتم اما کم‌کم حوصله‌ام داشت سر می‌رفت.

یک بار دیگر با دوستم بحثم شد و شروع کردیم به پرتاب وسایل به‌طرف هم. یک لنگه‌کفش به‌سمتش پرت کردم و کفش در پنکه گیر کرد و شکست. ما می‌ترسیدیم که تنبیه شویم و نمی‌دانستیم چه کنیم. پس نشستیم و به آن فکر کردیم.

زن مسنِ مزرعه هر روز صبح ما را از خواب بیدار می‌کرد. در می‌زد تا همه را برای رفتن

به سرِ کار بیدار کند. هر بار یک دور می‌زد و بار دوم وارد اتاق کسی می‌شد که بلند نشده بود. تصمیم گرفتیم روز بعد بار اول بلند نشویم تا وقتی دوباره آمد، مجبور شود وارد اتاق شود.

شب، پنکه را روی یک صندلی وسط اتاق گذاشتم و سیم برق را به پریز بیرون وصل کردم. صبح وقتی او در را باز کرد پایش به سیم گیر کرد و پنکه روی زمین افتاد. فکر کرد خودش آن را شکسته است، و این‌گونه بود که ما از آن مخمصه جستیم.

ما برای کار چکمه‌های پلاستیکی می‌پوشیدیم، اما آب داخل آن‌ها می‌رفت و این واقعاً ما را اذیت می‌کرد. یک روز من و دوستم ایرج کنارِ در، جایی که همه بعداز کار چکمه‌هایشان را می‌گذاشتند، ایستادیم. همه آن‌ها را روی پشت‌بام انداختیم. صبح که همه بیدار شدند، هیچ‌کس نتوانست چکمه‌هایش را پیدا کند. هرج‌ومرج زیادی بود تا اینکه برایمان چکمه‌های نو آوردند.

بعضی از پسرها با دخترها رابطه داشتند و آن‌هایی که نداشتند خودارضایی می‌کردند. مسابقات خودارضایی برگزار می‌کردیم.

یک روز، زنان داوطلب جدیدی از اروپا آمدند. جان، پسرِ قدبلند ایرانی با یکی از آن‌ها دوست شد و او را به اتاق ما آورد. وقتی با او به اتاق ما می‌آمد، من و ایرج باید بیرون می‌رفتیم. به ایوان می‌رفتیم و سعی می‌کردیم دزدکی اتاق را دید بزنیم تا ببینیم دارند چه‌کار می‌کنند. این کار ما را خیلی حریص کرد. یک بار از او خواستیم که برای ما دختری جور کند.

او موفق شد دوست‌دخترش را متقاعد کند که با ما بخوابد. یادم هست وارد اتاقی شدیم که او با چشم‌های بسته به پشت دراز کشیده بود. ما به او نزدیک شدیم و هرکدام به‌نوبت با او سکس کردیم.

این اولین بار در زندگی‌ام بود که بدن دختری را لمس می‌کردم. من هفده سال و نیمه بودم.

جمعه‌ها، راهنمای مزرعه جلساتی را برای ما ترتیب می‌داد تا از طریق دستگاه پخش موسیقی به موسیقی گوش دهیم. کسانی که در آن زمان موسیقی را انتخاب می‌کردند پسرهای مراکشی و فرانسوی بودند. یک پسری بود که با او دعوا کردم. دو تا از کاست‌هایش را برداشتم و شروع کردم به دویدن. او دنبالم کرد و فریاد می‌زد و التماس می‌کرد: «بیتلز[1] من، بیتلز من!»

---

1. Beatles.

من در آن زمان نمی‌دانستم که بیتلز که بودند. اما دیدم که او واقعاً آن کاست‌ها را می‌خواهد، بنابراین درنهایت آن‌ها را پس دادم. بعد او برایم توضیح داد که بیتلز که بودند. تا آن زمان، نمی‌دانستم در خارج از دنیایی که در آن زندگی می‌کردم چه خبر بود. تازه آن موقع بود که علاقه‌مند شدم.

با گذشت زمان، حتی باوجوداینکه تجربیات مختلف زیادی در مزرعه داشتم، از اینکه همیشه در یک مکان بودم، داشتم احساس خفقان می‌کردم. احساس کردم به‌اندازهٔ کافی آن کشور را نمی‌شناسم. می‌خواستم تمام اسرائیل را ببینم.

وقتی روز استقلال در سال ۱۹۶۵ فرارسید، شنیدیم که رژه‌ای در تل آویو برگزار خواهد شد. می‌خواستم بروم، اما اجازه نداشتیم مزرعه را ترک کنیم. یکی از دوستانم را متقاعد کردم که با من فرار کند و این کار را هم کردیم. چند اتوبوس سوار شدیم تا به تل آویو رسیدیم. روز استقلال را آنجا گذراندیم و بسیار زیبا بود.

وقتی به مزرعه برگشتیم، متوجه شدند که ما فرار کرده بودیم و دیگر نمی‌گذاشتند آنجا بمانیم. ما را نزد خانم مهربان مسئول پرونده‌مان در تل آویو فرستادند و او ترتیبی داد که ما را به مزرعه برگردانند.

در یکی از مواردی که دعوایم شده بود، دوباره تصمیم گرفتند من را بیرون کنند. دوباره نزد همان زن در تل آویو رفتم و او از آن‌ها خواست که این بار هم مرا برگردانند. اما در آن موقع، من داشتم از مزرعه خسته می‌شدم و احساس کردم که باید آنجا را ترک کنم.

در شش ماهی که در مزرعه بودم، در باغ‌های موز، تاکستان، بادمجان چینی، تمیز کردن توالت، مرغداری، در اسطبل گاو و آشپزخانه کار کردم. در کل، باوجوداینکه دوست نداشتم در یک مکانِ بسته باشم، می‌توانم بگویم که مزرعه تجربه خوبی بود. با افرادی از کشورهای دیگر آشنا شدم. عبری را نسبتاً خوب یاد گرفتم و این به من کمک زیادی کرد تا زندگی‌ام را در اسرائیل ادامه دهم.

فصل ۴۲

تل آویو

از دفتر آلیه جوانان، من را به یاد الیاهو[1]، در نزدیکی محلهٔ هاتیکوا فرستادند تا پیشِ خانواده‌ای بمانم که محل اقامتی برای ماندنِ پسرهای آلیه جوانان داشتند. من را به آنجا فرستادند تا نزدیک خانواده و دوستانم در هاتیکوا باشم.

خانه روبه‌روی گانتیکوا[2] در «محلهٔ قفقازی» با ویلاهای زیبا بود. صاحب‌خانه یک بیوهٔ خشن و بداخلاق با دو پسر بزرگ بود. یکی از آن‌ها در حیاط می‌نشست و نقاشی می‌کرد.

دلم نمی‌خواست آنجا بمانم. شنیدم خانه‌ای در آن حوالی وجود دارد که آن هم مکان‌هایی برای بچه‌هایی از آلیه جوانان داشت. به آن خانه رفتم و با شیفرا[3] صاحبش آشنا شدم. خیلی از او خوشم آمد و اجازه نقل‌مکان به آنجا را گرفتم. او یک زن مهربان و دوست‌داشتنی بود و همیشه وقتی صحبت می‌کرد لبخند می‌زد و می‌خندید. نه مثل خانم صاحب‌خانه قبلی که قیافه‌ای اخمو داشت و با پرخاشگری صحبت می‌کرد.

شوهرِ شیفرا مردی چاق و کوتاه‌قد بود که خیلی مهربان بود. آن‌ها اصالتاً اهل حلب در سوریه بودند. دختر آن‌ها که طلاق گرفته بود و یک دختر ده‌ساله داشت هم آنجا زندگی می‌کرد، و همچنین پسر دیگری از آلیه جوانان ـ یک مراکشی که فرانسوی صحبت می‌کرد و به موسیقی فرانسوی گوش می‌داد. تمام روز جلوی آینه می‌ایستاد و موهایش را شانه می‌کرد.

---

1. Yad Eliyahu.
2. Gan Tikvah.
3. Shifra.

در مدتی که پیشِ آن‌ها بودم، شیفرا مثل یک مادر به من رسیدگی می‌کرد. وقتی شنبه‌شب‌ها دیر برمی‌گشتم، بشقاب غذا منتظرم بود. احساس می‌کردم در خانه خودم هستم.

عصرها با پسرهای جوانِ دیگری که از ایران مهاجرت کرده بودند در محلهٔ هاتیکوا می‌چرخیدیم.

همه در رستورانی که جلوی آن یک کافه داشت و پشت آن جایی بود که گوشت کباب می‌کردند و می‌فروختند، همدیگر را می‌دیدیم. ساعت‌ها حرف می‌زدیم و می‌خندیدیم. چند نفر دیگر از دوستانم که از تهران آمده بودند را دیدم. ناصر هم آنجا بود، پسری که در مدرسه من را به دردسر می‌انداخت. مدتی بعد ایرج هم مزرعه را ترک کرد و برای زندگی پیشِ عمویش به هاتیکوا آمد. ما خیلی زیاد همدیگر را می‌دیدیم و بعداز آن هم مدتی طولانی در تماس بودیم.

در این مدت دوستم دیوید به‌عنوان نقاشِ ساختمان کار می‌کرد و از او خواستم این کار را به من آموزش دهد. او مرا پیشِ رئیسش برد و به‌عنوان یک نقاشِ جویای کار معرفی کرد. ما به آپارتمانی که روی آن کار می‌کردند رفتیم و رئیس به من گفت یک در را رنگ کنم.

وقتی دید که من چطور داشتم این کار را انجام می‌دادم، زد زیرِ خنده. او می‌دانست که من آن‌طور که گفته بودم تجربه‌ای ندارم، اما من را نگه داشت، چون روحیهٔ من را تحسین می‌کرد. البته او کمتر ازآنچه از قبل توافق شده بود به من حقوق داد. بعداز مدتی به دیوید پیشنهاد دادم که خودمان به‌عنوان نقاش مستقل شروع به کار کنیم. کارت ویزیت سفارش دادیم و چندتایی کار گرفتیم.

من و دیوید با مردی هم‌سن‌وسال من به نام رامی آشنا شدیم که به ما پیوست و ما یک گروه سه‌نفره شدیم. هر شنبه‌شب سوار اتوبوس شمارهٔ ۱۶ می‌شدیم، ۱۶ آگورا می‌پرداختیم و در ایستگاه آخر، نزدیک دریا و سینماها، پیاده می‌شدیم. می‌رفتیم فیلم می‌دیدیم و گاهی به‌سمتِ خیابان یارکُن[1] که فاحشه‌ها آنجا بودند می‌رفتیم، اما هیچ‌وقت جرئت نکردیم به آن‌ها نزدیک شویم.

وقتی از سینما برمی‌گشتیم، از کنار یک خواربارفروشی می‌گذشتیم که بسته بود، اما مقداری لبنیات و روزنامه تحویل شده و بیرون گذاشته بودند. کمی شیرکاکائو برمی‌داشتیم، بعد به رستوران می‌رفتیم تا یک‌چیزِ کبابی بخوریم. به‌این‌ترتیب ما هر شنبه‌شب به تفریح خود پایان می‌دادیم.

---

1. Yarkon Street.

عصرها، همهٔ بچه‌ها در آپارتمان یک نفر جمع می‌شدند، همراه با تنقلات می‌نشستند و ورق بازی می‌کردند. یک بار بچه‌ها استرس داشتند، برای همین مقداری حشیش گرفتند و همه شروع کردند به کشیدن. این اولین باری بود که حشیش می‌دیدم. ترسیدم و نکشیدم. دفعهٔ بعد امتحانش کردم. یادم می‌آید همهٔ بچه‌ها به من می‌خندیدند. این باعث خندهٔ من هم شد. بعداز آن، گهگاهی که دورهم جمع می‌شدیم، یک سیگارِ حشیش می‌کشیدم.

مدتی در شرکت چای ویسوتسکی[1] کار کردم. من به مردی که سوارِ لیفتراک می‌شد کمک می‌کردم. کارتن‌ها را بر اساس نوع چای مرتب می‌کردیم، و آن‌ها را برای ارسال در کامیون شرکت بار می‌زدیم.

دخترهای زیادی هم آنجا کار می‌کردند و ما باهم می‌نشستیم و غذا می‌خوردیم. این‌طوری بود که با دختری به نام سونیا آشنا شدم. او با خواهرش از ایران آمده بود، بدون پدرومادرشان و ما اشتراکات زیادی باهم داشتیم. به هم نزدیک شدیم و شروع کردیم به بیرون رفتن و قرار گذاشتن. من شخصیت او را دوست داشتم، اما دوست نداشتم در جمع با او دیده شوم، چون خیلی بزرگ‌تر از من به نظر می‌رسید. هر بار که بیرون می‌رفتیم، دلم می‌خواست به خانه برگردم، چون اینکه مردم فکر کنند با شخصی خیلی بزرگ‌تر از خودم قرار می‌گذارم، واقعاً آزارم می‌داد.

ما باهم بودیم و عشق‌بازی می‌کردیم، اما هرگز باهم نخوابیدیم. من این را می‌خواستم چون او را دوست داشتم و دوست داشتم با او وقت بگذرانم. اما او می‌خواست باکرگی خود را برای ازدواج حفظ کند، چیزی که در ایران مرسوم بود.

بعداز مدتی تصمیم گرفت با من به هم بزند. وقتی این کار را کرد، من افسرده شدم. روزهای زیادی در رختخواب دراز می‌کشیدم و دلم نمی‌خواست از خانه بیرون بروم. یک روز خواهرش به من زنگ زد و گفت که او هم همین کار را می‌کند. با گذشت زمان ما به‌عنوان دوست صمیمی‌تر شدیم. من همیشه تا جایی که می‌توانستم به او کمک می‌کردم.

شروع کردم به کار در یک انباری برای بَت شیوا[2]، یک فروشگاه هنری و جواهرات، سفارش‌های ظروف شیشه‌ای را برای مغازه‌هایی از سراسر کشور بسته‌بندی می‌کردم. یک پسر قدکوتاه به اسم آقای زیلبربرگ[3] آنجا بود که با من کار می‌کرد. شلوارش را تا حد زیادی روی شکمش بالا می‌کشید و لهجهٔ عبری غلیظی داشت. تعدادی فروشنده خانم هم در

---

1. Wissotsky.
2. Bat Sheva.
3. Zilberberg.

مغازه بودند.

مدیر، آقای رابینسون[1]، مرد بسیار خوبی بود. او می‌دانست که من در اسرائیل تنها هستم.

او یک منشی فرانسوی داشت که در اتاق پشتی می‌نشست و فروشگاه را از آنجا اداره می‌کرد. دختر دیگری به نام سیلویا با او کار می‌کرد و در زمان بیکاری باهم به ساحل می‌رفتیم. سیلویا من را خیلی هیجانی می‌کرد، اما جرئت نداشتم با او لاس بزنم. در بیشتر موارد من هیچ حرکتی با دخترها انجام نمی‌دادم مگر اینکه به من نخ می‌دادند که مشتاق‌اند.

مردی به نام آقای گوردون[2] گاهی مرا با خود برای تحویل چای به شهرهای مختلف می‌برد ـ به اورشلیم یا بئرشبا[3]. کارتن‌ها را بارِ یک وسیلهٔ نقلیهٔ تجاری می‌کردیم و کالاها را در فروشگاه‌ها توزیع می‌کردیم.

خانم بت شیوا دو روتشیلد[4] در زیکرون یاکوف[5] زندگی می‌کرد. یک بار آقای رابینسون من را به دیدن او برد. او در خانه‌ای قدیمی زندگی می‌کرد که دورتادورش را حیاط بزرگی احاطه کرده بود و با لبخند از ما استقبال کرد.

بت شیوا اشیاء هنری خلق می‌کرد. آن‌ها یک فروشگاه بزرگ روبه‌روی خیابان دیزنگوف[6] داشتند، با ظروف شیشه‌ای و ملیله‌دوزی‌های زیبا. گردشگران زیادی برای خرید به این فروشگاه می‌آمدند.

من این محل کار را خیلی دوست داشتم. همه من را مثل پسرشان پذیرفته بودند و با من خوب رفتار می‌کردند. یادم هست آقای رابینسون چندین بار شب‌های جمعه من را به خانه‌اش دعوت کرد. من او و آقای گوردون را خیلی دوست داشتم.

من یک دوچرخه داشتم که با آن همه‌جا می‌رفتم. از یاد الیاهو به میدان دیزنگوف می‌رفتم و برمی‌گشتم. به‌این‌ترتیب پول اتوبوس را پس‌انداز می‌کردم و راحت‌تر هم بود.

یک روز کنسرتی در استادیوم یاد الیاهو (امروزه به آن استادیوم نوکیا می‌گویند) توسط خواننده فرانسوی آدامو[7] برگزار شد. جمعیت زیادی بود. بسیاری از مردم بدون بلیت برای

---

1. Robinson.
2. Gordon.
3. Beersheba.
4. Batsheva de Rothchild.
5. Zichron Yaakov.
6. Dizengoff.
7. Adamo.

دیدن اجرا از دیوار بالا رفتند. این یک کار عادی بود. من هم می‌خواستم آن را ببینم و بلیت نداشتم، بنابراین من هم شروع به بالا رفتن کردم. در یک‌لحظه تعادلم را در ارتفاع بالا از دست دادم و دعادعا کردم که زمین نخورم.

یک نفر آنجا من را در حال بالا رفتن دید، دستش را دراز کرد و من را بالا کشید. وقتی به بالا رسیدم، به استادیوم نگاه کردم. این اولین باری بود که در یکی از آن‌ها بودم. خیلی شلوغ بود. از اجرا، ازدحام جمعیت و تشویق تماشاگران بسیار هیجان‌زده شدم.

وقتی اجرا تمام شد، هرج‌ومرج زیادی ایجاد شد. رفتم پایین و متوجه شدم دوچرخه‌ام را دزدیده‌اند. نمی‌دانستم چه‌کار کنم، چون آن دوچرخه وسیله حمل‌ونقل من بود. به اطراف نگاه کردم، و دوچرخه‌های زیادِ دیگری را دیدم. شروع کردم به گذاشتن کلیدم در قفل‌ها، یکی از آن‌ها باز شد. آن را برداشتم و سوار شدم.

یک روز پلیسی جلوی من را گرفت و برای دوچرخه گواهی‌نامه خواست. من هم مثل بقیه بهانه آوردم، اما بعد او بادِ لاستیک‌ها را خالی کرد و من مجبور شدم دوچرخه را در مسیری طولانی پیاده به خانه ببرم.

محلهٔ هاتیکوا محل جرم و جنایت و مواد مخدر بود. خلاف‌کاران معروف تل آویو در آنجا زندگی می‌کردند. شب‌های جمعه همه جمع می‌شدند و در خیابان اصلی باهم دیدار می‌کردند. یک‌بار یکی از پسرها موتورسیکلتی را دزدید و با آن در پارک عمومی شلوغ‌کاری کرد. بعد سه نفر باهم سوار موتورسیکلت شدند و آن را به درختی کوبیدند، آن را آنجا رها کردند و فرار کردند. سال‌ها بعد فهمیدم کسی که موتورسیکلت را دزدیده بود به یکی از بزرگ‌ترین جنایتکاران منطقهٔ هاتیکوا تبدیل شد. درنهایت به قتل رسید.

افرادی بودند که از شمالِ تل آویو ماشین می‌دزدیدند و با آن‌ها بین خودشان مسابقه سرعت برگزار می‌کردند. دو ماشین با سرعت زیاد می‌آمدند، چرخ‌هایشان روی زمین کشیده می‌شد، درحالی‌که مردم در دو طرف ایستاده بودند و تشویق می‌کردند.

پلیس این موضوع را می‌دانست، اما همیشه هم مداخله نمی‌کرد، چون تعقیب این خودروها می‌توانست فاجعه‌ای بیافریند. آن افراد درواقع می‌خواستند که پلیس تعقیبشان کند. آن‌ها کنارِ یک ماشین پلیس پارک می‌کردند و پلیس را مسخره می‌کردند، بعد همه‌جور کلک سوار می‌کردند که دستگیر نشوند. همهٔ این اتفاقات در خیابان اصلی ــ خیابان عِتزل[1]، نزدیک ورودی بازار هاتیکوا رخ می‌داد. این نمایشِ هفتگی ما بود.

شب‌های جمعه آجیل و نوشیدنی می‌خریدیم و در خانه یکی از دوستان باهم

---

1. Etzel.

ملاقات می‌کردیم. آبجو می‌نوشیدیم و حشیش می‌کشیدیم، و شب‌های جمعه را این‌طور می‌گذراندیم. در رستورانی که قبلاً همدیگر را می‌دیدیم، گروهی از بچه‌های بزرگ‌تر بودند که شروع کردند به مصرف مواد سنگین و عمدتاً هروئین. دیدم چقدر بد به نظر می‌رسیدند، زوال، و ظاهر وحشتناکشان. مرگ تدریجی بود.

یاد گرفتم که محتاط باشم، چون خطر وحشتناکِ مصرف موادِ سنگین را درک کرده بودم.

فصل ۴۳

زندگی خانوادگی

اکثر جمعه‌ها را در خانهٔ خاله توران در محلهٔ هاتیکوا می‌گذراندم. همیشه افراد دیگری به‌عنوان مهمان می‌آمدند. شوهرخاله‌ام در آشپزخانه کمک می‌کرد. غذا درست می‌کرد و میز را می‌چید.

پدربزرگم که از قبل در اسرائیل زندگی می‌کرد نیز می‌آمد. او یک خانه کلنگی خریده بود و تنها در آنجا زندگی می‌کرد. او به همان شغلی که در ایران داشت ادامه می‌داد. و کارش خوب بود. جمعه‌ها او را به خانه خاله‌ام می‌آوردیم. زیاد دوست نداشت به آنجا برود و سعی می‌کرد بهانه بیاورد.

من خیلی به او سر می‌زدم. با من خیلی راحت بود. یک روز با من در مورد حشیش صحبت کرد. از من خواست برایش یک سیگار بپیچم و نحوهٔ کشیدنش را توضیح دهم. این اولین بار بود که با او احساس صمیمیت کردم. او با کسی که در ایران می‌شناختم متفاوت بود. احساس تنهایی می‌کرد، اما دوست داشت تنها باشد ... و دخترها را هم دوست داشت. بسیاری از آن‌ها به دیدن او می‌آمدند. یک بار که رفتم دیدم دختری داشت با او معاشقه می‌کرد.

پدربزرگ صد سال عمر کرد. او امیدوار بود روزی همسر و پسرش به اسرائیل بیایند و بعد خانه را بازسازی کند و یک طبقهٔ دیگر برای آن‌ها اضافه کند. اما این اتفاق نیفتاد.

دراین‌بین خاله‌ام شوشانا و شوهرش عَمرام که در ایران در حیاط پدربزرگ زندگی می‌کردند، با چهار دخترشان مهاجرت کردند. به آن‌ها «مسکن مهاجران» در یک خانهٔ محقر چوبی کوچک و شلوغ در نزدیکی نتانیا داده شد. من می‌رفتم و پیش آن‌ها می‌ماندم و خیلی بامحبت از من استقبال می‌کردند.

زمان‌هایی هم بود که همهٔ مهاجران از ایران - همهٔ خانواده‌ها - شنبه‌عصرها در میدان دیزنگوف در تل آویو دیدار می‌کردند. اول به‌عنوان یک گردش خانوادگی شروع شد، به‌طور

خودجوش، اما به‌زودی همه می‌آمدند تا یکدیگر را بشناسند یا برای عروسی ملاقات کنند. جشن‌های زیادی برگزار می‌شد. در زمستان هم جمع می‌شدیم. یک بار با یک پسر ایرانی که می‌شناختم رفتیم و هرکدام با یک دختر آشنا شدیم. وقتی باران شروع شد، من و آن دختر دویدیم و در راه‌پله‌های یک ساختمان پنهان شدیم و به معاشقه مشغول شدیم. تجربهٔ خاصی بود که تا امروز به یاد دارم.

در آن سال‌ها در گان لیومی[1] (پارک ملی) برای همهٔ ایرانیان مهاجر از محلهٔ هاتیکوا و کل منطقه، میمونا برگزار می‌شد. هر خانواده‌ای گوشه‌ای را اشغال می‌کرد و غذای خود را آماده کرد. تمام جامعهٔ ایرانیان مهاجر می‌آمدند. یکی از خانواده‌ها کباب می‌پخت، دیگری غذای آماده می‌آورد. برخی از مردم بازی می‌کردند و برخی دیگر می‌رقصیدند. بچه‌ها به این‌طرف و آن‌طرف می‌دویدند و توپ شوت می‌کردند.

من را به یاد جشن‌های میمونا در ایران می‌انداخت. فضا مشابه بود، احساس می‌کردم در خانه هستم. افرادی که از تهران می‌شناختم را می‌دیدم و این خوش‌حال‌کننده بود.

شارونا، خواهر بزرگ‌ترم، به اسرائیل مهاجرت کرد و با خاله توران زندگی می‌کرد. برنامه این بود که بعداز مدتی با رامی، پسرخاله‌ام ازدواج کند. آن‌ها هرگز همدیگر را ندیده بودند، اما مادرم و خاله توران این وصلت را برنامه‌ریزی کردند. در ایران ازدواج فامیلی مرسوم بود. پدرم خیلی این وصلت را دوست نداشت، اما مادرم موافق بود. پدرومادرم می‌خواستند که خواهرم آموزش خیاطی خود را در ایران تمام کند و بعد به اسرائیل برود و با رامی ازدواج کند. و همین‌طور هم شد. عروسی آن‌ها یک مراسم ساده و زیبا بود.

این زوج تازه ازدواج‌کرده به خانه‌ای در محلهٔ ارگازیم[2] واقع در منطقهٔ هاتیکوا نقل‌مکان کردند. آنجا کلبه‌های چوبی و حلبی داشت (تا زمان نگارش این کتاب هنوز هم وجود دارند). آن‌ها فقط یک اتاق‌خواب و یک اتاق نشیمن داشتند. توالت و حمام بیرون بود. گاهی می‌رفتم و در خانه‌شان می‌خوابیدم. نمی‌توان توصیف کرد که سطح زندگی آن‌ها چقدر پایین بود. رامی به‌عنوان راننده در یک شرکت گردشگری کار می‌کرد. آن‌ها چندین سال در این خانه زندگی کردند تا اینکه رامی به‌اندازهٔ کافی پول پس‌انداز کرد و یک آپارتمان در هولون[3] خریدند.

شنبه‌هایی بود که به سفر خانوادگی می‌رفتیم ـ خاله توران، خواهرم با شوهرش و چند خانواده دیگر. در گان لیومی یا پارک دیگری ملاقات می‌کردیم. این یک تجربهٔ عالی برای من بود.

---

1. Gan Leumi.
2. Argazim.
3. Holon.

فصل ۴۴

قبل از ارتش

در محلهٔ هاتیکوا مردی ایرانی به نام صهیون بود که سال‌ها بود در اسرائیل زندگی می‌کرد. یک روز باهم بیرون رفته بودیم و در حین صحبت دو دختر به ما نزدیک شدند. دیدیم از ما چیزی می‌خواهند. صهیون یکی از آن‌ها را سوار وسپای خود کرد، دور شد و پس از مدتی با لبخندی عریض روی صورتش برگشت. به من گفت خواهرش را ببرم.

او را سوار وسپا به گان لومی بردم. البته گواهی‌نامه نداشتم ... وسپا را پارک کردم، دست در دست هم راه افتادیم و رفتیم داخل پارک. زوج‌هایی را دیدیم که جلوی ما راه می‌رفتند. احساس می‌کردم که آن‌ها می‌دانستند من و او قرار است چه‌کار کنیم.

به‌جایی رسیدیم که دارودرخت داشت و آنجا، روی زمین، کارمان را انجام دادیم. همه‌چیز خیلی سریع اتفاق افتاد. من واقعاً نفهمیدم چه خبر است. وقتی کارمان تمام شد، سوار شدیم و به‌جایی که صهیون منتظر ما بود برگشتیم. از او پرسیدم که آیا می‌توانم برای دور دوم بروم و او خندید ... پس دختر را سوار کردم و به همان مکان برگشتیم، اما این بار از صهیون خواستم یک پتو به من بدهد. او یک تکه رومیزی آورد. بار دوم، خیلی راحت‌تر بودم، و به هر دوی ما خیلی خوش گذشت. آن موقع، به استفاده از کاندوم فکر نکردم. حالا، با نگاه به گذشته، می‌فهمم که خوش‌شانس بودم که او باردار نشد. ۱۷ سالم بود که این اتفاق افتاد.

در این مدت احساس بی‌حوصلگی می‌کردم و هیچ چالشی در زندگی‌ام نداشتم. به همین دلیل تصمیم گرفتم در ارتش ثبت‌نام کنم. به دفتر کارگزینی رفتم و خواستم عضو شوم، اما هنوز ۱۸ ساله نشده بودم و به من گفتند خیلی جوان هستم. پرسیدم که آیا می‌توانم داوطلب شوم، چند فرم پر کردم و پذیرفته شدم. خواستم رانندگی یاد بگیرم و آن‌ها هم قبول کردند.

فصل ۴۵

آموزش مقدماتی ارتش

ارتش من را فرستاد تا رانندگی کامیون را یاد بگیرم. دو بار مردود شدم و بار سوم امتحان را قبول شدم. واقعاً نمی‌فهمیدم آن‌ها از جان من چه می‌خواستند.

وقتی نوبت به سربازی رسید، به‌جای اینکه والدینم من را پای اتوبوسی که مشمولین را به اردوگاه ارتش می‌برد بیاورند، آقای رابینسون و آقای گوردون که هنوز با آن‌ها در ارتباط بودم، من را آوردند. امروز فکر می‌کنم آقای رابینسون چه شخص بزرگی بود. او واقعاً مراقب من بود.

آن‌ها ما را به BHD#4 (پایگاه آموزشی شماره ۴) فرستادند. هشت نفر را در یک چادر می‌گذاشتند. من دو نفر را در آنجا می‌شناختم که یکی از آن‌ها اهل هاتیکوا بود. روز اول، با دو سرباز دیگر فرار کردم ـ برای خوردن گوشت کبابی به هاتیکوا رفتیم ـ و برگشتیم.

یک بار دیگر که فرار کردیم، نگهبان دروازه نمی‌خواست اجازه دهد ما داخل شویم. بالاخره او را متقاعد کردیم. در طول دورهٔ آموزشی، آن‌ها به من هشدار دادند که به‌عنوان یک راننده کامیون، روز و شب در جاده خواهم بود، بنابراین شروع کردم به اینکه به آن‌ها بگویم نمی‌خواهم راننده کامیون شوم. آن‌ها گفتند که کاری برای انجام دادن وجود ندارد؛ آموزش مقدماتی را تمام کردم.

تمرینات ارتش را به ما یاد دادند. پریدن از روی دیوار و خزیدن زیر حصار را تمرین کردیم و نحوهٔ پرتاب نارنجک و تیراندازی را به ما آموزش دادند. آن‌ها با یک تفنگ قدیمی چِک متعلق به سال‌ها پیش به ما آموزش دادند، با یک چاقوی کماندویی که می‌توانستی روی قمقمه سوار کنی. همه‌جور چیزهایی از این قبیل، تا اینکه ما را برای حمل برانکارد به پیاده‌روی فرستادند.

کل یگان رفت. کیلومترها راه رفتیم. فرمانده با دو گروهبان دیگر همراه ما بودند. بعد یک برانکارد آوردند.

آقای زد در اسرائیل نیروهای دفاعی   آقای زد در آموزش پایه.

یک آدمِ چاق را روی برانکارد خواباندند و چهار سرباز هرکدام یک دسته را گرفتند و ما او را روی دوش خود حمل کردیم. من یکی از کسانی بودم که برانکارد را از پشت می‌گرفتیم. راهی طولانی را ادامه دادیم، و من نتوانستم تحمل کنم، واقعاً دردناک بود. به فرمانده گفتم: «برام خیلی سنگینه.» و آیا می‌تواند کسی را جایگزین من کند. فرمانده به من گفت که ادامه بده و «دهنت رو ببند.»

به فرمانده گفتم دارد می‌افتد. او اسکادران را متوقف کرد، من را به جلوی برانکارد برد و جلوی من آمد. جلوتر از من راه می‌رفت و گفت: «بهتره نذاری بیفته.» به راه رفتن ادامه دادیم در حالی که من آن را روی شانه‌ام حمل می‌کردم، و بوم، انداختمش. عمداً دستم را رها کردم تا بیفتد.

فرمانده بلافاصله برگشت و ظاهراً از روی غریزه به من سیلی زد. من هم با برداشتن تفنگ از پشتم جواب دادم و او شروع به فرار کرد. تعقیبش می‌کردم و فحش می‌دادم. «من تو ایران سربازی نرفتم که کتک نخورم، و تو منو می‌زنی؟»

فریاد می‌زدم: «حرومزاده، یه گلوله به من بده تا بهت شلیک کنم!» (همه سلاح‌های ما بدون مهمات بود). بعد دو گروهبان آمدند و مرا گرفتند و فرمانده سراغ من آمد و گفت:

«وقتی به پایگاه برگردیم بلافاصله به دفتر من می‌آی و محاکمه می‌شی.»

پیاده‌روی را ادامه دادیم و البته من دیگر برانکارد را حمل نمی‌کردم. حوالی چهار بعدازظهر به پایگاه برگشتیم. همهٔ سربازان دیگر به چادرهای خود رفتند تا استراحت کنند و دوش بگیرند. من مستقیم به دفترِ او رفتم. هنوز نیامده بود. در ورودی ایستادم و منتظر ماندم.

لحظه‌ای که به آنجا رسید، این آشغال‌کله، وارد شد و به من گفت وارد شوم. من داخل شدم و او بلافاصله گفت فکر کنم باید یک هفته بروی خانه و استراحت کنی. بنابراین یک هفته مرخصی گرفتم و رفتم. حقیقت این است که من همان موقع هم مطمئن نبودم که باید در ارتش باشم، چون نمی‌توانستم تحمل کنم به من دستور بدهند ـ حتی قبل از رفتن به اسرائیل هم همین‌طور بودم.

بعداز تعطیلات، برای آموزشِ بیشتر به پایگاه برگشتم. بعداز چند روز به پیاده‌روی دیگری رفتیم، این بار در شب. هر سرباز یک کوله‌پشتی حمل می‌کرد که یک بیل تاشو از آن آویزان بود. داخل کوله، یک ظرف آشپزی داشتیم که باید با خود حمل می‌کردیم تا غذا بخوریم، و بعداز غذا، آن را بشوریم و دوباره در کوله بگذاریم. همچنین هر سرباز یک تکه میله داشت که به یک تیرک کوتاه متصل می‌شد و یک تکه پارچه کوچک که دو سرباز به هم وصل می‌کردند و با آن چادر درست می‌کردند. پارچه را با زاویه مشخصی به میله‌ها وصل کردیم ـ آن‌قدر پایین بود که به‌سختی می‌توانستی داخل چادر بخزی.

در آموزش‌هایمان، فرماندهی داشتیم که به او «باکی[1]» می‌گفتند، مردی که لکنت زبان داشت. او گاهی اوقات برای یگان ما صحبت می‌کرد و قرار بود ما را در پیاده‌روی شبانه بیرون ببرد. قبل از سفر، شنیدیم که او تصادف کرده و نتوانسته به سفر بیاید. درواقع، همه خوش‌حال بودند چون او یک عوضی بود، و اشتباهات زیادی به دلیل لکنت زبان او پیش می‌آمد، چون هر بار که تُپق می‌زد، یک نفر از خنده منفجر می‌شد.

ما بیرون در میدان بودیم، در تاریکی، و هرکدام چادرمان را برپا کردیم. فرماندهان چادری بزرگ‌تر و شیک‌تر داشتند. آن‌ها در آنجا چای و کلوچه می‌خوردند و دورهم می‌نشستند، صحبت می‌کردند و می‌خندیدند.

ناگهان در نیمه‌های شب که همه خواب بودند، یک "نارنجک مشقی" به‌سمتِ ما پرتاب کردند ـ بوم، بوم، انفجار. وقتی چنین اتفاقی می‌افتاد، ما باید فوراً چادر را ترک می‌کردیم و با اسلحه و تمام وسایل، لباس پوشیده و آماده، در صف‌های سه‌نفری می‌ایستادیم. آن‌ها بررسی می‌کردند که چقدر طول می‌کشد.

---

1. Bucky.

آقای ز در آموزش جنگی

نیمه‌های شب در صف ایستاده بودیم و ناگهان صدای باکی را شنیدیم. او با لکنت می‌گفت: «شما-شما-شماها-خوش‌حال شدین که من-من-من نیومدم، آره؟ نشونتون می‌دم، جر- جرتون می‌دم!»

از لکنت او خنده‌ام گرفت. و بقیه هم خندیدند و باکی عصبانی شد - فریاد زد: «نشونتون می‌دم، نشونتون می‌دم!» اما او نمی‌دانست چه کسی اول می‌خندید - بنابراین وقتی دوباره صحبت کرد، من خندیدم. یکی از گروهبان‌ها پشت سرم بود و من نمی‌دانستم. او گردن من را گرفت و گفت: «اینجا، باکی - گرفتمش.» او من را جلوی همه سربازان و جایی که باکی ایستاده بود، کشید.

حالا او شروع می‌کند با لکنت زبان با من حرف زدن و من نمی‌توانم جلوی خنده را بگیرم. پس به من می‌گوید: «تو-تو بازداشتی!» و من دوباره می‌خندم. دقیقاً نمی‌دانم که او در حال حاضر چطور می‌خواهد من را بازداشت کند - برای این کار باید من را به پایگاه بازگرداند. بنابراین می‌گوید: «شروع - شروع کن به کندن. این مجازات تو- توئه. اینجا تو گودال بمون.» من از کندن امتناع کردم.

وقتی نپذیرفتم، به تاریکی اشاره کرد و گفت: «اونجا رو می‌بینی؟ اون - اونجا جاییه که عرب‌ها هستن. تو رو به اونجا می-می‌فرستم.» کوله‌پشتی‌ام را درآوردم، اسلحه‌ام را انداختم پایین و به‌سمتی که او به من نشان داد شروع به راه رفتن کردم. به او گفتم: «لازم نیست منو بفرستی - خودم دارم می‌رم.»

دو گروهبان سریع من را گرفتند و آرامم کردند و به چادر کوچکم برگرداندند. گفتند برو بخواب، فردا باهم صحبت می‌کنیم.

رفتم داخل چادر. پسرِ هم‌چادری‌ام اهل ایران بود، بچهٔ خوبی بود. ما همه کم‌سن بودیم. باهم دوست شدیم. تصمیم گرفتم تسلیم فرمانده نشوم. به دوستم گفتم: «گوش کن، من می‌رم بیرون. تو داد بزن، "اون داره فرار می‌کنه، اون داره فرار می‌کنه!"» و همین کار را کردیم.

او فریاد زد: «اون داره فرار می‌کنه!» و تمام گردان بیدار شدند و چادرها به هم ریختند و افتادند و فرماندهان دویدند و من را تعقیب کردند و گرفتند. این بار من را به چادر فرماندهان بردند. دیدم که چطور با خوش‌حالی دورهم نشسته بودند و سعی می‌کردند من را آرام کنند. به من چای و کلوچه دادند. فرمانده به من گفت: «ز، فردا به پایگاه برمی‌گردی، لازم نیست ادامه بدی.» این چیزی است که اتفاق افتاد. آن‌ها من را با یک جیپ به پایگاه برگرداندند و من در آنجا تنها ماندم، چون کل گردان به پیاده‌روی خود ادامه دادند. من تنهایی در اطراف پایگاه پرسه می‌زدم تا وقتی‌که بچه‌ها برگشتند.

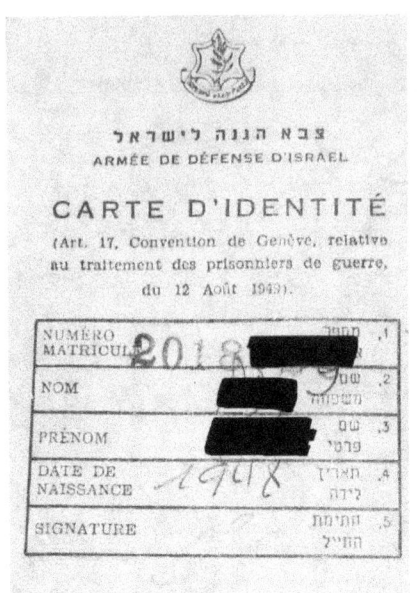 

کارت شناسایی نظامی آقای ز. آقای ز در نیروی هوایی.

اتفاق جالب دیگری هم افتاد. یک بار در صف ایستاده بودیم. درست پشت سرم دو سرباز بودند. ناگهان از پشت به گردنم ضربه‌ای خورد. برگشتم و همه آنجا ایستاده بودند، بدونِ حرکت، بدونِ خندیدن، و نمی‌دانم چه کسی این کار را کرد. رویم را برگرداندم و دوباره ضربه‌ای خورد. دو نفرِ پشت سر من تکان نمی‌خوردند.

شک کردم که کارِ پسری بود که در روز اول آموزشی با او فرار کردم ـ و با مشت به صورتش زدم. لحظه‌ای که آن کار را کردم، کل یگان دوان‌دوان آمدند، فرمانده هم. او هر‌دوی ما را گرفت و جلوی یگان ایستاند و از ما پرسید چه شده است. من گفتم: «اون این کار رو کرد.» و آن پسر چیز دیگری گفت. فرمانده گفت: «شما دوتا دورِ سربازان ایستاده بدوید تا بهتون بگم که بایستید.» بنابراین آن پسر شروع به دویدن به‌سمتِ چپ کرد و من شروع به دویدن به‌سمتِ راست و در وسط راه باهم رخ‌به‌رخ شدیم و هر دو تفنگ چک خودمان را در حین دویدن در دست داشتیم. در دور بعد دوباره باهم روبه‌رو شدیم ـ و او ته قنداق تفنگش را گرفت و با آن به شکم من زد. من تمارض کردم. روی زمین افتادم و فریاد می‌زدم: «بیضه‌هام! وای خیلی درد داره! دارم غش می‌کنم!» آن‌ها آمبولانس آوردند و من هنوز فریاد می‌زدم. در راه، پرستار در آمبولانس به من گفت: «بلند شو، بلند

۱۴۰

شو، رسیدیم»، اما من همچنان فریاد می‌زدم چون فهمیدم که او داشت گولم می‌زد. به بیمارستان رسیدیم، من را معاینه کردند و فهمیدند که اتفاقی نیفتاده است.

در پایان آموزش مقدماتی، وقتی والدینِ همهٔ سربازان را دعوت کردند، بازهم آقای رابینسون و آقای گوردون بودند که به خاطرِ من آمدند. آن‌ها کلی چیز خوب آوردند، اما یک نفر دست در کیف من کرد و بخشی از چیزهایی که برایم آورده بودند را برداشت. آخرسر، متوجه شدم که او کیست ـ همان شخصی که در صف به من پس‌گردنی زد.

قبل از اینکه ما را به پایگاه‌های نظامی تعیین‌شده بفرستند، با هر سرباز مصاحبه کردند تا بفهمند چه چیزی برای او مناسب است و باید او را به کجا بفرستند. همه ما، کل یگان من، راننده کامیون بودیم. در مصاحبه‌ام دیدند که من یک سرباز تنها هستم، پدرومادری در کشور ندارم و از قبل کمی در مورد من می‌دانستند که من کمی عصبی هستم و به‌خوبی دستور نمی‌گیرم، بنابراین به من گفتند: «گوش کن، ما چیز خیلی خوبی بهت می‌دهیم. تو رو به پایگاهی می‌فرستیم که هر روز می‌تونی بری خونه. صبح به اونجا می‌ری، کارت رو انجام می‌دی و می‌ری خونه.» گفتم: «خوبه.» چه ارتش خوبی. من در پایگاه نیروی هوایی در کیریا[1] در تل آویو مستقر شدم و یک یونیفرم زیبای نیروی هوایی گرفتم.

1. Kirya.

فصل ۴۶

پایگاه نظامی شهری کیریا

وقتی از ضلع جنوبی خیابان کاپلان[1] وارد دروازه کیریا می‌شدی، همهٔ دفاتر سمت راست بودند. همهٔ ژنرال‌ها و افسران عالی‌رتبه آنجا بودند. در سمت چپ، در انتهای خیابان، گاراژی بود که وسایل نقلیه در آن پارک شده بودند. وقتی ما راننده‌ها ماشینی را برای سرویس به گاراژ می‌آوردیم، در یک اتاق کوچک دورهم جمع می‌شدیم تا قهوه بنوشیم تا زمانی که رئیس کارمان داشته باشد یا تا زمانی که سرویس ماشین تمام شود.

پنجاه سال گذشته و من هنوز اولین باری که وارد آن اتاق کوچک شدم را به یاد دارم. تقریباً سه نفر آنجا نشسته بودند. هوا تاریک بود. وقتی وارد شدم گفتند چراغ را روشن کن. دنبال کلید چراغ گشتم و متوجه شدم که اتاق هیچ چراغی ندارد. این یک شوخی بود که آن‌ها با هر تازه‌واردی می‌کردند.

همهٔ رانندگان صبح در گاراژ حاضر می‌شدند ـ این روال صبحگاهی بود. بعداز مدتی، من گاهی اوقات نمی‌رفتم.

در آن اتاق کوچک کنار گاراژ، شش یا هفت راننده می‌نشستند و هرکدام خاطره‌ای تعریف می‌کردند.

یک روز که من آنجا بودم، مردی در مورد سفر خود در سرتاسرِ اروپا به ما گفت و عکسی از خودش را که یک کوله‌پشتی بر دوش داشت به ما نشان داد. واقعاً توجهم را جلب کرد. فراموش نکنید که تا آن زمان، من هیچ ایده‌ای نداشتم که اروپا چیست، کجاست، و همه کشورهای آن در کجا واقع شده‌اند. من در ۱۷سالگی از ایران به اسرائیل آمده بودم و الان در ۱۸سالگی در ارتش بودم و از زندگی چیزی نمی‌دانستم. آن عکس من را هیجان‌زده

---

1. Kaplan.

کرد، بنابراین بعداز اینکه از ارتش خلاص می‌شدم، می‌خواستم به اروپا بروم.

در سمتی که همه ژنرال‌ها بودند، یک گروهبان یکمِ چاق، یک اشکِنازی تقریباً کچل، اما مردی نسبتاً خوب بود.

در کنار گاراژ یک گروهبان یکم لاغر بود که چکمه‌هایش برق می‌زد و پیراهن و شلوارش آن‌قدر خوب اتو شده بودند که می‌توانستی خط تای آن را ببینی. او مسئول کل ضلع چپ بود و سالن غذاخوری ما در آن‌طرف بود.

من بیشتر وقت را در ضلعی که افسران بودند می‌گذراندم، چون رئیسی داشتم که راننده‌اش بودم. هر بار که می‌خواست به‌جایی برود، می‌گفت: «منو ببر اینجا، منو ببر فلان جا.» من به‌سختی مسیرها را در سراسر کشور بلد بودم، و همچنین، حقیقت این است که هنوز به‌سختی رانندگی بلد بودم ـ نفهمیدم چطور بعداز اینکه چندین بار در آزمون رد شدم، به من گواهی‌نامه دادند ... و من او را همه‌جا می‌بردم.

یک بار، بااینکه رئیس از قبل می‌دانست که من یک آدم عصبی هستم، اتفاقی افتاد. یادم نیست چه بود، اما بعداز آن به سراغ من آمد و گفت: «معذرت می‌خوام.» و من نمی‌دانستم این کلمه در عبری چه معنایی دارد. من هنوز فریاد می‌زدم و عصبانی بودم و او توضیح داد: «ازت خواستم منو ببخشی - معذرت می‌خوام.» ما باهم رابطهٔ خوبی داشتیم. او به دنبال ایجاد دردسر برای من نبود.

من هرگز کلاه نظامی‌ام را سرم نمی‌گذاشتم. در عوض، من آن را چهارتا می‌کردم و در جیب پشتم می‌گذاشتم. آن روزها سر کردنِ آن اجباری بود. فکر می‌کنم امروز این‌طور نیست.

یک بار وقتی در ایستگاه مرکزی بودم تا سوارِ اتوبوسی به مقصد کیریا شوم، یک پلیس نظامی به دلیل نداشتن کلاه من را نگه داشت. دستگیرم کردند و به زندان شمارهٔ شش ارتش فرستادند، جایی که در آن برایمان سیگار با کاغذ آبی می‌آوردند. یک شب بازداشت بودم و فردای آن روز محاکمه شدم. یادم نیست چه حکمی برایم صادر شد و بعداز آن به پایگاهم در کیریا برگشتم.

وقتی یک افسر از کنار شما رد می‌شد، باید سلام می‌دادی. من این کار را نمی‌کردم. سرم را پایین می‌انداختم، برمی‌گشتم و دور می‌شدم. یک روز افسری از کنارم گذشت و از این کار خوشش نیامد. گفت: «سرباز چرا سلام ندادی؟ و این‌جور چیزها ...» من جوابش را دادم و او گروهبان را صدا زد و آن‌ها برایم گزارش رد کردند. «تو باید بری دادگاه.» باشه. تا آن موقع، چندین بار به دردسر افتاده بودم و چندین تاریخ دادگاه داشتم. هیچ‌وقت حاضر نمی‌شدم.

یک روز در پایگاه بودم و ناگهان صدای آژیر و هشدار شنیدم. قبلاً در زندگی‌ام صدای آژیر

نشنیده بودم. من به‌تازگی از ایران آمده بودم، هرگز جنگی ندیده بودم و فقط ۱۸ سال داشتم. از وضعیت بین اسرائیل و کشورهای عربی اطلاعی نداشتم. عبری هم زیاد بلد نبودم. این برای من یک سورپرایز بزرگ بود. ناگهان جنگ شش‌روزه رخ داد. آن‌ها ماشین‌ها را آماده می‌کردند و به همهٔ ماشین‌ها رنگ خاصی می‌زدند، حتی چراغ‌های جلو نیز رنگ شده بودند. عجیب بود.

در آن زمان در هواپیماهای ما که به جنگ می‌رفتند، سناریوهای جنگی وجود داشت که بمب‌ها کجا باید انداخته شوند. آن‌ها روی فیلم ضبط شده بودند، نه مثل امروز ... دیجیتال. فیلم‌ها توسط هواپیما به فرودگاه سد دوم[1] در تل آویو می‌رسیدند. یک روز من را به آنجا فرستادند تا فیلم‌ها را به کیریا بیاورم. یک روز بارانی بود.

در پایگاه، یک ماشین فرانسوی کوچک داشتیم، یک دوشو[2]، که شبیه سوسک است. یک جیپ هم بود و یک ماشین زرهی. روزی که باید به سد دوم می‌رفتم، هیچ وسیله نقلیه‌ای به‌جز ماشین زرهی روباز وجود نداشت. به من گفتند آن را ببرم. اما باران می‌بارید. چطوری باید زیرِ باران با ماشینِ روباز رانندگی می‌کردم؟ من نپذیرفتم و شکایت دیگری دریافت کردم. بعداز مدتی دوباره من را به سد دوم فرستادند و این بار با دوشو رفتم. هر کاری که به صلاح من نبود، از انجامش امتناع می‌کردم، به همین دلیل شکایت‌های زیادی به خاطر سرپیچی از دستورات داشتم.

آقای ز در آی دی اِف در آغاز جنگ شش‌روزه در سال ۱۹۶۷.

1. Sde Dov.
2. deux chevaux.

باید دمِ هواپیما می‌رفتم و با خلبانی ملاقات می‌کردم که حلقهٔ فیلم را به من می‌داد. به باند فرودگاه رسیدم ـ یک مسیر مخصوص ماشین بین باندهای فرودگاه وجود دارد. اما هوا تاریک بود، چیزی نمی‌دیدم. در وسط باند گیر افتادم ـ و درست در همان لحظه یک هواپیما درست در کنار من فرود آمد! کنترلم را از دست دادم. خوشبختانه او باند دیگری در سمت راست داشت، از آن‌یکی استفاده کرد. زهره‌ترک شده بودم ... می‌بینی که هواپیمایی در حال پایین آمدن است، یک لحظه بعد مستقیماً دارد به‌سمتِ تو می‌آید ...!

پس‌از پایان جنگ شش‌روزه، یک روز برای صرف غذا به سالن غذاخوری رفتم. میزهای طویل با پنج سرباز در هر طرف وجود داشت. هرکدام یک بشقاب داشتند و وسط میز یک کاسهٔ بزرگ سوپ یا خورش بود و بچه‌ها غذایشان را برمی‌داشتند. یک سیستم وجود داشت ـ تا زمانی که یک میز پر نمی‌شد، آن‌ها اجازه نمی‌دادند پشت میز دیگری بنشینی. آخرین سربازانی که سرِ میز می‌آمدند، همیشه می‌دانستند که غذای زیادی باقی نمانده است. فرد هشتم، نهم و دهمی که می‌نشستند تقریباً چیزی برای خوردن نداشتند. دوسه سرباز جلوی من بودند که سرباز مسئولی که می‌گفت سر کدام میز بنشینی را می‌شناختند. دیدم که او آن‌ها را به‌سمتِ یک میز خالی فرستاد، هرچند میز قبلی پر نبود، و بعد من را به میزی فرستاد که تقریباً پر شده بود.

به حرفش گوش نکردم و رفتم سر میز جدید نشستم. درنتیجه به سراغ من آمد و گفت: «بهت نگفتم اینجا بشین، برو اونجا بشین». بهش گفتم بره به جهنم و ازاینجا دور بشه.

در انتهای میز نشستم، کمی سوپ کشیدم و شروع کردم به خوردن. ناگهان گروهبان یکم عوضی داخل شد، همان لاغرِ سبیلو. کنارم ایستاد و گفت: «سرباز!» من حتی سرم را بلند نکردم ـ اصلاً به‌سمتِ او نگاه نکردم. به خوردن سوپ ادامه دادم. با انگشتش به شانه‌ام زد ـ «سرباز!» گفتم: «بله؟» به من گفت بلند شوم و با او بروم.

نفس کشیدن داشت سخت می‌شد، همان موقع هم داشتم جوش می‌آوردم. به او گفتم: «ببخشید، من یه سربازم و الان حق دارم غذا بخورم. این وقت ناهار منه. وسط غذا هستم. وقتی تموم شد، می‌آم پیشِ شما.»

او دوباره روی شانه‌ام زد و گفت: «گفتم بلند شو!» به چشم‌هایش نگاه کردم. سوپ کنارم بود، دستم را روی کاسه گذاشتم و به او گفتم: «یک کلمه دیگه بگو، کلِ این کاسه می‌آد تو صورتت.»

همهٔ سربازان سر میز شوکه شده بودند. گروهبان یکم نمی‌خواست در آنجا دردسری درست شود، این بود که گفت: «من دم در منتظرت هستم، وقتی غذا خوردنت تموم شد

بیا اونجا.» وقتی غذا خوردنم تمام شد، از آشپزخانه بیرون رفتم، نه از در خروجی سالن غذاخوری. وقتی رفتم من را ندید.

روزهای بعد همه‌جور آدم‌هایی که نمی‌شناختم به من می‌گفتند که او دنبالم می‌گردد، ولی اسمم را نمی‌داند. راستش یک بار او را دیدم که داشت دنبال من می‌گشت. اوه مَرد، من با آن مرد چه کردم! چنین چیزی هرگز برای او اتفاق نیفتاده بود.

به خودم گفتم باید از او دور شوم. می‌دانستم که یک مرخصیِ سربازِ تنها طلب دارم، بنابراین فکر کردم تا زمانی که اوضاع آرام شود، دور می‌مانم. وقتی‌که درخواست مرخصی می‌کنی، به امضای فرمانده اردوگاه و رئیس خود نیاز داری، تأییدیه‌ای مبنی بر اینکه می‌توانی به مرخصی بروی. رئیسم امضا کرد، اما فرمانده اردوگاه به من گفت: «نمی‌توانم برات امضا کنم. مقرراتی وجود داره، قبل از اینکه به مرخصی بری، باید برای تمام اتهامات علنی علیه خودت محاکمه بشی. قبلاً چندین مورد داشتم. ممکنه بیفتی زندان.»

به او گفتم: «باشه، می‌خوام در موردش فکر کنم.»

به‌عنوان یک سربازِ تنها در ارتش به من قول داده بودند که به من پول اجاره بدهند که وقتی به مرخصی رفتم جایی برای ماندن داشته باشم. آن‌ها به من قول دادند که این کار را انجام دهند، اما من نه پولی گرفتم و نه چیزی فراتر از آن چیزی که یک سرباز معمولی می‌گیرد. جایی برای ماندن نداشتم. من یک سرباز تنها بودم و پدرومادری در آن کشور نداشتم و این واقعاً من را آزار می‌داد. راستش من خانه‌ای نداشتم. واقعاً داشتم از تمام این چیزها ناراحت می‌شدم.

گاهی در خانهٔ خواهرم می‌خوابیدم، و گاهی هم در خانهٔ شیفرا، زن سوری، همان زن بسیار مهربانی که سازمان آلیه جوانان من را پیشش فرستاد. من همچنان در تعطیلات به رفتن به آنجا برای خوابیدن ادامه می‌دادم. او برای من مثل مادر بود.

به این فکر کردم که چه‌کار کنم و تصمیم گرفتم که بدون اجازه به مرخصی بروم، به‌اصطلاح سرباز فراری.

به خانه رفتم و چند هفته همان حوالی بودم. نمی‌دانستم چه‌کار کنم. می‌دانستم که در ارتش سازگار نمی‌شدم. این چیزی نبود که تصور می‌کردم یا چیزی که برایم توصیف کرده بودند، و می‌دانستم که در آنجا فقط با مشکل بیشتری مواجه می‌شدم. شب پیش‌از آن، تصمیم گرفتم به پایگاه برگردم ـ متوجه شدم که آنجا اصلاً برای من مناسب نیست. می‌خواستم به آن‌ها بگویم که می‌خواهم از ارتش بیرون بیایم.

فصل ۴۷

در راهِ خروج از ارتش

به پایگاه برگشتم. گروهبان یکم مهربان و باملاحظه اشکِنازی من را دید و گفت: «یونیفرمت کجاست، چرا بی‌لباس اومدی؟» و به او گفتم: «گوش کن، اونو سوزوندم. دیگه نمی‌خوام در مورد ارتش چیزی بدونم، هیچ‌چیز، و اگه یک کلمه دیگه حرف بزنی، پایگاه رو به آتیش می‌کشم.»

«آروم باش، سخت نگیر، بشین، بشین. یک فنجون چای براش بیار.» این را گفت و بعداز چند دقیقه دو نفر از راه رسیدند و شروع کردند به پرسیدنی سؤالات عجیب‌وغریب از من ـ کی به اسرائیل مهاجرت کردی، دوستانت که هستند، آیا دوستان عرب داری؟ فهمیدم که آن‌ها از شین بت، سرویس اطلاعات هستند و داشتند از من بازجویی می‌کردند.

به آن‌ها توضیح دادم که چه اتفاقی داشت می‌افتاد و به آن‌ها گفتم که اگر همچنان من را عصبانی کنند، تمام آنجا را به آتش می‌کشم.

فرمانده‌ام وارد شد و به من گفت که تنها راه آزاد شدن من بدون محاکمه ـ چون اوضاع به هم می‌ریزد ـ این است که بگوییم تو مواد مصرف می‌کنی. من اصلاً مواد مخدر مصرف نمی‌کردم، به‌جز یک بار که با دوستانم از محلهٔ هاتیکوا حشیش را امتحان کردم.

پیشِ دکتر رفتم و چیزی که آن‌ها خواسته بودند بگویم را به او گفتم - کلی دری‌وری گفتم که معتاد به مواد مخدر هستم و غیره. گفت نگران نباش همه‌چیز درست می‌شود. او یک پلیس نظامی دیگر را صدا کرد که من را با خودش برد ـ «بیا، بیا بریم.» ما از کیریا حرکت کردیم، نمی‌دانم به مقصدِ کجا. به یک دروازه بزرگ آهنی رسیدیم که باغ بزرگی داشت و در انتهای آن چند ساختمان با تعدادی اتاق قرار داشت. وقتی وارد این باغ شدیم، ناگهان دیدم که یک نفر با پیژامه داشت از درختی بالا می‌رفت و فریاد می‌زد و یک نفر دیگر

داشت جیغ می‌کشید.

بلافاصله متوجه شدم که آنجا دیوانه‌خانه بود. آن‌ها من را به اتاقی بردند و یک نگهبان آنجا بود که از من محافظت کند. منتظر بودند کسی بیاید. نمی‌دانم چه کسی. با خودم گفتم، دیگه کارم تمومه! منو تو یه دیوونه‌خونه نگه می‌دارن و دیوونه‌م می‌کنن و بهم آمپول و دارو می‌دن. می‌خوان منو بکشن.

بعد یک دکتر وارد اتاق شد. ما تنها ماندیم. از من پرسید که مشکلم چیست. این بار حقیقت را گفتم. «گوش کن، من تنهایی مهاجرت کردم، پدرومادرم هنوز در ایرانن. من نمی‌تونم با ارتش کنار بیام.» همه‌چیز را برایش توضیح دادم. گفت: «اگه تو رو با نمایه حال ۲۴ ترخیص کنم، چی‌کار می‌کنی؟» نمی‌دانستم نمایه ۲۴ چیست، اما گفتم: «می‌تونی بذاری برم؟» به او گفتم: «خیلی ممنون، فقط اجازه بده برم.»

با نمایه حال ۲۴ ترخیص شدم. کسانی که می‌دانستند آن چه بود به من گفتند که نمی‌توانم گواهی‌نامه رانندگی یا شغلی داشته باشم. اما نگران نبودم، چون همان موقع هم می‌دانستم که نمی‌خواهم در اسرائیل بمانم، و قصد سفر داشتم به دلیل اینکه با آنجا ارتباط برقرار نکردم.

وقتی با نمایه حال ۲۴ ترخیص شدم، گواهی‌نامه رانندگی‌ام را گرفتند ...

فصل ۴۸

مقدمات سفر

از ارتش که خلاص شدم، نمی‌دانستم با خودم چه کنم. اطرافِ محلهٔ هاتیکوا پرسه می‌زدم، جایی که همه دوستانم بودند و پیشِ همان پیرزن در یاد الیاهو، جنب محلهٔ هاتیکوا زندگی می‌کردم.

یک روز شنیدم که صهیون آن اطراف ایستاده بود و داشت فلسفه‌بافی می‌کرد، از اینکه می‌خواست به خارج برود حرف می‌زد و به همه دوستانش نشان می‌داد که بلیت کشتی از حیفا به استانبول را دارد. گفت که در کانادا کارِ چوب‌بُری هست و بسیاری از خارجی‌ها برای کار و کسب درآمد به آنجا می‌روند. این ایده نظرِ من را جلب کرد و به او گفتم که مشتاقم با او سوار کشتی شوم. از او خواستم منتظر من بماند ـ باید پاسپورت می‌گرفتم و همچنین گواهی‌نامه رانندگی بین‌المللی می‌خواستم.

او خیلی خوش‌حال بود که هم‌سفر دارد، بنابراین سفر را به مدت دو هفته به تعویق انداخت.

در آن مدت پاسپورت گرفتم و خانواده‌ام را برای رفتن آماده کردم. خیلی مخالف بودند. شوهرخاله‌ها و شوهرخواهرم باور نمی‌کردند که بتوانم موفق شوم. با وجود همه‌چیز تصمیم گرفتم بروم.

می‌خواستم سریع گواهی‌نامه رانندگی بگیرم، و می‌دانستم که نمی‌توانم، چون از ارتش نمایه حال ۲۴ داشتم. ولی هنوز کارت شناسایی قدیمی‌ام را داشتم که نوشته بود شرح‌حالم ۹۷ بود. وقتی از ارتش عزل شدم از من آن کارت را خواستند و من به آن‌ها گفتم گمش کرده‌ام. هر جا که باید کارت شناسایی نشان می‌دادم، از همان قدیمی استفاده می‌کردم.

همان‌طور که اشاره کردم گواهی‌نامه رانندگی‌ام را گرفته بودند. و حالا برای خارج از

کشور به گواهی‌نامه نیاز داشتم. چه‌کار می‌توانستم بکنم؟ فکری داشتم. تصمیم گرفتم درست قبل از سفر گواهی‌نامه موتورسیکلت بگیرم و بعد گواهی‌نامه موتورسیکلت را به گواهی‌نامه رانندگی بین‌المللی تبدیل کنم. شروع کردم به یادگیری موتورسواری. در حین تست گواهی‌نامه، کلاژ موتورسیکلت کار نکرد. متوقف شد و من افتادم. من باید آن آزمون را قبول می‌شدم، چون به‌زودی وقت سفر بود. اگر قبول نمی‌شدم، تنها یک ماه بعد می‌توانستم آزمون را تکرار کنم. تسلیم نشدم و ممتحن را متقاعد کردم که کلاژ خراب است. او یک موتورسیکلت دیگر به من داد و من در آزمون قبول شدم.

آقای ز از اسرائیل می‌رود. در پشت سر، کشتی اِزمیر ۱۹۶۸.

آن موقع‌ها گواهی‌نامه چه شکلی بود؟ یک‌جور دفترچه بود مثل پاسپورت و در صفحهٔ اول نام و مشخصات دیگر و عکس و در صفحهٔ دوم مربع‌هایی به همه زبان‌ها ـ انگلیسی، ترکی، آلمانی و ... در کنار هر مربع جایی برای مُهر گردِ دفتر صادرکنندهٔ گواهی‌نامه بین‌المللی بود. برای هر نوع گواهی‌نامه یک مهر بود ـ ماشین، کامیون و غیره. من برای گواهی‌نامه بین‌المللیِ موتورسیکلت مهر گرفتم. بنابراین مهر را جعل کردم، انگار که

گواهی‌نامه رانندگی ماشین هم داشتم. و با آن با صهیون به خارج از کشور رفتم.

نمی‌دانستم اروپا کجاست یا حتی ترکیه کجاست. همان‌طور که می‌دانید، من در مدرسه هیچ‌چیزی یاد نگرفتم. به صهیون اعتماد کردم که می‌داند داریم به کجا می‌رویم. بلیت یک کشتی به نام «ازمیر» را خریدیم و سوار شدیم ـ اولین بار در زندگی‌ام که سوار کشتی می‌شدم.

با یک چمدان بزرگ آمدم. پس از جنگ شش‌روزه، اسرائیل در جهان بسیار محبوب بود. غرور بزرگی وجود داشت. در آن زمان انواع کارت‌پستال با عکس سربازان و جاکلیدی با انواع نمادهای اسرائیلی: کلاه «تمبل» مزرعهٔ اشتراکی با نماد اسرائیل و پرچم منتشر کردند. با خودم گفتم، در اروپا احتمالاً از این چیزها خوششون می‌آد. مقدار زیادی از آن‌ها را خریدم و با خودم بردم تا در خارج بفروشم.

فصل ۴۹

مسافران

یک کابین کوچک در پایین کشتی، در قسمت زیرین به ما دادند. یک دریچهٔ کوچک گرد داشت که از پشت آن می‌توانستیم آب را ببینیم.

کابین کوچک بود ـ به معنای واقعیِ کلمه یک انباری با سه تخت دوطبقه بود و حتی جایی برای گذاشتن چمدان وجود نداشت. به‌سختی می‌توانستم بدن و پاهایم را دراز کنم تا بخوابم. همه‌جور آدم‌های طبقهٔ پایین در تخت‌های نزدیک ما بودند.

در سالن ناهارخوری غذا می‌خوردیم و در آنجا با مردی از یک موشاو[1] به نام حیّم آشنا شدم که به دیدن عمویش در استانبول می‌رفت. پدرومادرش اهل ترکیه بودند، اما خودش در اسرائیل به دنیا آمده بود. پرسید کجا می‌رویم و ما به او گفتیم که قصد داریم برای درخت‌بُری به کانادا برویم. من صحبت نکردم و اجازه دادم صهیون صحبت کند. وقتی صهیون به او گفت، حیّم خندید.

ناگهان برایم روشن شد که صهیون، که کورکورانه به او اعتماد کرده بودم، نمی‌دانست داشت دربارهٔ چه صحبت می‌کرد. هیچ‌چیزی نمی‌فهمید و فقط وانمود می‌کرد که همه‌چیز می‌داند. احساس می‌کردم وسط دریا هستم و جایی برای رفتن ندارم. پس به خود گفتم حیّم راه نجات من است. او یک پسر باهوش و تحصیل‌کرده بود، سه چهار سال بزرگ‌تر از ما. گفتم: «من به حیّم نیاز دارم.» اگر بتوانم او را متقاعد کنم که به سفر با ما ادامه دهد، عالی خواهد شد.

ما هر روز با حیّم صحبت می‌کردیم و درنهایت توانستم او را متقاعد کنم که سفر را با ما ادامه دهد. طبق برنامهٔ حیّم، قرار بود از کشوری به کشور دیگر، تا انگلیس برویم و ازآنجا

---

۱. Moshav، نوعی روستا و محل سکونت در اسرائیل که توسط مزرعهٔ اشتراکی اداره می‌شود. (م.)

با کشتی به کانادا برویم.

سوار بر کشتی از اسرائیل به مقصدِ ترکیه، ۱۹۶۸.
از راست به چپ: آقای ز، صهیون، حیّم موشاوی و پسرِ
دیگری که در کشتی با او آشنا شدند.

قبل از اینکه به سفر بزرگ برویم، در ترکیه همراه با حیّم به دیدنِ عمویش رفتیم. به استانبول رسیدیم. از قبل در کشتی، مأموران گمرک شروع به بررسی چمدان‌های مسافران کردند. آن‌ها به کابینی که من و صهیون در آن خوابیده بودیم آمدند و از من خواستند که چمدانم را باز کنم. همه جنس‌هایی که آورده بودم را دیدند.

آن‌ها می‌خواستند من را با این بهانه که قصد دارم برای دولت اسرائیل در ترکیه تبلیغ کنم، دستگیر کنند.

به آن‌ها گفتم که قصد ندارم در ترکیه بمانم. آن‌ها اجناس را از من گرفتند و به من گفتند وقتی از مرز ترکیه رد شدم کجا بروم و آن‌ها را بگیرم.

ما با عمو و پسرعموی حیّم آشنا شدیم. پسرعمویش ما را سوار ماشینش کرد و کلوپ‌های شبانه، رستوران‌ها و سایر جاهای دیدنی شهر را به ما نشان داد. واقعاً لذت بردیم. این پسرعمو به من هم کمک کرد تا اجناسی را که از من گرفته بودند پس بگیرم.

او به ما توضیح داد که برای گرفتن اجناس باید به کسی رشوه بدهی. و درواقع ما یک نفر را پیدا کردیم و به او رشوه دادیم. گفت موقع رفتنمان به او خبر بدهیم و در مورد جایی که قرار بود اجناس منتظر ما باشند، توافق کردیم. با قطار به مرز ترکیه و یونان رفتیم و آنجا همه‌چیز را پس گرفتیم. تعجب کردم که آن‌ها واقعاً چمدان من را با همهٔ اجناس پس دادند.

با قطار وارد یونان شدیم. وقتی سوار قطار شدیم خیلی خسته بودیم و توی کوپه خوابمان برد. وقتی بیدار شدیم احساس کردیم قطار متوقف شده است. از پنجره بیرون را نگاه کردیم و دیدیم که واگن ما تنها روی ریل، وسط روستایی دورافتاده در یونان است. معلوم شد که واگن‌های خاصی در نقطه‌ای از قطار جدا می‌شوند و در داخل واگن آن را اعلام کردند، اما ما چون خواب بودیم آن را نشنیدیم. چرا ما را بیدار نکردند؟!

از واگن پیاده شدیم و سعی کردیم بفهمیم کجا هستیم. یک نفر آنجا بود که با او دعوا کردیم و او به پلیس زنگ زد. حیّم دوربین داشت و وقتی پلیس به‌سمتِ ما آمد تا ما را بزند، حیّم شروع کرد به عکس گرفتن. پلیس دوربینش را گرفت و فیلم را بیرون آورد و پاره کرد و بعد دوربین را شکست.

چاره‌ای نداشتیم. در روستا ماندیم و منتظر قطاری شدیم که صبح روز بعد می‌رسید. یک رستوران روستایی آنجا بود. وارد شدیم و نمی‌دانستیم چه چیزی سفارش بدهیم. مردم به ما خیره شده بودند و چیزی برای خوردن گیرمان نیامد. آنجا را ترک کردیم و به‌سمتِ واگن قطار برگشتیم تا بخوابیم.

صبح روز بعد، زود از خواب بیدار شدیم، کمی قبل از رسیدن قطار دوم. برای انتقام از برخوردی که پلیس با ما کرده بود، چاقویی بیرون آوردم و روکش صندلی‌های واگن را پاره کردم. ساعت یک و دو صبح به ایستگاه قطار آتن رسیدیم ـ پولی برای هتل نداشتیم و در ایستگاه خوابیدیم.

همهٔ مکان‌های گردشگری را دیدیم. حیّم ما را به مکان‌ها و موزه‌های جالب زیادی برد. هر شب در جایی متفاوت می‌خوابیدیم. گاهی که هتل ارزان‌قیمت پیدا نمی‌کردیم، در ایستگاه قطار می‌خوابیدیم. بعضی از چیزهایی که داشتیم را در بازار فروختیم و از شر بعضی از آن‌ها خلاص شدیم. حیّم به ما یاد داد که چطور از پسِ اموراتمان بربیاییم. از یک شیرینی‌فروشی نان خریدیم و از دکهٔ سبزی‌فروشی موز، و نان را با موز خوردیم. چمدان‌هایمان را با کوله‌پشتی عوض کردیم و با آن‌ها بر پشت این‌طرف و آن‌طرف می‌رفتیم.

آقای زد با کوله‌پشتی، ۱۹۶۸.

حیّم نقشه خرید. سفر در یونان را به پایان رساندیم و با سواری مفتی گرفتن از ماشین‌ها به سفر ادامه دادیم.

❋ ❋ ❋

مسیرمان را از یونان به ایتالیا، سوئیس و آلمان ادامه دادیم. شروع کردیم به‌طور جداگانه از ماشین‌ها سواری گرفتن، چون هیچ‌کس برای سه نفر توقف نمی‌کرد. با یک کوله‌پشتی و کلاه تمبل مزرعه روی سرمان سفر می‌کردیم. برخی متوجه می‌شدند که ما اسرائیلی هستیم و برایمان توقف می‌کردند. من در حال سواری گرفتن مفتی با یک کوله‌پشتی بر پشتم عکس گرفتم، مثل آن پسر اسرائیلی که عکسش را در ارتش به من نشان داده بود.

در این مدت ما هیچ پولی نداشتیم. برای من اهمیتی نداشت. داشتم جلو می‌رفتم. هیچ راه برگشتی وجود نداشت. خانواده‌ام گفته بودند: «داری کجا می‌ری؟ زبان بلد نیستی، پولی نداری.» همه انتظار داشتند که من شکست بخورم و فکر می‌کردند دارم به‌سمتِ مرگ می‌روم و گم خواهم شد. آن‌ها به من گفتند: «تو داری پل‌های پشت سرت رو می‌سوزونی.» اما تصمیم گرفتم که حتی اگر از گرسنگی بمیرم، دیگر برنگردم.

صهیون پیش ما آمد و گفت: «بچه‌ها، من دیگه نمی‌تونم ـ برمی‌گردم خونه.» آن‌وقت متوجه شدیم که او واقعاً پول دارد، چون برای خودش بلیت خریده بود.

آقای ز در سرتاسر اروپا سواری مفتی می‌گیرد.

شبی که به ایستگاه قطار رُم رسیدیم، من و حیّم به دنبال جایی برای خواب بودیم. ناگهان پسر جوانی به ما نزدیک شد و پرسید که آیا دنبال جایی برای شب می‌گردیم؟ به نظرمان مشکوک بود، اما چارهٔ دیگری نداشتیم، من و حیّم با او به آپارتمانش رفتیم.

وقتی به آنجا رسیدیم، دیدیم اتاق نشیمن یک تخت دونفره و یک مبل تک‌نفره دارد. من بلافاصله مبل را اشغال کردم و حیّم مجبور شد با غریبه روی تخت بخوابد. به خودمان خندیدیم که آن مرد ممکن است بخواهد به ما دست‌درازی کند.

به رختخواب رفتیم، همه‌جا ساکت شد و ناگهان صدای حیّم را شنیدم که فریاد می‌زد: «ای حرومزاده، دستت رو بردار، به من دست نزن!» و آن پسر دور شد. اما پس از چند دقیقه دیگر دوباره سعی کرد او را لمس کند و این بار وقتی حیّم طفره رفت، او از روی تخت افتاد.

حیّم تصمیم گرفت دیگر روی تخت نخوابد و روی صندلی راحتی چرت زد. صبح بلند شدیم و به سفرمان ادامه دادیم.

مقصد بعدی ما سوئیس بود. تصمیم گرفتیم که هرکدام به‌تنهایی به آنجا برویم و هرکس

زودتر رسید در ایستگاه قطار منتظر دیگری بماند. در سوئیس، ما سواری مفتی می‌کردیم. گاهی اوقات موفق می‌شدیم و گاهی اوقات مردم فقط به خاطر کلاه احمقانه‌ای که بر سر داشتیم متوقف می‌شدند. همان‌طور که اشاره کردم، در آن روزها اسرائیل بسیار محبوب بود. خیلی وقت‌ها که نمی‌توانستیم سوار شویم، در ایستگاه‌های قطار می‌خوابیدیم. اما حتی یک لحظه را به خاطر نمی‌آورم که به توقف کردن یا تسلیم شدن فکر کنم. مصمم بودم ادامه دهم. به گذشته که نگاه می‌کنم، شاید تمایل من به ماجراجویی و آن ابتکار عملی که از قبل در کودکی داشتم، در تصمیمم برای سفر به سراسر اروپا تأثیر گذاشته بود.

درنهایت این سفر یک تجربه بی‌نظیر بود. بیشتر از همه به این دلیل از آن لذت بردم که رؤیای خود را که با عکس سربازی شروع شد که راه خود را در اروپا پیموده بود، محقق کرده بودم. در همان لحظه بود که تصمیم گرفتم من هم این کار را انجام دهم و موفق شدم.

❋ ❋ ❋

توقفگاه بعدی آلمان بود. برنامه حیّم این بود که به انگلیس برسیم و ازآنجا سوار کشتی شویم. از سوئیس به ایستگاه قطار فرانکفورت رسیدیم. حیّم اول رسید و منتظر من شد. یک روز بعد به آنجا رسیدم و در اطراف ایستگاه به دنبال حیّم گشتم. او آنجا بود، اما در همین حین شروع کرده بود به وقت‌گذرانی در بارهای ایستگاه.

ناگهان او را دیدم که پشت میزی بیرون یک بار ایستاده بود و داشت با سربازهای آمریکایی حرف می‌زد. من نمی‌دانستم که سربازهای آمریکایی در آنجا چه می‌کنند. معلوم شد که آلمانی‌ها از جنگ جهانی دوم هیچ ارتش و سربازی نداشتند، فقط پلیس داشتند و آمریکایی‌ها در همهٔ شهرهای آلمان پایگاه نظامی داشتند. آن سربازها از اینکه فهمیدند ما اسرائیلی هستیم خوش‌حال شدند و ما را به نوشیدنی دعوت کردند. دیدم که آلمانی‌ها و آمریکایی‌ها بدون اینکه فکر کنند آبجو می‌نوشیدند.

وقتی در اطرافِ خیابان اصلی قدم می‌زدیم، تعداد زیادی اسرائیلی دیدیم. متوجه شدیم که بیشتر آن‌ها از نوع طبقهٔ پایین و مشکوک هستند و احساس کردیم که همراهان بدی داشتیم ...

آلمان
۱۹۸۲-۱۹۶۹

فصل ۵۰

فرانکفورت

روبه‌روی ایستگاه قطار در فرانکفورت خیابانی بود که بارهای زیادی داشت. خیابان پر از چراغ‌های رنگی، سروصدا و دختر بود. وقتی رنگ‌ها و نورها را دیدم، احساس کردم برای اولین بار در زندگی‌ام از دنیای تاریک بیرون آمده‌ام.

آن منطقه که در فرانکفورت فقط شب‌ها فعال بود. در طول روز هیچ‌کس آن اطراف نبود. شب‌ها روسپی‌ها در آنجا پرسه می‌زدند و با مشتریان خود سوار ماشین‌های لوکس می‌شدند. یک ساختمان دایره‌ای‌شکل بود که در هر طبقهٔ آن زن‌های تن‌فروش بودند. می‌توانستی از کنار آن‌ها عبور کنی و یکی را انتخاب کنی. مواجهه با دنیای فحشا، خلاف و مواد مخدر من را شوکه کرد. تا آن موقع حتی به‌ندرت سکس داشتم.

برخی از کافه‌ها و فاحشه‌خانه‌ها متعلق به اسرائیلی‌ها بود. حیّم رستورانی به نام «تزابار[1]» را در این خیابان می‌شناخت، مکانی بسیار معروف برای اسرائیلی‌ها، یهودیان آلمانی و لهستانی‌ها. رفتیم و آنجا نشستیم. به چهرهٔ آدم‌ها نگاه کردم و دیدم چطور همه داشتند خودنمایی می‌کردند ـ «من فلان کار رو کردم و اون روسپی فلان کار رو با من کرد ...» با خودم گفتم اوه، عجب جاییه! در این چیزها من کاملاً معصوم بودم.

---

1. Tzabar.

فصل ۵۱

از فرانکفورت تا هاناو[1]

ما می‌گفتیم که دنبال کار می‌گردیم، اما کسی به ما کمک نکرد. می‌گفتند: «شما غیرقانونی هستید - نباید دنبال کار باشید، دستگیرتون می‌کنن.» یک مرد لاغر باحالی بود که آرام صحبت می‌کرد. او به ما گفت: «اینجا مناسب شما نیست.» او گفت که در نزدیکی فرانکفورت یک شهر کوچک به نام هاناو وجود دارد و یک کلوپ شبانه متعلق به یک مرد اسرائیلی در آنجاست. او گفت آنجا تنها جایی است که شما به‌عنوان اسرائیلی شانسِ کار پیدا کردن دارید. آدرس و شماره تلفنِ باری را گرفتیم که یک مدیر اسرائیلی در شهر هاناو می‌خواست.

من و حیّم رفتیم و آنجا را پیدا کردیم. مالک یک اسرائیلی به نام بِنی[2] بود. این بار کامین بار[3] نام داشت و در بخش غیرمرکزی هاناو بود، تنها بار در نوع خود در منطقه. تمام رستوران‌ها و بارها و تمام زندگی شبانه هاناو در خیابان دیگری در هاناو متمرکز شده بودند.

حیّم هم مشتاق بود. او سبزیجاتی که قبلاً پرورش می‌داد را فراموش کرده بود. مثل آهنربا به‌سمتِ آن کشیده شدیم.

وقتی به بار رسیدیم، دو مرد را دیدیم. هرکدام دختری در آغوششان نشسته بود. حیّم در بار نشست و ما وحشت‌زده بودیم. اولین بار بود که وارد یک بار می‌شدیم و نمی‌دانستیم چه چیزی سفارش دهیم و قیمت هرچیزی چقدر است. مردی در بار بود که یک کت‌وشلوار باکلاس پوشیده بود و در کنار ما مشغول بازی با ماشین پین بال بود. او شنید که ما عبری صحبت می‌کنیم و نگران قیمت نوشیدنی‌ها هستیم. به ما نزدیک شد، شروع کرد به صحبت

---

1. Hanau.
2. Beni.
3. Kamin Bar.

با ما به زبان عبری و ما را آرام کرد. به او گفتیم دنبال کار می‌گردیم. گفت دوست بِنی مالک آنجاست و برای ما نوشیدنی سفارش داد.

آقای ز به همراه حیّم، نزدیکِ کامین بار در هاناو، جایی که حیّم کار می‌کرد، ۱۹۶۸.

با او نشستیم، نوشیدیم و خندیدیم تا بِنی رسید. فضای خوبی بود. وقتی بِنی آمد، کمی با ما صحبت کرد و درنهایت تصمیم گرفت فقط حیّم را استخدام کند.

برایم جالب بود که بدانم چرا حیّم را به من ترجیح داد. معلوم شد به این دلیل بود که او پوست روشن با چشمان آبی داشت. بِنی گفت من شبیه خارجی‌ها هستم و می‌ترسید که این مشتری‌ها را کم کند. مردهای آلمانی از خارجی‌های قهوه‌ای پوست خوششان نمی‌آمد. اما دخترهای آلمانی خوششان می‌آمد. حیّم با دختران خوب رفتار نمی‌کرد. با من طور دیگری برخورد شد.

بِنی اتاق کوچکی با کاناپه و میز به حیّم داد و فقط حیّم اجازه استفاده از آن را داشت. ما خوش‌حال بودیم که حداقل حیّم شغلی پیدا کرد. وظیفهٔ او این بود که پشت صندوق

بایستد و مطمئن شود که تمام پول وارد صندوق می‌شود.

مشتریان بار، سربازان آمریکایی بودند که برای نوشیدن می‌آمدند، و دخترهایی بودند که برای سربازان عشوه می‌آمدند تا برای آن‌ها نوشیدنی بخرند. بِنی به دنبال کسی بود که حواسش به اوضاع باشد، چون او همیشه آنجا نبود چراکه علاوه بر بار، مغازهٔ فرش‌فروشی هم داشت.

نقش دخترها در بار تشویق مردها به سفارش نوشیدنی بود. یک دختر به مشتری می‌چسبید تا برای هردویشان نوشیدنی سفارش دهد. متصدی بار برای آن دختر آب با یک قطره رنگ می‌ریخت تا شبیه کوکتل شود.

اگر دختر می‌دید که مشتری پول دارد، نوشیدنی گران‌تری سفارش می‌داد.

بار همچنین دارای غرفه‌های کوچک پوشیده با پرده‌ای بود که فقط برای کسانی بود که شامپاین سفارش می‌دادند، که بیش‌از صد مارکِ آلمان قیمت داشت. آن دختر با آن مرد به داخل غرفه می‌رفت و در آنجا شروع می‌کرد به دست زدن به او. پیشخدمت با یک بطری شامپاین وارد می‌شد و هزینهٔ آن را می‌گرفت. برای همه یک لیوان می‌ریخت. دختر بدون اینکه کسی متوجه شود، نوشیدنی خود را در گلدان پشت مبل می‌ریخت و مطمئن می‌شد که لیوانش دوباره پر شود.

پیشخدمت که هر دقیقه وارد می‌شد، با آن‌ها شامپاین هم می‌خورد و وقتی بطری تمام می‌شد از مشتری می‌خواست بطری دیگری سفارش دهد. آن مرد یکی دیگر سفارش می‌داد، وگرنه دختر به سراغ مشتری بعدی می‌رفت.

اکثر مشتریان سربازان آمریکایی بودند که پایگاهشان در هاناو بود. تنها حدود بیست درصد از مشتریان آلمانی بودند. خیلی وقت‌ها سربازها مست می‌شدند و دعوا می‌کردند. پلیس نظامی آمریکا برای حفظ نظم از یک بار به بار دیگر می‌رفت.

شب‌ها در بارهای دیگر وقت می‌گذراندم و بعد بدون اینکه بِنی ببیند، یواشکی وارد اتاق حیّم می‌شدم. می‌ترسیدیم اگر بِنی بفهمد من آنجا می‌خوابم، حیّم کارش را از دست بدهد.

در طول پرسه زدن‌هایم، شروع کردم به آشنایی با صاحبان بارها و کلوپ‌های آن منطقه.

همچنین با اسرائیلی‌هایی که آن اطراف می‌چرخیدند آشنا شدم. یکی از آن‌ها تام[1] نام داشت. بعدها فهمیدم که او به یک خانواده خلاف‌کار معروف در اسرائیل تعلق دارد. او و

1. Tom.

برادرش یوسی[1] بر زندگی شبانه در این منطقه کنترل داشتند. تام شریکی به نام آمی[2] داشت که نام مستعارش «منِ پیرمرد» بود.

بعداز مدتی با دخترهای بارها آشنا شدم. چندین بار در همان منطقه وجود داشت که با یکدیگر رقابت می‌کردند. آمی و تام مالکِ سه تا از آن‌ها بودند و چندین بارِ دیگر متعلق به اسرائیلی‌ها وجود داشتند.

در طول روز، همه در یک رستوران ایتالیایی به نام «کافه تریا» ملاقات می‌کردند. و رستوران‌های دیگری هم وجود داشتند که اسرائیلی‌ها به آنجا می‌رفتند.

من با شلومو[3]، یک مرد اسرائیلی آشنا شدم که صاحب دو بار بود که با عمویش آن‌ها را اداره می‌کرد. عمویش حشیش وارد می‌کرد. یک روز دستگیر شد و برای چندین سال به زندان افتاد.

وقتی شلومو را می‌دیدم، می‌نشستیم و سیگار می‌کشیدیم. او هم مثل من پول نداشت. یک روز، به من پیشنهاد داد که به یک بار بروم و به ماشین‌های پین بال دستبرد بزنم. می‌گفت پول زیادی در آن‌ها هست و هر چند وقت یک بار خالی می‌شوند. او پیشنهاد کرد که پول را نصف‌نصف تقسیم کنیم.

او می‌دانست چگونه به‌راحتی وارد بارها شود، و ما دستگاه‌ها را هک کردیم. سهم خودم را گرفتم که کاملاً قابل‌توجه بود. در آن زمان، من هنوز در اتاق حیّم می‌خوابیدم و پولی نداشتم. بنابراین انواع پیشنهادها در مورد چگونگی کسب درآمد را می‌پذیرفتم.

یک روز، با شلومو رفتیم تا در بارها چرخی بزنیم. یک مرد آمریکایی مست آنجا بود. وقتی او به دست‌شویی رفت شلومو دنبالش رفت. به‌سمتِ توالت نگاه کردم، در باز شد و دیدم شلومو آن مرد را به زمین کوبیده و پولش را دزدیده است. از چیزی که دیدم خوشم نیامد و تصمیم گرفتم با او قطع رابطه کنم و این‌جوری دوستی‌مان تمام شد.

وقتی به بارها می‌رفتم، دخترها با من معاشقه می‌کردند. عادت نداشتم و مثل گوجه‌فرنگی سرخ می‌شدم. اولین کسی که با من معاشقه کرد یک دختر قدکوتاه و چاق به نام رِکسی[4] بود. وقتی او را دیدم، او بلافاصله شروع به کرد به لمس کردن من و زبانش را در گوشم فروبرد. دستش را روی آلت تناسلی من گذاشت و شروع کرد به زمزمه کردن کلمات

1. Yossi.
2. Ami.
3. Shlomo.
4. Rexy.

آلمانی. نفهمیدم دارد چه می‌گوید. از مدیر خواستم برایم ترجمه کند و او به من گفت که او می‌خواهد من را با خود به خانه ببرد. البته من با خوش‌حالی موافقت کردم.

وقتی به خانهٔ او رسیدیم، او بلافاصله دست‌به‌کار شد. بعداز اینکه کارمان تمام شد خوابیدیم.

بعداز مدتی، او می‌خواست دوباره و دوباره این کار را انجام دهد ... من موافقت کردم، اما خیلی مشتاق نبودم. زیادی جذب او نشده بودم. بعداز چند روز خوابیدن با او، به‌کلی تمایل خود را از دست دادم و دیگر نمی‌خواستم با او این کار را انجام دهم. او عصبانی شد و گفت که اگر از سکس خبری نباشد، باید جای دیگری پیدا کنم تا بخوابم. به اتاق حیّم برگشتم.

بعداً با دخترهای مختلفی آشنا شدم تا بتوانم جایی برای خوابیدن داشته باشم. هر شب از یکی به سراغ دیگری می‌رفتم. حیّم که در آن زمان هیچ دوست‌دختری نداشت عصبانی شد که من تنها کسی بودم که این کار را انجام می‌دادم و وقتی‌که جای دیگری برای خواب نداشتم دوباره برمی‌گشتم تا در اتاق او بخوابم. فهمیدم که باید جایی برای خودم پیدا کنم.

با گذشت زمان، دخترهای زیادی با من آشنا شدند و وقتی به کافه‌های اسرائیل می‌رفتم، به من نزدیک می‌شدند، من را در آغوش می‌گرفتند و می‌بوسیدند. مدیران بارها آن را دوست نداشتند، چون می‌خواستند آن دخترها به مشتری‌ها خدمات بدهند، بنابراین وقتی می‌رسیدم، دخترها در گوشه‌ای با من صحبت می‌کردند.

یک روز، در بارِ بِنی، جایی که حیّم در آن کار می‌کرد، دختری را دیدم که واقعاً از او خوشم آمد. اسمش ویکی[1] بود. او اصلاً کاری به کارِ من نداشت، بنابراین می‌ترسیدم بروم با او صحبت کنم. دیوید، پسر اسرائیلی که اولین باری که به بار آمدیم با او آشنا شدیم، به من گفت در پایان روز کاریِ آن دختر پیش او بروم و به او پیشنهاد خرید نوشیدنی بدهم. به من گفت که اگر امتناع کرد به او سیلی بزنم، دست او را بگیرم و بروم. من نمی‌توانستم آن را باور کنم، اما او اصرار داشت که این کار جواب می‌دهد. تصمیم گرفتم آن را امتحان کنم. آن دختر دوست داشت تحت سلطه باشد.

یک روز عصر وقتی دیدم او بدون هیچ همراهی دارد از بار خارج می‌شود، به او نزدیک شدم و گفتم که به او علاقه دارم. او من را رد کرد، بنابراین به او سیلی زدم. سرش را پایین انداخت، دستش را کشیدم و او را ازآنجا بیرون آوردم.

رفتیم به آپارتمانش که خیلی به‌هم‌ریخته بود و لباس‌ها همه‌جا پرت شده بودند. وارد اتاق‌خواب شدیم و من بلافاصله به او هجوم آوردم و تا صبح این کار را انجام دادیم. فکر

---

1. Vicky.

می‌کنم آن شب شاید ده بار ارضا شدم. برای من یک رکورد بود. برای من، آن شب او بهترین مدرسه برای سکس بود. ما هر کاری که می‌شد را انجام دادیم، او همه‌چیز را به من آموخت.

❋ ❋ ❋

بعدازظهر، او باید به سر کار می‌رفت. بلند شدیم و حمام کردیم و احساس خوبی داشتیم. در همین حین، در بار، خبر به گوش همه رسید. همه از ماجرای شب قبل خبر داشتند و منتظر بودند ببینند در ادامه چه خواهد شد. چند روز بعد وقتی ادرار کردم دچار سوزش شدم. با دیوید در مورد آن صحبت کردم و او به من گفت که از ویکی به یک بیماری مقاربتی مبتلا شده‌ام. به یک دکتر شخصی مراجعه کردم و آمپولی برایم تزریق کرد. بعداز مدتی دو آمپول دیگر زدم و خوب شدم. در همین حین به ویکی گفتم که آلوده است و باید برود معاینه شود. من در این مورد به هیچ‌کس دیگری چیزی نگفتم تا مشتری‌هایش باخبر نشوند.

آقای ز در کامین بار همراه با دختری که به او همه‌چیز دربارهٔ سکس را آموخت.

در باری که حیّم کار می‌کرد دختر زیبا و بسیار جذابِ دیگری بود. یک روز که به آنجا رفتم، او را بیرون با دامنی کوتاه روی پله‌ها دیدم. او با پسر جوانی ازدواج کرده بود که هر روز او را به سرِ کار می‌آورد و گاهی صبح‌ها برای برگرداندنش برمی‌گشت. او با مردهای دیگر می‌خوابید و من فهمیدم که شوهرش به این موضوع اهمیتی نمی‌دهد، مهم‌ترین مسئله این بود که او پول درمی‌آورد.

وقتی فهمیدم شانسی برای بودن با او دارم، یک روز وقتی حالش بد بود به سراغش رفتم و او را به اتاق حیّم بردم. ما سریع باهم خوابیدیم و او سر کار برگشت.

در آن زمان، من واقعاً شروع کرده بودم به فعال بودن به لحاظ جنسی. در اطراف بارها قدم می‌زدم و با دخترهای بیشتری آشنا می‌شدم.

در بارهای آمیِ «پیرمرد» و تام، مدیر بار یک‌سوم سود می‌برد، پیرمرد یک‌سوم و تام یک‌سوم.

هر دختر دفترچه‌ای داشت که تمام درآمد آن شب را در آن یادداشت می‌کرد. هرکدام یخچال مخصوص خود با آبجو را داشتند و آخر شب حساب می‌کردند و پول آبجو را به مدیر می‌دادند. آخرِ شب، دیدن اینکه چطور همه دخترها نیمه‌مست دورهم نشسته بودند و حساب‌وکتاب آن شب را انجام می‌دادند بسیار زیبا بود. من پایهٔ ثابت آنجا بودم و بعداز بسته شدن بار آنجا می‌ماندم.

هر جمعه، سربازها حقوق می‌گرفتند. بنابراین از صبح بارها را باز می‌کردند و تا شب بعد جشن برپا می‌شد. در آن روزها، بار مقدار زیادی پول درمی‌آورد.

در این مدت وقتی‌که به پول نیاز داشتم از حیّم قرض می‌گرفتم. پول زیادی نیاز نداشتم چون دخترهایی که می‌شناختم تقریباً هرآنچه می‌خواستم را برایم می‌خریدند. بعضی از آن‌ها من را به ناهار دعوت می‌کردند، بعضی برایم لباس و حتی جواهرات می‌خریدند.

یک روز برای آفتاب گرفتن به دریاچه رفتم و دختری بلوند با چشم‌هایی سبز و بدنی شگفت‌انگیز دیدم. خیلی مجذوبش شدم. او با چند دختر دیگر که از قبل می‌شناختم آنجا بود.

دو روز بعد به یک بار در آن منطقه رفتم و او را آنجا دیدم. او به‌سمتِ من آمد و از حرکات و رفتارش فهمیدم که به من علاقه‌مند شده. اسمش رُزی[1] بود.

اگرچه تقریباً هر شب سکس خوبی می‌توانست باشد ــ من همیشه آن‌طور که دلم می‌خواست عمل نمی‌کردم، همه‌چیز همیشه "جواب نمی‌داد" ــ اما دخترها به سراغم

---

1. Rosie.

می‌آمدند چون اسمی در کرده بودم.

چند روزی با رُزی ملاقات کردم و شب‌های خوبی را باهم گذراندیم. هر بار که وارد بار می‌شدم، او با لبخند از من استقبال می‌کرد و هرچیزی که لازم داشتم را برایم می‌خرید. تا اینکه در مقطعی دل‌زده شدم و خواستم آن رابطه را تمام کنم.

ازنظر جنسی، نمی‌توانستم مدتی طولانی با یک دختر بمانم. شروع کردم به بهانه‌جویی برای جدایی از او، و این آسان نبود، چون او به من وابسته شده بود.

یک روز با او به خانه رفتم و وقتی خواستم با او بخوابم گفت که پریود شده. احساس می‌کردم این بهانه‌ای است برای ترک او، بنابراین به او گفتم که دارم تا دیروقت به بارهایی که باز بودند می‌روم. او به من التماس کرد که پیشش بمانم و او به شکلی دیگر من را راضی می‌کند. راحت نبودم که بروم و ماندم. چند روز دیگر طول کشید تا رابطه را تمام کنم.

برادر کوچک‌تر تام، یوسی، یکی از بارهایشان به نام "آرکادیا"[1] را اداره می‌کرد. او یک مرد عضلانی بود، یک قلدر با قدرت فوق‌العاده. هر یک از پاهایش مانند یک ستون سیمانی بود. گاهی اوقات به دیدنش می‌رفتم.

وقتی من به بارها می‌رفتم، مدیرهای آن‌ها خوششان می‌آمد، چون آن‌ها ساعت‌های طولانی کار می‌کردند و برای آن‌ها خوب بود که کسی باشد تا با او صحبت کنند. من و یوسی همیشه باهم می‌خندیدیم و دوست شدیم.

یک روز یوسی را دیدم که داشت یک سرباز مست را کتک می‌زد، و مثل فیلم‌ها، ناگهان رفیق آن سرباز مداخله کرد و یک دعوای جدی شروع شد. یوسی داشت با آن‌ها دعوا می‌کرد و من هم به آن‌ها پیوستم. بعداز آن حادثه، من و یوسی خیلی صمیمی شدیم.

یک روز با یوسی رفتم سرکار و او به من حشیش تعارف کرد. از آن روز بعداز اتمام کار، هر روز با او حشیش می‌کشیدم. بعداز حشیش کشیدن به کلوپ‌ها می‌رفتیم تا دختر تور کنیم.

او صبح‌ها در راهِ رفتن به سرِکار دنبالِ من می‌آمد و باهم به‌سمتِ جنگل می‌رفتیم. در بین راه، در یک خواروبارفروشی توقف می‌کرد و نانی که به آن «نان عربی» یا «بربری» می‌گفتند و مقداری پنیر شور و زیتون می‌خرید. به جنگل می‌رفتیم، کمی حشیش می‌کشیدیم، غذا می‌خوردیم و برمی‌گشتیم و تمام راه را می‌خندیدیم. همه‌چیز باعث خندهٔ ما می‌شد.

وقتی بالا بودیم همه‌جور شیطنتی می‌کردیم. یک روز یوسی به من گفت که پیرزن‌های آلمانی بسیار کنجکاو هستند و به همه‌چیز سرک می‌کشیدند و اگر ما بوق بزنیم همه آن‌ها

---

1. Arcadia.

به‌سمتِ ما می‌چرخند.

بوق زد و همه پیرزن‌ها برگشتند و به ما نگاه کردند. بعد او یک موز برداشت و با آن یک حرکت ناپسند کرد. شروع کردیم به خندیدن، حسابی سیاه‌مست بودیم.

پیرمرد، شریکِ تام، همیشه با یک سگ گرگیِ بزرگ این‌طرف و آن‌طرف می‌رفت. او به هیچ‌کس محل نمی‌گذاشت و هیچ‌کس جرئت نمی‌کرد سربه‌سرِ او بگذارد. اگر کسی سعی می‌کرد از بار دختری تور کند، به هر طریق ممکن سر او تلافی می‌کرد. او می‌توانست آن مکان را به آتش بکشد. پیرمرد فقط روی چانه و دور دهانش ریش داشت. از آن زمان، هر وقت که مردی را با ریشی شبیه او می‌دیدم، می‌توانستم شیطان را در وجود آن آدم ببینم.

من تام را خیلی کم می‌دیدم. او مردی قدبلند و خوش‌تیپ بود که همیشه دستمال‌گردن می‌بست. او آن‌قدر خوش‌تیپ بود که دخترها به معنای واقعی کلمه به پای او می‌افتادند. گاهی به یک بار می‌رفت، دختری را تور می‌کرد و به آپارتمانش می‌برد. می‌توانستی بگویی که پیرمرد مسئول کسب‌وکار بود، درحالی‌که تام با دخترها معاشرت می‌کرد.

آقای ز در باری در هاناو که در آن کار می‌کرد.

وقتی با پیرمرد آشنا شدم، او از قبل دربارهٔ من از دخترهایی که با آن‌ها معاشرت می‌کردم شنیده بود. یک روز عصر، او به من پیشنهاد کار به‌عنوان مدیر در یکی از بارهایش به همراه اِدی را داد. او از من می‌خواست که دخترهای بارهای دیگر را برای کار در بار او بیاورم.

قول دادم سعی کنم تا جایی که امکان دارد آن‌ها را بیاورم. در مقابل، درخواست حقوق خوب و یک اتاق برای اقامت کردم. بالای بار یک طبقهٔ دیگر با یک آپارتمان خالی بود و

او آن را به من داد. شروع کردم به کار کردن برای او و به اِدی در بار کمک می‌کردم. اِدی پیرمرد بامزه‌ای بود که همه دوستش داشتند. او داستان‌سرای خوبی بود و به هیچ‌کس هیچ اهمیتی نمی‌داد. حتی به قانون هم. اِدی چاق و کچل بود و مدام مشروب می‌نوشید، اما با همه این‌ها، بسیار حواس‌جمع بود و می‌دانست که چگونه با هر دختری در قبال پولی که از مشتریان در بار می‌گرفت حساب‌وکتاب کند.

موفق شدم سه دختر را به بار بیاورم. شروع کردم به پول درآوردن و جایی برای خواب داشتم. هر روز یوسی را می‌دیدم. سیگار می‌کشیدیم و گردش همیشگی‌مان را انجام می‌دادیم. کم‌کم با او بیشتر آشنا شدم.

یک روز دختری به نام لیلا آمد تا برای ما کار کند. حدوداً سی‌ساله بود، لاغر با موهای بلند مشکی. خوب و مهربان به نظر می‌رسید و همیشه سعی می‌کرد با من معاشقه کند، اما من نمی‌خواستم با او باشم.

فصل ۵۲

ورود به دنیای زیرزمینی

رابطهٔ من با دیوید، مردی که در بار بِنی پین بال بازی می‌کرد، هم کم‌کم صمیمی‌تر شد. همدیگر را می‌دیدیم و در مورد انواع احتمالات صحبت می‌کردیم. می‌دیدم که او با انواع آدم‌ها و مکان‌ها ارتباط دارد و یک نقطهٔ اتصال است. من آرزو داشتم که برای دیدن خانواده‌ام به ایران سفر کنم، اما نمی‌خواستم با پاسپورت اسرائیلی‌ام بروم، چون در آن نوشته شده بود که من متولد ایران هستم و می‌ترسیدم آنجا من را دستگیر کنند و مجبورم کنند به سربازی بروم. به دیوید گفتم و او گفت که به من کمک خواهد کرد. او به من گفت پاسپورت حیّم را یواشکی به او بدهم و او عکس من را روی آن می‌زند تا بتوانم به ایران بروم.

در ابتدا با این ایده مخالف بودم، چون حیّم دوست من بود و نمی‌خواستم چنین کاری با او بکنم.

اما دیوید به من گفت که نگران نباشم، چون وقتی حیّم متوجه شود که پاسپورتش گم شده، با مقامات تماس می‌گیرد و آن‌ها برای او پاسپورت جدیدی صادر می‌کنند.

من متقاعد شدم. بدون اینکه حیّم بفهمد پاسپورتش را برداشتم و به دیوید دادم.

و وقتی حیّم متوجه شد که پاسپورتش گم شده، به کنسولگری اسرائیل رفت و آن‌ها برای او پاسپورت جدید صادر کردند.

اما دیوید آن پاسپورت را به من نداد. چند وقت بعداز آن بود که فهمیدم به‌جای اینکه برای من ترتیبِ آن را بدهد، برای خودش این کار را کرده است. ما این را نمی‌دانستیم تا زمانی که او با پاسپورتی به اسم حیّم دستگیر شد. در آن زمان دیوید مرد شماره یک تحت تعقیب آلمان بود و من این را نمی‌دانستم. تازه وقتی در تلویزیون اعلام کردند که او دستگیر شده است، فهمیدم کیست. درنهایت، فیلمی دربارهٔ او ساختند ...

در همین حین، داشتم کشف می‌کردم که دیوید عجب کلاه‌برداری است. او همیشه پول نقد در جیب خود داشت و با افراد بسیار نامناسبی معاشرت می‌کرد. یک روز یک نفر به داخل بار دوید و گفت پلیس دارد می‌آید. وقتی دیوید این را شنید، بازویم را گرفت و من را به‌سمتِ زیرزمین کشید.

از روی غریزه با او به آنجا دویدم. یک درب خروجی آنجا بود. و کنار در، یک بخاری زغالی بود.

همین‌که می‌خواستیم از در پشتی فرار کنیم، دیدیم پلیسی از بیرون دارد به‌سمتِ ما می‌آید. دیوید شروع کرد به ریختن زغال در بخاری و وقتی پلیس چراغ‌قوه‌اش را روی ما تاباند، دیوید دستش را بلند کرد و به او سلام کرد. پلیس باور کرد که ما آدم‌های بی‌گناهی هستیم و به راه خود ادامه داد.

چند دقیقه بعد رفتیم بالا. مشخص شد فردی بیرون بار دزدی کرده است و پلیس به ورود سارق به داخل بار مشکوک شده و به دنبال او داخلِ بار شده. در همین حین سارق را دستگیر کردند.

وقتی با دیوید به بار در طبقهٔ بالا برگشتیم، از او پرسیدم که چرا داشت از دست پلیس فرار می‌کرد و او دربارهٔ بعضی از کارهایی که می‌کرد به من گفت. معلوم شد که او یکی از بدنام‌ترین سارقین گاوصندوق در آلمان است. و اینکه او به خانه‌های ثروتمندان در کوهستان وارد می‌شد و پول و جواهرات آن‌ها را می‌دزدید. کم‌کم فهمیدم با چه کسی طرفم ...

یک روز دیوید من را با خودش برد تا از یک ادارهٔ پست در یک شهر کوچک سرقت کنیم. او می‌دانست چه زمانی ماشین زرهی با پول برای اداره پست می‌آید. معمولاً دو کیسه پر از پول وجود داشت.

دیوید یک مرد آلمانی دیگر را آورد و برنامه این بود که این مرد در ماشین منتظر بماند تا من و یوسی پول را برداریم و فرار کنیم. در ابتدا نمی‌خواستم در آن کار نقشی داشته باشم. بااینکه در گذشته کارهای مشابهی انجام داده بودم، اما این بار آن‌قدر درمانده نبودم، اما درنهایت پذیرفتم که به آن‌ها ملحق شوم.

به آنجا رسیدیم. روزی بارانی بود. همه‌جور فکری از ذهنم گذشت. توی ماشین نشستیم و منتظر شدیم تا درِ ادارهٔ پست باز شود. دیدیم اتفاق عجیبی دارد می‌افتد. افراد زیادی داخل و خارج می‌شدند و ماشین‌ها در دو طرف خیابان پارک شده بودند. ترسیدیم که تله باشد و تصمیم گرفتیم ازآنجا دور شویم و سرقت را انجام ندهیم. اما این داستان در جای دیگری ادامه دارد. بعداً به آن باز خواهیم گشت.

یک روز با یوسی با ماشین او به باشگاه رفتیم. رانندهٔ تاکسی که از طرف مقابل می‌آمد از جاده منحرف شد. یوسی به‌سرعت چرخید و به ماشین دیگری کوبید. پیاده شد و شروع کرد به دادوفریاد بر سرِ راننده تاکسی و او را مقصر تصادف دانست. باهم درگیر شدند و شروع به دعوا کردند. رانندهٔ تاکسی با استفاده از بیسیمِ خود با تاکسیرانان دیگر تماس گرفت تا بیایند و به او کمک کنند.

در عرض چند دقیقه، گروهی از رانندگان تاکسی با باطوم از راه رسیدند و یوسی را محاصره کردند. ناگهان یکی از آن‌ها بطری گاز اشک‌آور بیرون آورد و به‌سمتِ یوسی رفت. من دوان‌دوان آمدم، با سرم به پشت او زدم و او را به زمین انداختم، اما او بلند شد و توانست گاز اشک‌آور را بپاشد و یوسی از شدت درد پیچ‌وتاب می‌خورد.

در همین حین پلیس‌ها از راه رسیدند و هر دو را دستبند زدند و به کلانتری بردند. یکی فریاد زد که من هم نقش داشتم، درنتیجه من را هم گرفتند و سوار ماشین کردند. یوسی وحشی شد و در تمام طول مسیر از درد فریاد می‌زد.

به کلانتری که رسیدیم چشم‌هایش مداوا شد و بعداز مدتی آرام شد. در کلانتری او را به‌خوبی می‌شناختند، چون همیشه به دردسر می‌افتاد. به او قول دادند که در صورت انصراف از شکایت از رانندهٔ تاکسی، پرونده‌ای برای او باز نمی‌کنند و او را آزاد می‌کنند، اما او قبول نکرد مگر اینکه رانندهٔ تاکسی بیاید و عذرخواهی کند.

ازآنجایی‌که او نمی‌خواست از شکایت منصرف شود، پلیس شروع به بازجویی از ما کرد و پرونده‌ای را فقط برای یوسی باز کرد. اما هر بار که پرونده‌ای علیه او داشتند، او پیروز می‌شد. هرگز نمی‌باخت.

او یک وکیل بسیار خوب داشت که با کارت یهودستیزی بازی می‌کرد تا یوسی را بدون جریمه بیرون بیاورد. به‌محض شنیدن «یهودستیزی» در دادگاه، آن‌ها نخواستند با آن سروکار داشته باشند و پرونده بسته می‌شد.

یوسی با یک جریمه کوچک آزاد شد، اما از آن به بعد هر رانندهٔ تاکسی‌ای را که می‌دید کتک می‌زد. او به آن‌ها گفت تا زمانی که رانندهٔ آن تصادف را پیشِ او نیاوردند، او دست برنمی‌دارد.

یک روز، من و یوسی در کافه‌تریایی که همه اسرائیلی‌ها می‌رفتند، بودیم و شخصی تاکسی خواست. وقتی تاکسی آمد دیدیم همان رانندهٔ تصادف است.

یوسی به سراغِ او رفت و مشتی به صورتش کوبید. راننده کوتاه آمد و می‌خواست مشکلِ بین خودشان را حل‌وفصل کند. آن‌ها به توافق رسیدند و پس‌از آن یوسی آرام شد.

دختر زیبایی به نام میمی[1] بود که در بار یوسی کار می‌کرد. او موهای تیره و چشم‌های زیبایی داشت. او همچنین یک دوست‌پسر آمریکایی داشت که در ارتش بود. وقتی به دیدنش می‌آمد، همدیگر را در آغوش می‌گرفتند و می‌بوسیدند.

من هرگز به او توجهی نکردم، چون او من را نادیده می‌گرفت، بنابراین هرگز سمتِ او نرفتم. وقتی دختری با من ارتباط برقرار نمی‌کرد، به او نزدیک نمی‌شدم.

اما یک روز او سر کار آمد درحالی‌که تمام پایش پُر از لکه‌های سیاه و کبود بود. روز بعد، دوست‌پسرش وارد بار شد، به‌سمتِ من آمد و شروع کرد به زدن من. یوسی در جواب شروع کرد به زدن او. یکی از دوستان آن پسر آنجا بود که باطومش را بیرون آورد و با آن شروع کرد به زدن ما. یوسی هردوی آن‌ها را گرفت و بدجور کتک زد.

روز بعداز آن دختر پرسیدم که چرا دوست‌پسرش من را کتک زد. او با گستاخی تمام گفت که خودش داستانی سر هم کرده که من سعی کرده بودم به او تجاوز کنم و این را به دوست‌پسرش گفته، همه‌اش به این دلیل که من به او توجه نکرده بودم! من شوکه شدم. چند روز بعد همدیگر را دیدیم و باهم به آپارتمان من رفتیم. اما من در رختخواب مشتاق او نبودم. او سرد و منفعل بود.

دختری که در بار در هاناو کار می‌کرد و
دوست‌پسرش را فرستاده بود تا آقای ز را کتک بزنند.

1. Mimi.

***

یک روز، من و یوسی ماشین بِنی را گرفتیم، یک سیتروئن دراز و زیبا. من رانندگی می‌کردم و باران می‌بارید. به قسمتی از جاده رسیدیم که از سنگفرش‌های قدیمی ساخته شده بود. ماشینی جلوی من ایستاده بود. ترمز زدم اما سر خوردم. به ماشین جلویی زدم و آن ماشین جلو رفت. یوسی از ماشین پیاده شد و شروع کرد به دادوفریاد بر سرِ آن مرد انگار که او مقصر است.

آن مرد تهدید کرد که با پلیس تماس خواهد گرفت. یوسی دوباره سوار ماشین شد و سر من داد زد که گاز بدهم و ازآنجا دور شدیم.

به شهر رسیدیم. ماشین را کنار جاده رها کردیم و یوسی از تلفن عمومی با بِنی تماس گرفت و به او گفت که با پلیس تماس بگیرد و بگوید ماشینش دزدیده شده است.

وقتی پلیس به سراغ بِنی آمد و او گفت که ماشین دزدیده شده، آن‌ها از شخصی که من به ماشینش زده بودم سؤال کردند و از او خواستند که از روی عکس‌ها مشخص کند که چه کسی بوده. او یوسی را شناخت و پلیس به سراغ او رفت.

یوسی در ادامه ادعا کرد که او در این حادثه دخیل نبوده؛ که او فقط سوارِ ماشینِ کسی که نمی‌شناخته شده و نمی‌دانست چه کسی در این حادثه دست داشته است.

آن‌ها او را به دادگاه بردند و تهدید کردند که اگر به آن‌ها نگوید راننده ماشین چه کسی بوده، او را دستگیر می‌کنند. وکلای او سرانجام او را آزاد کردند و منتظر محاکمه بودند.

او ۵۰۰ مارک جریمه شد. در جلسه دادگاه، در دادگاه نشستم و شنیدم که او سرِ قاضی داد می‌زد: «با این پول گُل می‌خرم و سرِ قبرت می‌آرم!»

گهگاه به فرانکفورت که نزدیک بود می‌رفتیم. هر بار که به آنجا می‌رسیدیم، به اولین روزهایم در آلمان فکر می‌کردم - اینکه چطور از آن منطقهٔ شلوغ، آن‌همه چراغ‌ها و فاحشه‌ها می‌ترسیدم، و چطور همه‌چیز برای من از آن زمان تغییر کرده بود، و حالا با بزرگ‌ترین گانگستر در منطقه معاشرت می‌کردم.

البته این به من حس خوبی داد. در آن روزها، اینکه با چنین فردی معاشرت می‌کردم من را ناراحت نمی‌کرد؛ به خوب یا بد چیزی فکر نمی‌کردم. جایی می‌رفتم که زندگی من را می‌برد. مجبور بودم زنده بمانم.

یوسی همیشه دعوا می‌کرد. او به دنبال خشن‌ترین مرد آلمانی که می‌توانست پیدا کند می‌گشت و او را کتک می‌زد. هیچ‌کس برایش اهمیتی نداشت. در یکی از سفرهایش، با گروهی از آلمانی‌ها دعوایش شد و درست زمانی که پلیس آمد، داشت مردی را بدجور

کتک می‌زد، اما آن‌ها تصمیم گرفتند او را دستگیر نکنند. وقتی پلیس‌ها داشتند دور می‌شدند، یوسی اسلحه‌ای درآورد و شلیک هوایی کرد.

در سفرهای ما به فرانکفورت، او همیشه در انواع استریپ کلاب‌ها وقت می‌گذراند و در این مکان‌ها می‌توانستی با رقصنده‌ها هم بخوابی. فرانکفورت پر از فحشا، مواد مخدر و جرم و جنایت بود.

ما مدام در مورد اسراییلی‌هایی که در حال فروش مواد مخدر دستگیر شده‌اند می‌شنیدیم. معمولاً این افراد یا در زندان بودند یا در اثر مصرف بیش‌ازحد مواد مخدر جان خود را از دست می‌دادند.

من با افرادی از دنیای زیرزمینی معاشرت می‌کردم و کارهای آن‌ها را تماشا می‌کردم و یاد می‌گرفتم. در میان آن‌ها احساس امنیت می‌کردم، به‌خصوص با یوسی که قلدر بود و از هیچ‌چیز نمی‌ترسید.

دوروبرم پُر از دختر بود و حسابی خوش می‌گذراندم، اما حیّم هرگز دوست‌دختری نداشت. او مثل من از زندگی لذت نمی‌برد و خوش نمی‌گذراند. در باری که در آن کار می‌کرد، بار بِنی، دختری بود به نام یِرمی[1]. او متأهل، کمی بزرگ‌تر و چاق بود. شوهرش هر روز او را سر کار می‌آورد.

یک شب او مست شد و سعی کرد با من معاشقه کند. تصمیم گرفتم ترتیبی بدهم که حیّم با او بخوابد. او را به اتاق پشتی بردم. روی تخت دراز کشید و من به او گفتم که برمی‌گردم.

پیش حیّم رفتم و به او گفتم این فرصتی است که با آن دختر باشد. حیّم به اتاق رفت و با او خوابید. در تمام مدت او وانمود می‌کرد که خواب است، و وقتی کارِ حیّم تمام شد، وانمود کرد که بیدار شده است. وقتی از اتاق خارج شد با تعجب به من نگاه کرد.

من یک بار دیگر هم چنین کاری کردم. در آپارتمانی که در آن زندگی می‌کردم، بالای بارِ پیرمرد، سه اتاق وجود داشت که پیرمرد موقتاً به دخترانی می‌داد که جایی برای ماندن نداشتند. در یکی از این اتاق‌ها دختری بود که واقعاً من را می‌خواست.

یک روز که حیّم به دیدن من آمد، تصمیم گرفتم این کار را برای او ترتیب دهم. به‌سمتش رفتم و به او نشان دادم که دوست دارم با او بخوابم. او باور کرد. اما به یک شرط: اول حیّم با او بخوابد. او از من پرسید که آیا تماشای رابطه با شخص دیگری باعث می‌شود که من شهوانی شوم؟ البته من از این کار خوشم نمی‌آمد، اما به او گفتم که همین‌طور است.

1. Yermi.

حیّم با او خوابید و من هم به این خوش‌گذرانی پیوستم.

یک روز با یوسی در فرانکفورت بودم و طبق معمول در رستوران تزابار نشسته بودیم. افرادی در آنجا بودند که خلاف‌کار بودند، بدنام در جامعه اسرائیلی، مثل یوسی. اکثر آن‌ها نیز در مقطعی در زندان بودند. بسیاری از آن‌ها آمدند تا به یوسی سلام کنند. من ناگهان متوجه شدم که عضوی از آن‌ها هستم و این به من این احساس را داد که من هم برای خودم کسی هستم. من فقط ۱۹ سال داشتم.

یوسی هرازگاهی حشیش را به مقدار زیاد می‌خرید و می‌فروخت. او اغلب این کار را نمی‌کرد. وقتی‌که به پول نیاز داشت، ترتیب یک سرقت را هم می‌داد. او در آلمان هرگز دستگیر نشد.

من بیشتر و بیشتر وارد کارهای یوسی شدم. اما او هرگز من را درگیر هیچ کارِ غیرقانونی نکرد. او مطمئن بود که من یک «پسر خوب» باقی بمانم.

در آپارتمانی که پیرمرد زندگی می‌کرد، همیشه دو دختر بودند که برای او کار می‌کردند و با او می‌خوابیدند. پسری هم آنجا بود که در ترجمه به او کمک می‌کرد و کارهای اداری‌اش را انجام می‌داد. آن پسر یک روز در یک تصادف رانندگی کشته شد.

وقتی پیرمرد خبر مرگ او را شنید، بااینکه خیلی به او نزدیک بود، اثری از اندوه در چهره‌اش ندیدم. من بیشتر از او ناراحت شدم.

او مرد بسیار باهوشی بود و همیشه اطمینان حاصل می‌کرد که فضای خوبی در اطرافش وجود داشته باشد. اما او از آن افرادی بود که از نقاط ضعف مردم استفادۀ بهینه می‌کرد. به هیچ‌کس اهمیت نمی‌داد. او هم در مواقعی که به پول نیاز داشت ترتیب سرقت می‌داد.

با وجود همه این‌ها، رفتن به آپارتمان او خوب بود. همیشه فضای خوبی در آنجا وجود داشت، همیشه مشروب و مواد مخدر مهیا بود و او می‌نشست و دربارۀ رابطه‌هایش حرف می‌زد. او می‌دانست که مردم دوست دارند چه چیزی بشنوند.

او می‌دانست چگونه مردم را متقاعد کند و من خندۀ ساختگی او را تشخیص می‌دادم. چندین بار سعی کرد از من سوءاستفاده کند، اما موفق نشد. فکر می‌کنم به این دلیل بود که من نیاز زیادی به چیزی نداشتم. فکر می‌کنم اگر من به دردسر می‌افتادم، او می‌توانست از من سوءاستفاده کند.

یک دوره‌ای بود که پیرمرد با یک دختر جوان آلمانی ازدواج کرد و صاحب دو پسر شدند. او می‌خواست از او جدا شود و بچه‌ها را به اسرائیل ببرد، بنابراین آن زن را به سفری به ایالات متحده فرستاد و شخصی را استخدام کرد تا در آنجا با او معاشقه کند و متقاعدش

کند که از او طلاق بگیرد. درنتیجه، او در ایالات متحده بیشتر ماند. پیرمرد از این موضوع سوءاستفاده کرد و به دادگاه رفت و اعلام کرد که همسرش فرار کرده و می‌خواهد او را طلاق دهد.

در همین حین مردی که پیرمرد استخدامش کرده بود او را ترک کرد و وقتی آن زن به آلمان بازگشت متوجه شد که پیرمرد چه کرده است. او می‌دانست که هیچ فایده‌ای ندارد و هیچ راهی نیست که بتواند با او بجنگد، بنابراین با او در مورد بچه‌ها به توافق رسید. بعدها پیرمرد رفت و بچه‌ها را با خود به اسرائیل برد.

یک روز، زنی مسن، با لباس تحریک‌آمیز، وارد باری شد که من در آن کار می‌کردم. نام او کریستا[1] بود و معلوم شد که همسرِ سابق پیرمرد است. نشستیم و او شروع کرد به پاییدنِ من.

همان شب پیرمرد داشت به سفری به ایالات متحده می‌رفت. او پیشِ من آمد و به من گفت که من نمی‌توانم با کریستا بخوابم چون او همسر سابقش بود و او هنوز هم بسیار عاشق اوست. اما از من خواست او را بیرون ببرم و کمی با او وقت بگذرانم.

پیرمرد رفت و کریستا شروع کرد به آمدن به سراغ من. او می‌آمد من را سوار بر مرسدس بنز می‌کرد. او خوش‌لباس بود و برای من لباس خرید. سعی کرد به من دست بزند، اما من جواب ندادم.

یکی‌دوهفته‌ای به کلوپ‌ها و رستوران‌های فرانکفورت و محلهٔ اطراف می‌رفتیم. البته من نمی‌توانستم هزینهٔ این سرگرمی گران‌قیمت را بپردازم. قبل از اینکه به یک کلوپ یا رستوران برویم، او در جیب من اسکناس می‌گذاشت و به من می‌گفت که پرداخت کنم.

او از این واقعیت که یک مرد جوان با او بیرون می‌رفت و ـ مثلاً ـ برای او پول خرج می‌کرد و هزینه‌هایش را می‌داد، بسیار سرخوش بود. همچنین به من اجازه می‌داد مرسدس بنز را برانم.

وقتی پیرمرد برگشت، می‌خواست تمام جزئیات قرارهای ما را بداند. او از من راضی بود و گفت: «کار خوبی کردی» که به او دست نزده بودم.

وقتی‌که در هاناو در بارها وقت می‌گذراندم، تقریباً هر شب دعوایی بین افراد مست پیش می‌آمد.

یک شب که با یوسی نشسته بودم، یک پسر آمریکایی، یک سرباز با لباس غیرنظامی، وارد بار شد. او مشتاقِ یکی از دخترهایی بود که داشت او را تحریک می‌کرد. او پول سه

1. Christa.

بطری شامپاین را پرداخت، اما بعداز بطری دوم به همه گفته شد که بار را ترک کنند، چون زمانِ بسته شدن بود.

سرباز بطری سوم را با خود برداشت و بیرون رفت. او مست و عصبانی بود که به آن دختر نرسیده بود. او شروع کرد به دادوفریاد کرد و دعوایی شروع شد.

یوسی که از کارِ آن شب پول نقد گیرش آمده بود، سرباز را گرفت و از بار بیرون انداخت و در را قفل کرد. آن مرد که واقعاً مست بود سعی کرد تلافی کند.

من و یوسی تصمیم گرفتیم کمی تفریح کنیم و شروع کردیم به زدن او. اما سرباز بی‌خیال نشد و به تلاش برای کتک زدن ما ادامه داد. او شروع کرد به دنبال کردنِ من. من دویدم پشتِ یک ماشین. ناگهان روی من پرید، گلویم را گرفت و داشت من را خفه می‌کرد. به یوسی داد زدم که بیاید کمکم کند.

یوسی بطری شامپاین را گرفت، آن را روی سر سرباز کوبید و تمام شامپاین بیرون ریخت. آن مرد گیج رفت و افتاد و من و یوسی فرار کردیم.

یک بار که به یک بار رفتیم، با یک دختر زیبای یوگسلاوی آشنا شدم و دختر دیگری نیز همراه او بود که دوست‌پسر داشت. ما به آپارتمان آن‌ها رفتیم و همه در یک تخت خوابیدیم. من با دختر یوگسلاویایی خوابیدم و می‌خواستم با صوفیه، دوستش هم بخوابم، اما او اجازه نداد.

من شروع کردم به مخ زدنِ صوفیهٔ زیبا. فهمیدم کجا کار می‌کند و می‌رفتم ببینمش، می‌بردمش رستوران و سینما. و بالاخره بعداز مدتی باهم سکس کردیم. یادم می‌آید که تجربهٔ بی‌نظیری بود. واقعاً لذت بردم.

بیشتر دخترانی که با آن‌ها سکس داشتم را در بارها می‌دیدم. اما این دختر فوق‌العاده زیبا بود. مدتی همدیگر را می‌دیدیم تا اینکه رابطه به پایان رسید.

وقتی در بارِ اِدی کار می‌کردم، یک دختر مو قرمز به نام بریجیت[1] بود. من از او خوشم می‌آمد اما او به من علاقه‌ای نداشت. او در یک آپارتمان با لیلا زندگی می‌کرد، دختری که در بار کار می‌کرد و همیشه سعی می‌کرد با من معاشقه کند.

یک روز عصر، بریجیت در بار از کنار من گذشت و یک یادداشت به زبان آلمانی در دستم تپاند. نفهمیدم چه نوشته بنابراین از اِدی پرسیدم. او گفت که نوشته که خوش‌حال می‌شود من به آپارتمان او بروم.

به آنجا رفتم و ناگهان لیلا از اتاقِ دیگر بیرون آمد. متوجه شدم که او برایم تله گذاشته

---

1. Bridget.

چون یک سرباز آمریکایی در آنجا منتظر بریجیت بود.

چاره‌ای جز خوابیدن با لیلا نداشتم. بعداز اینکه این کار را انجام دادیم ـ بدون علاقه چندانی از جانب من ـ لباس پوشیدم و بلند شدم تا بروم. اما او راه را بست و اجازه نداد بروم.

با خودم فکر کردم که شاید او نمی‌خواهد بریجیت بفهمد که او را نیمه‌شب ترک کردم.

نمی‌دانستم چه‌کار کنم و درنهایت تصمیم گرفتم از پنجره بیرون بیایم. از ارتفاع زیادی پریدم. خوشبختانه، آسیبی ندیدم، اما دیدم ساعتم را در خانهٔ او جا گذاشته‌ام.

صبح روز بعد او وارد بار شد و با چهره‌ای عبوس پاکتی را به من داد. وقتی بازش کردم دیدم ساعتم کاملاً شکسته شده. او آن را شکسته بود.

بعداز آن، او همچنان به دنبال من بود و در هر فرصتی سرم را نوازش می‌کرد. من از او می‌خواستم که دست بردارد. هر وقت با دختری بودم حسودی می‌کرد. فحش می‌داد و جاروجنجال می‌کرد.

در همین حین متوجه شدم که او با یک پسر اسرائیلی به نام مایک[1] که در برلین زندگی می‌کرد ازدواج کرده است.

او هرازگاهی برای چند ماه از دست شوهرش فرار می‌کرد و برای پول درآوردن به هاناو می‌آمد.

فکر نمی‌کنم برای آن مرد اهمیتی داشت که او در یک بار کار می‌کرد و پسرها را اغوا می‌کرد. وقتی زنگ می‌زد، فقط می‌خواست بداند او چقدر پول درآورده. با گذشت زمان، شروع کردم به صحبت با مایک در مورد مسائل مختلف. سعی کردم به او بفهمانم که لیلا با مردها رابطه دارد و شاید آن‌ها باید از هم جدا شوند. اما او اهمیتی نمی‌داد.

دراین‌بین، لیلا به کار در بار ادامه داد و هر شب داستانی درست می‌کرد. یک روز سعی کرد خودش را بکشد. به حمام رفت و رگ دستش را زد. یکی از کارگران دختر او را پیدا کرد و شروع کرد به دادوفریاد.

با پلیس و آمبولانس تماس گرفتند و بعد آن‌ها تحقیقات را آغاز کردند. یکی گفت که او عاشق فلان پسر است و شاید او دلیل این رفتارِ او بوده است. بعداز کمی پرس‌وجو به سراغ من آمدند. پاسپورتم را گرفتند و من را با خودشان به کلانتری بردند. در جریان تحقیقات متوجه شدند که ویزای توریستی من به پایان رسیده است و درواقع به‌صورت غیرقانونی در آلمان اقامت دارم. در پاسپورتم مهر اخراج زدند و گفتند وقتی به مرز برسم پاسپورتم را به من می‌دهند. داشتم مجبور می‌شدم آلمان را ترک کنم.

1. Mike.

فصل ۵۳

پاسپورت جدید در بلژیک

مجبور شدم آلمان را ترک کنم. من با اسرائیلی‌های دیگر در مورد اینکه چه‌کار کنم مشورت کردم. آن‌ها به من توصیه کردند که به کشوری نزدیک سفر کنم و با پاسپورتی جدید به آلمان برگردم.

نزدیک‌ترین کشور بلژیک بود. تصمیم گرفتم با قطار به آنجا بروم و روز بعد برگردم. به پلیس گفتم به کدام ایستگاه می‌رسم و وقتی رسیدم پاسپورتم منتظرم بود، اما با یک مهر مشکی مبنی بر اینکه دیگر هرگز اجازه ورود به آلمان را ندارم.

من سعی کردم با آن‌ها بحث کنم، اما هیچ‌چیز کمکی نکرد.

در قطار به مقصد بلژیک، پس‌از چند صد متر، یک بازرسی توسط پلیس مرزی بلژیک وجود داشت. آن‌ها مُهر سیاه را دیدند و از ترس اینکه مبادا در آینده با آن‌ها درگیر شوم، اجازه ورود من به بلژیک را ندادند. دوباره سعی کردم بحث کنم، اما آن‌ها گوش نکردند و مجبور شدم از قطار پیاده شوم.

از قطار پیاده شدم و به‌سمتِ آلمان برگشتم. جایی برای رفتن نداشتم. از آن‌ها خواستم اجازه دهند به یک نفر تلفن کنم. به پیرمرد زنگ زدم و به او گفتم چه بلایی سرم آمده است. او به من توصیه کرد که سوار قطار بعدی به‌سمتِ بلژیک شوم و امیدوار بود که این بار در کنترل پاسپورت به من اجازهٔ عبور دهند. بنابراین همین کار را کردم. و رد شدم.

بلافاصله به کنسولگری اسرائیل رفتم تا اعلام کنم پاسپورتم دزدیده شده و پاسپورت جدید بگیرم. دراین‌بین پولم تمام شد.

در کنسولگری به من گفتند که می‌توانند برای من پاسپورت صادر کنند، اما چند روز طول می‌کشد. من به آن‌ها التماس کردم که این روند را تسریع کنند و گفتم بودجه‌ای برای

ماندن در بلژیک ندارم، اما آن‌ها نپذیرفتند که کمکم کنند. من به آن‌ها توضیح دادم که اصلاً پول ندارم. آن‌ها من را به جامعه یهودی راهنمایی کردند تا به من کمک کنند. من از انجام این کار خودداری کردم و تصمیم گرفتم با دوستانم تماس بگیرم تا برایم پول بفرستند.

من به چند سِنت آخر رسیده بودم و با تاکسی به‌سمتِ کنسولگری می‌رفتم. تاکسی‌متر را دیدم و متوجه شدم که پول کافی برای پرداخت هزینه سواری به راننده ندارم. شروع کردم به دعوا کردن با او، از او پرسیدم که چرا کنتور این‌قدر سریع بالا می‌رود؟ عصبانی شد و به من فحش داد و گفت از ماشین پیاده شو. ازآنجا با اتوبوس به راهم ادامه دادم.

در کنسولگری، منشی در کنار دفتر کنسول نشسته بود. هر وقت کسی لازم بود وارد شود، زنگ را فشار می‌داد تا اجازه دهد وارد شود.

در آن روزها، مکان‌ها مثل امروز محافظت نمی‌شدند، و من مصمم بودم که با کنسول صحبت کنم. منتظر فرصتی بودم و وقتی دیدم زنگ را فشار می‌دهد تا کسی وارد شود، با او به داخل دویدم. منشی خواست که من بروم بیرون، اما من اصرار کردم و به کنسول التماس کردم که اجازه دهد در دفترش بمانم، چون باید با او صحبت کنم.

کنسول اجازه داد بمانم. به او گفتم که پاسپورتم را گم کرده‌ام و باید به آلمان برگردم. او موافقت کرد که برای من گذرنامه موقت صادر کند تا زمانی که تأییدیه گذرنامه رسمی از اورشلیم برسد. چند روز بعد با پاسپورت جدید به آلمان برگشتم.

قبل از رفتن من به بلژیک، شوهر لیلا، مایک، از برلین به هاناو آمده بود. او نمی‌دانست که لیلا عاشق من است و به من پیشنهاد شغلی به‌عنوان مدیر بار خود در برلین را داد. او از من می‌خواست دخترانی که می‌شناسم را بیاورم تا سطح آنجا را ارتقا دهند و به من قول داد که حقوقی بسیار بالا و محل اقامت خودم را داشته باشم. در همین حین به برلین بازگشت و من در هاناو ماندم.

قبل از اینکه آلمان را ترک کنم، با لیلا به توافق رسیده بودم که او به برلین بازگردد و وقتی من از بلژیک برگشتم، به آنجا بروم. از بلژیک برگشتم، مسرور از اینکه از شر لیلا خلاص شده بودم. با تاکسی به‌سمتِ باری که کار می‌کردم رفتم. همه دخترها با خوش‌حالی از من استقبال کردند. بعد متوجه شدم که لیلا هنوز آنجاست. مطمئن بودم که او به برلین برمی‌گردد. او با گریه‌وزاری وارد اتاق کناری شد. وارد اتاقی که او بود شدم. او به‌طرزی عصبی گریه می‌کرد و شروع کرد به بغل کردن من. آن روز برای من از یک روز شاد تبدیل به یک روز غم‌انگیز شد.

لیلا ازنظر عاطفی خیلی به‌هم‌ریخته بود. او عمیقاً عاشق من بود و از روی حسادت

انواع دیوانه‌بازی‌ها را انجام می‌داد. یک روز من را دید که دختری را در بار در آغوش گرفته‌ام و وقتی آن دختر بلند شد تا برود، او یک بطری را از روی پیشخوان برداشت و آن را روی سر دختر شکست. بلافاصله ازآنجا خارج شدم و قبل از رسیدن پلیس از محل متواری شدم. به پیرمرد گفتم چه اتفاقی افتاده است. او تصمیم گرفت مداخله کند. لیلا را متقاعد کرد که ازآنجا برود و او به برلین بازگشت.

رهبران ابرقدرت‌ها که بعداز جنگ جهانی دوم به توافق رسیده بودند.

دراین‌بین پلیس متوجه شد که من به آلمان برگشته‌ام و شروع کرده بودند به جست‌وجوی من. نمی‌دانستم کجا بروم.

در آن زمان حیّم هم از کار در بار خسته شده بود. پس‌از دیدن اوضاع در آنجا، ترسید و تصمیم گرفت به اسرائیل برگردد و در موشاو فلفل بکارد. او یک موشاونیک بود و نمی‌توانست خودش را با این نوع زندگی وفق دهد. او در هاناو در یک سوراخ کوچک زندگی می‌کرد و هیچ دوستی نداشت. من او را خیلی دوست داشتم چون او پسر خوبی بود و همیشه در هر کاری که لازم داشتم به من کمک می‌کرد.

وقتی‌که من در هاناو بودم، من و حیّم هیچ مدرکی نداشتیم و این دلیل دیگری برای بازگشت او به اسرائیل بود. من به بازگشت حتی فکر هم نمی‌کردم. همان‌طور که اشاره کردم، خانواده‌ام بسیار مخالف این سفر بودند. آن‌ها باور نمی‌کردند که من بدون بلد بودنِ زبان بتوانم ازنظر مالی از پسِ خودم بربیایم. یکی از دلایلی که من به اسرائیل برنگشتم این بود که آن‌ها نگویند حق با آن‌ها بوده.

به دلیل مشکلاتی که با پلیس داشتم، پس‌از شش ماه اقامت در هاناو، وقت رفتن من فرارسید. در ضمن زبانِ آلمانی من خیلی خوب شده بود. مجبور شدم از هاناو بروم. مایک، شوهر لیلا، من را متقاعد کرد که به برلین بروم، و من چاره‌ای جز موافقت نداشتم. تصمیم گرفتم به آنجا بروم و برای مایک کار کنم، باوجودی‌که لیلا آنجا بود ...

فصل ۵۴

برلین

لیلا من را از فرودگاه سوار کرد و در طول سفر شروع کرد به لاس زدن با من. من آن را دوست نداشتم و نمی‌دانستم چه‌کار کنم. به خانه او و مایک رفتم. آن‌ها یک پسر چهارساله داشتند، یک بچهٔ زیبا، اما مضطرب. گوشه‌ای به من دادند تا بخوابم. صبح که پسر کوچکشان آب روی صورتم ریخت از خواب بیدار شدم.

من در آن خانه راحت نبودم، چون لیلا آنجا بود. و با مایک هم احساس راحتی نمی‌کردم. من فقط ۱۹ سال داشتم.

باری که مایک داشت مکان کوچک زیبایی بود. لیلا را گذاشته بود که در آنجا کار کند. من نظر خوبی نسبت به مایک نداشتم، چون او به همسرش اجازه داده بود در بار بنشیند و مردان دیگر را اغوا کند تا بتواند برای او پول دربیاورد.

او اسرائیلی بود و لیلا آلمانی و از هم صاحب یک بچه شده بودند. احساس می‌کردم او لیلا را فقط به خاطر پولی که می‌تواند دربیاورد پیشِ خودش نگه داشته. نمی‌توانستم بفهمم چطور به مادر فرزندش اجازه می‌داد چنین کارهایی انجام دهد.

من مسئول بار بودم و مطمئن می‌شدم که آنجا درآمد دارد. بعضی چیزها را در آنجا بهبود دادم، اما دخترها کافی نبودند. دو زن مسن‌تر هم بودند، اما نه‌چندان جذاب، بنابراین مردهای زیادی وارد آن مکان نمی‌شدند.

مایک به من فشار آورد تا دوستان دخترم را از هاناو بیاورم. چندین تماس تلفنی گرفتم و موفق شدم رُزای بلوند زیبا و دو تن از دوستانش را متقاعد کنم که به برلین بیایند. اوضاع بار بهتر شد و مایک خوش‌حال بود. او حشیش می‌کشید و مطمئن می‌شد که من هم کمی حشیش بکشم.

شروع کردم به بیرون رفتن و آشنایی با برلین. شهری بزرگ، تمیز و زیبا با رستوران‌های خوب و گردشگران زیاد. کیفیت زندگی در آنجا بسیار بالاتر از فرانکفورت بود.

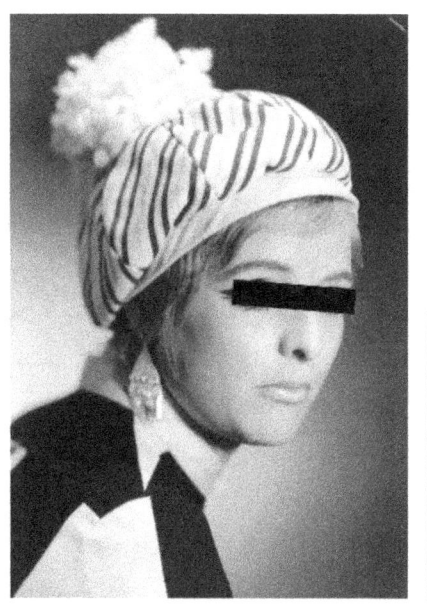

آقای ز وقتی به برلین رفت، ۱۹۶۹

رُزا که به همراه دو تن از دوستانش از هاناو به برلین آمد تا در کنارِ آقای ز باشد.

همچنین بارهای زیادی در آنجا وجود داشتند که با استفاده از همان اصل کار می‌کردند. آن‌ها دخترهای زیبایی را در رستوران‌ها و کافه‌ها استخدام می‌کردند که توریست‌ها را اغوا می‌کردند تا به آنجا بروند و پول زیادی خرج کنند. برلین چنین بارهای زیادی داشت.

یک بار وقتی در بارِ مایک کار می‌کردم، یک مرد چاق و میان‌سال آلمانی وارد شد. در آن زمان فقط یک دختر در بار بود، بنابراین مایک به لیلا زنگ زد تا بیاید. او رسید و او و آن دختر دیگر شروع به اغوای مرد کردند.

پس‌از چند نوشیدنی، آن مرد گرسنه شد و خواست از بار خارج شود و به دنبال رستورانی بگردد. مایک سعی کرد او را متقاعد کند که بماند و به او غذا تعارف کرد. اما مرد نپذیرفت.

مایک ناراحت شد، مقداری قرص خواب برداشت و آن‌ها را در نوشیدنی او له کرد. بعداز چند دقیقه آن مرد به خوابِ عمیقی فرورفت. مایک پول آن مرد را برداشت و از من خواست که ماشینش را بیاورم. مردِ آلمانی را سوار ماشین کردیم و به‌سمتِ جنگل راندیم.

وقتی به جنگل گرین والد¹ رسیدیم، مایک مرد آلمانی را از ماشین بیرون انداخت و دور شد. من واقعاً از این کار خوشم نیامد. من به میل خودم آنجا همراه او نبودم، بلکه به این دلیل رفتم که به من کار و جای خواب داده بود.

اوضاع بارِ مایک داشت رو به وخامت می‌رفت. لیلا موفق شد از شر دخترانی که من از فرانکفورت آورده بودم خلاص شود و به نظر من، مایک کم‌کم داشت نشان می‌داد که در وضعیت بسیار بدی قرار دارد. تصمیم گرفتم کار دیگری پیدا کنم.

در طول مدتی که برای مایک کار می‌کردم، همیشه سعی می‌کردم به او دربارهٔ اتفاقاتی که بین من و لیلا در هاناو افتاده بود اشاره کنم. من، وجدانم راحت بود، چون لیلا بود که ماجرای بین ما را آغاز کرد، اما از اینکه مایک از آن خبر نداشت، احساس راحتی نمی‌کردم. بالاخره به او گفتم، اما وقتی گفتم او جوابی نداد. بعد از اینکه بارش را ترک کردم، حتماً عصبانی شده و به دنبال انتقام از من بود.

یک روز، کمی پس از اینکه بار مایک را ترک کردم و داشتم در جای دیگری کار می‌کردم، لیلا با من تماس گرفت. او به من هشدار داد که فوراً از بار خارج شوم. مایک من را به اداره مهاجرت لو داده بود و آن‌ها به دنبال من بودند.

آن‌ها به دنبال «مدیر» به بار آمدند، اما به این دلیل که من آنجا در بار به‌عنوان مشتری نشسته بودم، متوجه من نشدند.

یک روز دیگر، دوباره لیلا با من تماس گرفت. او به من گفت که مایک قصد دارد در ماشین من حشیش پنهان کند و من را به پلیس لو بدهد. او حشیش را در ماشین من ـ یک آهن‌پارهٔ قدیمی واقعی ـ گذاشت. به‌محض اینکه متوجه وجود حشیش شدم ـ آن را برداشتم و وقتی پلیس‌ها آمدند، چیزی پیدا نکردند.

فهمیدم که مایک واقعاً از دست من عصبانی شده است. عجیب بود چون هر بار که باهم صحبت می‌کردیم وانمود می‌کرد همه‌چیز بین ما خوب است. سرانجام، مایک از نظر مالی و اجتماعی در برلین کاملاً نابود شد، بنابراین پسرش را برداشت و به اسرائیل رفت.

---

1. Greenwald.

فصل ۵۵

بار پیِر[1] و لوئیجی[2]

وقتی بار مایک را ترک کردم، برای کار در یک بار در پاتسدامر اِستراسه[3] رفتم. خیابان پر از بار بود. باری که من در آن کار می‌کردم متعلق بود به دو یهودی، یک اسرائیلی به نام پیِر و یک مردِ لهستانی به نام لوئیجی.

این بار «لیدو»[4] نام داشت. ته خیابان بود. متصدی آنجا یک آلمانی عصبی حدوداً چهل‌ساله به نام هاینز[5] بود. اگر از یک مشتری خوشش نمی‌آمد، کارِ آن مشتری تمام بود. صاحبان بار از اخراج او می‌ترسیدند.

کنار آمدن با او سخت بود و من از پیِر و لوئیجی خواستم که ما را از هم جدا کنند. آن‌ها من را به بارِ کناری منتقل کردند. یک روز شنیدم که هاینز کسی را کتک می‌زند. بلافاصله برای کمک به او دویدم. از آن زمان، ما باهم دوست شدیم و من برای کار به لیدو برگشتم.

با گذشت زمان، آن‌ها من را به‌عنوان یک مرد خشن در آنجا نگه داشتند، و وقتی مشکلی با مست‌ها پیش می‌آمد، با من تماس می‌گرفتند تا اوضاع را سروسامان دهم. امروز که به گذشته نگاه می‌کنم، وقتی داستانم را تعریف می‌کنم، متوجه می‌شوم که چقدر سقوط کرده بودم و در چه دیوانگی و جنونی زندگی می‌کردم. آنجا دنیای زیرزمینی بود. و تنها چیزی که خواسته بودم رفتن به کانادا بود ...

در بار پیِر و لوئیجی همیشه دعوا بود. در کنار بار رستورانی بود که آلمانی‌های زیادی

1. Pierre.
2. Luigi.
3. Potsdamer Strasse.
4. Lido.
5. Heinz.

برای صرف غذا به آنجا می‌رفتند. در میان آن‌ها یک بوکسور بود به نام کلاوس اِشپر[1] که در برلین بسیار مشهور بود.

پدرخواندهٔ او یک یهودی به نام بانچو[2] بود که بوکسور سابق بود و نزدیک به شصت سال داشت.

کلاوس برادری به نام مانا[3] داشت که به کافه‌ها می‌رفت و مشروب می‌خورد و بدون پرداخت پول می‌رفت.

وقتی در لیدو شروع به کار کردم، نمی‌دانستم او کیست و از این عادت او خبر نداشتم.

یک روز، مانا در شیفت من وارد بار شد و نوشیدنی سفارش داد. وقتی می‌خواست برود بلند شد و داشت بدون پرداخت پول می‌رفت. می‌دانستم که او داشت سعی می‌کرد به من نشان دهد که می‌تواند هر کاری که می‌خواهد انجام دهد و هیچ‌کس کاری به کارِ او ندارد.

وقتی می‌خواست برود، به او گفتم که پولی نداده است. شروع کرد به تهدید کردن من. یک بطری برداشتم و روی میز شکستم و آن را به گردنش چسباندم. به او فحش دادم و گفتم که خودی نشان بدهد، حالا او می‌فهمد من کی هستم. بی هیچ حق انتخابی، پول را داد و سریع ازآنجا خارج شد.

بعداز این اتفاق می‌ترسیدم از من انتقام بگیرد. اما درنهایت دقیقاً برعکسش اتفاق افتاد. فردای آن روز به دنبال من به داخل بار آمد. با من دست داد و به من گفت که اگر مشکلی داشتم بدون تردید از او کمک بخواهم.

متوجه شدم که او به خاطر شجاعت من به من احترام می‌گذارد و از آن زمان به بعد هر وقت که او را در بارها می‌دیدم، می‌آمد و من را در آغوش می‌گرفت. مردمی که می‌دیدند من با او ارتباط دارم، نهایت احترام را به من می‌گذاشتند.

بسیاری از بارها، مثل بارِ مایک، انواع ترفندها را انجام می‌دادند. در بارِ پیِر و لوئیجی که من در آن کار می‌کردم، یک کارگر اسرائیلی به نام ویکتور بود که خود را ویکتوریا می‌نامید. پیر و چاق بود و مثل یک زن آرایش می‌کرد. به نظرِ من، نفرت‌انگیز بود، اما او در گرفتن پول از مشتریان آلمانی که به بار می‌آمدند، یک حرفه‌ای بود.

او از مشتری‌ها جیب‌بری می‌کرد. من به‌عنوان مدیر، او را از این کار منع کردم تا اینکه او شروع به تقسیم پول با من کرد. یک دختر آلمانی آنجا کار می‌کرد که او هم جیب

1. Klaus Schper.
2. Buncho.
3. Mana.

مشتریان را می‌زد و پیشنهاد داد پولی که برمی‌داشت را باهم تقسیم کنیم.

پیِر و لوئیجی هر دو متأهل بودند، اما من هرگز همسران آن‌ها را ندیده بودم. پیِر یک دوست‌دختر هم داشت که مرتب با او می‌رفت. برای دیدنش به محل کار او می‌رفت و ازآنجا به یک آپارتمان می‌رفتند، باهم می‌خوابیدند و آن دختر به سر کارش برمی‌گشت.

یک روز عصر، پیِر با یک زن مسن‌تر، اما بسیار سکسی وارد بار شد. آن‌ها پیشِ من آمدند و حالم را پرسیدند. از پیِر پرسیدم که آیا این دختر معشوقهٔ جدید اوست؟ او سر من داد زد که آن زن همسرش است. دیدم خیلی ناراحت شده که من فکر کردم او یک بدکاره است. بعداز مدتی برایم مشخص شد که آن زن داشت چپ و راست به او خیانت می‌کرد، و او این را می‌دانست، اما هیچ کنترلی بر آن نداشت. آن‌ها یک پسر داشتند و او می‌خواست خانواده را حفظ کند.

یک روز، دو جوان با لباس‌های شیک وارد بار شدند. نشستند و مشروب خوردند. هر چند وقت یک بار، هاینز متصدی بار از آن‌ها اسلحه می‌خرید. شروع کردیم به صحبت کردن و آن‌ها از اینکه من اسرائیلی هستم هیجان‌زده شده بودند. آن‌ها به من گفتند برای هرچیزی که لازم داشتم می‌توانم روی آن‌ها حساب کنم. معلوم شد که آن‌ها دلالان بزرگ اسلحه بودند. آن‌ها در دنیای زیرزمینی بسیار مشهور بودند و می‌توانستند هر نوع اسلحه یا مدرک جعلی که می‌خواستند را تهیه کنند. سال‌ها بعد متوجه شدم که آن‌ها جاسوسان آلمان شرقی بودند. درنهایت من از عملیاتی که به آن‌ها کمک کردم زن‌ها را قاچاقی از برلین شرقی به برلین غربی منتقل کنیم، سر درآوردم.

آن‌ها یک ویلای زیبا به سبک قدیمی اجاره و آن را به فاحشه‌خانه تبدیل کردند. همه به این فاحشه‌خانه می‌آمدند. قیمت ورودی بسیار گران بود. من یک بار به آنجا رفتم. البته بدون پرداخت پول من را راه دادند. دخترها نیمه عریان در آنجا راه می‌رفتند. مردها یکی را انتخاب می‌کردند و با او به اتاقی در طبقهٔ بالا می‌رفتند. در طبقهٔ بالا اتاق‌های زیبایی وجود داشت. یک بار دختری برهنه را دیدم که در وان گردی وسط بار ایستاده بود. مردم دور آن نشسته بودند و به او نگاه می‌کردند.

در آنجا معذب بودم. حس می‌کردم به آنجا تعلق ندارم. من با سبکِ آن مردم جور درنمی‌آمدم.

به طور کلی، در برلین، من با دخترهای زیادی نبودم. شهر بزرگی بود و به چشم آمدن در مقایسه با هاناو که شهر کوچکی بود و همه من را در آنجا می‌شناختند، سخت بود. وقتی فکر می‌کنم، به‌غیراز دختر یوگسلاوی که در موردش به شما گفتم، هیچ دختری را در آنجا

نمی‌شناختم که ربطی به بارها نداشته باشد.
در آن زمان، چندین ماه بود که در یک آپارتمان کوچک یک‌اتاقه، نه‌چندان دور از باری که در آن کار می‌کردم، زندگی می‌کردم. جا فقط برای یک تخت بود و آپارتمان ویرانه بود ...

فصل ۵۶

لا پرگولا[1]

پاتسدامر اِستراسه، خیابانِ بارهای برلین بود، با مکان‌های تفریحی فراوان و زندگی شبانهٔ شلوغ. بسیاری از خارجی‌ها در آنجا زندگی می‌کردند. تعداد کمی از اسرائیلی‌ها نیز بودند، برخی از آن‌ها صاحب بار و کلوپ بودند و دوست داشتند اسرائیلی‌هایی را که به برلین آمده بودند استخدام کنند.

زمانی که برای مایک کار می‌کردم، به مکانی می‌رفتم که مکان اصلی ملاقات برای همه اسرائیلی‌های محلی بود، یک رستوران پیتزافروشی به نام «لا پرگولا» که ۲۴ ساعته باز بود. در خیابان کورفورستندام[2]، به طورِ خلاصه «کودام[3]» قرار داشت.

لا پرگولا متعلق به دو برادر اسرائیلی به نام‌های اِدی و الکس[4] بود. آن‌ها متولد مصر بودند و در ایتالیا و آلمان بزرگ شده بودند. اِدی مردی لاغر و مهربان بود که خیلی می‌خندید و فضای خوبی ایجاد می‌کرد. در مقابل، برادرش الکس درشت و قدبلند و بسیار جدی بود.

اِدی یک آپارتمان در طبقهٔ پنجم در ساختمان بالای رستوران داشت.

خیابان کورفورستندام، به طور خلاصه - کودام، خیابان اصلی معروف در برلین.

---

1. La Pergola
2. Kurfürstendamm
3. Kudam
4. Alex.

در طول روز گردشگران به رستوران می‌آمدند و فضای بسیار محترمی حاکم بود. اما در عصر و شب، مکان تغییر شخصیت می‌داد. افراد مختلفی می‌آمدند، برخی از آن‌ها مشکوک ـ دلالان، روسپی‌ها، فروشندگان مواد مخدر و خلاف‌کاران از هر نوع.

در آن زمان یک تهیه‌کنندهٔ بسیار معروف اسرائیلی به نام شیمون اِدن[1] (نام او به آلمانی رالف ادن بود) وجود داشت. او صاحب چندین بار و کلوپ شبانه با نمایش بود. یک تهیه‌کننده و دختربازِ معروف بود که با تمام ستاره‌های معروفی که به برلین می‌آمدند عکس می‌گرفت. اکثر کارمندان او اسرائیلی بودند. یک رولز رویس عتیقه داشت و عادت داشت با ماشینش پُز بدهد.

روبه‌روی لا پرگولا یکی از کلوپ‌های شبانه شیمون اِدن واقع بود، مکانی بزرگ و مجلل با موسیقی، نمایش‌های آکروبات‌بازی و برهنگی که بیشتر گردشگران از آن بازدید می‌کردند. مردان اسرائیلی هم گاهی به آنجا می‌رفتند.

چند رستوران کوچک دیگر هم اینجاوآنجا بود که ما در آن‌ها مرتب باهم ملاقات می‌کردیم. مکان دیگری که متعلق به یک مرد اسرائیلی آلمانی بود «وین قدیم[2]» نام داشت و مثل لا پرگولا شبانه‌روز باز بود.

اما پرگولا محل ملاقات همیشگیِ اسرائیلی‌ها بود. هر اسرائیلی که به برلین می‌آمد به آنجا می‌رفت. ما همیشه آنجا بودیم، عملاً در آن مکان زندگی می‌کردیم و آنجا مثل اتاق نشیمن ما بود.

یک شب، همه بچه‌ها در لا پرگولا بودند و مردی که ظاهری عربی داشت وارد شد. او به من خیره شد و شروع کرد به بی‌ادبانه صحبت کردن با من. شروع کردم به دعوا کردن با او و بالاخره رفتیم بیرون. سه تا از دوستانش آنجا ایستاده بودند.

دستم را در جیبم کردم و شنیدم که یکی از آن‌ها به فارسی گفت مواظب باش چون من می‌خواستم چاقو را بیرون بیاورم. بلافاصله فهمیدم ایرانی هستند. به فارسی از آن‌ها پرسیدم که آیا اهل ایران هستند؟ آن‌ها تعجب کردند و آن مرد آمد و من را در آغوش گرفت. برگشتیم داخل تا باهم حرف بزنیم و مشروب بخوریم. باهم دوست شدیم.

بار و صحنه کلوپ برلین تحت تسلط چندین باند دنیای زیرزمینی بود. یک باند آلمانی، یک باند ایرانی‌ـمسلمان و یک باند اسرائیلی وجود داشتند. اسرائیلی‌ها هرگز با دو باند دیگر درگیر نشدند. هم با ایرانی‌ها و هم با آلمانی‌ها کنار آمدند. بین آلمانی‌ها و

---

1. Shimon Eden.
2. Old Vienna.

ایرانی‌ها ماجرا فرق می‌کرد. بعداً به آن خواهیم پرداخت.

اگرچه اسرائیلی‌ها هرگز با دو باند دیگر به مشکل نمی‌خوردند، اما بااین‌وجود روزی نبود که من دعوایی نکنم. من همیشه یک چاقو با خودم داشتم. همیشه یک پیراهن زاپاس در ماشین داشتم. در آن زمان من ۲۰ساله بودم.

من با دوستانم به کلوپ می‌رفتم. همیشه نگهبانان ورودی آنجا بودند که به افرادی که می‌شناختند و دوست داشتند اجازه ورود می‌دادند. باوجودآن، من اغلب با دوستانم وارد می‌شدم. یک روز عصر که به یکی از کلوپ‌ها رسیدیم، نگهبان به من اجازه ورود نداد. او طوری بود که با یک مشت می‌شد او را نقش زمین کرد، بنابراین ترجیح دادم خودم را اذیت نکنم. یکی از اوباش‌های ایرانی که می‌شناختم را صدا کردم، و او من را به داخل کلوپ برد.

در زمانی که من در لا پرگولا بودم، هر اسرائیلی که در برلین بود سر ازآنجا درمی‌آورد.

من یاکوف را آنجا دیدم که انواع شغل‌های عجیب‌وغریب را انجام می‌داد و مدتی را هم در بار مایک کار کرده بود. پسر خوبی بود و کم‌کم باهم دوست شدیم.

و یک مرد به نام آوی[1]، یک مرد لاغر یمنی، که یک مصرف‌کنندهٔ دائمی مواد مخدر بود، در آنجا بود. اما او می‌دانست که چطور آدم‌ها را بخنداند و همه دوست داشتند او دوروبرشان باشد.

یک پسر اسرائیلی هم بود، دوست صهیون (از محلهٔ هاتیکوا) که از حیفا آمده بود و با ما وقت می‌گذراند. او با یک دختر زیبا آشنا شد و عاشق او شد. همه می‌دانستند که این دختر در اصل یک مرد است. همه سعی می‌کردند این را به او بگویند، اما او اهمیتی نمی‌داد. آن‌ها از هر نظر یک زوج بودند. نقشهٔ او این بود که از آن دختر برای قاچاق مواد مخدر استفاده کند، بنابراین برایش مهم نبود که او مرد بوده یا نه ...

یک روز تصمیم گرفت او را با خود به اسرائیل ببرد. او می‌دانست که هیچ‌کس او را بازرسی نمی‌کند ـ چون ظاهراً دختر بود ـ و در آن زمان زن‌ها را بازرسی نمی‌کردند. تصمیم گرفت حشیش را به او بدهد و همین کار را هم کرد. مقدار زیادی حشیش آورد و سعی کرد آن را در آلمان بفروشد.

او ارتباطات زیادی نداشت، بنابراین دنبالِ هرکسی بود که می‌توانست بین او و مردم ارتباط برقرار کند. یک روز با من صحبت کرد و من به او گفتم که می‌توانم او را به کسی وصل کنم.

گروهی از رومانیایی‌ها در برلین بودند که مقدار زیادی مواد مخدر توزیع می‌کردند.

1. Avi.

من با آن‌ها تماس گرفتم و آن‌ها با خرید پنج کیلو موافقت کردند. به یاکوف گفتم که برای گرفتن کمیسیون دلالی می‌کنم. رومانیایی‌ها در مکانی مشخص قرار ملاقات گذاشتند. اما او ترسید که برود و از من خواست که اجناس را بردارم و به‌جای او به ملاقات آن‌ها بروم.

حشیش را در یک کیسه پلاستیکی پیچیدم و راه افتادم. محل تعیین‌شدهٔ ملاقات در یک منطقهٔ خطرناک در برلین بود، جایی که پلیس‌ها و ماشین‌هایشان در آن گشت می‌زدند. ماشین را در یک مکان باز پارک کردم و مدت زیادی منتظر آن‌ها بودم. وقتی دیدم نیامدند استرس گرفتم. تصمیم گرفتم کیسه مواد مخدر را زیر ماشینم بگذارم تا اگر پلیس از راه رسید و مرا گشت چیزی پیدا نکند.

ناگهان یک ماشین کنار من ایستاد که رومانیایی‌ها داخلش بودند و به من گفتند که دنبال آن‌ها بروم. عصبی بودم و ماشین را روشن کردم و پشت سر آن‌ها راندم. به منطقه‌ای رسیدیم که ساختمان‌های متروکه‌ای داشت، مکانی بدون ترافیک.

حیّم، موشاونیک و آقای ز در رستوران لا پرگولا،
مکان محبوب اسرائیلی‌ها در برلین.

رومانیایی‌ها به من گفتند که از ماشینم پیاده شوم و سوارِ ماشین آن‌ها شوم. سوار ون آن‌ها شدم و ناگهان متوجه شدم که کیسه حاوی حشیش را در فضای باز که قبلاً پارک کرده بودم جا گذاشته‌ام. قلبم ریخت. به آن‌ها گفتم چه اتفاقی افتاده و از آن‌ها خواستم که اجازه دهند برگردم و آن را بردارم. سریع رانندگی کردم و خوشبختانه کیسه را جایی که انداخته بودم پیدا کردم. به منطقهٔ متروکه برگشتم و معامله کردیم.

در لا پرگولا، شیفت‌ها بین برادرها اِدی و الکس تقسیم شده بود و هر یک از آن‌ها در شیفت‌های ۲۴ساعته کار می‌کردند. در ساعات پایانی شب، اِدی به طبقهٔ بالا می‌رفت تا بخوابد و صبح برادرش الکس می‌آمد تا شیفت را از او تحویل بگیرد.

شیفت صبح ساعت هفت شروع می‌شد. الکس در تمام مدت شیفت بیدار می‌ماند. او مطمئن می‌شد که همه‌چیز به‌خوبی کار می‌کند. در شیفت اِدی، تا صبح بگوبخند داشتیم.

یک بار موریس[1]، پسرعموی اِدی و الکس که از اسرائیل برای دیدار آمده بودند به ما ملحق شد. او یک اشکنازی سفت‌وسخت با جذابیت بسیار بود. درنهایت او در داستان زندگی من جایگاهی افتخاری دارد، چون از طریق او با زنی که تا امروز با او هستم آشنا شدم، اما در آن زمان به او اطمینان نداشتیم. یک روز عصر شروع کرد به پُز دادن با ساعتش. من به او خندیدم و گفتم که ساعت من از او بهتر است و مسابقه‌ای را شروع کردیم که ببینیم چه کسی ساعت بهتری دارد. ساعت‌هایمان را به دیوار کوبیدیم و هیچ‌کدام نشکستند.

تصمیم گرفتیم با کفش‌هایمان روی آن‌ها بپریم و هیچ اتفاقی نیفتاد. آن‌ها را در یک لیوان آب گذاشتیم و بازهم هیچ اتفاقی نیفتاد. بالاخره تصمیم گرفتیم آن‌ها را در فرِ پیتزا بگذاریم و هر دو سوختند. این داستان فقط برای نشان دادنِ این است که فضا در روزهای لا پرگولا چطور بود. ما سرمست بودیم و همیشه در شیفت کاریِ اِدی بروبیا بود.

آوی ما را سرگرم می‌کرد. او راه رفتن و صحبت کردن آفریقایی‌ها را تقلید می‌کرد و تنها کسی بود که می‌دانست چگونه الکس را گول بزند و دائماً چیزهایی را به‌صورت رایگان از او بگیرد.

یک روز عصر، او به ما نشان داد که چطور از الکس پیتزا گرفته. آوی داشت به الکس می‌گفت که در رستوران وین قدیم بوده و مردی در آنجا از پیتزا شاکی بوده که مزه خوبی ندارد. بنابراین آوی رفته و به او گفته که لا پرگولا خوش‌مزه‌ترین پیتزا را دارد و او باید آن را امتحان کند.

الکس از شنیدن این داستان بسیار خوش‌حال شد و از آوی پرسید که آیا می‌خواهد پیتزا را بچشد. آوی گفت: «چراکه نه؟» و یک پیتزا گرفت. او آن را سر میز همیشگی ما در قسمت پشتی رستوران آورد.

یک روز، آوی تصمیم گرفت سر به سرِ موریس بگذارد. در آن زمان موریس در لا پرگولا متصدی بار بود و هنوز آوی را نمی‌شناخت. آوی وارد شد و وانمود کرد که آلمانی است. او در بار نشست و یک نوشیدنی گازدار به موریس سفارش داد و گفت که می‌خواهد قبل از

1. Maurice.

سفارش یک جرعه بچشد. موریس آن را به او داد و آوی گفت که از آن خوشش نیامده. او خواست تا طعم چیزِ دیگری را بچشد و دوباره موریس آن را به او داد. او موریس را دیوانه کرد تا اینکه الکس متوجه شد چه اتفاقی دارد می‌افتد و سرِ آوی داد زد که دست بردارد.

یک روز آوی با یک ایده به سراغ من و دوستم یاکوف آمد. او گفت که اگر ۳۰۰۰ مارک به او بدهیم، یک‌جور معامله‌ای می‌کند و پول ما را در عرض دو هفته دو برابر می‌کند.

پول را به او دادیم و بعد شنیدیم که برلین را ترک کرده است. فکر کردیم پول ما را دزدیده و فرار کرده است. یک روز به من زنگ زد و گفت که در اسرائیل است و معامله ما را فراموش نکرده است. او گفت که «مقداری هروئین با کیفیت عالی را در آلمان خریده تا در اسرائیل بفروشد» و این معامله فعلاً متوقف شده، اما در مدت کوتاهی پولم را پس خواهم گرفت.

در آن زمان فرصتی پیش آمد که به اسرائیل سفر کنم، بنابراین به دیدن او رفتم. او من را به پشت‌بام جایی که در آن زندگی می‌کرد برد و پودر سفیدی را به من نشان داد که در حال خشک شدن در آفتاب بود. به من گفت این پول من است. او گفت که هروئین را از آلمان خریده و آن را در باسن خود پنهان کرده و به اسرائیل برده است. گفت که مواد یک‌جورهایی خیس شده و او داشت آن را روی پشت‌بام خشک می‌کرد.

داستان او برای من ساختگی به نظر می‌رسید. چرا او هروئین را روی پشت‌بام، در یک مکان باز خشک می‌کرد و چرا هنوز آن پودر خشک نشده بود؟ می‌دانستم اتفاقی در حال رخ دادن است و درواقع وقتی به آلمان برگشتم دیگر با من تماس نگرفت و می‌دانستم که پولم بر باد رفته است.

در لا پرگولا با مردی قدبلند با موهای مشکی به نام موشه پالاورا[1] آشنا شدم. او در قصه‌گویی استعداد فوق‌العاده‌ای داشت. یک حرفه‌ای واقعی. هر حرفی که از دهانش درمی‌آمد را باور می‌کردیم. درباره‌اش می‌گفتند که از استعداد فوق‌العاده‌اش به‌اندازهٔ کافی بهره‌برداری نشده است.

پالاورا زمانی در یک بار با صهیون میزراهی[2]، یک قمارباز بزرگ شریک بود، اما کارشان شکست خورد. بنابراین برای گرفتن پول بیمه آن بار را سوزاندند. آن‌ها به خاطر این کلاه‌برداری دستگیر شدند و چند سالی را در زندان گذراندند. اما هرگز از آلمان اخراج نشدند، چون به طور قانونی آنجا بودند.

موشه در همه‌جا دوست و آشنا داشت و خیلی‌ها او را می‌شناختند. او همچنین دوستی

1. Moshe Palavra.
2. Zion Mizrahi.

داشت به نام یایر[1]، مردی قدبلند و لاغر که حشیش و تریاک می‌کشید. آن‌ها باهم یک دیسکو باز کردند و من رفتم با آن‌ها کار کنم. وظیفهٔ من این بود که مطمئن شوم همه‌چیز خوب پیش می‌رود. باید مطمئن می‌شدم که مردم هزینهٔ نوشیدنی‌هایشان را می‌پردازند و گارسون‌ها کارشان را به‌خوبی انجام می‌دهند.

وقتی در دیسکوی یایر و موشه کار می‌کردم، یک روز عصر یک مرد مست به درِ ورودی آمد و می‌خواست داخل شود. به دختری که بلیت می‌فروخت گفتم او را راه ندهد. او شروع کرد به دردسر درست کردن. او را هل دادم بیرون تا به خیابان رسیدیم و بعد با من درگیر شد. من بارها به او ضربه زدم، اما او زمین نخورد. آن‌قدر مست بود که ضربات را حس نمی‌کرد. یک چاقو بیرون آوردم و چند ضربه به او زدم تا اینکه به زمین افتاد. به بار برگشتم و موضوع را به یایر گفتم و او فوراً من را فرستاد خانه. نمی‌دانم چه اتفاقی برای آن آدمِ مست افتاد.

یک کریستینا نامی بود که به آنجا می‌آمد. او دوستِ متصدی بار بود، بلوند بود با چشمان سبز و کمی چاق. من واقعاً او را می‌خواستم، اما به او نزدیک نشدم چون دوست‌پسر داشت. یک روز عصر پیشِ من آمد و به من پیشنهاد داد. من او را به خانه بردم و او به من گفت که او و دوست‌پسرش از هم جدا شده‌اند.

در آن زمان، در یک آپارتمان کوچک و فرسوده در خیابان بینگر[2]، یک هم‌اتاقی داشتم. وقتی به آنجا رسیدیم، باهم خوابیدیم، اما من اصلاً از آن خوشم نیامد. او سرد بود و هیچ حرکتی نکرد. سریع کار را تمام کردیم، لباس پوشیدیم و بلند شدیم که بریم.

در راه بازگشت به من گفت من اولین آدمِ خارجی او بودم. وقتی این را گفت فکر کردم شاید ناامیدش کرده‌ام... پس برگشتیم و من حسابی او را تحریک کردم تا آماده شد و دوباره خوابیدیم. این بار بسیار موفق‌تر بود.

در آلمانی، نام مستعار برای خارجی‌ها "آوسلندر[3]" (خارجی، آلمانی نه) است. آلمانی‌هایی بودند که می‌گفتند خارجی‌ها «scheisse auslander» به معنای «خارجی‌های آشغال» هستند. آلمانی‌ها دوست نداشتند که دخترهایشان با ما قرار بگذارند، اما دخترها خیلی خوششان می‌آمد.

یک بار وقتی‌که مرسدس داشتم، همیشه ستاره داوود به گردنم می‌انداختم. در یک جاده باریک، یک ماشین به‌سمتِ من آمد. یک مرد نسبتاً مسن در ماشین بود. وقتی دید من

---

1. Yair.
2. Binger Strasse.
3. Auslander.

یک خارجی هستم، نه آلمانی، با دستش اشاره‌ای کرد به نشانهٔ «بزن به چاک!» توی ماشینم نشستم و حرکت نکردم. از ماشینش پیاده شد و آمد کنار شیشهٔ سمت راستم. شیشه را باز کردم و او سرِ من داد زد: «شما خارجی‌ها اینجا چی‌کار می‌کنید؟ برو خونه!» این جمله‌ای بود که بارها شنیده بودم. فوراً متوجه شدم که او یکی از آن نازی‌هایی است که هنوز در آنجا پرسه می‌زدند. وقتی دیدم آن‌قدر عصبانی شد و به من گفت برو خونه، به او گفتم: «اومدم با دخترت حال کنم.» آن مرد از عصبانیت دیوانه و سرخ شد. نزدیک بود دچار حمله قلبی شود. بعد دوباره سوار ماشینش شد و رفت.

همان‌طور که گفتم، لا پرگولا مرکز همه‌چیز بود و ما روزها را در آنجا می‌گذراندیم. پس‌از کار در چندین مکان در خیابان پاتسدامر و در دیسکوی موشه پالاورا، در لا پرگولا به‌عنوان پیشخدمت شروع به کار کردم. شیفتی را گرفتم که ساعت دوازده شب شروع و ساعت هشت صبح تمام می‌شد. در عمل، کار تازه ساعت چهار یا پنج صبح شروع می‌شد. تا آن موقع مشروب می‌خوردم، سیگار می‌کشیدم و با رفقا می‌خندیدیم.

طبقهٔ بالا یک سالن قمار کوچک با یک بار زیبا بود. وقتی وارد آنجا می‌شدم، همیشه در بار می‌نشستم، نوشیدنی می‌خوردم و شرط‌بندی را تماشا می‌کردم. هرگز به قمار علاقه نداشتم. در آنجا پوکر بازی می‌کردند و اسرائیلی‌ها کلی راه از فرانکفورت تا آنجا می‌آمدند که فقط در آنجا بازی کنند.

یک میز رولت آلمانی هم در آنجا بود (در رولت هر بازیکن دو توپ به‌اندازهٔ پینگ‌پنگ پرتاب می‌کند و نباید از عدد ۹ عبور کند). مردم برای پول زیادی بازی می‌کردند. دو برادر بودند که حرفه‌ای بودند. به آن‌ها "زودپز" می‌گفتند. صهیون میزراهی هم آنجا بود. او رئیس یک باند اسرائیلی و یک قمارباز بسیار بزرگ و همچنین تعداد زیادی آلمانی بود. بیشتر مالکین باشگاه از خلاف‌کاران بزرگ و افراد دنیای زیرزمینی بودند. فقط اِدی و الکس، و هرکسی که قمار را در لا پرگولا سازمان‌دهی می‌کرد، افرادی واقعاً جدی بودند.

❋❋❋

هرازگاهی پلیس شب دیروقت به لا پرگولا می‌آمد تا آدم‌های آنجا را غافلگیر کند. آن‌ها همیشه یک نفر را دستگیر می‌کردند.

درلا پرگولا برخوردهای ضدیهودی با آلمانی‌ها نسبتاً زیاد رخ می‌داد. یک روز یک مرد آلمانی وارد شد و پشت میز نشست. او شنید که ادی با آشپز به زبان عربی صحبت می‌کند (همهٔ آشپزهای رستوران عرب بودند). مرد آلمانی از اِدی پرسید که آیا او عرب است و اِدی که می‌دانست داستان این آلمانی چیست، وانمود کرد که عرب است.

بعد این نازی به او گفت: «چطوری شماها کارِ یهودی‌ها رو تو اسرائیل تموم نکردین؟ حیف که از آلمانی‌ها یاد نگرفتین.» اِدی او را تشویق کرد که به صحبت کردن ادامه دهد. نازی ادامه داد که باید همه یهودیان را سوزاند و هر بلایی سرِ آن‌ها آورد.

با شنیدن سخنان او از عصبانیت جوش آوردم. نتوانستم تحمل کنم. سیگار روشنی در دستم بود و آن را روی صورت او خاموش کردم. یک لیوان به سرش زدم و شکست. خون‌ریزی داشت و من همچنان به صورتش مشت می‌زدم. مثل خوکی که دارد ذبح می‌شود فریاد می‌زد. بلافاصله چندین اسرائیلی دیگر به من پیوستند. ما آن حرام‌زاده را تا می‌خورد، زدیم و او را از بار بیرون انداختیم.

در شیفت اِدی، چنین چیزهایی عادی بود. در ساعت کاری الکس، چنین چیزی هرگز اتفاق نمی‌افتاد.

پس از سال‌ها، اِدی لِمبرگ، روحش شاد، صاحب لا پرگولا هنگام دیدار با آقای ز در نیویورک.

یک روز، وقتی در شیفت الکس کار می‌کردم، یک آلمانی وارد شد و در انتهای بار نشست. آنجا جایی بود که پیشخدمت‌ها می‌آمدند تا سفارش مردم را بگیرند. آلمانی شروع کرد به فحش دادن به من. الکس دید که چه اتفاقی دارد می‌افتد و از من خواست که واکنشی نشان ندهم یا چیزی نگویم. او ترجیح می‌داد که بار یک مشتری را از دست ندهد و هیچ دردسری به وجود نیاید.

البته که من نتوانستم رفتار آن آلمانی را قبول کنم. او یک کراوات بسته بود و من کنارش رفتم و آن را محکم کشیدم. وقتی سرش به سرم نزدیک شد، محکم با سرم به او کوبیدم و او روی زمین افتاد. الکس صدا را شنید، به‌سمتِ ما چرخید و سرِ من داد زد: «باهاش چی‌کار کردی؟» گفتم: «از من چی می‌خوای؟ اون مرد مسته و از سه‌پایه افتاد.» مرد آلمانی بلند شد و به‌سرعت بار را ترک کرد.

ازجمله افرادی که معمولاً به لا پرگولا می‌آمدند یک مرد آلمانی- اسرائیلی به نام حیّم شافر[1] بود. پدرومادر او به اسرائیل مهاجرت کرده بودند، اما بلافاصله پس‌از آن به آلمان برگشته بودند. یادم می‌آید که نمی‌توانستم بفهمم مردمی که از هولوکاست جان سالم به در برده بودند چطور می‌توانستند به این مکان وحشتناک برگردند.

وقتی‌که در لا پرگولا کار می‌کردم، حیّم شافر با رومی هاگ[2] در معروف‌ترین کلوپ برلین شریک بود. هاگ یک هنرپیشه و خوانندهٔ مشهور زن‌نما بود که کلوپ شبانهٔ معروفِ «خانهٔ رومی هاگ» را افتتاح کرد. این کلوپ یک موفقیت بزرگ بود و در سراسر اروپا مشهور بود. شبی دو بار، نمایشی روی یک صحنهٔ کوچک اجرا می‌شد. اجراکنندگان مردهای زن‌پوش و دوجنسه‌هایی بودند که لباس‌های عجیب‌وغریب می‌پوشیدند و با آهنگ‌های معروف لب می‌زدند. نمایش‌های دِرگ و کاباره وجود داشتند. همهٔ ستارگان بزرگ می‌آمدند: تینا تِرنر[3]، میک جَگر[4]، بِت میدلر[5] و غیره. دیوید بووی[6] وقتی‌که رومی هاگ در برلین زندگی می‌کرد دوست صمیمی‌اش بود.

البته ما اسرائیلی‌ها بدون پرداخت پول وارد کلوپ می‌شدیم.

یک روز که برای یک کنسرت به آنجا رفته بودم، آنجا تا خرخره پُر بود. مردم مثل قوطی کنسرو ساردین کنار هم چپیده بودند. ناگهان خودم را روبه‌روی دختری دامن‌پوش دیدم و او شروع کرد به تکان دادن خودش و سر به سر من گذاشتن. دامنش را بالا زدم و او به تکان دادن خودش ادامه داد و من را بیشتر از بیش هیجانی کرد. درحالی‌که همهٔ مردم آنجا به هم چسبیده بودند و همه سرهایشان برای دیدن نمایش به‌سمتِ صحنه بود، زیپ شلوارم را باز کردم و آلتم را میان شکاف باسنش فرو کردم تا کارم تمام شد... و بعد بلافاصله برگشتم و

1. Haim Shafer.
2. Romi Haag.
3. Tina Turner.
4. Mick Jagger.
5. Bette Midler.
6. David Bowie.

به گوشه‌ای دیگر رفتم ـ تا اینکه چراغ‌ها روشن شد و من صورتش را دیدم. تعجب کردم که چقدر جوان و زیبا بود. من ۲۴ساله بودم.

صهیون میزراهی که قبلاً درباره‌اش صحبت کردم، یکی از قماربازان سنگین بود. او در دنیای زیرزمینی شهرت داشت. او هم به لا پرگولا می‌آمد. گاهی اوقات او را در کلوپ ایرانی می‌دیدم. قمار می‌کرد و خیلی می‌باخت ... وقتی صهیون آنجا بازی می‌کرد، تمام پولش را می‌باخت.

فاحشه‌ها هم به لا پرگولا می‌آمدند. آنجا غذا می‌خوردند و نشستن و صحبت کردن با آن‌ها همیشه لذت‌بخش بود. آن‌ها در مورد تجربیات خود با مشتریانشان برای من تعریف می‌کردند.

خیلی وقت‌ها پیش دوستانم می‌نشستم. شب را می‌گذراندیم و بعد می‌رفتیم در محلی به نام «بخارست» غذا می‌خوردیم. بخارست یک استیک‌خانهٔ معروف بود که تمام شب باز بود. همهٔ افراد ثروتمند و مشهور زندگی شبانه در آنجا غذا می‌خوردند ـ اگر می‌توانستی میزی در آنجا گیر بیاوری. آنجا تا شش و هفت صبح باز بود. این مکان معروف‌ترین مکان برای بعداز رویدادها بود. صاحب آنجا یک یهودی آلمانی به نام بانچو بود که قبلاً بوکسور بود. او به «بوکسور وحشی» معروف بود. همان‌طور که قبلاً اشاره کردم، بانچو یک بچهٔ آلمانی به نام کلاوس اِشپر را به فرزندی پذیرفت و بزرگ کرد، یک بوکسور قهرمان آلمانی که در چندین مبارزه پیروز شد و در سراسر اروپا مشهور شد. او به رستوران می‌آمد و ازآنجایی‌که با اعضای باند آلمانی دوست بود، اوباش آلمانی هم آنجا می‌نشستند.

بعدتر بین باندهای آلمانی و ایرانی تیراندازی شد. بعداً به آن بازخواهم گشت.

یک روز که همه در لا پرگولا نشسته بودیم، یکی از بچه‌ها غرق در خون وارد شد. او به ما گفت که او را در فلان کلوپ کتک زده‌اند. بلافاصله همه بلند شدیم و به آن کلوپ رفتیم. مردی که این کار را کرده بود گرفتیم و او را تا می‌خورد، زدیم.

الکس، یکی از دو برادر لا پرگولا که جدی‌تر بود و عاشق نظم و انضباط در محل کار بود، این را هم می‌دانست که چطور خوش بگذراند. گاهی اوقات می‌رفت و در بارهای دیگر در خیابان اوهولند،[1] یکی از خیابان‌های معروفی که پر از بار بود می‌چرخید و خوش می‌گذراند. وقتی صاحبان بار الکس را می‌دیدند، می‌دانستند که شانس آورده و گنج پیدا کرده‌اند.

او از این بار به آن بار می‌رفت، مثل دیوانه‌ها پول خرج می‌کرد و مست می‌کرد. اهمیتی

---

1. Uhuland.

نمی‌داد که دخترها از او سوءاستفاده کنند. عاشق وقت‌گذرانی با آن‌ها بود. او برای تمام دخترانی که در بار کار می‌کرد مشروب می‌خرید ـ و با هر نوشیدنی هم دختر و هم بار سود می‌بردند.

الکس شریکی داشت به نام کریستینا که با او زندگی می‌کرد. او شبیه الکس بود ـ زنی درشت‌اندام و قدبلند. اگرچه صدای داد و دعوای آن‌ها را می‌شنیدیم، اما آن‌ها خیلی به هم می‌آمدند. وقتی دعوا می‌کردند، الکس بلند می‌شد و می‌رفت. کریستینا گریه می‌کرد و او پیشش برمی‌گشت.

فصل ۵۷

بارها و کلوپ‌های بیشتر در برلین

در منطقهٔ سرگرمی کاباره‌ای به نام «ترویکا»[1] وجود داشت. جای خاصی بود، در سرتاسر آلمان بسیار معروف بود و به یک مرد اسرائیلی به نام میشل هیرو[2] تعلق داشت. افراد ثروتمند و مشهور و سیاست‌مداران به آنجا می‌رفتند. اجراهای دِرگ وجود داشت. هر شب، یک نمایش متفاوت روی یک صحنهٔ کوچک که هر بار شخص متفاوتی روی آن ظاهر می‌شد. برخی آهنگ اجرا می‌کردند، برخی استندآپ و برخی دیگر برهنگی.

این بنا مجلل و به سبک روسی بود و شبیه کاخ تزار به نظر می‌رسید ـ بسیار مجلل اما درعین‌حال مکانی صمیمی. غذای آنجا ویژه بود و بیشتر بطری‌های شامپاین می‌فروختند؛ زیادی گران بود.

آنجا «جلسه» بود، مکانی با میز و صندلی‌هایی به سبک بادیه‌نشین‌ها، که فلافل و خوراک لوبیا می‌فروخت. در آنجا فیلم‌های صامت چارلی چاپلین را نشان می‌دادند. مردم واقعاً این مکان را دوست داشتند و آنجا همیشه شلوغ بود. این برای سال ۱۹۶۹ بود، اوایل ۱۹۷۰.

«زیرزمین» یک کلوپ شبانه هیپی در خیابان کودام بود. این بزرگ‌ترین کلوپ برلین بود. ساعت دو نیمه‌شب، وقتی کلوپ تعطیل می‌شد، هیپی‌ها می‌آمدند تا در لا پرگولا غذا بخورند. موقعِ شیفت من بود. آن‌ها برای خوردن غذا، قمار و مصرف مواد در سالن پشتی می‌آمدند. درِ آن زمان استفاده از مواد مخدر ممنوع بود، اما پلیس برلین در اجرای این قانون سختگیری نمی‌کرد و مردم مرتباً مصرف می‌کردند. سر هر میزی که می‌رفتم تا

1. Troika.
2. Michel Hero.

سفارش بگیرم، یک دود به من می‌دادند. انعام‌های خیلی خوبی از هیپی‌ها می‌گرفتم، و اگر کسی به من انعام نمی‌داد، به آن‌ها می‌گفتم که اجازه مصرف مواد مخدر در آن مکان را ندارند.

یک مرد مسلمان از باند ایرانی به نام اِدی کنترل کلوپ هیپی‌ها را بر عهده داشت. او مسئول برقراری نظم در داخل کلوپ و فروش مواد مخدر در داخل و اطراف آن بود. او تعدادی از «سربازان» خود را در ورودی مستقر می‌کرد و افراد خود را در ورودی کلوپ می‌گذاشت تا جنس‌های خود را بفروشند. همیشه مردانی بودند که به عابران مواد مخدر عرضه می‌کردند. اگر یکی دیگر می‌آمد آنجا بفروشد، او را کتک می‌زدند.

وقتی پلیس‌ها می‌آمدند، یک‌جور دکمهٔ هشدار در ورودی قرار داشت. وقتی فشار داده می‌شد، تمام زیرزمین روشن می‌شد و همه می‌فهمیدند پلیس در راه است، آماده شوید. همه موادهایشان را روی زمین می‌انداختند. وقتی پلیس از پله‌ها پایین می‌رفت، همه می‌نشستند و صحبت می‌کردند، طوری که انگار هیچ اتفاقی نیفتاده بود.

پلیس آن‌ها را می‌گشت و هیچ‌کس مواد همراهش نداشت... همه‌چیز کفِ زمین بود. این بود که نمی‌توانستند کسی را دستگیر کنند. بعد پلیس‌ها مواد را با جارو از روی زمین جمع می‌کردند.

بعداز آن پلیس کارت شناسایی هرکسی داخل کلوپ را چک می‌کرد و تمام اسامی را می‌نوشت. تقریباً همیشه یک نفر که غیرقانونی باشد را پیدا می‌کردند و به او دستبند می‌زدند و با خودشان می‌بردند.

اسرائیلی‌ها همیشه به آن‌ها پاسپورت اسرائیلی نشان می‌دادند. اغلبِ ما ویزای اقامتی نداشتیم و غیرقانونی بودیم. وقتی پاسپورت را به آن‌ها نشان می‌دادیم، همان‌طور که قبلاً گفتم، دیگر هیچ سؤالی نمی‌پرسیدند.

یک کلوپ در برلین بود که متعلق به یک یهودی آلمانی بود که از پیش از جنگ جهانی دوم در آنجا زندگی می‌کرد. آن‌ها به اسرائیل مهاجرت کرده بودند اما به دلیل علاقه‌شان به آلمان برگشته بودند. در سالن پشتی قمار می‌کردند. یک روز یک مرد اسرائیلی که عبری حرف می‌زد داخل شد و شروع کرد به حرف زدن با من. وقتی بلند شدم که بروم از من پرسید که آیا می‌توانم همسرش را برسانم. من به آن دختر نگاه کردم و او به شکل خیره‌کننده‌ای زیبا بود. اولش متوجه نشدم که او چرا چنین درخواستی کرده، اما سؤالی نکردم و آن دختر را با خودم بردم.

او سوار ماشین شد و کنارم نشست. از او خواستم من را برای مسیرِ خانه‌اش راهنمایی

کند. او شروع کرد به صحبت کردن و اصلاً حواسش به جاده نبود، بلکه سعی کرد من را اغوا کند. چون فکر می‌کردم او متأهل است، خون‌سرد ماندم و به او پاسخی ندادم. بالاخره دست برداشت، آدرسی به من داد و من او را به آنجا بردم.

بعداً معلوم شد مردی که با من صحبت می‌کرد همسر او نبود، بلکه از او برای دسترسی به افراد دارای روابط استفاده می‌کرد. معلوم شد که او آن دختر را با افراد دیگری که می‌شناختم فرستاده بود. درنهایت، من بسیار متأسفم که وقتی او به‌سمتِ من آمد تسلیمش نشدم.

فصل ۵۸

به دنبال بودجه‌ای برای افتتاح یک فروشگاه

وقتی در لا پرگولا همدیگر را می‌دیدیم، همه دربارهٔ هر اتفاقی که داشت می‌افتاد صحبت می‌کردند، و من این توانایی را داشتم که بنشینم و بی‌سروصدا به حرف‌های مردم گوش کنم. یک شب شنیدم که موشه پالاورا داشت به یایر و چند نفر دیگر می‌گفت که در حال فروش امتیاز برای فروشگاه‌های یک مرکز خرید جدید است که قرار است در برلین در منطقهٔ استگلیتز[1] ساخته شود. از او در این مورد پرسیدم و او به من گفت که می‌توانم یک امتیاز برای فروشگاهی در مرکز خرید از او بخرم و در آنجا یک کسب‌وکار راه بی اندازم.

این اولین مرکز خرید در برلین بود (در پایان سال ۱۹۶۹). من بسیار مشتاق این ایده بودم، اما به‌سرعت برایم مشخص شد که موشه هیچ فروشگاهی نمی‌خرد، و هیچ امتیازی برای فروش ندارد. او فقط به آن‌ها گفته بود که به فروشگاه‌های مرکز خرید جدید علاقه‌مند است و آن‌ها نقشه‌های ساختمان را به او داده بودند. اساساً به مردم دروغ می‌گفت و از آن‌ها پول می‌گرفت تا واسطهٔ ارتباط آن‌ها با مدیریت مرکز خرید در تماس باشد.

درنهایت، خودم مستقیماً به سراغ مدیران مرکز خریدی که هنوز در حال ساخت بود رفتم. قرار بود اسمش را «فوروم استگلیتز[2]» بگذارند و با آن‌ها قرارداد اجاره امضا کردم. این اولین مرکز خریدی بود که در برلین افتتاح شد. من باید دو ماه اجاره را ودیعه می‌دادم. پس‌از پرداخت ودیعه، پولی برای سرمایه‌گذاری در اجناس فروشگاه نداشتم. به پول بیشتری نیاز داشتم.

بعد با مرد دیگری به نام موشه آشنا شدم، مردی لاغر با سبیل و موهای بلند. حشیش

---

1. Steglitz.
2. Forum Steglitz.

می‌خرید و می‌فروخت. به او نزدیک شدم و به او گفتم که برای باز کردن فروشگاه به پول نیاز دارم. او به من گفت که در هامبورگ می‌توانی مقدار زیادی تریاک بخری و سپس آن را کم‌کم در برلین بفروشی. این معامله‌ای بود که می‌توانست ۲۰۰۰۰ مارک به ما سود بدهد. من مایل به انجام این کار بودم، اما پول خرید تریاک را نداشتم.

نتوانستم راهی برای به دست آوردن پول پیدا کنم، بنابراین تصمیم گرفتم با پیرمرد در هاناو تماس بگیرم. از کسب‌وکاری که می‌خواستم باز کنم به او گفتم و از او قرض خواستم. او گفت شرایطش سخت است، اما فکری دارد. او از من خواست که به هاناو بروم چون نمی‌توانست تلفنی در مورد آن صحبت کند. پیرمرد در آن زمان در بیمارستان بستری بود و من به ملاقات او رفتم. به من گفت که ساختمانی که در آن زندگی می‌کند مغازه و یک سوپرمارکت دارد و در پایان روز یک نفر پول نقد را از سوپرمارکت جمع‌آوری می‌کند و می‌رود تا آن را در یک دستگاه خودپرداز واریز کند. ماشین او در زیرزمین ساختمانی که سوپرمارکت بود پارک شده بود.

این روشی بود که کسب‌وکارها می‌توانستند در پایان روز که بانک بسته شده بود، پول نقد را واریز کنند. مردی که برای گرفتن پول برای واریز کردن می‌آمد، آن را در صندوقی با یک شماره‌حساب می‌گذاشت، آن را قفل می‌کرد و آن را در صندوقی جلوی بانک به داخل هل می‌داد. صندوق حاوی پول نقد به صندوق بانک در زیرزمین می‌افتاد. فردای آن روز که بانک باز می‌شد پول را در حساب می‌گذاشتند و برای سپرده بعدی یک صندوق جدید می‌گرفتند.

بسیاری از کسب‌وکارها این کار را انجام می‌دادند، و پیرمرد این را می‌دانست. او پیشنهاد کرد که من و یوسی از مردی که پول را برمی‌دارد سرقت کنیم. آن‌ها به من یک کلاه بافتنی و یک تفنگ دادند. من و یوسی برای سرقت از آن مرد رفتیم.

من زیر ماشین مردی که پول را جمع می‌کرد دراز کشیدم و منتظر ماندم تا سوار ماشین شود. از زیر ماشین بیرون آمدم، اسلحه را روی سرش گذاشتم و او را به زباله‌دانی، جایی که یوسی بود، بردم، و او دهان آن مرد را با چسب بست. دست‌وپایش را بستیم و او را آنجا رها کردیم و فرار کردیم. یوسی به من گفت که پیاده به خانه بروم و منتظر بمانم تا او بیاید و من را سوار کند.

من همین کار را کردم. او بعداز مدتی طولانی آمد و گفت که به دلیل ترس از اینکه تعقیبش کنند دیر کرده است. این برایم عجیب بود، به‌خصوص با توجه به این واقعیت که فقط یک صندوق آورده بود و نه دوتا. می‌دانستم که یک صندوق را برای خودش برداشته است. صندوق قفل‌شده را شکستیم و آن غنیمت را تقسیم کردیم. من ۱۰۰۰۰ مارک گرفتم.

پول را برداشتم و روز بعد به برلین برگشتم.

من و موشه ماشین را برداشتیم و برای خرید یک کیلو تریاک به هامبورگ رفتیم.

همان‌طور که می‌دانید برلین در آن زمان به دو بخش تقسیم می‌شد ـ برلین غربی و برلین شرقی. بخش غربی برلین دارای یک منطقه در آلمان شرقی بود. مسیرِ رفتن از برلین به آلمان غربی با هواپیما، قطار یا ماشین بود. در سفر با ماشین باید از مرز شرقی عبور می‌کردی. هرکسی که از برلین به هامبورگ می‌رفت، باید از ایست بازرسی‌هایی سخت عبور می‌کرد.

برای عبور از آلمان شرقی باید برای ویزا هزینه می‌کردیم. ماشین‌سواری از برلین به آلمان غربی ـ که از آلمان شرقی می‌گذشت ـ حداقل دو ساعت طول می‌کشید و در کل مسیر تحت کنترل پلیس بود. توقف در همه‌جا ممنوع بود. در ورودی این جاده یک یادداشت با ذکر زمان ورود دریافت می‌کردی و در خروجی بازهم برای اطمینان از عدم توقف در مسیر چک می‌شدی.

پلیس تمام ماشین‌ها را متوقف کرد تا از آن‌ها مالیات بگیرد. آن‌ها مارکِ غربی می‌خواستند. هر مارک غربی چهار تا شش مارک شرقی ارزش داشت. آن‌ها ماشین‌های زیادی را متوقف می‌کردند تا برای هر مزخرفی جریمه بگیرند ـ مثلاً برای سرعت غیرمجاز. جریمه پنجاه مارک بود. مردم از بحث کردن می‌ترسیدند و جریمه را فوری پرداخت می‌کردند، در غیر این صورت پلیس چمدان‌های آن‌ها را بازرسی می‌کرد و اقلام ویژه‌ای را برای خود ضبط می‌کرد.

در راهِ رفتن به هامبورگ موفق شدیم از این مانع عبور کنیم و به رستورانی به نام «کاتز[1]» رسیدیم. طبیعتاً انواع و اقسام افراد مشکوک را در آنجا دیدیم که در کارِ مواد مخدر و فحشا بودند.

بعدتر دوست موشه را دیدیم و از او یک کیلو تریاک خریدیم. خیلی می‌ترسیدیم که دستگیر شویم، چون هرکسی که به خریدوفروش تریاک محکوم می‌شد، برای مدتی طولانی به زندان می‌افتاد.

به‌سمتِ مرز آلمان شرقی برگشتیم و قبل از عبور از آن، به نحوهٔ حمل تریاک فکر کردیم. و تصمیم گرفتیم که عاقلانه‌تر آن است که آن را از طریق پست به آدرس موشه به نام دختر آلمانی که با او زندگی می‌کرد ارسال کنیم. آن را در یک کارتن بسته‌بندی کردیم. در جایی که بودیم ماندیم و کارتن را بسته‌بندی کردیم ـ برای فرستنده نام فروشگاهی که روبه‌رویمان بود را نوشتیم و آن را از طریق پست فرستادیم.

1. Katz.

بعد به برلین برگشتیم. نشستیم و منتظر بودیم تا بسته برسد. هر روز به موشه زنگ می‌زدم و می‌پرسیدم که آمده یا نه، و او جواب منفی می‌داد. یک جایی کم‌کم به او شک کردم که او دارد به من کلک می‌زند و مواد را گرفته است. او را تهدید کردم که اگر این کار را با من کند، تلافی‌اش را سرش خواهم آورد. او قسم خورد که نمی‌داند چه اتفاقی برای بسته افتاده و من حرفش را قبول کردم.

یک شب، بعداز چند روز او نتوانسته بود بخوابد. بلند شده و در کیف دوست‌دخترش دنبال قرص خواب می‌گشت. ناگهان اخطاریه‌ای از اداره پست برای تحویل گرفتن بسته پیدا کرد. به تاریخ نگاه کرد و دید که تاریخش گذشته است.

بلافاصله به من زنگ زد و گفت. صبح با اداره پست تماس گرفتیم و پرسیدیم بسته کجاست و گفتند به فرستنده برگردانده شده است.

نمی‌دانستیم چه کنیم. موشه به من گفت که وقتی بسته‌ای به فرستنده برگردانده می‌شود، اخطاریه‌ای برای فرستنده ارسال می‌شود که بیاید بسته خود را از اداره پست تحویل بگیرد. می‌دانستیم که بسته در اداره پست شهری است که ازآنجا ارسال کرده بودیم. ما با هواپیما به آنجا رفتیم و با وکالت‌نامه‌ای از دوست‌دختر موشه به اداره پست رفتیم تا نشان دهیم که او باید بسته را دریافت می‌کرد.

ما از رفتن به اداره پست می‌ترسیدیم و تصمیم گرفتیم که موشه به‌تنهایی برای گرفتن بسته وارد شود و من داخل اداره پست نزدیک در خروجی منتظر بمانم تا اگر آن‌ها سعی کردند جلوی او را بگیرند و او فرار کرد، من مداخله کنم و مانع شوم که آن‌ها او را بگیرند.

موشه به اداره پست رفت و درواقع بسته آنجا بود. بعداز اینکه فرم را به آن‌ها نشان داد و به آن‌ها ثابت کرد که دوست‌دخترش باید بسته را دریافت می‌کرد، آن را به او دادند.

کارتن در حال از هم پاشیدن بود و درواقع می‌شد مقداری از تریاک را دید. نفهمیدم که چطور ندیدند که این مواد مخدر است. احتمالاً فقط نمی‌دانستند چیست. درحالی‌که بدجور ترسیده بودیم، بسته را گرفتیم و در تمام این مدت مطمئن بودیم که این یک حقه است و به‌زودی ما را دستگیر می‌کنند. چاره‌ای نداشتیم جز اینکه اداره پست را با آن بسته ترک کنیم، با ترس از اینکه پلیس ما را دستگیر کند ـ اما این اتفاق نیفتاد.

این بار ماشین نداشتیم و بازهم نمی‌دانستیم چگونه تریاک را به برلین ببریم. تصمیم گرفتیم با هواپیما آن را انتقال دهیم، چون پرواز داخلی آلمان غربی محسوب می‌شد و به‌این‌ترتیب می‌توانستیم کنترل مرزی در سمت شرقی را نداشته باشیم.

سوار پروازی به مقصد برلین شدیم. خوب پیش رفت و ما با محموله در برلین فرود آمدیم.

بعداز مدتی از موشه خواستم شروع به فروش کند. او به آپارتمان من آمد و ما شروع کردیم به بریدن تریاک به مکعب‌های کوچک. موشه صد گرم برداشت و من صد گرم دیگر در ماشینم گذاشتم محض احتیاط که شاید موشه گیر می‌کرد و به مقدار بیشتری نیاز داشت. بقیه در خانه پیش من ماندند.

آپارتمان من در خیابان بینگر، جایی که با یک مرد ایرانی به نام سیا زندگی می‌کردم، کمی بهتر بود: اتاق‌خواب، اتاق نشیمن و آشپزخانه، و یک راهروی بسیار کوچک. این آپارتمان متعلق به سازمان یهودی محلی بود. آن‌ها آپارتمان‌هایی داشتند و به افرادی که به مسکن ارزان‌قیمت نیاز داشتند، اجاره می‌دادند. سیا اصالتاً ایرانی بود اما ازنظر مذهبی بهایی بود. او هم در بارها کار می‌کرد و با اسرائیلی‌ها معاشرت می‌کرد. من می‌توانستم با او فارسی صحبت کنم، از او طرز پخت غذاهای ایرانی را یاد گرفتم. ما در این خانه تجربیات خوشایندِ زیادی داشتیم.

از راست به چپ: سیای ایرانی، الکس، پورکیِ آلمانی، و حیّم کشاورز موشاونیک در آپارتمانِ آقای ز در خیابان بینگر.

قبل از ما یک اسرائیلی دیگر در آنجا زندگی کرده بود. او آپارتمان را به طور غیرقانونی به من منتقل کرد و رفت تا در میلان زندگی کند.

در طول مدتی که من در آن آپارتمان زندگی می‌کردم، اتفاقات زیادی آنجا افتاد. یک روز یک مرد اسرائیلی با یک دختر آلمانی تن‌فروش به لا پرگولا آمد. او را فرستاد تا در

خیابانی در کودام بایستد، جایی که بسیاری از روسپی‌های دیگر آنجا بودند ـ همهٔ آن‌ها زیبا بودند. آن مرد، مانند چند دلال دیگر آلمانی، نشست و در لا پرگولا وقت گذراند.

بعداز چند روز آمد پیش من و گفت حشیش می‌فروشد، چند کیلو دارد و دنبال مشتری می‌گردد. به من گفت که با یک مرد مسلمان ایرانی که می‌خواهد پنج کیلو بخرد قرار گذاشته و از من پرسید که می‌تواند این معامله را در آپارتمان ما انجام دهد، چون خودش در یک هتل زندگی می‌کرد. یک داستان‌گوی واقعی ... ما گفتیم: «مشکلی نیست، تو آپارتمان ببینش.»

او با آن ایرانی در آپارتمان ما ملاقات کرد. ایرانی مواد را چک کرد ـ کمی از آن را با فندک گرم کرد، بو کرد و دید که همه‌چیز خوب است. پول را داد و جنس را گرفت و رفت. پنج کیلو بود. اما معلوم شد که حشیش تقلبی بوده. فروشنده مقداری حشیش روی چیزهای دیگر پخش کرده بود ـ و غیرممکن بود که متوجه تقلبی بودن آن بشی. خیلی حرفه‌ای بسته‌بندی کرده بود، داخل یک کیسه، همه‌چیز قشنگ بسته‌بندی شده بود و هر بسته مُهر شده بود. شبیه بسته‌های اصلِ ۳۰۰ گرمی بود.

مرد ایرانی وقتی فهمید فریب خورده به دنبال صاحب آپارتمان به لا پرگولا رفت و به من رسید. دیدم او را می‌شناسم. آمد و به من گفت که چه اتفاقی افتاده، و من حقیقت را به او گفتم ـ که ما فروشنده را نمی‌شناسیم، فقط به او اجازه دادم از آپارتمان استفاده کند و او باور کرد کارِ ما نبوده، و تمام ـ حالش خراب بود. پول زیادی از دست داد. مرد اسرائیلی آن دختر را بُرد و ناپدید شد و از برلین فرار کرد.

بعد یک شب، بعداز نیمه‌شب، صدای در را شنیدم. در را باز کردم و مأموران پلیس را دیدم. آن‌ها وارد شدند و شروع کردند به جست‌وجوی خانه.

در آپارتمان مقدار زیادی تریاک وجود داشت. اگرچه به‌خوبی پنهان شده بود، اما درست جلوی دماغشان بود. در مواقع سختی معمولاً دعا می‌کردم «ای اسرائیل بشنو، خدای ما یکی است» و هر بار که این دعا را می‌خواندم، به‌سلامت از وضعیت ناخوشایند خارج می‌شدم.

درحالی‌که پلیس‌ها در آپارتمان به دنبال مدرک می‌گشتند، هم‌خانه‌ام سیا به خواب عمیقی فرو رفته بود و چیزی نشنید. او مست بود. پرسیدند چرا تکان نمی‌خورد. یک پلیس به او نزدیک شد و ملحفه‌ای که روی او بود را با تفنگش بلند کرد. سیا چشمانش را باز کرد و خیلی ترسید. بلافاصله به فارسی داد زدم که پلیس است و نترس.

وقتی آپارتمان را می‌گشتند، سوئیچ ماشینم روی میز کوچکی در راهرو بود. در ماشین صد گرم تریاک داشتم. می‌دانستم که اگر آن را پیدا کنند، برای سال‌ها به زندان می‌افتم.

پلیس کل خانه را زیرورو کرد. بالاخره یکی از پلیس‌ها کلیدهای من را برداشت و پرسید که آیا آن‌ها برای ماشین من هستند یا نه. با آرامش جواب دادم بله. در کمال تعجب، آن‌ها را سر جایش گذاشت.

واقعاً استرس داشتم اما به خودم گفتم باید خون‌سردی‌ام را حفظ کنم. باید به این نکته اشاره کنم که در چنین موقعیت‌های پرتنشی من خون‌سرد رفتار می‌کردم، اما بعداز آن احساساتم باعث می‌شد منفجر شوم.

بدون اینکه پلیس متوجه شود، سوئیچ ماشین را به سیا دادم و به او گفتم که آن را به خانهٔ دوستانش ببرد، مواد را خارج کند و ماشین را به خانه برگرداند.

در آپارتمان جلوی دماغشان مواد مخدر بود، اما آن‌ها را پیدا نکردند. عجیب است که تریاک موجود در آپارتمان را پیدا نکردند. و مقدار زیادی بود ... اما به‌خوبی پنهان شده بود. در راهروی کوچک در ورودی یک قفسه تلفن و کنار آن یک جاروبرقی قرار داشت. تریاک داخل کیسه جاروبرقی قرار داشت ...

در جست‌وجو، پاسپورت قدیمی من با مهر اخراج را پیدا کردند (آن را نگه داشته بودم چون می‌توانستم در کشورهای دیگر از آن استفاده کنم). اما در آن لحظه احساس کردم که زندگی‌ام به پایان رسیده و هرآنچه برای باز کردن یک کسب‌وکار برنامه‌ریزی کرده بودم در حال نابودی است. دوباره دعا کردم.

من را به کلانتری بردند و شروع کردند به بازجویی. می‌خواستند بدانند که آیا یوسی را می‌شناسم. آن‌ها یک اسمِ ناآشنای دیگری به من گفتند و از من خواستند اطلاعاتی دربارهٔ او به آن‌ها بدهم. من او را نمی‌شناختم و از آن‌ها پرسیدم که می‌خواهند چه چیزی را بفهمند. شروع کردند به پرسیدن دربارهٔ ادارهٔ پستش که یک بار می‌خواستیم به آن دستبرد بزنیم و آنجا بود که فهمیدم دنبال چه هستند.

یادتان هست دربارهٔ نقشه دستبرد به ادارهٔ پست در نزدیکی فرانکفورت برایتان گفتم و درنهایت آن کار را نکردیم چون آن منطقه مشکوک به نظر می‌رسید؟ معلوم شد که آن مرد آلمانی که همراه ما بود دربارهٔ سرقت به پلیس خبر داده بود و به همین خاطر آن‌ها منتظرِ ما بودند. این‌طوری بود که آن‌ها از نقشهٔ اولیه سرقتی که ما انجام نداده بودیم باخبر بودند.

بعداز گذشت مدتی طولانی، دیوید و یوسی این سرقت را انجام داده بودند. من مشارکت نداشتم چون آن موقع در برلین بودم. اما وقتی پلیس فهمید کارِ چه کسی بوده، به سراغ من آمد، چون فرد دیگری که اسم کوچکش مشابه من بود در آن سرقت دست داشته. به همین دلیل، کارآگاهان و بازرسین چندین ساعت از فرانکفورت تا برلین پرواز کرده

بودند تا از من بازجویی کنند.

فوروم استگلیتز، برلین.

من را در بازداشتگاه نگه داشتند تا وقتی‌که فهمیدند در روز سرقت من کجا بودم. خوشبختانه، آن روز من به همراهِ یایر و موشه پالاورا در سفری به مقصد هامبورگ بودم. پلیس آدرس آن‌ها را از من خواست و رفت بررسی کند که آیا من راست گفته بودم یا نه. چک کردند و بعد من را آزاد کردند.

حتی قبل از اینکه آزادم کنند، یکی از پلیس‌ها از من پرسید ماشینم کجاست. گفتم آن را به دوستی داده‌ام که ماشین ندارد و او وقتی کارش با ماشین تمام شود سوئیچ را به آپارتمان من برمی‌گرداند.

هم‌خانه‌ام سیا همان‌طور که به او گفته بودم ماشین را به لا پرگولا برده بود. تریاک را از ماشین درآورده بود و سوئیچ را داخل آپارتمان انداخته بود. پلیس‌ها به آپارتمان برگشته و سوییچ را کف زمین پیدا کرده بودند. خوشبختانه، همه‌چیز با داستان من مطابقت داشت و من از آن قسر دررفتم. پاسپورت با مُهر اخراج - که من آن‌قدر به خاطرِ اینکه پیدایش کرده بودند ترسیده بودم - اصلاً برای آن‌ها اهمیتی نداشت. اما به خاطرِ مُهر اخراج و به خاطرِ اینکه دوتا پاسپورت داشتم، آن‌یکی را به سفارت اسرائیل فرستادند.

بعداز آن، می‌خواستم هرچه زودتر از شرِ تریاک خلاص شوم و به موشه فشار آوردم که آن کار را بکند. صبر نداشتم که منتظر شوم پول به دستم برسد. بنابراین به موشه گفتم کل آن را یکجا با پولِ کمتری بفروشد، مهم‌ترین مسئله این بود که یک پولی به دست بیاید. با پول اندکی که از آن نصیبم شد، فروشگاه خودم در مرکز خرید را باز کردم.

فصل ۵۹

فروشگاه جین در مرکز خرید

در سال ۱۹۶۹- تنها یک فروشگاه جین در تمام برلین وجود داشت و آن فروشگاه لباس کار بود. من می‌خواستم یک بوتیک باز کنم. کلی جنس به‌صورت نقدی و اعتباری به تولیدکنندگان مختلف سفارش دادم.

وقتی به لا پرگولا رفتم و به بچه‌ها در مورد آنچه سفارش داده بودم گفتم، پایر فکر کرد که من به نسبت اندازه فروشگاهم جنس زیادی خریده‌ام. حساب‌وکتاب کردم و به این نتیجه رسیدم که حق با اوست. تصمیم گرفتم مقداری از جنس‌ها را برگردانم و خوشبختانه تولیدکنندگان با بازپرداخت پول من موافقت کردند.

شروع به بازسازی فروشگاه کردم. فرش خریدم و آن را بسیار زیبا تزیین کردم، همه هم وقتی‌که نمی‌دانستم چطور یک فروشگاه را اداره کنم.

روز افتتاحیه فرارسید. فروشگاه شروع به کار کرد و نتیجه عالی بود.

من هر جنسی را پنج مارک بیشتر از قیمت خرید آن می‌فروختم. شلوار جینی را که با پنج مارک سود می‌فروختم، در یک فروشگاه لباس کار بیست مارک بیشتر می‌فروختند. قیمت ارزان منجر به موفقیت بزرگ شد و فروشگاه من بسیار معروف شد. با گذشت زمان دیدم که سود کافی به دست نمی‌آورم و نمی‌توانم هزینه‌هایم را تأمین کنم، بنابراین به‌آرامی شروع به افزایش قیمت لباس‌ها کردم، اما آن موقع به‌عنوان بوتیکی که ارزان می‌فروشد اسم در کرده بودم. بنابراین درواقع اولین اشتباه من در مورد قیمت‌ها همان چیزی است که منجر به موفقیت من شد.

این دوره یک نقطهٔ عطف در زندگی من بود. به خودم بابت افتتاح فروشگاه افتخار می‌کردم. من خیلی جوان بودم، هنوز ۲۱ساله نشده بودم، و تحولات و اتفاقات زیادی را

در آلمان و خارج از آن پشت سر گذاشته بودم. بعداز حدود شش ماه در هاناو و نه ماه در برلین، آلمانی را خوب صحبت می‌کردم و کسب‌وکار خوب بود.

آقای ز در اولین بوتیکی که در فوروم استگایتز برلین باز کرد.

وقتی‌که بوتیک را افتتاح کردم، مجوز اقامت یا جواز کسب نداشتم. فقط ساکنان آلمان می‌توانستند جواز بگیرند. شنیدم که مردی به نام پیتر که برای شیمون اِدن کار می‌کرد، جواز اقامت و کار تنظیم می‌کرد و با او تماس گرفتم. با مبلغ معینی آنچه را که لازم داشتم ترتیب داد. در آلمانی به آن "aufuntalt" می‌گفتند.

حواسم بود که سالی یک بار جواز را تمدید کنم. میشل هیرو، که صاحب کلوپ کاباره ترویکا بود، به من در انجام این کار کمک می‌کرد.

فصل ۶۰

نورما[1]

اطلاعیه‌ای پشت در زدم که به دنبال یک فروشنده هستم. یک دختر آلمانی وارد شد، یک بلوند چاق به نام نورما، و من او را استخدام کردم.

از او خوشم می‌آمد. او به آپارتمان من می‌آمد و باهم می‌خوابیدیم. به‌مرور زمان به هم نزدیک و نزدیک‌تر شدیم. بعداز مدتی متوجه شدم که او چند ماه قبل زایمان کرده، پدر بچه فرار کرده و مادرش از بچه مراقبت می‌کند.

در این مدت، ما یک روتین داشتیم. او در مغازه کار می‌کرد و من بیرون می‌رفتم و خوش می‌گذراندم. تا ساعت دو بعدازظهر می‌خوابیدم و بعد از خواب بلند می‌شدم، تا دیروقت بیرون می‌رفتم و به سکس کردن ادامه می‌دادیم.

نورما به آپارتمان من و سیا نقل‌مکان کرد. سیا در اتاق نشیمن خوابید و اتاق‌خواب برای ما بود. آن روزها در آپارتمان بسیار خوشایند بود. سیا برای ما غذاهای ایرانی درست می‌کرد و فضای خانه گرم بود.

یک روز، یک پسر رومانیایی به نام جیکوب[2] به لا پرگولا آمد. او پسر خیلی بامزه‌ای بود که همیشه سیگار حشیش می‌کشید. باوجوداینکه یک ریه‌اش را برداشته بودند، همچنان به حشیش کشیدن ادامه می‌داد و با یک پُک می‌توانست نصف سیگار را بکشد ... خیلی سریع با بچه‌های آنجا رفیق شد.

یک روز من و نورما به سینما رفتیم. وقتی به سینما رسیدیم، جیکوب رومانیایی با یک پسر دیگر به‌سمتِ من آمد و آن‌ها مرا به کناری صدا زدند. آن‌ها از من خواستند که در یک

---

1. Norma.
2< Jacob.

سرقت به آن‌ها کمک کنم و من مجبور بودم به آن‌ها کمک کنم چون یکی از کسانی که قرار بود در آن دزدی شرکت کند جا زده بود و آن‌ها را وسط کار رها کرده بود.

من در دنیای زیرزمینی معروف بودم. اگرچه همان موقع هم می‌خواستم که از آن خارج شوم اما موافقت کردم که این کار را برای سرگرمی انجام دهم. نورما را به خانه فرستادم و به آن‌ها ملحق شدم.

با ماشین به منطقه‌ای رفتیم که یونانی‌ها و ایتالیایی‌ها در آن زندگی می‌کردند و به یک پیتزافروشی رسیدیم که قصد سرقت از آن را داشتند. درآمد روزانه پیتزافروشی زیاد بود و جیکوب مسیری که صاحب پیتزافروشی هر شب با پول در دستش آن را طی می‌کرد را بلد بود. صاحب آنجا از طریق یک حیاط محصور نزدیک پارک وارد یک ساختمان می‌شد.

نقشه این بود که یکی از ما رانندهٔ فرار باشد و دو نفر دیگر به او دستبرد بزنند. من باید روی بلندیِ پارک منتظر می‌ماندم. هر کس که از آن مرد سرقت می‌کرد، صندوق پول را به‌سمتِ من می‌انداخت و من به او کمک می‌کردم تا از دیوار بالا بیاید.

زمان سرقت فرارسید. جیکوب به‌طرف آن مرد پرید، اما او توانست در ساختمان را باز کند و جیکوب به او نرسید. جیکوب به دنبال او رفت و شروع کرد به زدن او، درحالی‌که من بالا نشسته بودم و نمی‌دانستم باید چه‌کار کنم.

می‌ترسیدم که اگر به آن پایین بروم، کسی نباشد که به ما کمک کند تا از دیوار بالا بریم. در همین حین پلیس‌ها آمدند. بالاخره جیکوب به دیوار رسید، او را بالا کشیدم و پشت درختی در پارک پنهان شدیم. ساعت‌ها آنجا نشستیم و مدت‌ها صدای آژیر پلیس را در منطقه می‌شنیدیم.

نمی‌فهمیدم که چرا پلیس فکر نمی‌کند گشتی را به داخل پارک بفرستد. به این فکر کردم که در صورت این اقدام از جانب آن‌ها چه‌کار کنم. به جیکوب گفتم اگر پلیس بیاید تظاهر می‌کنیم که یک زوج هم‌جنس‌گرا هستیم. جیکوب با صدای بلند خندید و تنش و اضطراب از بین رفت. خوشبختانه پلیس وارد پارک نشد و ما به خانه رفتیم.

یایر به‌شدت درگیر مواد مخدر شد. وقتی پولی نداشت به اسرائیل برگشت. او در آن زمان دوست‌دختری به نام گابی[1] داشت، دختری معمولی که به‌عنوان پرستار بیمارستان کار می‌کرد. او عاشق یایر بود و به خاطرِ او به اسرائیل پرواز کرد. پس‌از چند روز اقامت، به دلیل اعتیاد او امیدش را از دست داد و بسیار افسرده به برلین برگشت.

1. Gabi.

یک روز عصر که در لا پرگولا بودم، تلفن زنگ خورد. فرانکو[1] پیشخدمت آن را جواب داد و من را صدا زد. گابی پشت خط بود. او از من خواهش کرد که به آپارتمان او بروم و مقداری حشیش با خودم ببرم. با ماشین به آنجا رفتم و پیش او نشستم و دنبالِ یایر بودم. او زد زیر گریه و به من گفت که بین او و یایر در اسرائیل چه گذشته و اینکه خودش بسیار افسرده است. او واقعاً می‌خواست حشیش بکشد تا بفهمد این چه چیزی بود که یایر حاضر به ترک کردنش نبود و به خاطر آن او را رها کرد. یایر معتاد به تریاک بود، اما گابی فرق بین تریاک و حشیش را نمی‌دانست.

او از من خواست که یک سیگار حشیش برایش بپیچم، اما من نمی‌خواستم. می‌ترسیدم به او حشیش بدهم. کمی حشیش برایش گذاشتم و به او گفتم متأسفم، اما نمی‌توانم این کار را بکنم. اگر این را می‌خواهد، باید خودش این کار را بکند. این را گفتم و ازآنجا رفتم.

روز بعد در لا پرگولا متوجه شدم که او خودکشی کرده است. دختری جوان، زیبا و معمولی، اسیر عشق شد و از جان خود دست کشید.

---

1. Franco.

فصل ۶۱

برلین شرقی

دیوار برلین، برلین شرقی و غربی را از هم جدا می‌کرد. خانواده‌ها و ساختمان‌هایی بودند که به دو قسمت تقسیم شده و از هم جدا شده بودند و هرکدام در آن‌طرف دیوار باقی مانده بودند. بخش شرقی فقیر بود و به آن توجهی نمی‌شد، درحالی‌که بخش غربی بسیار توسعه یافته بود.

گاهی به بخش شرقی برلین می‌رفتیم و قدم می‌زدیم. می‌توانستیم ویزای ۲۴ ساعته برای بخش شرقی بگیریم. معمولاً نگهبانان ما را تفتیش می‌کردند. از بخش شرقی با خودمان پول می‌آوردیم تا در مرز پول زیادی برای تبدیل ارز پرداخت نکنیم.

دیواری در اطراف برلین، که شوروی پس‌از فتح شهر آن را ساخت.

اِدی با زنی خوب و مهربان به نام کریستا ازدواج کرد و صاحب یک دختر شدند. کریستا اهل برلین شرقی بود و اِدی قبل از اینکه من به آن شهر بروم او را قاچاقی به بخش غربی برده بود.

اِدی با ماشین خود از مرز به‌سمتِ شرق عبور کرد، درحالی‌که کریستا در صندوق‌عقب بود. در مرز که «ایست بازرسی چارلی» نام داشت، دو نقطه وجود داشت که باید از آن‌ها عبور می‌کردی. وقتی از یک مانع عبور می‌کردی، بسته می‌شد و تنها در این صورت بود که مانع دیگر باز می‌شد.

اِدی قصد داشت از مانع اول عبور کند، و قبل از اینکه مانع دوم پایین بیاید، که هنوز به خاطرِ عبور ماشین قبلی باز بود، از آن عبور کند و همین کار را هم کرد. او بین موانع زیگزاگی حرکت کرد. شانس آورد که سربازان آمریکایی در بخش غربی بودند که در چنین شرایطی شلیک نمی‌کردند. اگر برعکس بود، سربازان آلمانی حتماً به‌سمتِ او شلیک می‌کردند.

❋❋❋

ایست بازرسی چارلی، گذرگاه بین برلین شرقی و برلین غربی بود. در آن زمان داستان‌های زیادی در مورد عبور افراد از مرز به روش‌های عجیب‌وغریب وجود داشت. یک خانواده بود که بالن‌های هوایی بزرگی دوخت و سوار آن‌ها شد. بالون‌ها در وسط پرواز ترکیدند و آن‌ها سقوط کردند و نمی‌دانستند کدام طرف هستند. یک افسر پلیس به‌سمتِ آن‌ها آمد و اولین سؤالی که آن‌ها پرسیدند این بود که کدام طرف هستند. افسر متوجه شد که آن‌ها از بخش شرقی فرار کرده‌اند. به آن‌ها اطمینان داد که در سمت راست هستند. بعداً حتی فیلمی در مورد این داستان ساخته شد.

پس‌از دیدن اینکه مردم چطور سعی می‌کردند که به طرق مختلف از سمت شرق فرار کنند، ایده‌ای به ذهنم رسید که چگونه می‌توان مردم را از بخش شرقی به روشی آسان و بی‌خطر فراری داد. من متوجه شدم که سربازان آمریکایی اجازه دارند به بخش شرقی رفته و بدون اینکه کسی آن‌ها را چک کند، برگردند.

تمام سربازان آمریکایی که در هاناو دیده بودم را به یاد آوردم. می‌دانستم آن‌ها چه‌جور آدمی هستند و متوجه شدم که در ازای پول کمی حاضر به انجام کارهایی هستند که نباید انجام دهند. شروع کردم به جست‌وجوی منطقه‌ای در برلین که سربازان آمریکایی آنجا بودند. تقریباً هر روز به آنجا می‌رفتم. در بارها وقت می‌گذراندم و با آن‌ها مشروب می‌خوردم تا اینکه دو سرباز پیدا کردم که باهم دوست بودند و به این نتیجه رسیدم که این دو نفر مناسب من هستند.

دیواری در اطراف برلین، که شوروی پس از فتح شهر آن را ساخت.

چند هفته دیگر با آن‌ها معاشرت کردم و بعد شروع کردم به توضیح دادن به آن‌ها که چگونه هرکدام می‌توانند ظرف چند ساعت پنج هزار مارک به دست آورند. این مبلغ بسیار زیادی بود و آن‌ها مشتاق بودند و گفتند: «بیا این کار رو انجام بدیم!» نقشه این بود که من افرادی را در برلین غربی پیدا کنم که حاضرند ۳۰۰۰۰ مارک پول نقد بپردازند تا کسی را از شرق به غرب قاچاق کنند.

معامله این‌گونه پیش می‌رفت: من هر بار به بخش شرقی سفر می‌کردم و به دنبال مکان‌های تاریک و خلوت می‌گشتم. بعد از اینکه جایی را انتخاب می‌کردم، آن را به سربازان آمریکایی نشان می‌دادم. بعد برمی‌گشتم و کسی را پیدا می‌کردم که می‌خواست کسی را قاچاق کند و به آن‌ها آدرس مکانی را می‌دادم که کسی که می‌خواستند قاچاق کنند

در آنجا منتظر ما می‌شد. بیشتر این‌ها دختر بودند.

روز و ساعت را تعیین می‌کردیم. فردی که می‌خواست کسی را قاچاق کند، در دفتر وکیلم با من ملاقات می‌کرد. او باید ۳۰۰۰۰ مارک پول نقد به ما نشان می‌داد. بعد من از دفتر وکالت با سربازان آمریکایی تماس می‌گرفتم و آن‌ها راه می‌افتادند. آن‌ها به برلین شرقی و جایی که ما مشخص کرده بودیم می‌رفتند و وانمود می‌کردند که لاستیک ماشینشان پنچر شده. وقتی در صندوق‌عقب را باز می‌کردند، دختری که منتظر بود سریع داخل می‌شد. سربازان صندوق‌عقب را می‌بستند و به‌سمتِ ایست بازرسی چارلی می‌رفتند. آن‌ها بدون هیچ سؤالی ازآنجا عبور می‌کردند و به دفتر وکیل می‌رسیدند و دختر ترسیده و گیج را مستقیماً به دفتر می‌آوردند. چه شادی و جشنی برایشان بود! و برای من هم ... ۳۰۰۰۰ مارک می‌گرفتم و به وکیل و دو سرباز هرکدام ۵۰۰۰ می‌دادم و برای خودم ۱۵۰۰۰ مارک باقی می‌ماند.

من این کار را حدود پنج بار انجام دادم درحالی‌که فروشگاهِ واقع در مرکز خرید را هم اداره می‌کردم.

یک روز با چند نفر آشنا شدیم، و من آن‌ها را متقاعد کردم که به سفری به بخش شرقی بروند، چون به دنبال مناطق تاریک برای قاچاق مردم بودم (اگرچه آن‌ها نمی‌دانستند این کاری بود که من انجام می‌دادم). وقتی مردم محلی ماشینی با پلاک برلین غربی را می‌دیدند، آن را نادیده می‌گرفتند، چون ممکن بود مظنون به همکاری شوند.

به یک خیابان تاریک و بن‌بست رسیدیم. ماشین را متوقف کردم و می‌خواستم روی لاستیک ماشین ادرار کنم درحالی‌که به اطراف نگاه می‌کردم و منطقه را بررسی می‌کردم تا ببینم جای خوبی برای قاچاق است یا خیر. ناگهان ماشینی نزدیک من نگه داشت و دو کارآگاه از ماشین پیاده شدند و نورِ چراغ‌قوه را به‌سمتِ من انداختند. کارآگاه می‌خواست ما را پنجاه مارک غربی جریمه کند. به او گفتم حاضر نیستم چیزی به او بدهم چون کار اشتباهی نکرده‌ام. دوستانم که می‌ترسیدند به دردسر بیفتند، می‌خواستند پول را به پلیس بدهند، اما من اصرار کردم که این کار را نکنند.

شروع کردم به بحث کردن با پلیس‌ها، و به آن‌ها گفتم که ما تازه برای قدم زدن به بخش شرقی آمده‌ایم و پولی برای خرج کردن داریم. از او پرسیدم چرا می‌خواهد گردشگران را بپراند؟ کارآگاه به من گفت که دنبالش بروم. او ما را به‌سمتِ مرز در ایست بازرسی چارلی هدایت کرد، جایی که من یک مُهر اخراج در گذرنامه‌ام گرفتم، و او به ما دستور داد که به‌طرف دیگر برگردیم. من و کارآگاه می‌دانستیم که او چرا داشت ما را تعقیب می‌کرد.

کسانی که با من بودند نمی‌دانستند. اما درواقع، داشتند شک می‌کردند. و این پایان عملیات قاچاق من بود. از آن زمان، هر موقع که من و دوستانم حوصله‌مان سر می‌رفت و دنبال کاری بودیم که انجام دهیم، به قسمت دیده‌بانی بالای دیوار می‌رفتیم (در امتداد دیوار پله‌هایی وجود داشت که می‌توانستی به چندین نقطهٔ دیده‌بانی بروی و از آن بالا به بخش شرقی نگاه کنی). ما آنجا می‌ایستادیم و فریاد می‌زدیم و به سربازان آن‌ها فحش می‌دادیم.

فصل ۶۲

افتتاح یک فروشگاه دیگر

در آن زمان، کسب‌وکار در فروشگاه خیلی خوب پیش می‌رفت و یک روز پیشنهاد خرید قرارداد فروشگاه کناری‌ام را دادم و مالک آن موافقت کرد. و بنابراین یک فروشگاه دیگر در آنجا باز کردم.

من از قبل اجازهٔ کار داشتم و در دنیای زیرزمینی با افراد شناخته‌شدهٔ زیادی که برخی از آن‌ها دوستان خوب من بودند ارتباط داشتم. کسب‌وکار من رونق گرفت و بسیار موفق بود.

من و حیّم باهم در تماس بودیم و اغلب نامه ردوبدل می‌کردیم. او به من گفت که وضعیت مالی‌اش بد است و پول درآوردن برایش سخت شده. من برایش نوشتم که وضعیت مالی من عالی است و اگر تصمیم به بازگشت به آلمان داشته باشد می‌توانم به او کمک کنم. حیّم پیشنهاد من را پذیرفت. به آلمان آمد، درخواست داد و اجازهٔ کار دریافت کرد و شروع به کار کرد.

تولیدکنندگانی که به من پیراهن می‌فروختند یک مغازهٔ فرش‌فروشی هم داشتند. آن‌ها اهل ایران بودند و من رابطهٔ خیلی خوبی با آن‌ها داشتم. برخی از افرادی که با آن‌ها معاشرت می‌کردم احساس می‌کردند که من در دنیای زیرزمینی آشنا دارم.

یک روز دزد به فروشگاه تولیدکنندگان زد و یک قالیچه باارزش که بیمه نشده بود را به سرقت بردند. آن‌ها پیشِ من آمدند و از من خواستند که فرش را برایشان پیدا کنم. با برادران دلال اسلحه که در بار پیِر و لوئیجی ملاقات کرده بودم تماس گرفتم و از آن‌ها کمک خواستم. آن‌ها خیلی جاها آشنا داشتند. هرچیزی که نیاز داشتم ـ پاسپورت جعلی، اسلحه، کالا های دزدیده‌شده ـ به آن‌ها مراجعه می‌کردم. بعداز چند روز با عکسی از فرش پیش من آمدند. من آن را به صاحبان فرش‌فروشی نشان دادم و آن‌ها تأیید کردند که همان فرش دزدیده‌شده بود. آن یک فرش آنتیک بسیار باارزش و منحصربه‌فرد بود.

مذاکرات پولی شروع شد و من واسطه بودم. برادران دلال اسلحه که می‌دانستند چه کسی فرش را دزدیده، یک جا می‌خواستند مکانی بی‌طرف مشخص شود که همه افرادِ ذی‌نفع در آن باهم ملاقات کنند. اما درنهایت این معامله به هم خورد و فرش به صاحبش برگردانده نشد.

یک روز عصر که در لا پرگولا نشسته بودم، درد شدیدی در شکمم احساس کردم و شروع کردم به بالا آوردن. من را به اورژانس بردند. معلوم شد زخم معده دارم. آن‌ها جراحی یا دارودرمانی در بیمارستان به مدت سی روز را پیشنهاد کردند. نمی‌خواستم عمل کنم ـ بنابراین مجبور شدم یک ماه در بیمارستان بمانم، هر روز یک نوشیدنی مخصوص دریافت می‌کردم و بعداز نوشیدن آن مجبور بودم به مدت ده دقیقه روی هر پهلو دراز بکشم.

وقتی کم‌کم در بیمارستان به عیادتم آمدند، افراد آنجا شروع کردند به احترام گذاشتن به من، چون می‌دیدند افرادی که به دیدن من می‌آیند، مردم عادی نیستند، بلکه آدم‌های دنیای زیرزمینی هستند. یک مردِ آلمانی بود که در تخت کناری من خوابیده بود و بعداز چند روز به من گفت: «من آمارِ تو رو درآوردم و می‌دونم کی هستی.»

یک مرد ایتالیایی به بیمارستان آمد و از من خواست که برایش کاری انجام دهم. پیشخدمتی از لا پرگولا او را فرستاده بود. آن ایتالیایی از شریکش جدا شده بود ـ و می‌خواست یک نفر گلوله‌ای به رستوران شریک سابقش شلیک کند.

بعداز اینکه از بیمارستان مرخص شدم، با یکی از ایرانی‌ها صحبت کردم، همانی که با او بعداز اینکه تقریباً گلاویز شده بودیم، دوست شده بودم. او را سوار ماشینم کردم و در کنار رستورانِ آن شریک ایستادیم. توی ماشین نشسته بودیم و فکر می‌کردیم بعدش چه‌کار کنیم و درست در همان لحظه شریک با اسلحه به‌سمتِ ما آمد. بلافاصله گاز دادم و آن مرد ایتالیایی تیری به هوا شلیک کرد.

بلافاصله بعداز آن، ماشین را در یک کوچه رها کردم و به لا پرگولا برگشتم. ناگهان شریک سابق ایتالیایی وارد لا پرگولا شد، چون آنجا در دنیای جرم و جنایت مکانی شناخته‌شده بود. او رفت و با فرانکو، پیشخدمتی که همه اسرائیلی‌ها را می‌شناخت، صحبت کرد. فرانکو یک قلدر قدبلند با کله‌ای بزرگ بود. این مرد ایتالیایی به فرانکو گفت که در نزدیکی رستورانش چه اتفاقی افتاده و معلوم شد که او شماره پلاک ماشین من را دارد. فرانکو پرسید که آیا این پلاک متعلق به کسی هست یا نه، و من گفتم این پلاک مال من است. ایتالیایی به من گفت چه اتفاقی افتاده. گفتم ماشینم در پارکینگ پشت رستوران است. ما سه‌تایی رفتیم بیرون و من گفتم: «اوه ... ماشینم نیست ـ ماشینم رو دزدیدند!» من دزدیده شدن ماشین را به پلیس گزارش دادم.

فصل ۶۳

بازهم بینی شکسته

یک روز با نورما به یک کلوپ معروف در خیابان اصلی رفتم. قرار نبود آن شب به آنجا بروم، اما باید با یک دوست ملاقات می‌کردم. به نورما گفتم داخل ماشین منتظرم بماند. وقتی به ورودی باشگاه رسیدم، یک نگهبان آنجا بود که قبلاً بوکسور بود.

او یک قلدر بود و به من اجازه ورود نمی‌داد، اما من اصرار کردم. درنهایت مشتی به بینی من زد. من خون‌ریزی داشتم، اما به مبارزه با او ادامه دادم تا اینکه ما را از هم جدا کردند. ناگهان صهیون میزراهی، از دنیای زیرزمینی، همان قمارباز که در کلوپ‌های برلین بسیار مورد احترام بود، از راه رسید. به‌محض اینکه آن قلدر دید من او را می‌شناسم از من عذرخواهی کرد و اجازه ورود داد.

من با صهیون در دفتر صاحب کلوپ باشگاه نشستم. صهیون گفت: «بجنب، اون داره معذرت‌خواهی می‌کنه، دست بدین.» اما من به او گفتم که باید از بوکسور انتقام بگیرم. صهیون به من اجازه داد و به من گفت که یکی به او بزنم.

شروع کردم به فحش دادن به آن حرام‌زاده که اذیتش کنم و بعد یک زیرسیگاری برداشتم و زدم توی سرش. خون‌ریزی داشت و از عصبانیت جوش آورده بود.

از آن به بعد هر وقت به آنجا می‌رفتم این نگهبانِ بوکسور با احترام با من برخورد می‌کرد و من مثل شاه وارد آنجا می‌شدم. چند هفته بعدازآن، در ورودی آن کلوپ با فرد دیگری درگیر شد و آن فرد اسلحه درآورد و به شکم او شلیک کرد. مرد بوکسور تلاش کرد تیرانداز را تعقیب کند، اما به زمین افتاد و در دم جان باخت.

اولین باری نبود که بینی‌ام شکسته بود، اما این بار وقتی بینی‌ام را لمس کردم صدای حرکت استخوان‌ها را شنیدم. برای جراحی وقت مشخص کردم. بعداز عمل چند روزی

در بیمارستان بودم و واقعاً دلم برای حشیش تنگ شده بود. حشیش کشیدن به من آرامش می‌داد.

یک‌وقتی تصمیم گرفتم بدون فرمِ ترخیص از بیمارستان بیرون بروم. پرستاران به‌شدت با این کار مخالف بودند و از من خواستند که منتظر بمانم تا دکتر روز بعد من را مرخص کند. با نورما تماس گرفتم و به او گفتم که دارم ترخیص می‌شوم و به لا پرگولا می‌روم. کمی حشیش کشیدم و آرام شدم. وقتی در نیمه‌های شب آنجا را ترک کردم ـ در حال رانندگی به خانه ـ با ماشین کاملاً جدیدم - یک ماشین اسپورت - جاده‌ها خالی بودند.

چراغ سبز شد و وارد چهارراه شدم. ناگهان ماشینی که پشت چراغ‌قرمز بود به‌موقع توقف نکرد و با سرعت به‌سمتِ من آمد. وقت نکردم از چهارراه عبور کنم و او به‌سمتِ راست ماشین من کوبید و آن را کاملاً له کرد. صندلی مسافر سمت راستم تکه‌تکه شد. همچنین دیدم راننده ماشینی که با من برخورد کرد از شیشه جلوی ماشینش به بیرون پرت شد. از ضربه‌ای که خوردم، ماشینم چندین معلق زد و به تیر چراغ راهنمایی برخورد کرد. وقتی این اتفاق افتاد، فکر کردم اگر کسی در صندلی مسافر نشسته بود چه می‌شد!

آمبولانس که رسید، ترسیدم من را به بیمارستانی که بدون اجازه از آن رفته بودم برگردانند، بنابراین به آن‌ها گفتم که من را به بیمارستان دیگری ببرند و آن‌ها همین کار را کردند. آن‌ها در آنجا عکس‌برداری کردند و دیدند که استخوان شکسته‌ای ندارم.

نورما با ماشین به دنبالم در بیمارستان آمد و یک هفته دیگر در رختخواب بودم و استراحت کردم تا اینکه دوباره سر پا شدم.

ماشین اسپورت نو بعداز تصادف جديِ آقای ز بعداز ترک بیمارستان.

یک روز دختری که در یک بار کار می‌کرد پیش من آمد و به من گفت که یکی از مشتری‌ها پول او را دزدیده است. آن زن بچه داشت و برای حمایت از آن‌ها در بار کار می‌کرد. مردی که از او دزدی کرد یک دلال اسلحه اهل یوگسلاوی بود و خودش هم یک بار داشت.

به موشه زنگ زدم و باهم به باری که آن زن کار می‌کرد، رفتیم. من آن حرامزاده‌ای که از او دزدی کرده بود را دیدم. وقتی جلو رفتم تا او را بزنم، ناگهان روی زمین افتادم و بیهوش شدم.

وقتی به هوش آمدم، در ماشین موشه بودم. آن دختر جلو نشسته بود. از آن‌ها پرسیدم چه اتفاقی افتاده است. به من گفتند دوست مردی که از او دزدی کرده بود زیرسیگاری را از پشت به سرم کوبید و من از حال رفتم.

آن‌ها من را به خانه برگرداندند، اما من می‌خواستم از آن مرد انتقام بگیرم. بنابراین برگشتیم و دنبال او گشتیم. معلوم شد آن مرد باند خودش را داشت. من واقعاً می‌خواستم او را بترسانم، بنابراین همه دوستانم را جمع کردم و این خبر را پخش کردم که می‌خواهم او را بکشم. بعداز مدتی شنیدم که او به زیرِ زمین رفته و ناپدید شده است. همه‌جا دنبالش گشتم و نتوانستم پیدایش کنم.

یک روز با بچه‌ها در لا پرگولا پشت رستوران نشسته بودیم و ورق بازی می‌کردیم که ناگهان دیدم شخصی وارد شد. او به‌سمتِ من نگاه کرد و دیدم که آشناست ـ اما او من را شناخت و برگشت که ازآنجا برود. در آن لحظه متوجه شدم که او همان مرد یوگسلاوی بود که با زیرسیگاری به سرم کوبید.

سرِ فرانکو پیشخدمت درشت‌اندام فریاد زدم تا جلوی او را بگیرد ـ فرانکو دست‌هایش را باز کرد و اجازه نداد آن مرد برود تا اینکه به او رسیدم و شروع کردم به مشت زدن به صورت او. زیرسیگاری کریستالی روی میز کناری‌ام را برداشتم و به سرش کوبیدم. تمام صورتش بریده و خونی بود. او دوباره به زیرِ زمین رفت و مدتی ناپدید شد.

پس‌از آن، او شروع به ارسال پیام‌هایی برای من کرد که می‌خواهد جبران کند. می‌ترسیدم نکند دارد برایم دام پهن می‌کند، پس نپذیرفتم. او به ارسال پیام ادامه داد و اصرار داشت که عذرخواهی کند.

بالاخره حاضر شدم با او ملاقات کنم. قرار ملاقات را در لا پرگولا گذاشتیم. به او گفتم تنها بیاید. من با موشه که وقتی آن مرد من را زخمی کرد همراهم در بار بود و صاحبِ باری که او در آن از آن دختر دزدی کرده بود رفتم. او عذرخواهی کرد و همه‌چیز با صلح و صفا پیش رفت.

کسب‌وکار من به رونق خود ادامه داد و وقتی فروشگاه دیگری در طبقهٔ پایین موجود شد، آن را اجاره کردم و به یک بوتیک زنانه تبدیل کردم. این سومین فروشگاه من بود. آنجا هم کارم عالی بود.

یک ماشین اسپورت جدید خریدم تا با ماشین تصادفی جایگزین کنم و تصمیم گرفتم سفری به اسرائیل داشته باشم. ماشین را پر از هدیه کردم. از طریق آلمان به ایتالیا رفتم و از آنجا سوار کشتی شدم که به بندر حیفا می‌رفت. سال ۱۹۷۱ بود.

در مسیر آلمان به ایتالیا از گشت‌وگذار در مکان‌های مختلف لذت بردم و حسابی خوش گذراندم. ماشینم در ایتالیا تقریباً دزدیده شد. ایستادم تا از کسی بپرسم چطوری به بندر بروم و او از من خواست که از ماشین پیاده شوم تا بتواند من را راهنمایی کند. وقتی پیاده شدم دیدم یکی دیگر دارد به‌سمتِ ماشینم می‌آید و انگار می‌خواست بپرد داخل و سوار آن شود. سریع سوار ماشینم شدم و از آنجا دور شدم.

موفق شدم به بندر برسم. احساس خیلی خوبی داشتم. با ماشین سوار کشتی شدم.

وقتی سوار شدم شروع کردم به ارتباط گرفتن با مردم. خیلی از ملوان‌ها خوشم آمد. وقتی به مارسِی رسیدیم من را با خودشان به یک رستوران دریایی بردند.

الکس و همسرش هم با من در کشتی بودند. ما در کشتی چندین بار همدیگر را دیدیم. وقتی کشتی در بندری در یونان توقف کرد، باهم به یک رستوران دریایی رفتیم.

سوار بر کشتی به همراه الکس.

فصل ۶۴

اولین سفر به اسرائیل

به حیفا رسیدیم. با ماشین از کشتی پیاده شدم و اولین توقفم در خانهٔ خاله شوشانا و شوهرش عَمرام بود. آن‌ها حتی قبل از رفتن من به آلمان به اسرائیل مهاجرت کرده بودند و در مسکن مهاجران در جنوب نِتانیا زندگی می‌کردند. عَمرام در جلا دادن الماس مشغول به کار بود. وقتی‌که می‌خواستم اسرائیل را ترک کنم، او یکی از کسانی بود که باور نداشت من بتوانم از پسِ زندگی در خارج از کشور بربیایم. او همان عمویی بود که در دوران کودکی در ایران با نجات من از دست پلیس به من کمک کرده بود.

به‌سمتِ خانه‌شان راندم تا غافلگیرشان کنم. عَمرام سر کار بود. این بود که با دخترش به محل کار او رفتم. او از ماشین پیاده شد و درحالی‌که من در ماشین منتظر بودم به محل کار عَمرام رفت. به‌محض اینکه عَمرام از ساختمان بیرون آمد، به‌سمتِ او رفتم، ایستادم و یادداشتی را از پنجره به او دادم که نشانی خانه‌اش در آن بود. از او پرسیدم چگونه می‌توانم به آنجا بروم. چند ثانیه طول کشید تا متوجه شد آدرس خودش است. به داخل ماشین خم شد و گفت: «ز، خودتی؟» سوار ماشین شد و به‌سمتِ خانه‌اش رفتیم.

چند روزی با آن‌ها بودم و ازآنجا برای ملاقات خواهرم شارونا به تل آویو رفتم. کلِ خانواده‌اش را دیدم. او هنوز در یک خانهٔ محقر در محلهٔ «حلبی‌ها» زندگی می‌کرد. مَتی[1]، پسرِ خاله‌ام توران که در محلهٔ هاتیکوا زندگی می‌کرد، در سفری به دور اسرائیل به من پیوست. باهم زمین را شخم زدیم و حسابی خوش گذشت. به لطف ماشین من و به لطف این واقعیت که فهمیدند من یک پسر محلی نیستم، موفق شدیم دختران زیادی را سوار کنیم.

هیچ‌وقت نفهمیدم دخترها در من چه می‌دیدند. هیچ‌وقت فکر نمی‌کردم ظاهر خوبی

1. Mati.

داشته باشم. لاغر بودم و موهای بلندی داشتم. در آن سال‌ها، دههٔ هفتاد، دورانِ هیپی‌ها بود. همهٔ آن‌ها موهای بلندی داشتند. حالا که به عکس‌های آن دوره نگاه می‌کنم، می‌بینم که خیلی خوش‌تیپ بودم.

آقای ز با پنینا در سفرش به اسرائیل، ۱۹۷۱.

ما با دو دختر به نام‌های پنینا[1] و ژیزل[2] آشنا شدیم که به ما پیوستند. یک روز عصر آن‌ها را به دریای جلیل بردیم و چادری برپا کردیم.
پنینا با من بود و ژیزل با مَتی.
مَتی خیلی دوست داشت با ژیزل بخوابد. او نپذیرفت و مَتی از این موضوع بسیار ناامید شد. پنینا هم نمی‌خواست با من بخوابد. هر دو دختر می‌خواستند باکرگی خود را حفظ کنند. وقتی من شهوتی می‌شدم، پنینا به من کمک می‌کرد تا ارضا شوم.

---

1. Pnina.
2. Giselle.

بار دیگر باهم به دریای جلیلی رفتیم، یک پتو برده بودیم. من با پنینا رفتم و او من را ارضا کرد و وقتی برگشتیم دیدم که ژیزل دارد با شیطنت به من نگاه می‌کند.

پنینا متوجه شد که چه خبر است و به من گفت که مشکلی ندارد که من با ژیزل بخوابم. من احساس کردم که او در تشویق من به این کار جدی است.

در کمال حماقت، رفتم با ژیزل خوابیدم. یادم می‌آید که در آن لحظه واقعاً از پنینا ممنون بودم. اما نگران هم بودم که مبادا احساسات او را جریحه‌دار کرده باشم. از این کار پشیمان شدم، چون احساس می‌کردم او یک دختر خاص است. وقتی سفر تمام شد، او برای من هدیه‌ای آورد که تا امروز نگه داشته‌ام. یک گردنبند بود که یک ستاره داوود درون یک دایره داشت. در گوشه‌های ستاره داوود، سنگ‌های یاقوت قرمز زیبایی تعبیه شده بود. در پشت آن تاریخ اولین قرارِ ما و اسم من حک شده بود.

❋ ❋ ❋

زمانی که در اسرائیل بودم، دنبال حشیش بودم که بکشم. با مردی به یافا رفتم که من را برای خرید جنس برد. با ماشین من به آنجا رفتیم. داخل ماشین نشستیم و منتظر کسی بودیم که از او حشیش بخریم و یک افسر پلیس از کنارمان رد شد. مردی که با او بودم سریع رفت و جنس را برایم آورد و ما ازآنجا دور شدیم.

وقتی مجبور شدم به آلمان برگردم، به بندر حیفا رسیدم و وسیلهٔ نقلیه‌ام را به گمرک بردم. نوبت من که شد مأموران گمرک خودرو را به کناری بردند و آن را کاملاً باز کردند. معلوم بود دنبال چیزی می‌گشتند. متوجه شدم که در همان روزی که در یافا مواد مخدر خریدم، پلیس من را تعقیب کرده بود چون مطمئن بودند که من داشتم مواد مخدر به آلمان قاچاق می‌کردم، کاری که خیلی از اسرائیلی‌ها انجام می‌دادند. وقتی دیدند من قاچاقچی نیستم، ماشین را سر هم کردند و روی کشتی گذاشتند.

دختر زیبایی در کشتی بود که به من نگاه می‌کرد. موقع شام دوباره با او برخورد کردم و شروع کردیم به صحبت کردن. او زیر ۱۷ سال و من ۲۳ سال داشتم.

شروع کردیم به نزدیک شدن. دیدم که او هم علاقه‌مند است، اما جایی نبود که بتوانیم تنها باشیم. من با یک هم‌اتاقی در یک کابین بودم و او با پدرومادرش در یک اتاق بود.

من با خدمهٔ کشتی رفیق شدم و از یکی از آن‌ها خواستم از کابینش استفاده کنم. با آن دختر به آنجا رفتیم و شروع کردیم به عشق‌بازی. ناگهان صدای بلندی را درست کنار خود شنیدیم. وقتی به بالا نگاه کردیم، سوراخ‌هایی را در دیوار دیدیم. معلوم شد که یکی از پرسنل امنیتی در حال تمیز کردن تفنگ یوزی خود بوده و چندین گلوله شلیک شده. اگر خدا از ما

محافظت نکرده بود، ممکن بود در جا کشته شویم.

آقای ز با یک دختر زیبای اسرائیلی روی عرشهٔ کشتی.

آقای ز سوار بر کشتی در مسیر بازگشت به آلمان، ۱۹۷۱

تمام روزها در آن کشتی را باهم بودیم. او می‌دانست که من در آلمان کسب‌وکار و فروشگاه دارم.

او آدرس من را گرفت و وقتی با پدرومادرش در اروپا سفر کرد، از هرکجا که می‌رفتند برایم نامه می‌فرستاد. من به عبری نوشتن را بلد نبودم. درست است که به چهار زبان صحبت می‌کردم، اما نمی‌توانستم به هیچ‌یک از آن‌ها خوب بخوانم و بنویسم. بنابراین از حیّم می‌خواستم که نامه‌های من برای او را بنویسد.

یک روز، آن دختر نوشت که چقدر از سبک نوشتن من که حیّم برایم انجام می‌داد خوشش می‌آید. تا اینکه به او توضیح دادم که من فقط صحبت می‌کنم و حیّم می‌نویسد. در نامه‌هایش مدام به من می‌گفت که چقدر عاشق من است. پس‌از اینکه با پدرومادرش به اسرائیل برگشت، در برلین با من تماس می‌گرفت. و در یکی دیگر از سفرهایم به اسرائیل، او را دیدم و به هتلی در نتانیا بردم. ما در آنجا خیلی سریع مشغول شدیم. او از من خیلی کوچک‌تر بود و من احساس می‌کردم که این کار درست نیست. من از خوابیدن با او معذب بودم.

فصل ۶۵

مادر به دیدنم می‌آید

دراین‌بین کسب‌وکار خوب پیش می‌رفت و می‌خواستم مادرم را برای دیدار از ایران بیاورم. برایش مدارک و اجازه اقامت گرفتم. من قصد داشتم او را با هواپیما به سوئیس ببرم، ازآنجا سوار ماشین جدیدی که خریدم بکنم و از طریق سوئیس به آلمان برویم.

به فرودگاه رفتم که سوارش کنم. به آنجا رسیدم و منتظر ماندم، اما او را ندیدم. با ایران تماس گرفتم تا بفهمم سوار هواپیما شده یا نه، و آن‌ها گفتند که سوار شده. به سالن پروازهای ورودی برگشتم و دیدم دو پلیس او را همراهی می‌کنند. معلوم شد که اسم من را در اعلان عمومی صدا کرده بودند و من آن را نشنیده بودم. مسئله این بود که او ویزا برای سوئیس نداشت. من از قبل برای او یک ویزای آلمان ترتیب داده بودم ـ اما بلیت هواپیما به سوئیس را خریده بودم و او ویزای سوئیس نداشت. موفق شدم همان‌جا برایش ویزا بگیرم و ازآنجا حرکت کردیم.

در راه به جایی رسیدیم که جاده بسیار باریک و در لبهٔ صخره بود. مه سنگینی وجود داشت و من نمی‌توانستم چیزی ببینم، این بود که ماشین را نگه داشتم، چراغ‌های خطر چشمک‌زن را روشن کردم و امیدوار بودم ماشینی نیاید. خوشبختانه مامان خواب بود و هیچ‌کدام از این چیزها را ندید.

وقتی به آلمان رسیدیم، در آپارتمانم در خیابان بینگر، که یک آپارتمان قدیمی بود، میزبان مادرم بودم. سیا قبلاً رفته بود و فقط من و نورما آنجا زندگی می‌کردیم. زمستان سردی بود. خانه باید با بخاری زغالی گرم می‌شد و نمی‌شد جایی رفت. مامان یک ماه پیش من بود و خیلی حوصله‌اش سر رفته بود. پس‌از پایان این سفر به ایران بازگشت.

فصل ۶۶

نورما باردار است

یک روز، در سال ۱۹۷۳، نورما به من گفت که باردار است. وقتی به من گفت، سه‌ماهه باردار بود. من از دست او عصبانی بودم که زودتر ـ به‌محض اینکه فهمید ـ به من نگفته بود.

فکر می‌کنم که او از عمد دیر به من گفت. ما به سقط‌جنین فکر کردیم، اما من در مورد آن احساس خوبی نداشتم. به مادرم زنگ زدم و با او مشورت کردم. او به من گفت که باید بارداری را ادامه دهیم. به یاد دارم که بدن نورما در ماه ششم ظاهر شگفت‌انگیزی پیدا کرد. او گرد شد و بدنش بسیار زنانه شد.

من و نورما تصمیم گرفتیم با چند دوست به تعطیلات در یوگسلاوی برویم. سه زوج دیگر با ما بودند و یک مردِ هم‌جنس‌گرا که یک بارِ معروف در خیابان اوهلند اِستراسه[1] داشت. یک مرد چاق و آلمانی هم بود که ما به او «پورکی»[2] می‌گفتیم چون شبیه خوک بود. او از خانواده‌ای ثروتمند بود و دوست داشت اوقات خوشی داشته باشد و پول خرج کند و تمام مکان‌های به‌دردبخور شهر را می‌شناخت.

در یوگسلاوی، یک قایق سرپوشیده کرایه کردیم و پورکی آن را هدایت می‌کرد. ما در ساحل نشانه می‌گذاشتیم که بدانیم از کجا به راه افتاده‌ایم و شروع کردیم به دور شدن از ساحل. ناگهان هوا تغییر کرد، توفان شد و ما راهمان را گم کردیم. همه وحشت کردیم و نورما تقریباً کاملاً کنترل خودش را از دست داد. سرانجام پورکی راه بازگشت را پیدا کرد و همه ما نفس راحتی کشیدیم.

1. Uhlandstrasse.
2. Porky.

یک روز، هم‌جنس‌بازی که در سفر با ما بود، مست شد و از نورما خواست که اجازه دهد من را برای یک شب همراهی کند. من خندیدم و از او پرسیدم که آیا نظر من در این مورد مهم نیست؟ او به من گفت نگران نباش؛ او توانست من را متقاعد کند ...

بارداری نورما همچنان ادامه داشت. داشتم به یک مکان جدید برای زندگی خودمان فکر می‌کردم. به منطقه‌ای که ویلاهای آلمانی بود رفتم و یکی اجاره کردم. درختان سیب در حیاط پر از میوه بودند. آن‌ها را به دوستان دادیم و مقداری را در انبار ذخیره کردیم.

در این مدت شب‌ها زیاد بیرون می‌رفتم و نورما در خانه تنها می‌ماند. او معمولاً مخالفت نمی‌کرد. فکر می‌کنم به خاطر فضای عمومی و ماهیت رابطهٔ ما بود که بر اساس نیاز او به من بود. من به او کمک کرده بودم که از وضعیت خود خارج شود. او به من نیاز داشت، بنابراین احتمالاً ترجیح می‌داد ساکت بماند و بی‌خیالِ بعضی مسائل شود. حالا با نگاهی به گذشته می‌فهمم که سکوت او نشان‌دهنده این نبود که با این وضعیت کنار آمده و در طول این سال‌ها، خشم زیادی نسبت به من در خود جمع کرده بود.

یک روز، یک فروشگاه دیگر در طبقهٔ دوم مرکز خرید خالی شد و من با خوش‌حالی فرصت را غنیمت شمردم و آن را اجاره کردم. در آنجا یک بوتیک مردانه باز کردم. لباس‌ها را از پاریس و لندن وارد می‌کردم. این چهارمین فروشگاه من بود.

من لباس‌هایی را می‌آوردم که به سبکی خاص طراحی شده بودند، پیراهن‌های ساتن با یقه‌های بلند و کت‌های خاص که جذب بدن بودند. من بوتیک را به سبک خاصی ساختم و طراحی کردم. سقف از چوب طبیعی ساخته شده بود. روی دیوارها توری بود و داخلش تکه‌های چوب و برگ‌های خشک بود. در وسط فروشگاه، یک فواره با صندلی‌های سبزرنگ دورِ آن، روی فرشی سبز قرار داشت.

یک روز به دیدن یکی از فروشنده‌هایی که در مغازه داشتم رفتم. او یک هیپی واقعی بود، قدبلند با موهای بلند. او من را به خانه‌اش دعوت کرد تا در آنجا کمی حشیش بکشیم. دو نفر از دوستان دیگرش هم آنجا بودند و یک دوست‌دختر به نام آنجلیکا[1]، دختری لاغراندام، بانمک، واقعاً زیبا و ریزه‌میزه. آن فروشنده تمام مدت با او تحقیرآمیز رفتار می‌کرد.

من واقعاً بالا رفتم و احساس کردم به کمی هوا نیاز دارم. بیرونِ آپارتمانش رفتم، روی یک دیوار کم‌ارتفاع نشستم و ناگهان آنجلیکا آمد و کنار من نشست. حالم را پرسید، برایم آب آورد، صورتم را نوازش کرد و دستش را روی پایم گذاشت. وقتی این کار را کرد، مورمورم شد.

---

1. Angelica.

چند هفته بعد او زنگ زد. «می‌تونم چند دقیقه بیام ببینمت؟» فکر کردم یک اتفاق مهم افتاده. به او گفتم: «باشه، بیا.» او به ویلا آمد. یادم نیست نورما آن شب کجا بود. آنجلیکا آمد، روی کاناپه نشستیم و او شروع کرد به بیانِ مشکلاتی که با دوست‌پسرش یورگن[1]، کارمند من داشت. کم‌کم داشتم متوجه می‌شدم که او با این داستان می‌خواهد به کجا برسد.

ناگهان دستش را روی پایم گذاشت. شروع کرد به لمس کردن من، این بود که من دست‌هایم را روی دست او گذاشتم. همدیگر را بوسیدیم. من هیجانی شدم و او بلافاصله آن را حس کرد، شلوارش را درآورد و روی پای من نشست. آنجلیکا دختری لاغراندام و زیبا بود. سکسی سریع داشتیم. او خوش‌حال بود، بلند شد و رفت. از علاقهٔ او به خودم شگفت‌زده شده بودم. من تقریباً احساس می‌کردم که او داشت به من تجاوز می‌کرد چون من تماس را شروع نکرده بودم. من ۲۱ ساله بودم.

اتفاقاً چهار سال بعد دوباره با من تماس گرفت و به آپارتمان من آمد. من در آن زمان در یک پنت‌هاوس زندگی می‌کردم و از همسرم هم جدا شده بودم. سکسی عالی برقرار کردیم.

---

1. Jurgen.

فصل ۶۷

مَتی، یعقوب تُرکه و ماجراجویی‌های دیگر

بعداز اینکه از سفرم به اسرائیل برگشتم، پسرخاله‌ام مَتی تماس گرفت و پرسید که آیا می‌تواند به آلمان بیاید و پیش من بماند. او تازه سربازی‌اش تمام شده بود و دنبال کار بود. من در آن زمان در یک ویلا زندگی می‌کردم، اما آپارتمان قبلی خود را در خیابان بینگر را هم نگه داشته بودم و به دوستانم اجازه می‌دادم در صورت نیاز در آنجا بمانند. وقتی مَتی آمد، اجازه دادم آنجا زندگی کند.

او شروع کرد به یادگیری زبان آلمانی و من او را به‌عنوان کارگر استخدام کردم تا اینکه به‌اندازهٔ کافی آماده شد و من او را به همراه دو نفر دیگر که آلمانی بودند فروشنده کردم.

سومین فروشگاه در مرکز خرید به‌اندازهٔ کافی سود نمی‌داد. بیشترِ پول از فروشگاه شلوار جین بود. بعداز مدتی مغازهٔ دیگری در طبقهٔ اول خالی شد. من آن را اجاره کردم و به فروشگاهی برای پوشاک مردانه و کت‌وشلوارهای لوکس تبدیل کردم. این پنجمین فروشگاه من بود.

در میان افرادی که در لا پرگولا دیدم، یکی بود به نام یعقوب با نام مستعار «یعقوب تُرکه». من و مَتی با او دوست بودیم و در هر فرصتی بیرون می‌رفتیم و باهم وقت می‌گذراندیم.

ما مثل سه تفنگدار، تفریح و ماجراجویی زیادی داشتیم. همیشه باهم بودیم و خوش می‌گذراندیم. آن‌ها از بیشتر کارهایی که من انجام می‌دادم خبر نداشتند، فقط بعضی از آن‌ها را می‌دانستند. وقتی یعقوب به خانه من می‌آمد، مَتی کوبه عراقی یا ماکارونی می‌پخت و ما می‌نشستیم و غذا می‌خوردیم. یک بار دختری را به آپارتمان آوردیم و هر سه‌نفری با او خوابیدیم.

یک شب در بارها، با دختری آشنا شدم که به من علاقه داشت، اما او از نوع موردعلاقهٔ من نبود. به او گفتم که اگر اصرار کند که با من بیاید، پسر دیگری هم خواهد بود و او موافقت کرد. من او را به آپارتمان دعوت کردم، یعقوب آزاد بود و به ما ملحق شد، و هر سه نفر ما با او سکس کردیم. یکی از ما همه‌چیز را با یک دوربین فیلم‌برداری سوپر ۸ جدید که از یکی از دوستانم خریده بودم فیلم‌برداری کرد، درحالی‌که دو نفر دیگر با دختر بودند ... و بعد جایمان را عوض می‌کردیم. من خیلی دوست داشتم فیلم بسازم و آن‌ها را با موسیقی متن تدوین کنم. از انواع مراسم و مهمانی‌ها هم فیلم می‌گرفتم.

یک روز همین دختر دوباره خواست که به آپارتمان بیاید و وقتی او خواست یک رومیزی پلاستیکی را روی فرش پهن کند، روی آن دراز بکشد و ما روی او ادرار کنیم، بسیار شگفت‌زده شدیم. من از اولین دختری که در هاناو ملاقات کردم، وقتی‌که یک شب کامل را با او گذراندم و آموزش کامل در مورد انواع اعمال جنسی داشتم، در مورد این چیزها یاد گرفته بودم. حالا این دختر روی رومیزی پلاستیکی دراز کشیده بود، یعقوب داشت از آن فیلم می‌گرفت و من و مَتی روبه روی هم ایستادیم و به او ادرار کردیم. جوری لذت می‌برد که انگار شامپاین گران‌قیمتی رویش ریخته می‌شد. خیلی جالب بود. من ۲۲ساله بودم.

یعقوب تُرکه شروع کرد به کار در بارِ یک یهودی لهستانی پیر. او عاشق یکی از خدمتکارهای آنجا شد و شروع کردند به قرار گذاشتن. او متوجه شد که مادربزرگ آن دختر یهودی اهل آلمان شرقی است و تصمیم گرفت با او ازدواج کند. آن‌ها برای ازدواج به اسرائیل رفتند. یعقوب نزد خاخام‌ها رفت، اما آن‌ها مدارک دختر را نپذیرفتند و از خاخام برلین خواستار تأییدیه یهودی بودن دختر شدند.

یعقوب من را نزد خاخام برلین فرستاد تا تأییدیه او را بگیرم. خاخام شروع به سؤال پرسیدن از من کرد و کم‌کم متوجه شدم که او پول می‌خواهد. فهمیدم که اگر به او پول ندهم، اوراق را تأیید نمی‌کند.

این خاخام وِیس دو هزار مارک پول نقد می‌خواست. شروع کردم به بحث و گفتم: «نمی‌تونم پول نقد بدم.» پیشنهاد دادم چکی به او بدهم و به او گفتم که روی چک می‌نویسم «در وجه حامل» تا بتواند پول را نقداً برداشت کند، بدون اینکه ردیابی شود. خاخام موافقت کرد و چک را گرفت.

به‌محض اینکه ازآنجا خارج شدم، به بانک رفتم و به صندوقدار گفتم که اگر کسی برای نقد کردن چک با فلان شماره آمد، آن را نقد نکنید تا زمانی که پشتش اسم کاملش را نوشته

و امضا کند. تا ظهر، خاخام چک را نقد کرده بود.

روز بعد صندوقدار به من گفت که خاخام اصرار داشته که چک را امضا نکند، اما او را مجبور به انجام این کار کرده و او امضا کرده بود.

چک را از بانک گرفتم و پیشِ مدیریت سازمان جوامع یهودی اروپا که در برلین بود رفتم. رئیس جامعه گالینسکی[1] نام داشت. من تمام اتفاقاتی که با خاخام وِیس افتاده بود را برای او تعریف کردم، اما او به‌جای حمایت از من، از خاخام حمایت کرد. همان موقع عضویت خود در انجمن را لغو کردم.

تمام این ماجرا درست پس از آن اتفاق افتاد که من و یعقوب شراکتی یک فروشگاه شلوار جین را در مرکز خرید دیگری افتتاح کردیم. این ششمین فروشگاه من بود و مدیریت آن، وقتی یعقوب در کشور نبود، برایم بسیار سخت بود. منتظر او بودم که از اسرائیل برگردد.

---

1. Galinsky.

فصل ۶۸

یک بچه و دو مراسم ازدواج

نورما در ماه هشتم بارداری‌اش بود و یک روز وقتی حدود ساعت سه صبح به خانه آمدم، متوجه شدیم که کیسه آبش پاره شده. بلافاصله او را به بیمارستان بردم. زایمان انجام شد و یک پسربچه نصیبمان شد.

در آن روزها مرسوم نبود که پدر در اتاق زایمان حضور داشته باشد. مردها را به خانه می‌فرستادند و در روز ترخیص برای بردن مادر و بچه برمی‌گشتند. بچه خیلی بانمک بود و من بلافاصله وابسته‌اش شدم. بچه به اسم همسرِ سابق نورما ثبت شد، چون نورما از فامیلی او استفاده می‌کرد و ما هنوز ازدواج نکرده بودیم. این خیلی من را ناراحت کرد و تصمیم گرفتم در اولین فرصت با نورما ازدواج کنم، بنابراین یک ازدواج محضری را برنامه‌ریزی کردیم.

در روزی که قرار بود مراسم انجام شود، من باید به خاطرِ یک حادثه در دادگاه حاضر می‌شدم ـ یک روز من و مَتی به یک مسابقه ماشین‌سواری رفتیم و ماشین را در یک پارکینگ پارک کردیم. وقتی در ورودی پول پرداخت کردیم، رسید گرفتیم. وقتی می‌خواستیم از پارکینگ بیرون برویم، پسر جوانی نزدیک شد و از من خواست که رسید را به او بدهم. نپذیرفتم و گفتم این رسیدی است که پیشِ خودم نگه می‌دارم. او اصرار داشت که آن را بگیرد، بنابراین از او پرسیدم که آیا می‌خواهد همان جای پارک را دوباره بفروشد؟ او از اینکه من به او مشکوک شده بودم عصبانی شد و به من گفت یهودی کثیف. من همیشه یک پیراهنِ باز با ستاره بزرگ و زیبای داوود که پنینا به من داده بود می‌پوشیدم.

هدیه‌ای که پنینا به آقای ز داد و او
در طول اقامتش در آلمان به‌طرز
مشهودی آن را به گردن می‌انداخت.

بارها به خاطر این ستاره داوود که باافتخار می‌پوشیدم دعوا می‌کردم. از ماشین پیاده شدم و درجا به سرش کوبیدم. بینی‌اش شروع به خون‌ریزی کرد. مَتی به من پیوست. شروع کردم به زدنش با یک چوب بزرگ که یک میخ داخلش گیر کرده بود و در پارکینگ پیدا کردیم. صورت و سر او را با آن زخمی و خونین کردم.

پلیس از راه رسید و من و مَتی که هنوز داشتیم او را کتک می‌زدیم را از او جدا کرد. بعداز مدتی آمبولانس آمد و او را به بیمارستان رساندند. البته دیدند که ما هم زخمی شدیم، اما وقتی خارجی‌ها درگیر چیزی می‌شدند، پلیس همیشه ترجیح می‌داد آن‌ها را مقصر بداند. ما دستگیر شدیم. دو روز در بازداشت بودیم و تا روز دادگاه آزاد نشدیم.

زمان دادگاه در تاریخ عروسی من با نورما تعیین شده بود. وکیلم دولده[1] را به کار گرفتم. اغلب در تاریخ‌های تعیین‌شده در دادگاه حاضر نمی‌شدم، به دلایل مختلف، گاهی به خاطر خودم و گاهی به خاطرِ وکیلم. اما قاضی تعیین‌کنندهٔ تاریخ دادگاه از تغییر آن خودداری کرد. از وکیلم خواستم که تاریخ را به دلیل ازدواجم در آن روز جابه‌جا کند و او به من توصیه کرد که پیشِ قاضی بروم و درخواست خود را شخصاً به او تقدیم کنم.

روز قبل از دادگاه، به دفتر قاضی رفتم و اجازه خواستم با او صحبت کنم. توضیح دادم که فردای آن روز قرار است ازدواج کنم و از او درخواست کردم که دادگاه را به تعویق بیندازند. قاضی فهمید که عروسی بعدازظهر است و به من گفت که می‌توانم بلافاصله بعداز عروسی به دادگاه بیایم. موافق نبودم، با او بحث کردم که اگر بخواهم این کار را انجام دهم باید خیلی سریع رانندگی کنم تا به دادگاه برسم و اگر تصادفی پیش بیاید، تقصیر او

---

1. Doldeh.

خواهد بود. سرانجام موافقت کرد که دادگاه به تاریخ دیگری موکول شود...

پس از عقد محضری در برلین، متوجه شدیم که نورما یک مادربزرگ یهودی دارد، اما نه او و نه مادرش به‌عنوان یهودی زندگی نکرده بودند. سازمان یهودی در برلین شرایط را برای من توضیح داد. ازآنجایی‌که آن‌ها چندین نسل به‌عنوان یهودی زندگی نکرده بودند، نورما باید سریعاً تغییر دین می‌داد. من متوجه شدم که افراد زیادی این وضعیت را دارند (یعقوب ترکه هم همین روند را طی کرد). نورما از طریق سازمان یهودی شروع به مطالعهٔ یهودیت کرد و آن‌ها به او یک گواهی دال بر یهودی بودنش دادند. در عرض یک سال باهم ـ من، نورما و پسر کوچکمان ـ به اسرائیل سفر کردیم تا در آنجا با خانواده و دوستان جشن عروسی بگیریم.

وقتی رسیدیم، پیش خاخام ثبت‌نام کردیم، خاخام‌ها مدارکی را که از سازمان یهودی در برلین دریافت کرده بودیم، خواستند. آن‌ها از قبولِ آنچه ما داشتیم خودداری کردند. خاخام برلینی که این سند را امضا کرده بود برای آن‌ها قابل‌قبول نبود. آن‌ها نورما را نزد یک خاخام فرستادند و او آنچه نورما دربارهٔ یهودیت می‌دانست را بررسی کرد و اطلاعاتی که نداشت را تکمیل کرد. به همین دلیل ما سه ماه در اسرائیل گیر کرده بودیم. بالاخره از خاخام‌ها اجازه ازدواج گرفتیم.

آقای ز و همسرِ مرحومش نورا و پسرشان در جشن عروسی.

در آن سفر، من پیش خواهر بزرگ‌ترم در هولون زندگی می‌کردم. یک سالن برای عروسی به نام اولامی آرگامان[1]، نزدیک به آپارتمان خواهرم رزرو کردم. روز عروسی ماشین شوهرخواهرم را تزئین کردیم و به‌سمتِ مراسم حرکت کردیم. من از تمام خانواده‌ام، از

---

1. Oolamay Argaman.

طرف مادری و پدری و بسیاری از دوستانم مهمان داشتم.

❋❋❋

عروسی شگفت‌انگیزی بود. نورما شبیه عروسک چینی شده بود، خیلی زیبا بود. برایش لباس عروسی دوختند و آرایش داشت و موهایش را درست کرده بودند. باورنکردنی بود که چقدر خوب به نظر می‌رسید. پسرمان هم که حدود یک سال و نیم داشت آنجا بود. این فوق‌العاده بود که ما ازدواج کردیم درحالی‌که فرزندمان در عکس‌ها کنارمان بود. و وقتی گروه موسیقی که استخدام کرده بودم از راه رسیدند، معلوم شد که یکی از اعضای آن در آموزش مقدماتی ارتش با من بوده است!

ما سه ماه در اسرائیل بودیم و بعد به برلین برگشتیم. من همیشه به تعطیلات طولانی می‌رفتم. واقعاً برایم مهم نبود که در کسب‌وکارم چه می‌گذرد. در مقایسه با سایر اسرائیلی‌هایی که بعداز من فروشگاه‌های شلوار جین باز کردند و هر روز به صندوق پول می‌چسبیدند، من همیشه تجارت را چیزی می‌دانستم که باید در خدمتم باشد. به نظر من، آن‌ها مثل برده‌های تجارت بودند.

یک مردِ اسرائیلی بود که افسر ارتش اسرائیل بود و با همسرش به برلین آمد و او هم یک فروشگاه شلوار جین باز کرد. او صندوق را ترک نمی‌کرد، حتی اگر لازم بود به دست‌شویی برود. منتظر می‌ماند تا همسرش بیاید جای او را بگیرد و تنها در آن صورت آنجا را ترک می‌کرد.

پس‌از من، بسیاری از اسرائیلی‌ها در برلین موفقیت من را دیدند و شروع به افتتاح بوتیک‌های شلوار جین کردند.

در دادگاهِ به‌تعویق‌افتاده، دادستان شاهدانی را آورد که مدعی بودند ضرب‌وشتم را در پارکینگ دیده‌اند. آن‌ها در جایگاه شاهد قرار گرفتند و علیه من و مَتی شهادت دادند. وقتی نوبت وکیل من بود که از شاهدان بازجویی کند، این کار را به‌قدری خوب انجام داد که آن‌ها گیج شدند و پاسخ‌های متناقضی دادند. دولده بسیار حرفه‌ای بود و در همهٔ پرونده‌ها موفق می‌شد. او از دختری سؤال کرد که شاهد اصلی دادگاه بود و آن‌قدر خوب او را بازجویی کرد که استرس گرفت و شروع کرد به گریه.

درنهایت نتوانستند ثابت کنند که کدام‌یک از متهمان ـ من یا مَتی ـ با چوب به آن مرد ضربه زده‌ایم. اتفاقاً در طول دادگاه عکس‌هایی از آن مرد آوردند تا جراحات شدیدی که از ضرب‌وشتم متحمل شده بود را نشان دهند و یادم می‌آید باورم نمی‌شد که من با او این کار را کرده باشم. این حس را بارها تجربه کرده‌ام، اما همیشه می‌دانستم که وقتی این کارها را

می‌کردم، از روی دفاع از خود و برای عدالت بوده است. من به خاطر حس عدالت‌خواهی زیادم معروف بودم.

چند سال بعد از یک فروشگاه بسیار بزرگ در برلین کفش خریدم. وقتی به خانه رسیدم متوجه شدم که آن‌ها معیوب هستند و برای بازگرداندن آن‌ها به مغازه برگشتم. مدیر از پس دادن پولم امتناع کرد. مطمئن بودم دلیلش این بود که من یک "آوسلندر" (خارجی) بودم ... و ستاره داوود دور گردنم می‌انداختم.

شروع کردم به داد کشیدن بر سر او و قیل‌وقال کردن و او با پلیس تماس گرفت. وقتی داشتم مغازه را ترک می‌کردم، تمام کفش‌هایی که در ویترین بودند را انداختم پایین. ناگهان دو پلیس تندمزاج مقابلم ظاهر شدند.

توضیح دادم که چه اتفاقی افتاده، اما پلیس‌ها نسخهٔ مدیر فروشگاه را باور کرد، دستبندها را بیرون آوردند و به من دستبند زدند. یادم می‌آید که یکی از آن‌ها آن‌قدر محکم به من دستبند زد که پوست مچ دستم را برید.

من را سوار ماشین گشت کردند و به کلانتری بردند. بعداز بررسی مدارکم دیدند همه‌چیز مرتب است. علیه من پرونده‌ای تشکیل شد و چون دیدند آدرس محل سکونت دارم، من را آزاد کردند و برای دادگاه وقت تعیین کردند.

من به لطف دولده از آن دادگاه تبرئه بیرون آمدم.

وقتی به کلانتری رسیدم و من را داخل سلول کردند، دیدم یکی از پلیس‌های کلانتری همان مردی است که در آن حادثه‌ای بود که با چوبی که در آن میخ بود او را زدم. واقعاً عصبی شدم. می‌ترسیدم به من حمله کند، بنابراین فکر کردم چطور می‌توانم از خودم دفاع کنم. فکر کردم اگر بخواهد به من حمله کند، دستگیره در را می‌شکنم و با آن او را می‌زنم. اما او طوری رفتار کرد که انگار من را نمی‌شناسد. یا می‌ترسید، یا می‌خواست از هرگونه اتفاق ناخوشایندی جلوگیری کند. و هیچ اتفاقی نیفتاد.

وقتی پسرم به دنیا آمد، زندگی من تغییر کرد و در هر تصمیمی که می‌گرفتم محتاط بودم. زندگی‌ام را وقف پسرم کردم. خیلی به او وابسته بودم و دوستش داشتم و همیشه شب‌ها برای مراقبت از او بیدار می‌شدم.

نورما تا حدودی با اولین فرزندش از ازدواج قبلی‌اش که پیشِ مادر نورما بزرگ شده بود در ارتباط بود. وقتی ازدواج کردیم، می‌خواستیم او با ما زندگی کند، اما مادرش قبول نکرد. او می‌خواست آن پسر را نگه دارد. علاوه بر این، او رفت و به مقامات مالیاتی گزارش داد که تجارت به نام نورما است و به نام من نیست و من باید برای آن به دادگاه مراجعه کنم. این

ماجرا در ابتدای قصهٔ من با فروشگاه‌ها بود، یک سال بعداز تولد پسرم.

زمانی حیّم به آلمان برگشت، با یکی دیگر از اعضای خانواده‌اش به نام گیل[1] آمد که او نیز در آپارتمان در خیابان بینگر به ما پیوست. در آن زمان، حیّم به من پول بدهکار بود، چون به او کمک کرده بودم کسب‌وکاری راه بیندازد. او امتیاز یک پیتزافروشی در داخلِ رستوران وین قدیم را گرفت و مغازه را اداره می‌کرد.

یک روز این خویشاوند حیّم آمد و به من گفت که حیّم دارد برای من زیرورو می‌کشد و پشت سرِ من کلی چیز بد گفته و نمی‌خواهد پول من را پس بدهد. واقعاً عصبانی شدم. به پیتزافروشی حیّم رفتم و جلوی همه شروع کردم به دادوفریاد بر سرِ او.

حیّم التماس کرد که بس کنم. از او خواستم که به من بگوید که آیا این حرف‌ها را زده یا نه. ازآنجایی‌که جواب نداد، عصبانی‌تر شدم. چاقویی برداشتم و شروع کردم به دنبال کردنش. مدیر رستوران وین قدیم می‌خواست به پلیس زنگ بزند. به او اخطار کردم که این کار را نکند و ناگهان حیّم چنان نگاه حاکی از شرمندگی به من کرد که در جا خشکم زدم. فهمیدم که چقدر دارم تحقیرش می‌کنم. آن‌قدر برای کاری که کرده بودم متأسف شدم که بلند شدم و محل را ترک کردم. باهم صحبت کردیم و دوباره دوست شدیم.

حیّم بعداً یک دوست‌دختر پیدا کرد و آن‌ها به هانوفر[2] نقل‌مکان کردند و بالاخره ازدواج کردند و صاحب یک دختر شدند.

---

1. Gil.
2. Hanover.

فصل ۶۹

پروژهٔ ''فلیکر''[1]

در دوره‌ای که تمامِ بوتیک‌ها را داشتم، همچنان اوقات خود را صرف زندگی شبانه می‌کردم... و هر کسب‌وکار جدیدی که دوست داشتم را امتحان می‌کردم. در حدود سال ۱۹۷۵، در یکی از سفرهایم به اسرائیل، در نزدیکی ساختمان «معاریو[2]»، یک دیوار کامل ـ که بسیار بزرگ بود ـ را پوشیده از یک تبلیغ نورانی دیدم. تصویرِ سرازیر شدنِ آبمیوه از یک بطری به داخل یک لیوان بود، و همه این‌ها بدون برق. هیجان‌زده شدم و تصمیم گرفتم شرکتی که آن را ساخته و با آن کار می‌کند را پیدا کنم. آن‌ها را پیدا کردم و دیدم که موضوع ساده‌ای است: فقط یک تخته مربع با ۱۲ مکعب کوچک که به‌صورت طولی و افقی به آن متصل شده‌اند. هر مکعب یک میخ داشت، چیزی به نام "فلیکر"، قطعات گرد کوچک پلاستیکی به قطر ۲٫۵ سانتی‌متر در انواع رنگ‌ها روی میخ قرار می‌گرفت. پلاستیک‌ها را به یک میخ روی تخته فشار می‌دادی. یک نقاشی روی کاغذ رنگی وجود دارد که تمام مکعب‌ها و اعداد روی آن است و آن را به بچه‌ها می‌دهید که می‌نشینند و هر مکعب شماره‌گذاری شده را بر طبق رنگ آن روی دیوار می‌گذارند. شبیه یک پازل است که از قبل آن را بلدند و همه قطعات را به هم متصل می‌کنند. هر صفحه دارای یک عدد ۱ـ۲ـ۳، C_B_A و ... است. بعد آن‌ها را روی تخته‌های چوبی به هم چسبیده سرهم می‌کنی و یک تصویر در هراندازه‌ای که می‌خواهی ایجاد می‌شود. اصل این است که باد این مکعب‌های پلاستیکی کوچک را حرکت می‌دهد و تصویر می‌درخشد. زنده به نظر می‌رسد، مثل یک اثر الکتریکی.

شگفت‌انگیز بود. واقعاً مشتاق شدم. من حق انحصاری آلمان را گرفتم و شروع به توزیع آن

---

1. Flicker.
2. Maariv.

کردم. در برلین چندین تابلو ساختم. من و متّی همه کارها را به‌تنهایی انجام می‌دادیم. از بچه‌ها می‌خواستم پلاستیک‌ها را سرهم کنند، و من و مَتی این مکعب‌های مربعی را روی تخته سرهم می‌کردیم و آن‌ها را در فروشگاه‌ها آویزان می‌کردیم. من عاشقش بودم. من از ماجراجویی در تجارت و نه‌فقط در زندگی، لذت می‌برم. این کار من را هیجان‌زده می‌کند. اگر چیز جدیدی ببینم که توجهم را جلب کند، آن را بررسی می‌کنم، دنبالش می‌روم و در آن موفق می‌شوم.

من با این حق انحصاری به چندین شهر بزرگ آلمان رفتم. در نمایشگاه‌ها شرکت می‌کردم و صفحه‌ای داشتم که در آن فیلمی از آن اثر نمایش داده می‌شد. شگفت‌انگیز بود. یک شبکهٔ تلویزیونی بود که یک مسابقهٔ موسیقی تولید می‌کرد و آن‌ها تمام دیوار بزرگ پشت‌صحنه را از این چیز درست کردند. آن‌ها مواد را خریدند و خودشان این کار را انجام دادند. یک ماجراجویی دیگر.

یکی از تابلوهایی که آقای ز در برلین می‌فروخت و نصب می‌کرد.

وقتی شرکت «بت شیوا» را ترک کردم، قبل از سفر از اسرائیل، با آن‌ها رابطهٔ خوبی را حفظ کردم. وقتی از آلمان به سفری به اسرائیل رفتم، به سراغ آن‌ها رفتم و آثار هنری طراحی روی پارچه آن‌ها را دیدم ـ یک پارچهٔ نازک با یک نقاشی روی آن، پوششی برای دیوار، چیزهایی بسیار زیبا. تعدادی از این‌ها را با خودم به آلمان بردم و سعی کردم آن‌ها را بفروشم، اما بازاری برای آن‌ها پیدا نکردم و از انجام آن دست کشیدم. با امتحان کردن چیزی از دست ندادم.

فصل ۷۰

تست برای فیلم

گیل، پسرعموی حیّم، مردی قدبلند، لاغر و بسیار خوش‌تیپ بود. او در فروشگاه‌های من با من وقت می‌گذراند. یک روز پیش من آمد و گفت: «چطوره بریم پیش یه نمایندگی ثبت‌نام کنیم و برای فیلم تست بدیم؟» من از ماجراجویی خوشم می‌آید، بنابراین گفتم: «باشه، بریم.»

از ما عکس گرفتند. گفتم: «فکر نمی‌کنم ما رو برای بازی در این فیلم قبول کنن.» در عرض یکی دو هفته، از دفتر با من تماس گرفتند و به من گفتند که بروم. من باید نقش یک پسر ایرانی را بازی می‌کردم که درگیر جنگ میان باندهای ایرانی و آلمانی بود. من را انتخاب کردند چون فارسی صحبت می‌کردم. خنده‌دارترین چیز این بود که فیلم در مورد یک پرونده واقعی بود که من افراد مرتبط با آن را می‌شناختم. دربارهٔ ملاقات باندهای آلمانی و ایرانی در بخارست، رستوران بانچو بود.

و این پرونده مبنای اصلی فیلم بود: در آن زمان برخی از کلوپ‌های قمار متعلق به ایرانی‌ها و برخی متعلق به آلمانی‌ها بود و دائماً بین آن‌ها تنش وجود داشت. پس‌از دعوایی بین طرفین، یک جلسه "حل‌وفصل" در رستوران بخارست که متعلق به بانچو بود برگزار شد.

در یکی از درگیری‌های جاری بین این دو باند، در جلسه‌ای که در رستوران بانچو ترتیب داده شد، آلمانی‌ها یک قاتل از فرانکفورت را همراه با باند آلمانی آوردند. او مست بود.

ایرانی‌ها بدون سلاح به جلسه آمدند. حتی قبل از ورود آن‌ها به رستوران، آلمانیِ مست با یک مسلسل به‌سمتِ آن‌ها شلیک کرد. یکی از آن‌ها را کشت و یکی دیگر که بسیار معروف بود، مردی به نام اِدی، به شکمش شلیک شد.

دقیقاً نمی‌دانم چه اتفاقی افتاد. ظاهراً فرد ایرانی به‌سمتِ او رفت و صحبت‌های زننده‌ای کرد و قاتل فرانکفورتی مسلسل را درآورد و شروع به تیراندازی به‌سمتِ آدم‌هایی

کرد که داشتند وارد رستوران می‌شدند. این موضوعِ فیلم بود.

در این فیلم نقش یکی از ایرانی‌ها را بازی کردم که فریاد می‌زند: «داره به ما شلیک می‌کنه!»

یک روز «پیرمرد» از فرانکفورت با من تماس گرفت و گفت فیلمی دیده که در آن یک نفر شبیه من است. پرسید آیا این ممکنه و من به او گفتم بله ... شوکه شد.

آقای ز در نقش یک خبرنگار در یک فیلم تلویزیونی.

آقای ز در نقش یک سرباز فرانسوی در یک فیلم تلویزیونی

بعد برای نقش یک سرباز فرانسوی سال ۱۸۰۰ تست دادم. در فیلم، صحنه‌ای در قصری در آلمان بود که گروهی از سربازان به آن حمله می‌کنند و یکی از سربازان به شاهزاده خانم زندانی در آنجا تجاوز می‌کند.

من یک کلاه خز بلند و یک یونیفرم آبی روشن با راه‌راه قرمز پوشیدم. در صحنهٔ تجاوز مجبور بودم بالای دوربین دراز بکشم و طوری حرکت کنم که انگار دارم به یک دختر تجاوز می‌کنم.

چند بار دیگر برای تست بازیگری برای نقش‌های دیگر دعوت شدم و چند نقش کوچک با لباس‌های تاریخی گرفتم. نقش یک روزنامه‌نگار قرن نوزدهمی را داشتم و یک بار نقش یک دکتر را بازی کردم ـ همه‌اش نقش‌های کوچک. برای من یک تجربه بود. واقعاً از انجام آن لذت بردم.

گیل، پسر خوش‌تیپی که با او به نمایندگی رفتم، برای مدت طولانی نقشی گیرش نیامد، اما بعداز آن به او پیشنهاد شد که نقش یکی از ژیگول‌های مارلِنا دیتریش[1] را ایفا کند، وقتی‌که او خیلی پیر بود. مارلِنا روی یک صندلی نشسته و او با لباس تاکسیدو و پاپیون در کنار او ژست می‌گیرد. در چنین قسمتی به او اجازه بازی در فیلم را دادند. پس‌از آن، او هرگز هیچ نقش دیگری بازی نکرد.

1. Marlena Dietrich

فصل ۷۱

مشکلات در مرکز خرید

در کنار مغازهٔ شلوار جین در زیرزمین مرکز خرید، یک سکس شاپ وجود داشت و در آنجا فیلم‌های پورنو نشان می‌دادند. وقتی حوصله‌ام سر می‌رفت برای تماشای فیلم به آنجا می‌رفتم. با گذشت زمان، مدیر فروشگاه و من باهم دوست شدیم.

یک روز آمد پیش من و گفت: «باور کن اگه یه بار به تو حال بدم، هرگز اجازه نمی‌دی یه دختر بهت دست بزنه.» من شوکه شدم. نمی‌دانستم که او هم‌جنس‌گرا است و پیشنهاد او مرا ترساند. در پاسخ به او گفتم: «امیدوارم که داری شوخی می‌کنی و ازت می‌خوام که دیگه دربارهٔ این چیزها با من صحبت نکنی.» سرخ شد و عذرخواهی کرد.

در زمانی که چهار فروشگاه در مرکز خرید داشتم، یک مدیر تبلیغاتی جدید، یک مردِ هلندی را به مرکز خرید آوردند. هر زمان که به چیزی نیاز داشتم، مانند اضافه کردن یک تابلو، یا هر چیزِ دیگری، او همیشه آنچه من می‌خواستم را تأیید می‌کرد. این من را متعجب می‌کرد که او به این راحتی موافقت می‌کرد، چون مدیر تبلیغاتی که قبل از او در آنجا کار می‌کرد همیشه برای چنین چیزهایی پول می‌خواست و هر طور که می‌توانست کار را برای من سخت می‌کرد.

یک روز همه در رستورانی در خیابان اوهولند نشسته بودیم و ناگهان مدیر هلندی را دیدم. او خیلی مست بود و من او را دعوت کردم تا به ما ملحق شود. با ما نشست و آواز خواند. یک‌لحظه روبه‌روی من نشست و ناگهان دستش را روی دستم گذاشت و به من گفت که مدت زیادی است که عاشق من است. نمی‌توانستم چیزی که شنیده بودم را باور کنم ... معلوم شد که نه‌تنها زنان، بلکه مردان نیز من را می‌خواستند.

نمی‌خواستم او را خجالت‌زده کنم، بنابراین سعی کردم با او با احترام و توجه رفتار کنم. دلم برایش سوخت و بغلش کردم. به او توضیح دادم که هم‌جنس‌گرا نیستم. البته او این را می‌دانست و بنابراین هیچ اقدامی نکرده بود. اما در آن لحظه متوجه شدم که چرا او با من

این‌قدر مهربان بود و در نصب تابلوها به من کمک می‌کرد.

مدیریت در طبقهٔ پنجم مرکز خرید بود. یک روز به مدیریت رفتم، پیش صاحب مرکز خرید که در انتهای راهرو دفتر داشت. وقتی داشتم با او حرف می‌زدم دستم را گرفت و شروع کرد به نوازشش. دستش را پس زدم و ازآنجا رفتم.

یک روز دیگر که به دفتر رفتم، به سراغ منشی رفتم. در حین گفت‌وگویی کوتاه با او، او به من گفت: «مالک اینجا به من گفته که شما هم‌جنس‌گرا هستی.» زدم زیرِ خنده و به او گفتم که چه اتفاقی برای مالک آنجا افتاد. از حرکات بدنش فهمیدم که به من علاقه‌مند است. قرار گذاشتیم آن شب همدیگر را ببینیم. من به آپارتمان او رفتم و باهم سکس کردیم. در همین حین سگش زیرشلواری‌ام را پاره کرد. ازآنجایی‌که ما باهم بودیم، او من را در جریان امور قرار می‌داد. هر وقت که به اطلاعات مربوط به مرکز خرید و مدیریت نیاز داشتم، آن را از او می‌گرفتم.

دختر دیگری بود که در یکی از کلوپ‌ها دیده بودمش و بعداً فهمیدم در دادگاه کیفری کار می‌کند. از فهمیدن این موضوع بسیار خوش‌حال شدم چون می‌دانستم یکجایی به دردم خواهد خورد.

باوجوداینکه با نورما ازدواج کرده بودم و تازه پدر شده بودم، اما سروگوشم زیاد می‌جنبید. در آن زمان در برلین، در جامعه‌ای که من در آن رفت‌وآمد داشتم، اوضاع این‌طور بود. محیط شما را تبدیل به چیزی که هستید می‌کند. علاوه بر آن ـ خودِ نورما هرگز اعتراض نمی‌کرد، هرگز چیزی نمی‌خواست و شکایتی نمی‌کرد. همان‌طور که اشاره کردم، چند سال بعد بود که برایم مشخص شد که او از همه این‌ها رنج می‌برد، اما در آن زمان همه‌چیز را درون خودش نگه می‌داشت.

یک روز، پیِر از بارِ پیِر و لوئیجی پیش من آمد و از من خواست که به او لطفی بکنم. او گفت که پسری دارد که نمی‌تواند در هیچ محیطی سازگار شود و از من خواست که او را در فروشگاه خود استخدام کنم و به او تجارت بیاموزم. او قبول کرد که برای استخدام او به من پول بدهد. من موافقت کردم.

از لحظه‌ای که پسرش وارد کسب‌وکار من شد، به من چسبید، مثل دم به من چسبیده بود. او چیزهای زیادی از من یاد گرفت و درنهایت او و یکی از دوستانش بوتیک شلوار جین خود را در خیابان اصلی افتتاح کردند.

هیچ‌وقت به ذهنم خطور نمی‌کرد که این پسری که مدت‌های طولانی در استخدام من بود برود و از من کپی کند. در طول این سال‌ها او بسیار موفق بوده و خودش شروع به تولید جنس کرده است.

فصل ۷۲

الکس یک بارِ جدید باز می‌کند

یک روزی شنیدیم که لا پرگولا سوخته است. همسرم نورما بسیار خوش‌حال شد، چون از آنجا خوشش نمی‌آمد. وقتی علت آتش سوزی را بررسی کردند، متوجه شدند که یک اتصالی کوتاه بوده است. الکس و اِدی هیچ غرامتی دریافت نکردند چون بیمهٔ آن‌ها معتبر نبود. لا پرگولا همراه با تاریخ باشکوهش سوخت.

الکس یک بار کوچک زیبا در خیابان اوهولند اجاره کرد. چند دختر، یک صحنهٔ کوچک برای اجراها و پرده‌ای برای نمایش فیلم‌های پورنو وجود داشتند. تمام خیابان پر از این جور بارها بود. مردها به داخل یک بار می‌رفتند و فیلم‌های پورنو تماشا می‌کردند که برای برانگیختن آن‌ها طراحی شده بود با این هدف که برای دخترها پول خرج کنند.

البته، بار به بهترین و منظم‌ترین شکل اداره می‌شد، همان‌طور که الکس کارش را بلد بود. اما بعداز مدتی متوجه شدند که الکس سرطان در مرحلهٔ پیشرفته دارد و او شروع به مصرف مسکن کرد. او مدیریت بار را به من سپرد.

من گهگاه با صاحب آژانس مسافرتی که همهٔ پروازهایم را ترتیب می‌داد بیرون می‌رفتم. یک روز که وارد دفتر او شدم، دختر زیبایی به نام مونیکا[1] را دیدم که آنجا کار می‌کرد. موهای بلند مشکی و چشم‌های سبز داشت. او به من نگاه کرد و دیدم که علاقه‌مند است. بعداز اینکه از دفتر بیرون آمدم تماس گرفتم و رئیس که گاهی با او بیرون می‌رفتم تلفن را جواب داد.

خواستم با مونیکا صحبت کنم. وقتی با مونیکا صحبت کردم، او خیلی هیجان‌زده بود که من تماس گرفته بودم. قرار ملاقات گذاشتیم. شش ماه باهم قرار گذاشتیم و حداقل

---

1. Monica.

هفته‌ای دو بار باهم می‌خوابیدیم. حتی یک بار من را به دیدنِ مادرش برد. از او پرسیدم نظر مادرش در مورد من چیست، چون من یک پسر خارجی هستم و هرکسی از این موضوع خوشش نمی‌آید. او به من گفت که مادرش گفته: «این خوش‌تیپ‌ها رو از کجا پیدا می‌کنی؟»

یک روز که مشغولِ مدیریت بار الکس بودم، مونیکا به بار آمد و همه دخترانی که در آنجا کار می‌کردند را دید. چشمش به پرده نمایش فیلم‌های پورنو افتاد و از من پرسید کی بار را تعطیل می‌کنم.

وقتی کارم تمام شد، او آمد و از من خواست که یک فیلم پورنو به او نشان بدهم. او لباس‌هایش را درآورد و روی کاناپه دراز کشید و به من گفت که نباید او را لمس کنم. او از من خواست لباس‌هایم را دربیاورم و هرکدام خودمان را لمس کنیم. یادم می‌آید که جیغ می‌کشید و به ارگاسم رسید و این واقعاً من را شهوتی کرد. من ۳۳ساله بودم. سال: ۱۹۸۱.

فصل ۷۳

الکس در بیمارستان است

وقتی الکس واقعاً حالش بد شد و در بیمارستان بستری شد، برادرش اِدی به من پیشنهاد داد که بار را خودم به‌تنهایی اداره کنم، چون نمی‌دانستند چه اتفاقی قرار است بیفتد. من قبول کردم که این کار را به عهده بگیرم. الکل خریدم و بعداز بسته شدن بار دوباره آن را باز کردم.

در آن زمان، دختری در بار کار می‌کرد که هرگز حاضر نبود با مردی به داخل اتاقکی که با پرده از سالن جدا می‌شد برود (اتاقک به فرانسوی "سِپره"[1] ـ جدایی نامیده می‌شد) تا اینکه یک روز مردی آمد که از آن دختر خوشش می‌آمد و حاضر بود یک بطری شامپاین را به قیمت دویست مارک بخرد. او می‌خواست با آن دختر به داخل اتاقک برود، اما او نپذیرفت. آن دختر را کنار کشیدم و راضی کردم که با او برود. بعداز اینکه بیرون آمد و دید چقدر پول درآورده بود خوش‌حال شد. به‌سمتِ من آمد و من را بوسید. نمی‌دانستم قصد او چیست، اما نمی‌خواستم با کارمندم رابطه‌ای داشته باشم، بنابراین همه‌چیز همان‌طور که بود باقی ماند.

چند هفته بعد، همسر الکس با حکم دادگاه وارد شد و آنجا را بست. او ادعا کرد که بار مال او و الکس است و نه اِدی، و اِدی حق نداشته بار را به من منتقل کند. سعی کردم بار را دوباره باز کنم و او آمد و دوباره آن را بست.

قرار گذاشتم با اِدی به بیمارستان برویم تا الکس مدارک را امضا کند. من با گل به بیمارستان رسیدم و منتظر آمدن اِدی بودم. ناگهان او با یعقوب ترکه (شریک من در یکی از بوتیک‌ها) بیرون آمدند. اِدی گریه می‌کرد و فریاد می‌زد: «گل‌ها رو بریز دور، الکس مرده! الکس مرده!»

---

1. Se'pare'.

رفتیم داخل اتاق. الکس تنها در آنجا دراز کشیده بود، هنوز به دستگاه‌های نظارتی متصل بود و بی‌حرکت با چشمان بسته دراز کشیده بود. همسرش کنار تخت نشسته بود.

اِدی در یک‌طرف تخت ایستاده بود و همسر الکس در طرف دیگر. آن‌ها دعوا کردند و آن‌قدر بلند فریاد می‌زدند که صدایشان می‌توانست مرده‌ها را بیدار کند. وسط جیغ‌وداد‌ها، الکس ناگهان از جایش بلند شد، چشمانش را برای لحظه‌ای باز کرد ... بعد با چشمان بسته به پشت افتاد.

در همین لحظه دکتر وارد اتاق شد و از همه خواست که آنجا را ترک کنند تا او در آرامش بمیرد.

همه از اتاق بیرون رفتند. تنها من بودم که ماندم و کنارش نشستم. دستش را گرفتم و در گوشش زمزمه کردم جای خوبی داری می‌ری، نباید نگران چیزی باشی ... خیلی با او در مورد همه‌جور موضوعی حرف زدم تا آرامَش کنم. وقتی دیدم آرام است از اتاق بیرون رفتم. در عرض چند دقیقه پزشکان به ما اطلاع دادند که او از دنیا رفته است.

یک روز پس‌از مرگ الکس، خواب دیدم که او را در یک بار دیدم که دوست داشت به آنجا برود.

الکس در خواب بدنی شفاف داشت و جز من کسی او را نمی‌دید. به او گفتم: «الکس، تو اینجا چی‌کار می‌کنی، مگه تو نمردی؟» او پاسخ داد: «گاهی اوقات مرخصی می‌گیری تا به این پایین بیای ...» این را به پیرمرد گفتم که در آن زمان در حال مطالعهٔ کابالا[1] بود و او گفت که اگر الکس دوباره در خواب به سراغ من آمد، باید از او بپرسم که آن بالا چه خبر است.

دفعهٔ بعد که خواب الکس را دیدم، او را به شکل یک پیکر شفاف دیدم. از او پرسیدم: «اون بالا چه خبره؟» گفت: «بیا، من تو رو می‌برم، باهم می‌ریم بالا.»

من و الکس باهم به بالا پرواز کردیم و به مکانی رسیدیم که شبیه ترمینال اتوبوس بود. همهٔ مردم جامه‌های سفید پوشیده بودند و همه به دنبال وسایل نقلیه این‌طرف و آن‌طرف می‌رفتند. اطراف میدان مرکزی میزهایی بود و پشت هر میز شخصی نشسته بود که مردم را راهنمایی می‌کرد که کجا بروند. در وسط میدان نوعی سفینهٔ فضایی بود که مردم در آن نشسته بودند. الکس به سفینهٔ فضایی اشاره کرد و گفت: اینو می‌بینی؟ با اون بالا می‌ریم. اینجا هفت طبقه است ...» بعد از خواب بیدار شدم. رؤیا بسیار واقعی بود.

---

۱. Kabbalah، قباله، کابالا یا کبالا ازنظر لغوی به معنای قبول کردن است و در اصطلاح سنت، روش، مکتب و طرز فکری عرفانی است که از یهودیت ریشه گرفته و گاهی از آن به‌عنوان عرفان یهودی یاد می‌شود. (م.)

وقتی با خاخام‌ها در میان گذاشتم و خوابم را برایشان تعریف کردم، به هر خاخامی که گفتم، گفت آنچه در خواب دیده بودم حقیقت دارد و هفت طبقه از بهشت وجود دارد. یکی از خاخام‌ها که این را برایش گفتم از من خواست تا برایش طلب آمرزش کنم...

در آن سال‌ها چندین بار هم خواب دیدم که مردم داشتند من را تعقیب می‌کردند و من در حال فرار بودم که ناگهان نیروی عظیمی از درون بدنم برخاست و من را از جا بلند کرد و به آسمان پرواز کردم.

فصل ۷۴

فیفی[1]

یک روز عصر، حیّم شافر من را به یک پسر لاغراندام یمنی در کلوپ رومی هاگ معرفی کرد که به او لقب «فیفی» دادم. او در اسرائیل مواد مخدر خریدوفروش می‌کرد، از پلیس فرار کرده بود و در آلمان اقامت داشت. حیّم سعی می‌کرد او را به مردم معرفی کند تا او بتواند با دیگران ارتباط برقرار کند.

ما از فیفی خوشمان آمد و او یکی از رفقا شد. حیّم برای او کاری در کلوپ رومی هاگ دست‌وپا کرد، اما یک کار برای او کافی نبود. من برای او کار دیگری ترتیب دادم که در رستورانی که یکی از دوستان نورما در باشگاه تنیس داشت، نظافت کند و او در آنجا هم شروع به کار کرد. فیفی از آن دسته آدم‌هایی بود که به کم راضی بود. اگر پول مواد مخدر و جای خواب داشت، خوش‌حال بود. من تا به امروز با او در ارتباط هستم.

فیفی قبل از اینکه به آلمان بیاید در اسرائیل زندگی می‌کرد و در آنجا حشیش می‌فروخت تا اینکه پلیس او را دستگیر کرد. او در برلین در خانهٔ یک پیرمرد زندگی می‌کرد. یک دختر یمنی که با او دوست بودیم و زمانی با پسر این پیرمرد ازدواج کرده بود، واسطهٔ بین آن‌ها شده بود. وقتی به خانهٔ فیفی می‌رفتیم، برایمان حشیش می‌آورد و ما می‌کشیدیم و کلی می‌خندیدیم. پیرمرد جلوی تلویزیون می‌نشست و سیگار معمولی می‌کشید. یک بار آنجا نشسته بودیم ـ من، فیفی و آوی ـ و می‌کشیدیم و فیفی به پیرمرد حشیش تعارف کرد. پیرمرد آن را کشید، خیلی بالا رفت و بی‌وقفه شروع به خندیدن کرد و همه ما به این موضوع حسابی خندیدیم.

یک‌بار زمانی که فیفی به اسرائیل رفته بود، می‌خواست ازآنجا مواد مخدر به آلمان بفرستد. مقدار زیادی حشیش خرید و آن را به اسم دختر یمنی که اسمش آتی[2] بود به آدرس پیرمرد فرستاد.

1. Fifi.
2. Etti.

یک روز پلیس‌ها در جست‌وجوی آتی درِ خانه را زدند. پلیس چیزهایی که همراه آن‌ها بود را گرفت و شروع به بازجویی از آن‌ها کرد. فیفی طوری نقش بازی کرد که انگار از هیچ چیز خبر ندارد. او به پلیس توضیح داد که هیچ فردی به اسم آتی را نمی‌شناسد و هیچ‌کس با او زندگی نمی‌کند. به‌این‌ترتیب از این موضوع قسر دررفت، چون آتی اصلاً در آنجا زندگی نمی‌کرد.

یک بار همراه با فیفی به اسرائیل رفتم. با برادرش دیدار کردیم و او ماشینش را به ما قرض داد. ما رانی[1]، یکی از دوستان فیفی از محلهٔ هاتیکوا را دیدیم. به خانه‌اش رفتیم و کمی حشیش کشیدیم. بعد باهم به ایلات[2] و سینا[3] رفتیم. رانی زیاد مصرف می‌کرد و نصف کیسهٔ حشیش با خودش داشت.

به ایلات رسیدیم و پلیس ما را برای بازرسی متوقف کرد. رانی کیسهٔ حشیش را برداشت و آن را در جیب توری در قسمت پایی صندلی جلو فروکرد. به ما گفتند که پشت سرِ آن‌ها تا کلانتری برویم تا کارت‌های شناسایی‌مان را بررسی کنند. ظاهراً چیزی برای آن‌ها مشکوک به نظر می‌رسید.

از راست به چپ: آقای ز، یعقوب ترکه و آوی، دوست یمنی در ساحلِ دریاچه وانسی[4] در برلین

از راست به چپ: آقای ز، یعقوب ترکه، مایک و آوی در ساحل دریاچه وانسی در برلین.

1. Roni.
2. Eilat.
3. Sinai
4. Wansee Lake.

درحالی‌که افسر پلیس داشت کارت‌های شناسایی ما را چک می‌کرد، من از او خوشم آمد و شروع کردم به تعریف کردن تجربیاتم در آلمان، دربارهٔ دخترها و مهمانی‌ها برای او. او از این داستان‌ها بسیار لذت برد و اجازه داد ما به راه خود ادامه دهیم. وقتی به ماشین برگشتیم دیدیم که حشیش کف ماشین افتاده است. پنجره‌ها باز بود و هر پلیسی که ازآنجا می‌گذشت می‌توانست آن را ببیند.

به‌سمتِ جنوب و شرم الشیخ[1] ادامه دادیم و در مسیر در همه‌جور مکانی خوابیدیم. وقتی به نووا[2] رسیدیم، فیفی با یک دختر خوش‌قیافه آشنا شد و باهم وقت گذراندند. همیشه دختران زیبا نصیب او می‌شدند. او لاغر و بسیار پُرمو بود، مثل میمون. همچنین دوست داشت فلسفه‌بافی کند و دربارهٔ خودش و تجربیاتش صحبت کند. اما همیشه با دخترها لاس می‌زد و در ارتباط با آن‌ها موفق بود.

شب که خوابیدیم فیفی جلو بود آن دختر در وسط و من پشت سرِ او. وقتی دراز کشیدیم، فیفی به من اشاره کرد که اگر بخواهم با آن دختر باشم، جلوی من را نخواهد گرفت.

***

رانی فروشنده مواد مخدر بود. وقتی در آپارتمان او در اسرائیل بودیم، فیفی به بچه‌های آنجا گفت که در حال ترتیب دادن یک محموله است. برنامه این بود که نصف مقدار حشیش را من بردارم و نصفِ دیگر را فیفی.

در آن زمان، کاست‌های بزرگ نوار موسیقی در ماشین وجود داشتند (قبل از آن نوار کاست‌های کوچک‌تری وجود داشتند) و او کاست‌ها را برداشت، باز کرد، تکه‌های حشیش را داخل آن‌ها گذاشت و بست. من نصف دیگر مواد را داخل ظرف ترشی ریختم. آن را کاملاً در نایلونی پیچیدم که حرارت داده بودیم تا حشیش خیس نشود و همچنین برای اینکه در حین جست‌وجو در فرودگاه سگ‌ها بوی آن را حس نکنند و مواد را کشف نکنند.

در آن زمان من درزمینهٔ واردات کفش از اسرائیل به آلمان هم فعالیت داشتم. وقتی در خیابان نیو شعنان[3] در تل آویو، منطقه‌ای که مملو از فروشگاه‌های کفش است، قدم می‌زدم سبک‌هایی را دیدم که در آلمان ندیده بودم. محل ساخت آن‌ها را بررسی کردم، به کارخانه رفتم و شروع به واردات کفش‌های زنانه از اسرائیل به برلین کردم. آن‌ها را در ویترین‌های بوتیک‌هایم به نمایش گذاشتم و به فروش رفتند. آن‌ها را به فروشگاه‌های دیگر کفش هم فروختم و نتیجه

---

1. Sharm El-Sheikh.
2. Nueva.
3. Neve Sha'anan.

خوب بود. وقتی با محموله حشیش فیفی به آلمان رسیدم، نمونه‌های کفش را با خودم آوردم و در گمرک خواستم تحویلشان بگیرم. ناگهان دیدم چند کارآگاه دارند نزدیک می‌شوند. پاسپورتم را خواستند و من را به اتاق بازجویی بردند. فهمیدم که به من مشکوک شده‌اند.

چمدان‌هایم را باز کردند و شروع کردند به جست‌وجو در محتویات آن. یکی از آن‌ها من را کاملاً برهنه کرد، من را بازرسی کرد و از من پرسید که آیا مواد مخدر همراهم دارم یا خیر. گفتم نه. ناگهان دیدم یکی از کارآگاهان شیشه‌ترشی را بیرون آورد و از همه جهات به آن نگاه کرد. دوباره آن را داخل چمدان گذاشت و من نفس راحتی کشیدم. کارآگاه دیگری دوباره شیشه را گرفت، درب آن را باز کرد، بست و دوباره سرِ جایش گذاشت.

فهمیدم که به اداره بازرسی خبر رسیده که من دارم مواد مخدر قاچاق می‌کنم و آن‌ها تا زمانی که مواد مخدر را پیدا نکنند، بی‌خیال نخواهند شد. سرانجام کارآگاه سوم دوباره شیشه‌ترشی را برداشت و دستش را داخل آن فروبرد و مواد را بیرون آورد. کارآگاهان از اینکه آن را پیدا کردند خوش‌حال بودند و من خوش‌حال بودم که دستشان به نوار کاست‌هایی که نیمی از حشیش در آن‌ها پنهان شده بود نرسید.

من را به کلانتری و ازآنجا به خانه‌ام بردند. می‌خواستند خانه را هم بگردند. من هنوز با نورما در ویلای شخصی زندگی می‌کردم.

کارآگاهان همه‌چیز را زیرورو کردند و به گاوصندوق من رسیدند که پول نقد زیادی داخلش بود. آن‌ها تقریباً به‌جایی که مواد مخدر را در آنجا پنهان کرده بودم رسیدند، اما آن‌ها را پیدا نکردند. به من دستور دادند که گاوصندوق را باز کنم و همه پول موجود در آنجا را دیدند. در داخل گاوصندوق یک پیمانهٔ فلزی هم پیدا کردند که من برای اندازه‌گیری مواد از آن استفاده می‌کردم. به آن‌ها گفته شده بود که به پول دست نزنند، اما پیمانه را بردند.

پیمانه فلزی که پلیس برلین در خانه‌ای که مواد و پول بود پیدا کرد.

فصل ۷۵

در بازداشت

من را به بازداشتگاه بردند و خواستند پیامی را به همسرم برسانند. به آلمانی برای او نوشتم که در بازداشت هستم و باید با پلیس تماس بگیرد تا بفهمد در کجا زندانی هستم و باید به وکیلم دولده اطلاع بدهد.

اولین بار بود که دستگیر می‌شدم و بودن در سلول یک تجربهٔ آسیب‌زا بود. دلم برای سیگار کشیدن تنگ شده بود و شروع کردم به فحش دادن و فریاد زدن. دکتر آوردند و به من آمپول آرام‌بخش زدند. تا صبح خوابم برد. دو روز من را آنجا نگه داشتند و آرام‌آرام به این فکر کردم که چگونه باید ازآنجا خارج شوم.

در طول سه روز بازداشتم، نورما به دیدنم آمد. برای ملاقات، او باید پیش قاضی می‌رفت و اجازه می‌گرفت. وقتی آمد، یک پلیس آنجا نشسته بود و به صحبت‌های ما گوش می‌داد. از او خواستم وکیلم دولده را بیاورد. او آمد و مرا با وثیقه پنج هزار مارکی بیرون آورد. او گفت که پرداخت هزینه به او هدر دادن پول خواهد بود، چون این بار نمی‌تواند من را بیرون بیاورد. پلیس مدارک محکمی علیه من داشت.

تصمیم گرفتم به دادگاه بروم و از خودم دفاع کنم. شروع کردم به فکر کردن بسیار و پیدا کردن نقشه‌ای برای رهایی از این وضعیت. می‌دانستم که اگر این بار نتوانم خلاص شوم، چند سالی زندانی می‌شوم و از آلمان اخراج خواهم شد.

همیشه می‌دانستم که حقیقت من از هر دروغی بهتر است. یک استراتژی در نظر گرفتم. روز محاکمه فرارسید و قضات از من خواستند اظهاریه‌ای را امضا کنم که وکیلِ خودم هستم.

من جلوی قاضی ایستادم و گفتم که محاکمه کوتاه خواهد بود، چون به گناهم اعتراف

می‌کنم و چون در فرودگاه با حشیش دستگیر شده بودم. از قاضی خواستم که اجازه دهد ماجرا را از نگاه خودم تعریف کنم.

قاضی کنجکاو شد و گفت که آماده گوش دادن است.

شروع کردم به تعریف داستان زندگی‌ام و آنچه در کودکی از سر گذرانده بودم. در مورد اینکه چطور به اسرائیل و بعد به اروپا رفتم و در مورد تمام اتفاقاتی که در آلمان برایم افتاد. دیدم که قاضی دارد دلش برای من می‌سوزد. بعد به او گفتم اگر پرونده‌ام را نگاه کند می‌بیند که سابقه کیفری دارم. به او گفتم که به دلیل تمایلم به دعوا کردن خواستم بررسی کنم که آیا مشکلی دارم یا نه و به دکتر مراجعه کردم. دکتر تشخیص داد و تأیید کرد که من مشکلی دارم که در آلمانی به‌عنوان "Zeilischer Schmerzen" شناخته می‌شود، که به معنای "رنج روحی" است. این درواقع همان چیزی بود که دکتر به من گفت و تصمیم گرفت به من والیوم بدهد تا آرامم کند. شروع به مصرف کردم، اما تحت تأثیر دارو احساس کردم مرده‌ام و نمی‌توانستم کار کنم. تا اینکه یک روز با حشیش مواجه شدم و از زمانی که حشیش مصرف می‌کنم، تبدیل به فردی متفاوت شده‌ام، بسیار آرام‌تر و کمتر درگیرِ دعوا می‌شدم.

وقتی داستانم را تمام کردم، کارآگاهی که پیمانه مواد مخدر را پیدا کرده بود بلند شد و آن را به قاضی نشان داد و گفت من دروغ می‌گویم و مواد می‌فروشم. من توضیح دادم که دلیلی برای فروش مواد مخدر ندارم چون چندین بوتیک دارم و این برای من ازنظر مالی بسیار سودآورتر است. بنابراین قاضی پرسید که چرا به پیمانه نیاز دارم. به او گفتم این برای استفاده شخصی من است و برای اندازه‌گیری موادی که مصرف می‌کنم از آن استفاده می‌کنم.

قُضات می‌خواستند بدانند که چرا من این مقدار زیاد مواد (۳۰۰ گرم) با خود آورده‌ام. توضیح دادم که وقتی شروع به مصرف مواد کردم، آن را به مقدار کم می‌خریدم، اما به‌مرور زمان متوجه شدم که حشیش خیلی دست‌به‌دست شده، با مواد دیگری مخلوط شده و روی من اثری ندارد. شروع کردم به جست‌وجوی کسی که از او حشیش خالص بخرم، و وقتی برای سفر به اسرائیل رفتم، یک نفر مقدار زیادی از یک منبع اولیه به من پیشنهاد داد، بنابراین بلافاصله موافقت کردم.

قضات برای مشورت باهم بیرون از دادگاه رفتند و پس‌از بازگشت به‌اتفاق آرا تصمیم گرفتند به من دو سال حبس تعلیقی بدهند. آن‌ها به من اخطار دادند که اگر به خاطر تخلف دیگری دستگیر شوم، باید آن دو سال را بگذرانم. من به‌عنوان یک انسان آزاد ازآنجا بیرون آمدم.

وقتی به دولده زنگ زدم، پرسید چند سال زندان برایم بریدند؟ وقتی به او گفتم آزاد هستم و فقط یک حکم تعلیقی گرفتم شگفت‌زده شد. نمی‌توانست آن را باور کند. پرسید که چطور از این موضوع خلاص شدم و من دقیقاً همان چیزی را به او گفتم که به قضات گفته بودم. هر دو خندیدیم و به او گفتم که بعداز سال‌ها کار با او، کمی از ترفندهای او را یاد گرفته‌ام. بعداز آن محاکمه، آموخته‌ام که بهتر از هر وکیلی می‌توانم از خودم دفاع کنم.

فصل ۷۶

تعطیلات و سفرها

یک روز به آمستردام رفتیم ـ من، نورما و پسرمان. شاید سه‌چهارساله بود. هتلی را گرفتیم که با عبور از یک رستوران وارد آن می‌شدی ـ چندین پله وجود داشت که به اتاق‌ها در بالا منتهی می‌شدند.

برای قدم زدن بیرون رفتیم و در خیابان، هر ثانیه، هر گوشه، یک نفر به‌سمتِ تو می‌آمد و به تو حشیش، اِل‌اس‌دی، هروئین پیشنهاد می‌داد: آن‌ها همه‌جور مواد مخدر می‌فروختند. یک نفر به من نزدیک شد و حشیش تعارف کرد. از او پرسیدم چقدر؟ قیمتی که گفت به معنای واقعی کلمه یک‌چهارم مبلغی بود که در برلین می‌پرداختم. گفتم باشه می‌خوام ... یادم نیست چقدر، شاید نصف کیسه ۱۵۰ گرمی. گفت دنبالم بیا. از همه‌جور کوچه‌ای رد شد، گفت اینجا صبر کن و نصف کیسه برایم آورد.

آن را بررسی کردم، حرارت دادم و بو کردم - جنس ناب. خوبه. از من می‌خواهد عجله کنم تا پلیس نیاید. پول را به او دادم، بسته را در جیبم گذاشتم و به هتل برگشتم. شب شد. به خودم گفتم این عالیه، یه چیزی برای کشیدن دارم. سعی می‌کنم حشیش را خرد کنم تا از آن سیگار درست کنم. هرچقدر هم تلاش می‌کردم تکه‌تکه نمی‌شد. بلافاصله متوجه شدم که همان کلکی را سر من سوار کرد که آن مرد اسرائیلی با آن ایرانی انجام داد. او چیزی که شبیه حشیش بود را گذاشته بود و روی آن مقداری حشیش معمولی چسبانده بود. اگر بخش بالایی آن را حرارت بدهی بوی درستی به مشام می‌رسد. زدم زیرِ خنده ـ عجب کاری کرده بود، به روشی بسیار قانع‌کننده به من دروغ گفته بود.

در آن زمان خواهرم، شوهرش و دو پسرشان برای دیدن من به آلمان آمدند. من یک واگن استیشن داشتم و وضعیت مالی‌ام خیلی خوب نبود. اما وقتی حرف گردش و مسافرت

می‌شد، هیچ‌وقت دودوتاچهارتا نمی‌کردم. تصمیم گرفتم آن‌ها را به سفری به چندین کشور ببرم. پسرم را با خودم بردم و راه افتادیم.

شبِ قبل از سفر به داخل اروپا برای خداحافظی با مونیکا رفتم و با او خوابیدم. بعداز دو روز در جاده، احساس خارش شدیدی گرفتم. معلوم شد از او شپش تناسلی گرفته‌ام. نمی‌دانستم چه‌کار کنم. شپش درمان‌نشده می‌تواند به هر ناحیه‌ای از بدن که مو دارد گسترش یابد. ناگهان به یاد درمان مادربزرگم برای شپش افتادم و تصمیم گرفتم آن را امتحان کنم. یک وان حمام را با سرکه پُر کردم و در آن دراز کشیدم و این‌گونه از شر آن‌ها خلاص شدم. (اتفاقاً بعداً متوجه شدم که سرکه یک درمان مؤثر برای پای ورزشکاران هم هست، برای قارچ بین انگشتان پا. پزشکان توصیه می‌کنند برای چند هفته از پماد استفاده شود، اما خارش یکی دو روز برطرف شد و دوباره برگشت. تصمیم گرفتم پاهایم را در سرکه فروببرم، و این مشکل را برای بیش‌از یک سال حل کرد، مؤثر، طبیعی و فوری.)

ما به سوئیس، فرانسه و کشورهای دیگر سفر کردیم. هنگامی‌که در فرانسه بودیم، در یکی از گردش‌هایمان، صدای ضربه بلندی را شنیدیم و ماشین متوقف شد. وقتی بیرون رفتم تا ببینم چه اتفاقی افتاده است، دیدم میله اتصال محور بین چرخ‌های عقب و جلو از هم جدا شده و عقب خودرو روی زمین است. خواهرم و بچه‌ها وحشت کردند. من درخواست کامیون یدک‌کش دادم و آن‌ها ما را به گاراژی در یک روستای کوچک بردند. به ما گفتند که تعمیر خودرو دو روز طول می‌کشد چون قطعه باید از شهر دیگری سفارش داده شود.

قلعه‌ای در روستا بود که می‌توانستیم در آن بمانیم. یک اتاق در قلعه رزرو کردیم و برای صرف شام به باغ بزرگِ آنجا رفتیم. کباب درست کردیم و کمی نوشیدنی خوردیم. همه مست شدیم و شروع کردیم به خندیدن در مورد هر اتفاقی که برایمان افتاده بود و اینکه چطوری درنهایت سر از یک قلعه درآوردیم. در آخر همه موافق بودیم که آن دو روزِ سفر لذت‌بخش‌ترین قسمت آن بود. در پایان سفر به برلین برگشتیم و آن‌ها به ادامهٔ زندگی خود برگشتند.

فصل ۷۷

پروژه‌هایی با پیرمرد

پیرمرد «شعبه‌هایی» داشت ـ در خیلی جاها کسی را داشت که برای او کار می‌کرد. او با میکی[1] در هلند کارخانه‌ای افتتاح کرد که قرص‌های اکستازی تولید می‌کرد که عمدتاً به ایالات متحده ارسال می‌شد. یک روز در کارخانه آتش‌سوزی شد و این‌طوری شد که پلیس آمد و فهمید آنجا چه خبر است. پیرمرد در اسرائیل بود و دستگیر شد. پلیس نوارهایی از صحبت او با میکی در آمستردام داشت، اما هرگز در مورد مواد مخدر صحبت نکرده بودند. همه‌چیز با کُد بود. آن‌ها سعی کردند ثابت کنند که پیرمرد در آن کار شریک است، اما نتوانستند آن را ثابت کنند. آن‌ها موفق شدند فقط میکی را مقصر بدانند و او مدتی زندانی شد، درحالی‌که پیرمرد پس‌از یکی‌دو ماه از بازداشت آزاد شد.

یک روز، مردی با ظاهری خطرناک وارد فروشگاه من شد و خود را معرفی کرد. «سلام، اسم من آویه. پیرمرد من رو فرستاد.» به پیرمرد زنگ زدم و از او پرسیدم چه خبر است. و او به من گفت: «آره، وقت نداشتم بهت بگم. قضیه اینه، به این‌طرف کمک کن و اون رو اونجا نگه دار تا وقتی‌که بتونیم اون رو به ایالات متحده بفرستیم.»

ماجرا ازاین‌قرار بود که دو نفر از آدم‌های پیرمرد در سوئیس به خاطرِ سرقت الماس دستگیر شده بودند و در زندان بودند. یکی از آن‌ها که برای مدت کوتاهی زندانی شد، کاپیتانو[2] بود، درحالی‌که میکی آن فرد دیگر بود و مدت طولانی‌تری در زندان بود.

پیرمرد آوی را به برلین فرستاده بود تا میکی را از زندان بیرون بیاورد. برنامه این بود که منتظر آزادی کاپیتانو باشیم. او به آوی ملحق می‌شد (ما به او دومینگو[3] می‌گفتیم) و هردوی

---

1. Mickey.
2. Capitano.
3. Domingo.

آن‌ها سعی می‌کردند میکی را آزاد کنند. آن‌ها منتظر وقت حیاط در زندان بودند.

روزی که میکی برای حضور در دادگاه احضار شد، آوی با دو اسلحه در سالن نشست و منتظر ورود میکی بود. او قصد داشت پلیس‌هایی که همراهش بودند را تهدید کند و با میکی ازآنجا برود. کاپیتانو بیرون در ماشینِ فرار منتظر آن‌ها بود.

در همین حین، در طبقهٔ سوم دادگاه، دادستان دادگاه کاپیتانو کنار پنجره ایستاده بود. او کاپیتانو را که اخیراً آزاد شده بود و در ماشین نشسته بود شناخت و متوجه شد که اتفاقی دارد می‌افتد. بلافاصله با پلیس تماس گرفت و همه دست‌اندرکاران دستگیر شدند. آوی و کاپیتانو هر دو به زندان فرستاده شدند.

آوی را دستگیر کردند و او بعداز آزاد شدن برای دیدن من به برلین آمد. پیرمرد به آوی قول داده بود که او را به ایالات متحده برساند.

پیرمرد از من خواست تا به آوی کمک کنم تا در آلمان سروسامان بگیرد. من موافقت کردم و وقتی او رسید، اجازه دادم در آپارتمان دوم من، در خیابان بینگر، همراه با مَتی بماند. آوی رفت آنجا با او زندگی کند و هر روز به فروشگاه من می‌آمد. او با قد متوسط، لاغر، موهای مشکیِ پُرپشت، سبیل مشکی و چشم‌های درشت تیره بود و ظاهر بسیار ترسناکی داشت. فقط به صورت او نگاه می‌کردی و شروع به لرزیدن می‌کردی ـ صورت یک قاتل. و او از آن دسته افرادی بود که به هیچ‌چیز اهمیتی نمی‌داد. وقتی مَتی او را دید، گفت آوی به اسلحه نیاز ندارد، و چهره‌اش برای تسلیم کردن شما کافی است. او و مَتی همیشه به من نزدیک بودند.

آوی حاضر بود برای من هر کاری بکند. او به من می‌گفت: «آقای ز، فقط بگو می‌خوای از دست کی خلاص بشی، و من می‌رم و اون رو می‌کشم.»

در کنار فروشگاه من در مرکز خرید یک فروشگاه موسیقی متعلق به یک مرد آلمانی بود. پشتش دفتر کوچکی داشت. می‌رفتم مغازه‌اش می‌نشستیم و حشیش می‌کشیدیم. همهٔ مشتریان او هیپی‌هایی بودند که دوست داشتند دوپ بکشند. یک روز من را به دیدن مادرش برد. او در یک ساختمان قدیمی زندگی می‌کرد و به من گفت که این ساختمان متعلق به مادرش است. وارد آپارتمانش شدیم. با من دست داد و پسرش را در آغوش گرفت. با او یک فنجان قهوه خوردیم و رفتیم. وقتی ازآنجا رفتیم به من گفت اگر مادرم بداند که با یک یهودی دست داده است، کل خانه را زیرورو می‌کند و هرگز او را نمی‌بخشد. متوجه شدم او از یک خانواده نازی است.

بعداز اینکه فهمیدم او از یک خانواده نازی است، تصمیم گرفتم آوی را بفرستم تا از

فروشگاه او دزدی کند. آوی را بعداز کار در فروشگاهم گذاشتم و کلید را به او دادم. او تا وقتی‌که مرکز خرید بسته شد، در فروشگاه من ماند و منتظر ماند تا نگهبان برای سرکشی به طبقهٔ پایین برود و بعد به طبقهٔ دیگری برود. آوی از فروشگاه من بیرون رفت و در مغازهٔ موسیقی را شکست. من به او گفتم پول دقیقاً کجا در دفتر پشتی پنهان شده و به او گفتم آن را بردارد و آنجا را واقعاً به هم بریزد. او این کار را کرد و به فروشگاه من برگشت و تا صبح منتظر ماند. وقتی مرکز خرید بسته شد، تمام درهای ورودی قفل شد. صبح فروشگاهم را باز کردم و او به خانه رفت.

پول زیادی گیرمان آمد، چون فروشگاه موسیقی هر روز پول زیادی درمی‌آورد.

در مدت‌زمانی که آوی در آلمان بود، هویت خود را تغییر می‌داد. او نمی‌خواست شناخته شود و دربارهٔ خودش داستان سرهم می‌کرد تا مردم را گیج کند و شناخته نشود. او به زیورآلات علاقه زیادی داشت و همیشه زیورآلات می‌انداخت و خود را واردکنندهٔ جواهرات معرفی می‌کرد.

آوی (به اسم بیلی و دومینگو هم معروف بود.)

برای اینکه آوی به آمریکا برود باید برایش پاسپورت می‌گرفتم. برای این منظور با او با ماشین به پاریس رفتم. طبق معمول، در گذرگاه مرزی آلمان شرقی، پلیس حضور داشت. آن‌ها یک فیلتر حشیش در زیرسیگاری ماشین پیدا کردند و شروع کردند به جدا کردن ماشین من. کنار شیشه عقب ماشین یک شکاف با درب جعبه کمک‌های اولیه وجود داشت. حشیش داخل آن بود.

وقتی پلیس نزدیک شد و دیدم دارد درپوش را باز می‌کند، طوری سوار ماشین شدم که

انگار می‌خواهم چیزی از آن بیرون بیاورم. توجه پلیس را منحرف کردم و او درپوش را رها کرد. داخل ماشین ۳۰۰ گرم حشیش داشتیم. آن‌ها آن را پیدا نکردند و گذاشتند ما برویم.

در پاریس، یک مرد فرانسوی را دیدیم که آوی از زندان می‌شناخت. باهم به پیک‌نیک به‌جایی در قبرستانی که شبیه بهشت با باغ‌های زیبا بود رفتیم. پیک‌نیک داشتیم و اِل‌اِس‌دی مصرف کردیم. وای ... دیدم مرده‌ها بلند شده و راه می‌روند ...

مرد فرانسوی به ما گفت که کسی را پیدا می‌کند که کم‌وبیش هم‌سن آوی و شبیه او باشد، کسی که هرگز فرانسه را ترک نکرده باشد و هرگز پاسپورت نگرفته باشد. او یک مرد الجزایری را پیدا کرد که شبیه آوی بود.

آقای ز، آوی (بیلی، دومینگو) و دوستِ او که در زندان با او آشنا شده بود در پیک‌نیکی در قبرستان.

دو عکس از آوی به آن مرد فرانسوی دادیم و او برای پاسپورت اقدام کرد. پس‌از مدتی پاسپورت را با نام مرد الجزایری و عکس آوی از طریق پست دریافت کرد. آوی از اسم‌های زیادی استفاده می‌کرد. هر بار خود را با اسم متفاوتی معرفی می‌کرد. بیلی، دومینگو- خود من هم کمی گیج می‌شدم.

به‌این‌ترتیب آوی یک پاسپورت قانونی از دولت فرانسه گرفت و با آن برای دریافت ویزا به آمریکا اقدام کرد. او رفت و در آنجا به زندگی خود ادامه داد.

وقتی هنوز در آلمان زندگی می‌کردم به ملاقات او رفتم. این اولین سفر من به ایالات متحده بود. من او و همهٔ دوستانش در نیویورک را دیدم و بعد باهم به لَس آنجلس رفتیم. او آنجا در یک آپارتمان اجاره‌ای در یک مجتمع با استخر شنا اقامت داشت.

بعدها به یک فروشنده بزرگ کوکائین تبدیل شد. هر بار ۱۰ـ۲۰ کیلو کوکائین در آپارتمانش نگه می‌داشت. خریداران می‌آمدند و هرچقدر که نیاز داشتند می‌گرفتند. آن موقع احساس می‌کردم که یک روزی او را خواهند کشت.

در حدود سال ۱۹۸۷، نورما، همسر سابقم در برلین، گفت که پلیس به دنبال من است. آمده بودند دربارهٔ آوی از من تحقیق کنند. جسد او در چاهی در کالیفرنیا پیدا شد. انتظار می‌رفت که روزی همین اتفاق برایش بیفتد. او واقعاً یک‌جور خاصی بود ... آن موقع من داشتم در نیویورک زندگی می‌کردم.

بیایید به آزادی میکی برگردیم. پیرمرد با من صحبت کرد و دوباره از من خواست تا به او کمک کنم تا میکی را از زندان سوئیس آزاد کند. به یک راننده نیاز داشتیم. این کار را به فیفی پیشنهاد دادم و او موافقت کرد، درازای اینکه پیرمرد برای او ویزای ورود به ایالات متحده و همچنین شغلی را ترتیب بدهد.

در زندان همراه با میکی یک مرد عرب بود که او نیز برای این مأموریت استخدام شده بود. به مرد عرب نیز قول داده شد که درازای کمک او، وقتی‌که آزاد شد، پیرمرد برای او ویزای آمریکا و شغلی برایش فراهم کند.

همسر جدید پیرمرد نیز به عملیات نجات پیوست. او زن بسیار باهوشی بود و من فکر می‌کردم که او خیلی به پیرمرد می‌آمد.

نردبانی را در حیاط زندان پنهان کردند. نقشه این بود که در یک زمان مشخص، مرد عرب نردبان را برپا کند، میکی از آن بالا برود، از دیوار بپرد و فیفی با ماشین او را ازآنجا دور کند.

آوی و فیفی رفتند و با همسر پیرمرد در شهری در فرانسه نزدیک به مرز سوئیس ملاقات کردند. من کت‌وشلوار، پیراهن، کراوات و کفش جدید برای میکی برایشان فرستادم.

فیفی به مدت یک هفته چندین سفر از مرز فرانسه تا سوئیس به زندانی که در یک منطقهٔ جنگلی قرار داشت انجام داد و اطراف را بررسی کرد. او متوجه شد که دو مأمور پلیس در اطراف دیوار گشت می‌زنند و یکی دیگر از اهالی منطقه در ساعات مشخصی سگش را به گردش می‌برد. وقتی میکی از روی دیوار پرید و به‌سمتِ ماشین دوید، این مرد با سگ در حال قدم زدن بود. میکی به‌سمتِ ماشین دوید. فیفی بلافاصله به‌سمتِ مردی که سگ

داشت حرکت کرد و در ماشین را باز کرد و با آن به مرد کوبید تا زمان بیشتری طول بکشد آنچه دیده را به اطلاع مقامات برساند.

میکی در زندان، قبل از فرار، به‌عمد ریش بلندی گذاشت. فیفی و میکی طبق نقشه به مکانی با توالت‌های عمومی رسیدند و میکی کت‌وشلوار را پوشید. در توالت، ریشش را تراشید و بلافاصله با پاسپورت جعلی برای میکی به‌سمتِ مرز حرکت کردند.

وقتی به مرز فرانسه رسیدند وانمود کردند که محافظ یک دیپلمات اسرائیلی هستند که برای دیدار به آلمان آمده بود و به‌راحتی از مرز عبور کردند. آن‌ها به شهری رسیدند که آوی و همسر پیرمرد در آنجا منتظر بودند. میکی به همراه همسر پیرمرد سوار هواپیمایی به مقصد اسرائیل شد و پس از مدتی به ایالات متحده رسید. آوی و فیفی به برلین برگشتند.

اتفاقاً همان عربی که به میکی کمک کرد فرار کند، وقتی از زندان آزاد شد، همان‌طور که پیرمرد قول داده بود به آمریکا آمد. آن‌ها او را در یک شرکت معروف عینک‌سازی مشغول به کار کردند، اما آن‌قدری که می‌خواست حقوق نمی‌گرفت، بنابراین یک روز عینک‌ها را از شرکت دزدید و فرار کرد.

فصل ۷۸

تغییرات چشمگیر در مرکز خرید

در دههٔ ۸۰، اقتصاد اروپا در سطح پایینی قرار داشت. با تحریم نفتی شروع شد. مردم پول کمتری داشتند. من هم از این موضوع ضربه خوردم. کسب‌وکار من ضربهٔ سختی خورد.

همچنین کم‌کم در مرکز خرید هم به مشکلات برخوردم. صاحب مرکز خرید پیرمردی چاق بود. او پارکینگی داشت که به‌عنوان میدان میوه و تره‌بار مورد استفاده قرار می‌گرفت و او مرکز خرید را در قسمت جلویی بازار میوه ساخت. دراین‌بین، او بازنشسته شده بود و مدیریت آن را به پسر بزرگش، پیِر[1] سپرد.

در زیرزمین مرکز خرید یک فروشگاه بزرگ خز بود که ورشکست شد. ورودی دیگری به فروشگاه از سطح خیابان وجود داشت. برگر کینگ[2] این مکان را در طبقهٔ همکف خیابان اجاره کرد. مشکل این بود که آنجا برای آن‌ها خیلی کوچک بود. در کنار آن یک فروشگاه شلوار جین متعلق به یک مرد آلمانی بود. مدیریت مرکز خرید، ازآنجاکه خیلی برگر کینگ را می‌خواستند، سعی کردند مستأجر آلمانی را متقاعد کنند که به مغازهٔ خزفروشیِ خالی منتقل شود، اما او این کار را نکرد، چون مغازهٔ من در زیرزمین بود و او نمی‌خواست با من رقابت کند.

مدیریت مرکز خرید همه‌کار کرد تا آن مرد مغازه را خالی کند. آن‌ها می‌خواستند دو فروشگاه مجاور را بازسازی کنند تا یک فروشگاه بزرگ بسازند. بنابراین صاحب مرکز خرید تصمیم گرفت من را از مغازه‌ام بیرون کند تا مرد آلمانی مغازه‌اش را به زیرزمین ـ به مغازهٔ خزفروشیِ خالی ـ منتقل کند و برگر کینگ فضای کافی در سطح خیابان داشته باشد. برگر کینگ به صاحب مرکز خرید یک‌میلیون مارک پیشنهاد داد تا گوشه‌ای را که در

1. Pierre.
2. Burger King.

ساختمان می‌خواستند به دست آورد.

صاحب مرکز خرید من را متهم کرد که کرایه فروشگاه شلوار جین را پرداخت نکرده‌ام و از من شکایت کرد. برای اینکه مالک بتواند من را بیرون کند، باید ثابت می‌کرد که من سه ماه اجاره پرداخت نکرده‌ام ـ این یک بند در قرارداد است که به‌موجب آن او می‌توانست من را بیرون کند.

البته من همه‌چیز را پرداخت کرده بودم و برای اثبات آن رسید هم داشتم. ازآنجایی‌که این یک دادگاه مدنی بود، نه کیفری، من به سراغ دولده نرفتم، بلکه پیش وکیلی که نمی‌شناختم و قبلاً با او کار نکرده بودم، رفتم.

در مرکز خرید، علاوه بر اجارهٔ فروشگاه، مجبور بودیم هزینه نگهداری ماهانه را نیز پرداخت کنیم. من چندین سال با آن‌ها در مورد این پرداخت دعوا داشتم، اما آن‌ها اصلاً به آن رسیدگی نکردند. مدت زیادی گذشت و مبلغی بیش‌از سه ماه از هزینه‌های نگهداری جمع شده بود. برای همین از من شکایت کردند.

یک روز قبل از اینکه قرار بود در دادگاه حاضر شوم، ناگهان درد شدیدی در دنده‌هایم احساس کردم. برای آزمایش رفتم و متوجه شدند سنگ کلیه دارم. به دادگاه رفتم، اما درد شدیدی داشتم و از وکیلم خواستم که برای تعویق جلسهٔ دادگاه درخواست کند.

به وکیل گفتم که می‌خواهم وقت بخرم، چون نقشه‌ای برای تهدید صاحب مرکز خرید داشتم. اما در روز محاکمه درد شدیدی داشتم و به همین دلیل، واقعاً درست متوجه نشدم که چه اتفاقی داشت می‌افتاد. اما فهمیدم که وکیلم به قاضی گفت که ما قبول داریم که من بدهی دارم. قاضی اظهارات وکیل را پذیرفت و حکم داد که چون مبلغ بدهی بیشتر از سه ماه اجاره است، قرارداد من فسخ شد. تا آن موقع دیگر نتوانستم تحمل کنم و به بیمارستان رفتم. چند روزی آنجا بودم ـ با دردی شدید و مدام ـ تا زمانی که سنگ حرکت کرد و بیرون آمد و بهبود یافتم.

پس‌از بستری شدن در بیمارستان، نامه تندی به وکیلم نوشتم و گفتم که نمی‌فهمم چرا او با حکم قاضی موافقت کرده است و می‌خواهم درخواست تجدیدنظر کنم. او گفت که در صورت اعتراف متهم و موافقت با رأی، نمی‌توان درخواست تجدیدنظر کرد. بلافاصله متوجه شدم که فریب خورده‌ام. بعداز چند روز برایم مشخص شد که صاحب مرکز خرید به وکیل من رشوه داده است تا پرونده را ببازد.

بعدها متوجه شدم که برگر کینگ قرارداد بلندمدتی به مبلغ یک‌میلیون مارک امضا کرده است و فروشگاه شلوار جین مرد آلمانی نیز در آن گنجانده شده است. فهمیدم که باید مغازهٔ شلوار جین را خالی کنم. این اطلاعات از همان دختری به من رسید که در دفتر

صاحب مرکز خرید کار می‌کرد و من با او رابطه داشتم.

قبل از پروندهٔ دادگاهی که باختم، باید مدرک ارائه می‌کردم. این یک فرایند طولانی بود و در آن زمان، هدف من این بود که سعی کنم جلسهٔ استماع را تا حد امکان به تأخیر بیندازم، به این امید که معاملهٔ برگر کینگ از هم بپاشد. من قصد داشتم پرونده‌ای که وکیل از طرف صاحب مرکز خرید در اختیار داشت را یک روز وقتی‌که او از یکی از جلسات دادگاه خود خارج می‌شد، بدزدم و برخی از مدارک را از بین ببرم تا دادگاه به تأخیر بیفتد.

تصمیم گرفتم از فیفی و آوی کمک بگیرم تا کیف وکیل را بدزدیم. ساختمان دادگاه بین دو خیابان قرار داشت ـ یک‌طرف آن رو به خیابان اصلی و طرف دیگر به یک خیابان فرعی بود. در روزِ برنامه‌ریزی‌شده، ماشینی را با یک دختر داخلش در خیابان فرعی پارک کردم، با صندوق‌عقب باز. دختربچه‌ای روی صندلی عقب نشسته بود و مادرش کالسکه بچه‌اش را گرفته بود، انگار داشت خودش را آماده می‌کرد تا آن را در صندوق‌عقب ماشین بگذارد و او این‌طوری منتظر ماند.

با نزدیک شدن وکیل، آوی ازیک‌طرف و فیفی از طرف دیگر آمدند و غافلگیرانه به او حمله کردند و آوی با چاقو به دست وکیل زد. کیف وکیل را گرفتند و به‌سمتِ ماشین با صندوق‌عقب باز دویدند، کیف را داخل آن انداختند و به دویدن ادامه دادند. دختر صندوق‌عقب را بست و رفت. برنامه این بود که اگر آن‌ها دستگیر شدند، پرونده همراهشان نباشد. من در ماشینم آن‌طرف چهارراه نشستم و کل عملیات را تماشا کردم.

دادگاهی که در مقابل آن کیف حاوی اسناد اتهام را از وکیلِ فروم اِستِگلیتز دزدیدیم.

***

در همان موقع‌ها، رابطهٔ من و نورما بدتر شده بود. او دوباره باردار شد، اما تصمیم گرفت سقط جنین کند، که واقعاً موجب درد و رنج من شد. من فکر می‌کردم که در مقطعی باید برلین را ترک کنم و باهم به اسرائیل برویم، اما او این را نمی‌خواست. او فکر نمی‌کرد ما بتوانیم همچنان باهم باشیم. او تحت هیچ شرایطی نمی‌خواست به اسرائیل بیاید. همهٔ این چیزها باهم باعث سرد شدن رابطهٔ بین ما شد.

هم‌زمان با این اتفاق، پدرم را از ایران به آلمان بردم. او مشکلات سلامتی داشت و من او را برای درمان آوردم. از هرآنچه داشت اتفاق می‌افتاد خیلی ناراحت بودم. عرصه داشت بر من تنگ می‌شد.

فصل ۷۹

پدرم در برلین

بارها پدرم را دعوت کرده بودم و سعی کرده بودم او را متقاعد کند که به دیدن من بیاید. برای مدتی طولانی، او نمی‌خواست. بعداز دو کلمه صحبت با تلفن، فریاد می‌زد: «تماس رو گرون نکن. گرونش نکن ... خداحافظ!» ... و قطع می‌کرد.

نشستم و یک نوار کاست کامل ضبط کردم و همه‌چیز را برایش توضیح دادم و متقاعدش کردم که بیاید. بعداز گوش دادن به آن بالاخره قبول کرد. پاهایش مشکل داشت و از عصا استفاده می‌کرد. او را برای معالجه به آلمان آوردم، پیش پزشکان و بیمارستان بردم. آن‌ها او را برای آزمایش در آنجا نگه داشتند، اما نتوانستند به او کمک کنند. او سنگ کلیه هم داشت و درد شدیدی می‌کشید.

بااین‌وجود، وقتی با من بود خیلی به او خوش می‌گذشت و هیجان‌زده بود. فروشگاه‌هایم را به او نشان دادم و این فوق‌العاده بود.

پدرم زمانی در برلین بود که من تحت فشار زیادی بودم؛ زمانی بود که صاحب مرکز خرید می‌خواست من را بیرون کند.

تا آن موقع ما هنوز در ویلا زندگی می‌کردیم.

وقتی از نورما جدا شدم، همان‌طور که گفتم، با پسرم به یک آپارتمان بسیار بزرگ و زیبا در طبقهٔ بالای ساختمان نقل‌مکان کردیم. هر طبقه فقط دو واحد داشت. من با نورما نشستیم و به توافق رسیدیم که پسرمان پیش من بماند. تحت هیچ شرایطی حاضر نبودم او را رها کنم. همچنین توافق کردیم که او همچنان بوتیک شلوار جین را اداره کند و حقوق بگیرد تا بتواند برای خودش آپارتمانی اجاره کند. من در هر کاری که نیاز داشت به او کمک کردم تا زمانی که روی غلتک بیفتد. هم‌زمان با وضعیت سلامت پدرم و مشکلات در مرکز خرید دست‌وپنجه نرم می‌کردم.

فصل ۸۰

سفر به ایران

در سال ۱۹۷۷، دقیقاً زمانی که الویس پریسلی[1] درگذشت، برای دریافت ویزا به کنسولگری ایران در برلین رفتم. شاه هنوز در قدرت بود. در کنسولگری به مردی برخوردم که درخواست ویزای من را رسیدگی می‌کرد و مثل همیشه، هرجا که می‌توانستم، با کسی ارتباط خوبی برقرار می‌کردم یا با دختری ارتباط برقرار می‌کردم تا بتواند چشم و گوش من باشد ... با این مرد ارتباط برقرار کردم. او را برای شام به خانه‌ام دعوت کردم و برایش غذای ایرانی درست کردم. می‌دانستم او چه چیزی دوست دارد ـ مثل هر مردی.

یک دختر را هم دعوت کردم. او آنجا بود که انگار مثلاً آمده بود برای شام کمک کند. به آن مرد گفتم باید چنددقیقه‌ای بیرون بروم تا چیزی بخرم. آن‌ها را تنها گذاشتم و به او گفتم راحت باشد و هر کاری می‌خواهد انجام بدهد تا به او خوش بگذرد. از آن زمان، اگر در کنسولگری به کمک نیاز داشتم، او هرگز امتناع نمی‌کرد.

آقای ز با دوستان دوران کودکی در اولین سفرش به ایران، ۱۹۷۷.

---

1. Elvis Presley.

این‌طور شد که به ایران رفتم. پسرم چهارساله بود و من داشتم از همسرم جدا می‌شدم. یعنی او می‌خواست از من جدا شود. من ترک‌کننده نیستم. همیشه با هرکسی که هستم می‌مانم ـ چه حسابدار باشد چه دندان‌پزشک ـ برای مدت طولانی با آدم‌ها می‌مانم. من آن‌کسی نبودم که بخواهد برود. اواخر سال ۱۹۷۷ برای دیدنِ پدرومادرم به ایران رفتم.

پسرم را با خودم بردم. دیدار به‌خوبی پیش رفت، اما من غمگین و بدخلق بودم، چون می‌دانستم که من و نورما قرار است از هم جدا شویم.

وقتی به برلین برگشتم، تصمیم گرفتیم که نورما خانه را ترک کند، برود شغلی پیدا کند و آپارتمانی اجاره کند و پسرمان پیش من بماند. بعداز مدتی از ویلا بیرون آمدیم و من یک آپارتمان در خیابان اِستیرِ اِستراسه¹ پیدا کردم. آپارتمانی زیبا، بزرگ و جادار بود، با سقف‌های بلند و پنجره‌هایی از هر طرف.

برج آزادی در سال ۱۷۹۱ در تهران ساخته شد و تبدیل شد به یکی از نشانه‌های شهر.

ساختمان مسکونی آقای ز در اِستیرِ اِستراسه‌ی برلین.

آقای ز در آپارتمانِ خیابانِ اِستیرِ اِستراسه.

---

1. Stier Strasse.

فصل ۸۱

جنگ من برای بقا

در دادگاهی که وکیلم گفته بود نمی‌توانم درخواست تجدیدنظر کنم، بندی وجود داشت که می‌گفت ازآنجایی‌که من مبلغی به مالک بدهکار هستم، او می‌تواند اجناس من را مصادره کند و بدهی‌هایم را با آن صاف کند. در این مرحله، جنگ من برای بقا آغاز شد.

در آن مدت، من با پسرم زندگی می‌کردم و تصمیم گرفتم برای نجات آنچه مانده بود تلاش کنم. من با آوی (بیلی) ملاقات کردم و همه‌چیز را به او گفتم. او هم مثل من ناراحت بود و پیشنهاد کرد از همه‌چیز «مراقبت» کند.

ظرف چند ساعت ما طرحی را برای جلوگیری از اجرای معامله بین صاحب مرکز خرید و برگر کینگ تنظیم کردیم. می‌دانستم که کلید این کار مرد آلمانی، صاحب آن‌یکی فروشگاه شلوار جین است.

مردی را پیدا کردم که می‌توانست آلمانی صحبت کند و طوری به نظر برسد که انگار پلیس است. ساعت دو بامداد با مرد آلمانی صاحب فروشگاه تماس گرفت و به او گفت که فوراً بیاید چون از مغازه‌اش دزدی شده. من و آوی و مَتی با اسلحه در ماشین جلوی مغازه و آماده در کمین او بودیم. آن‌وقت شب خیابان باریک و خلوت بود. خوشبختانه، مثل امروز در هر گوشه‌ای دوربین وجود نداشت. آن مرد با همسرش آمد و دید که به فروشگاه دستبرد زده نشده و زنگ خطر اشتباه بوده است.

وقتی رسیدند، ماشین را کنار مغازه پارک کرد. در همین لحظه آوی و مَتی به‌سمتِ آن‌ها دویدند. در همین حین من ماشین را روشن کردم و آماده شدم. آن مرد از ماشینش پیاده شد، همسرش داخل ماشین بود، و شروع به دویدن کرد. درحالی‌که مَتی پیش زن ماند، آوی او را تعقیب کرد و من با سرعت به‌سمتِ آن‌ها رفتم و با ماشین به داخل پیاده‌رو رفتم

و راه او را بستم. آوی به او رسید، اسلحه را روی سرش گذاشت و او را روی صندلی عقب نشاندیم.

درحالی‌که در ماشین بودیم توافقی را که باهم داشتیم به او یادآوری کردم. حتی قبل از محاکمه، توافق کرده بودیم که او مغازه را به طبقهٔ پایین نبرد مگر اینکه من راضی باشم. به او گفتم که دارد خلاف توافقمان عمل می‌کند. او موضع خود را برای من توضیح داد و من فهمیدم که به او هم وعده‌ووعیدی داده شده است.

در این مرحله داشتم سعی می‌کردم او را تحت فشار بگذارم تا مالک مرکز خرید را تهدید کند و همچنان جدی بودم. در تمام این مدت آوی اسلحه را به‌سمتِ سرش نشانه رفته بود و از من پرسید که آیا باید به او شلیک کند. گفتم در ماشین به او شلیک نمی‌کنیم، بلکه او را به جنگل گرانوالد[1] می‌بریم. هر آلمانی می‌دانست که جنگل گرانوالد چیست: مکانی که گهگاه اجساد را در آن پیدا می‌کردند ...

بیچاره برای زندگی‌اش التماس کرد. به او گفتم که آخرین فرصت را به او می‌دهم؛ و اینکه اگر دقیقاً همان کاری را که به او گفتم انجام نمی‌داد، دفعهٔ بعد نمی‌دید از کجا دارد ضربه می‌خورد. مرد آلمانی لرزید، التماس کرد و قول داد هر کاری که من می‌گویم انجام دهد.

به او گفتم که روز بعد نزد صاحب مرکز خرید برود و دقیقاً به او بگوید که چه اتفاقی برایش افتاده است و بعد به او بگوید که قرار نیست به فروشگاه زیرزمین نقل‌مکان کند مگر اینکه من چراغ سبز نشان دهم. به او گفتم به صاحب مرکز خرید هشدار بدهد که اگر به خواسته‌های من عمل نکند، نفر بعدی خودش است.

خبر به گوش پیرِ مالک رسید. او وحشت کرد و بلافاصله دو محافظ استخدام کرد تا در ورودی دفترش بایستند.

برگر کینگ نتوانست به برنامه خود برای تصاحب فروشگاه شلوار جین این مرد آلمانی ادامه دهد و کل این روند متوقف شد.

در طول آن مدت، من هنوز هم در اطراف مرکز خرید می‌گشتم و وارد فروشگاه‌هایم در مرکز خرید می‌شدم. یک روز، وقتی به آنجا رسیدم، به پیرِ پیام دادم که اگر قبل از تخلیه مغازه‌هایم با من صحبت نکند، کارش تمام است.

یک روز او را دیدم که با دو محافظش که تهدیدآمیز به من نگاه می‌کردند در حال عبور از فروشگاه طبقهٔ بالای من بود. می‌دانستم که می‌خواهد من را به آن‌ها نشان بدهد تا من را

1. Grunwald.

بشناسند و نگذارند نزدیک دفترش بروم. این واقعاً من را عصبانی کرد، بنابراین بیرون رفتم و سر او فریاد زدم: «حروم‌زاده، متقلب. تو رو با محافظات پایین می‌کشم!» از عصبانیت سرخ شد، محافظانش ترسیدند و هر سه با هم از آنجا رفتند.

یک روز مقاله‌ای در روزنامه خواندم دربارهٔ یک سیاست‌مدار آلمانی که در ایتالیا بود. موشکی به‌سمتِ خودروی او شلیک شد و او و محافظانش کشته شدند. مقاله را بریدم و در یک پاکت مهروموم‌شده برای پیِر فرستادم تا بفهمد محافظان به او کمک نمی‌کنند. از آن روز به بعد من و آوی و مَتی هر جا رفت دنبالش رفتیم و دیدیم که ماشین شخصی خودش را سوار نمی‌شود، بلکه یک ماشین اجاره‌ای را می‌راند تا من او را نشناسم.

خانواده پیِر در همسایگی وزیر پلیس برلین زندگی می‌کردند و من می‌دانستم که پلیس نقش دارد، اما اهمیتی نمی‌دادم. من یک هدف جلوی چشم‌هایم داشتم و هیچ‌چیز دیگری مهم نبود. هر قدمی که برمی‌داشتم ازنظر من مشروع بود.

تصمیم گرفتم به تهدید پیِر ادامه بدهم.

آوی از فروشگاه حیوانات خانگی در طبقهٔ بالای مرکز خرید یک موش خرید. آن را کشت و روده‌اش را درید تا پر از خون شود. بعد آن را روی شیشه جلوی ماشین پیِر در پارکینگ مرکز خرید چسباند. پیِر ترسید و وحشت کرد.

بلافاصله بعداز آن، وکیلش با من تماس گرفت.

وکیل من را برای ملاقاتی در دفترش فراخواند. به او توضیح دادم که خیلی عصبانی هستم، چیزی برای از دست دادن ندارم و حاضرم برای نجات خودم دست به هر کاری بزنم. وکیل به من گفت که پیِر از من می‌خواهد مالکیت خود را از فروشگاه شلوار جین به مرد آلمانی منتقل کنم و در مقطعی شروع به دریافت پولی خواهم کرد که از فروش تجارتم طلبکارم.

من اصلاً از این ایده خوشم نیامد و موافقت نکردم. او به من گفت که اگر به ماندن در آنجا ادامه دهم، آبروی خود را از دست خواهد داد و ماندن من غیرممکن است، چون همه در مرکز خرید از من و تهدیدهای من خبر داشتند. از او خواستم به من فرصت دهد تا فروشگاه‌هایم را به هرکسی که می‌خواهم بفروشم.

بعداز تهدیدهایی که به صاحب مرکز خرید کردم و وقتی دید مرد آلمانی خیلی ترسیده و حاضر نیست مغازه‌اش را خالی کند و به زیرزمین برود، وکیل به من گفت که علیه من حکمی دارند و می‌توانند بیایند و فروشگاه من را ببندند و تمام اجناس من را مصادره کنند، اما آن‌ها تصمیم گرفته‌اند با من سازش کنند.

وکیل به من گفت: «چی می‌خوای؟» به او گفتم: «تو نمی‌تونی یهو تمام اجناس منو ببری. انجیل می‌گه چشم در برابر چشم، دندان در برابر دندان. اگه معیشت منو بگیری - این از همه فروشگاه‌های من سودآورتر بود - من چیزی برای از دست دادن ندارم و تا آخرش باهات می‌جنگم.»

او به من گفت: «تو می‌دونی که سایر صاحبان فروشگاه در مرکز خرید از تهدیدهات برای مالک خبر دارن، نمی‌تونی همچنان اونجا بمونی.»

به‌دقت در مورد وضعیتی که در آن قرار داشتم فکر کردم و متوجه شدم که بهترین کار برای من این است که از شر فروشگاه‌ها خلاص شوم، همچنین به دلیل انواع مشکلات دیگری که داشتم. به او گفتم می‌خواهم به من اجازه بدهد فروشگاه‌هایم را بفروشم. او همچنین از بدهی بابت هزینه‌های تعمیر و نگهداری که در حکم بود صرف‌نظر کرد.

مغازهٔ شیک کت‌وشلوار را بستم، بوتیک زنانه را به همسر سابق حیّم از کلوپ رومی هاگ فروختم - او هنوز ۳۰۰۰۰ مارک به من بدهکار بود. از بدهی او گذشتم، چون دیدم با دخترش تنها زندگی می‌کند و در شرایط سختی است.

برای بوتیک شلوار جین و فروشگاه تخصصی مردانه در طبقهٔ اول، ریتا[1] را آوردم - زن مسنی که صاحب رستورانی بود که فیفی قبلاً برای او کار می‌کرد. او هر دو فروشگاه را از من "خرید". او درحالی‌که یک کت خز چشمگیر بر تن داشت وارد شد و قرارداد را امضا کرد. در قرارداد نوشته شده بود که او مخالفتی ندارد که آن مرد آلمانی یک مغازهٔ شلوار جین در طبقهٔ من باز کند. او در ظاهر مالک بود، اما درواقع من هنوز این دو فروشگاه را مدیریت می‌کردم. یک موقعی، فروشگاه تخصصی مردانه که در طبقهٔ اول بود را فروختم.

مرد آلمانی کار بازسازی مغازه‌اش در زیرزمین را به پایان رساند و به آن پایین نقل‌مکان کرد.

برگر کینگ بازسازی خود را آغاز کرد.

1. Rita.

فصل ۸۲

آپارتمان در خیابان اِستیر اِستراسه

در طول مدتی که در آپارتمانی در استیر اِستراسه زندگی می‌کردم، با یک مرد اسرائیلی مراکشی‌تبار به نام میشل[1] آشنا شدم. او از اسرائیل برای دیدار برادرش به آلمان آمده بود. من با او دوست شدم و هر روز باهم معاشرت می‌کردیم. پس‌از مدتی به آپارتمان من نقل‌مکان کرد.

یک شب سال نو، ما به کلوپ رفتیم و با دخترهای زیادی آشنا شدیم. همه‌جور تجربه و ماجراجویی داشتیم. در یکی از مهمانی‌ها، دختری یادداشتی با شماره تلفنش به من داد. به او زنگ زدم و مدتی باهم در ارتباط بودیم.

دختری که در یک مهمانی دوستانه
شماره تلفنش را به آقای ز داد.

1. Michel.

هر وقت من و میشل بیرون می‌رفتیم، پسرم را بدون سرپرست در خانه تنها می‌گذاشتم. چهارپنج‌ساله بود. حواسم به این نبود که بچه در آن سن‌وسال را نباید تنها گذاشت. یک شب با حالت بیماری از خواب بیدار شد و سرفه‌هایش بند نمی‌آمد. وقتی دید من در خانه نیستم به سراغ همسایهٔ سال‌خورده رفت و از او خواست که از او مراقبت کند. بعداز آن ماجرا، دیگر هرگز او را تنها نگذاشتم. هر بار که می‌خواستم از خانه بیرون بروم از همسایه می‌خواستم مراقب او باشد.

دوستم حیّم که در آن زمان در هانوفر زندگی می‌کرد، یک روز با دختر سه‌ساله‌اش و دایه‌اش به دیدن ما آمد. آن‌ها در آپارتمان من ماندند. با بچه‌ها بیرون رفتیم و متوجه شدم که دایهٔ دخترش مدام به من نگاه می‌کند. چند روز بعداز برگشتنشان، او با من تماس گرفت و خواست که بیاید و با من خلوت کند. قرار گذاشتیم آخر هفته همدیگر را ببینیم. او با قطار آمد و چند روز پیش من ماند. ما کمی خوش گذراندیم و درنهایت او را دوباره سوار قطار کردم که برگردد.

حیّم دو فروشگاه شلوار جین در هانوفر داشت، اما در آن زمان تجارت شروع به اُفت کرد و او تصمیم گرفت به همراه همسر و دختر کوچکش به اسرائیل بازگردد. وقتی آلمان را ترک کرد، هنوز ۳۰ هزار مارک به من بدهکار بود. زمانی که در اسرائیل بودم، به دیدن او در خانه‌اش در آتلیت[1] رفتم و شرایط زندگی او را دیدم. به یاد آوردم که در رستوران وین قدیم با او چه کردم. ناراحتم کرد. از کاری که با او کرده بودم پشیمان شدم و تصمیم گرفتم بدهی را ببخشم.

زمانی که در برلین زندگی می‌کردم، سالی چند بار به اسرائیل پرواز می‌کردم. از وقتی‌که در نیویورک زندگی می‌کنم، فقط یک یا دو بار در سال می‌روم و همیشه به من خوش می‌گذرد. در یکی از پروازهای برگشت از اسرائیل به برلین، زنی حدوداً چهل‌ساله در صندلی کنار من بود. شروع کردیم به صحبت کردن. به او گفتم که هستم و چه‌کار کردم. خودم را تاجر معرفی کردم. آن موقع هنوز بوتیک داشتم و درگیر زندگی شبانه بودم. البته این را به او نگفتم. نام و شماره تلفن من را گرفت و گفت ممکن است در تماس باشد. بعداز یکی دو روز زنگ زد و پرسید که آیا می‌تواند به دیدنم بیاید.

مستقیم به او گفتم که می‌دانم چرا می‌خواهد بیاید. گفتم: «گوش کن، من دارم راستش رو بهت می‌گم. من همیشه همراه یکی از دوستام سکسِ سه‌نفری دارم.» مردد شد، اما بالاخره قبول کرد که بیاید. من مَتی را هم آوردم چون او هرگز در ارتباط با زنان موفقیتی

1. Atlit.

نداشت و احساس کردم باید تا حد امکان به او کمک کنم. او به آپارتمان رسید. مَتی، من و او باهم سکس دیوانه‌کننده‌ای داشتیم و او گفت که هرگز آن روز را فراموش نخواهد کرد.

او به من گفت که برای دیدن عمویش به برلین آمده است. معلوم شد که عمویش مترجم دادگاه منطقه است و در چندین محاکمهٔ کیفری من به‌عنوان مترجم عبری به آلمانی حضور داشت. چون من یک خارجی بودم، حتی اگر آلمانی را خوب صحبت می‌کردم، همیشه می‌خواستند که مترجم حضور داشته باشد. قبل از اینکه به من زنگ بزند، از عمویش پرسیده بود که آیا کسی به اسم فلانی را می‌شناسد یا نه، و عمویش به او گفته بود: «جرئت نکن به اون مرد نزدیک بشی.» این احتمالاً او را بیشتر کنجکاو کرد و به همین دلیل زنگ زد و به دیدن من آمد.

در یک بار با دختری به نام وِرا[1] آشنا شدم. او هم برای مدتی پیشِ من در آپارتمانِ خیابان اِستیر استراسه نقل‌مکان کرد.

او چند ماه با من زندگی کرد. با او احساس خوبی داشتم. او از من مراقبت می‌کرد و با من خوب بود و همچنین از پسرم هم خیلی خوب مراقبت می‌کرد. آن‌قدر با او احساس خوبی داشتم که حتی به او گفتم: «اگه یهودی بودی باهات ازدواج می‌کردم.» تا به امروز با او در ارتباط هستم و در سال ۲۰۲۲ هنگام بازدید از برلین او را دیدم. اگرچه در گذشته از هاناو و برلین شرقی و غربی اخراج شده بودم، اما چندین بار به روش‌های مختلف بدون مشکل از آلمان دیدن کردم.

زمانی که در مرکز خرید با مشکلاتی مواجه شده بودم، می‌ترسیدم که مجبور به ترک آنجا شوم، بنابراین برنامه‌ریزی کردم که در اسرائیل زندگی کنم و در ایالات متحده تجارت کنم.

---

1. Vera.

فصل ۸۳

اولین سفر من به آمریکا

آوی (بیلی) که آلمان را ترک کرد، به ایالات متحده رفت. وقتی برای دیدار به برلین آمد، من را به رفتن به آنجا تشویق کرد. در آن زمان، من با وِرا در یک آپارتمان زیبا در اِستیر اِستراسه زندگی می‌کردم. وضع مالی‌ام چندان خوب نبود. به ایالات متحده سفر کردم تا گزینه‌های جدید را بررسی کنم. می‌خواستم ببینم برای من مناسب است که در آنجا زندگی یا تجارت کنم؟

در اولین دیدارم، آوی در نیویورک به دیدنم آمد (او نام خود را به بیلی تغییر داده بود). از طریق او با دوستانش که همگی فروشنده مواد مخدر بودند آشنا شدم. وقتی مواد مخدر می‌خرید، خودش را دومینگو معرفی می‌کرد. ما در نیویورک و میامِی[1] باهم چرخیدیم و بعد به خانهٔ او در لس آنجلس پرواز کردیم.

وقتی رسیدم، آوی آمد تا من را از فرودگاه ببرد و ازآنجا رفتیم پیش دوستش که به او بدهکار بود، پسری به نام مونی[2]. این مونی به مواد مخدرِ سنگین معتاد بود و بین آن‌ها معاملهٔ مواد وجود داشت. بیلی به او کوکائین فروخت و مونی آن را می‌فروخت. من در آنجا با پسر دیگری به نام اِبون[3] آشنا شدم.

خلاصه اینکه ما منتظر مونی بودیم که بدهی خود را به بیلی بپردازد، اما آن پسر پولی نداشت. او به ما گفت که شخصی در لس آنجلس بود که به او پول بدهکار بود و به‌جای اینکه مونی پولی را که بدهکار بود پس بدهد، آن را مستقیماً از مردی که به او بدهکار بود بگیریم.

---

1. Miami.
2. Muni.
3. Abun.

ما به کلوپ‌های اسرائیلی در منهتن[1] رفتیم. آن زمان در آنجا مواد مخدر و روسپی زیاد بود. ابون در نزدیکی برج‌های دوقلو یک مغازهٔ کفش‌فروشی داشت و در آنجا یک دفتر و انباری در زیرزمین هم داشت. دوستانش می‌آمدند و باهم مواد می‌کشیدند.

مونی در کوئینز[2] نزدیک دریا زندگی می‌کرد. او ما را به گشت‌وگذار برد و اطراف نیویورک را به ما نشان داد. وقتی به دریا رسیدیم، سه خیابان پر از خانه‌های ییلاقی دیدم. آن‌ها برای فروش بودند و مونی می‌خواست آن‌ها را بخرد. او گفت به‌محض اینکه پولی که طلب دارد به دستش برسد، خانه‌های ییلاقی را می‌خرد.

من و اِبون با مونی و پسر دیگری به نام سامی[3] شریک شدیم تا ۱۶ خانه ییلاقی بخریم. مونی گفت که اگر به او کمک کنیم پولی که طلب دارد را بگیرد، خودش همهٔ پول را می‌دهد و بعد سامی به او بدهکار خواهد بود.

مونی با فردی که به او بدهکار بود تماس گرفت، اما او از این موضوع اجتناب کرد. ابون تلفنی بر سر او فریاد زد که اگر بدهی‌اش را پس ندهد، کسی را سراغش می‌فرستد. درواقع، او با لس آنجلس تماس گرفت و از یکی از دوستانش خواست که برود به خانه آن مرد شلیک کند، و او این کار را کرد.

آن مرد فهمید که با دردسری جدی روبه‌رو شده و بلافاصله سوار هواپیمایی به مقصد فلوریدا[4] شد. این خبر را شنیدیم و به دنبالش رفتیم. با او تماس گرفتیم و به او اطلاع دادیم که در فلوریدا هستیم و می‌دانیم چطوری پیدایش کنیم. او ترسید، بدهی را پس داد و داستان به‌این‌ترتیب تمام شد.

در فلوریدا، نمی‌توانستم آنچه می‌دیدم را باور کنم: آفتاب، درختان نخل، زنان زیبا. به یک کلوپ بزرگ در میامی رفتیم و ناگهان دعوا شد. نگهبانان کلوپ به سامی، دوست مونی و ابون هجوم بردند. معلوم شد او داشته با دختری صحبت می‌کرده، دوست‌پسرش عصبانی شده و آن‌ها شروع به دعوا کردند. بعد نگهبانان آمدند و او را کتک زدند. از اتفاقی که آنجا افتاد عصبانی شدم و آن مکان را نفرین کردم. بعداز دو روز ازآنجا رد شدیم و دیدیم که کلوپ سوخته است...

---

1. Manhattan.
2. Queens.
3. Sammy.
4. Florida.

مونی رفت و آن ۱۶ خانه ییلاقی را خرید. ما یک شرکت افتتاح کردیم و نام آن را "Z Farms" گذاشتیم. من و سامی سهم خود را پرداخت کردیم. ابون نتوانست پول بگذارد و شراکت را ترک کرد. تصمیم گرفتیم خانه‌های ییلاقی را به گردشگران اسرائیلی که به نیویورک می‌آیند اجاره دهیم.

بیلی بعداز اینکه وضع مالی‌اش خوب شد، به لس آنجلس رفت و در آنجا یک دوست‌دختر داشت، یک دختر آفریقایی-آمریکایی. او به یک فروشنده بزرگ مواد مخدر تبدیل شد و درنهایت با همهٔ کسانی که می‌شناخت قطع رابطه کرد. کم‌کم مردم از او دور شدند. من هم به‌ندرت با او صحبت می‌کردم.

متوجه شدم افرادی که کوکائین مصرف می‌کنند وحشت‌زده می‌شوند و همیشه می‌لرزند. دیدم این اتفاق داشت برای بیلی می‌افتاد و می‌دانستم که اگر مواد مخدر را ترک نکند، کارش تمام است.

در لس آنجلس با همسر صاحب‌خانه‌مان در ایران ملاقات کردم. صاحب‌خانه فوت کرده بود، اما همسرش با دخترشان در آنجا زندگی می‌کرد. من را شناخت و بغلم کرد و بوسید. از دیدنش خوش‌حال شدم. او یادش بود که من همان کسی بودم که شیشه‌های آن‌ها را شکستم و بعداز بیش‌از بیست سال آن را به من یادآوری کرد. من شرمنده شدم و فقط می‌خواستم ناپدید بشوم.

فیفی، دوست من از برلین، از قبل در ایالات متحده بود و در لس آنجلس زندگی می‌کرد. بعداز اینکه میکی را قاچاقی از زندان بیرون آوردیم، فیفی را از طریق مکزیک به لس آنجلس رساندیم. من او را هم دیدم. برایش در یک مغازهٔ الکتریکی کاری دست‌وپا کرده بودند و او خوب کار می‌کرد.

یک روز قبل از بازگشت من به برلین، در لس آنجلس، شش دختر به اتاق بیلی آمدند. یک مرد هم‌جنس‌باز هم آنجا بود که گریه می‌کرد و التماس می‌کرد که می‌خواهد با من باشد و یکی از دختران آنجا از من خواستگاری کرد. احساس پادشاهی می‌کردم. عکس دسته‌جمعی گرفتیم. برای خودش تجربه‌ای بود. بیلی من را ناراحت کرد و نمی‌خواست من را به فرودگاه ببرد چون باهم مشاجره داشتیم، بنابراین با تاکسی به فرودگاه رفتم و به آلمان برگشتم.

آقای ز در سفر به لس آنجلس در خانهٔ دومینگو با دخترها و همان دختری که از او خواستگاری کرد.

وِرا در آن زمان هنوز با من زندگی می‌کرد. وقتی من به ایالات متحده رفتم، او در برلین ماند. وقتی برگشتم او در آپارتمان منتظر من بود و من نمی‌توانستم آنچه می‌دیدم را باور کنم. چند هفته پیش که او را ترک کردم، هیکل خوبی داشت و حالا مثل اسکلت لاغر شده بود. من را بغل کرد و شروع کرد به گریه کردن. او گفت آن‌قدر دلش برایم تنگ شده بوده که در تمام یک ماهی که نبودم نتوانسته چیزی بخورد. من از قبل می‌خواستم که او از خانه‌ام برود. فکر می‌کردم ماجرای بین ما تمام شده است. با او دوران خوشی داشتم، اما وقتی به آمریکا رفتم تا جایی که به من مربوط می‌شد از هم جدا شده بودیم.

فصل ۸۴

محاکمه به خاطر تهدیدهایم و اخراج من

یک سال پس‌از اینکه مالک مرکز خرید را تهدید کردم، احضاریه دادگاه را دریافت کردم. پیش دولده رفتم و موضوع را به او گفتم. به نظر او، آن‌ها هیچ مدرک قاطعی برای تهدیدها نداشتند و فقط شهادت مرد آلمانی از مغازهٔ شلوار جین را داشتند. ما به دادگاه رفتیم و من حس می‌کردم که سریع تمام می‌شود و من بی‌گناه بیرون خواهم آمد.

وقتی به دادگاه رسیدیم، یک قاضی با ظاهر نازی‌ها آنجا نشسته بود. او نام من را پرسید و از دو پلیس خواست تا من را بازداشت کنند. به من دستبند زدند و او دستور داد که من را به بازداشتگاه در زندان زیرِ دادگاه ببرند. قاضی گفت ازآنجایی‌که من مظنون به تهدید هستم، تا زمانی که من آزاد باشم شاهدان از شهادت می‌ترسند. همان‌طور که قبلاً اشاره کردم، سعی می‌کردم با دختری که در دفاتر و مکان‌های استراتژیک کار می‌کرد ارتباط برقرار کنم. حدود شش ماه قبل از محاکمه، با دختری آشنا شدم که به من گفت در دادگاه کیفری کار می‌کند و برای من مهم بود که رابطه‌ام با او را حفظ کنم. با او وقت می‌گذراندم، او را برای شام دعوت می‌کردم و او را به کلوپ می‌بردم. وقتی وارد دادگاه شدم، شوکه شدم که دیدم این دختر منشی قاضی است. در جریان دادگاه با او تماس گرفتم و او به من پیام داد که قاضی با صاحب مرکز خرید رابطه‌ای نزدیک دارد و به او قول داده که من را تا پایان مراحل قانونی در بازداشت نگه دارد.

دولده سعی کرد مدعی شود که زمان زیادی از تهدیدها گذشته و هیچ‌کدام از آن‌ها عملی نشده است، اما قاضی تصمیم گرفت به من اجازه حضور در دادگاه برای برخی از جلسات استماع را ندهد و دستور داد تا پایان جلسات و صدور حکم در بازداشت بمانم. می‌ترسیدم اگر در جلسات حضور نداشته باشم، دولده مجبور شود به ادله پاسخ دهد و ما

پرونده را ببازیم. از دولده خواستم وکیل دیگری که با او در دفتر کار می‌کرد را اضافه کند. او در بررسی اسناد آرام‌تر و بهتر عمل می‌کرد.

یک ماه و نیم در بازداشت ماندم. دولده برای دستگیری من درخواست تجدیدنظر داد، اما این‌جور کارها زمان می‌برد. درخواست تجدیدنظر تنها پس‌از یک ماه و نیم، برای آماده شدن برای صدور حکم در دادگاه پذیرفته شد، اما همان‌طور که بعداً مشخص خواهد شد، این زمان‌بندی به نفع ما بود.

در بازداشتگاه از من پرسیدند که می‌خواهم با چه کسی باشم تا مجبور نشوم با جنایتکاران و قاتلان هم‌سلول شوم. بالاخره من را با یک مرد آلمانی در یک سلول گذاشتند، که گمان می‌کردم آنجا بود تا جاسوسی من را بکند.

فقط هفته‌ای یک‌بار اجازه حمام کردن داشتیم. اولین باری که دوش گرفتم دیدم همه دارند سریع دوش می‌گیرند و دلیلش را نفهمیدم. برایم توضیح دادند که نگهبانان فقط سه دقیقه آب را باز می‌کنند.

یک هفته بعداز بازداشت من، دادگاه شروع شد. آن‌ها من را از سلول بیرون آوردند و مستقیم به داخل دادگاه بردند. به افراد حاضر در سالن نگاه کردم. نورما را آنجا دیدم و در کنارش برادرم هانوکا[1] را دیدم که به‌طور غیرمنتظره‌ای از اسرائیل آمده بود و در زمان محاکمه در آلمان بود. علاوه بر این، همه افراد مرتبط با پرونده آنجا بودند: پیِر، صاحب مرکز خرید، وکیل او و مرد آلمانی که مغازهٔ شلوار جین داشت.

قاضی دستور داد همهٔ افراد حاضر در دادگاه که من را می‌شناختند آنجا را ترک کنند. وکیل من از جا پرید و گفت این خلاف قانون است. قاضی توضیح داد که این کار برای این است که افراد شهادت دهنده از من نترسند و همچنین افرادی که من را می‌شناختند به خطر نیفتند، از ترس اینکه اگر آن‌ها شهادت را بشنوند، بعداز آن من بخواهم از آن‌ها انتقام بگیرم.

همه رفتند و سالن خالی شد. در همین حین، مردم در دادگاه‌های دیگر دستورات قاضی را شنیدند، کنجکاو شدند و سالنی که دادگاه من در آن بود را پر کردند.

محاکمه آغاز شد. پیِر به جایگاه شهود رفت. او به لکنت افتاد و دیدم از ترس داشت می‌لرزید. قاضی پرسید که آیا از شهادت می‌ترسی و او پاسخی نداد. قاضی دستور داد تا در مدت‌زمان شهادت دادن او، من را از دادگاه خارج کنند. خواستم اجازه دهند بمانم تا بدانم به چه چیزی متهم هستم. اما قاضی اصرار کرد و گفت وکیل به من اطلاع می‌دهد.

---

1. Hanukah.

من را بیرون بردند.

در مدتی که در بازداشت بودم، وقت داشتم برای حرکت‌هایم برنامه‌ریزی کنم. بعداز مدتی دیگر به آن پسری که در سلول همراهم بود شک نداشتم و متوجه شدم که او اهل جاسوسی کردن نیست. نگران بودم، اما به‌هرحال تصمیم گرفتم از او برای اهدافم استفاده کنم.

من می‌دانستم که آن‌ها قصد دارند صاحب آلمانی فروشگاه شلوار جین از مرکز خرید را به جایگاه شهود بیاورند، بنابراین تصمیم گرفتم به او پیام بدهم. از مردی که در بازداشت با من بود خواستم به من کمک کند تا نامه‌ای به آلمانی بنویسم. نوشتم و به او هشدار دادم که جرئت شهادت علیه من را نداشته باشد، اما در عوض، این را بگوید: «چون مالک، پیِر، به من فشار آورد و مجبورم کرد که مغازه‌ام را به طبقهٔ زیرزمین منتقل کنم و من این را نمی‌خواستم. پیشِ پیِر رفتم و این داستان را سر هم کردم که آقای ز من را با اسلحه تهدید کرده است.» وقتی وکیلم به ملاقات من آمد، از او خواستم نامه را برای همسرم نورما ببرد. بااینکه اجازه نداشت چیزی از من بگیرد اما آن را گرفت و به نورما داد. از نورما خواستم محتوای نامه را تلفنی برای مرد آلمانی بخواند و بعد آن را بسوزاند. در این حین، نمی‌دانستم نامه به دست نورما رسیده یا نه و خیلی استرس داشتم.

یک روز تقه‌ای به در سلول زدند، یک نفر آمد و برایم یک کتاب آورد. گفتم هیچ کتابی نخواسته‌ام، اما او اصرار کرد که آن را به من بدهد. فهمیدم چه خبر است و کتاب را گرفتم. یادداشتی را پیدا کردم که داخل آن گذاشته شده بود. معلوم شد که موشه (مردی که با او از هامبورگ تریاک آوردم) نیز در این زندان زندانی بود و کتابخانه زندان را اداره می‌کرد. او فهرستی داشت که در آن اسامی همه زندانیان و شماره سلول هر زندانی در آن ذکر شده بود. وقتی اسم من را دیده بود، تصمیم گرفته بود به من خبر بدهد که او هم آنجاست.

یک روز به دیدن من آمد. از او پرسیدم آیا می‌تواند برایم چیزی بیاورد که بکشم و او برایم حشیش آورد. استعمال دخانیات در سلول‌ها ممنوع بود، اما همهٔ زندانیان کنارِ پنجره کوچک اتاق سیگار می‌کشیدند.

نزدیک غروب چراغ سلول‌ها را خاموش می‌کردند. هم‌سلولی من که در جریان نامه به من کمک کرد، همیشه کتاب می‌خواند و شب‌ها به نور نیاز داشت. او تکه‌ای آینه برداشت و آن را به دیوار روبه‌روی چراغی در بیرون چسباند، و این‌گونه بود که ما نوری برای خواندن داشتیم.

آن مرد سارق بود، اما هرگز دستگیر نشده بود. این بار به خاطر کاری که انجام نداده

بود در زندان بود. او از زندگی شخصی خود برایم گفت که چطور یک روز به خانه آمد و دید همسرش دارد به او خیانت می‌کند.

❋❋❋

همان‌طور که گفتم، قبل از این دادگاه، به دلیل اینکه با موادی که از اسرائیل آورده بودم دستگیر شده بودم، به دو سال حبس تعلیقی محکوم شده بودم. نگران بودم که اگر به جرم دیگری دستگیر شوم، باید آن دو سال را به زندان بروم. می‌ترسیدم اگر در دادگاه جاری ببازم، آن حکم هم اجرا شود.

روز قبل از صدور حکم، ساعت چهار بعدازظهر درِ سلولم را زدند و اسمم را صدا کردند. به من گفتند همه وسایلم را جمع کنم و آزادم. فرجام خواهیِ یک ماه و نیم پیشِ دولده برای دستگیری من بالاخره پذیرفته شده بود. من از بازداشتگاه آزاد شدم.

هم‌سلولی‌ام قرار بود سه روز بعد محاکمه شود و از من خواست که با همسرش صحبت کنم و چیزی به او بدهم تا با آن بتواند شهادت بدهد. قبل از اینکه بروم دقیقاً به من گفت که به او چه بگویم و من هم قول دادم این کار را انجام دهم.

از زندان بیرون آمدم و با تاکسی به‌سمتِ مرکز خرید رفتم. به دختری که مراقب مغازهٔ من بود اطلاع دادم که آزاد شده‌ام. ازآنجا به خانه رفتم و با مَتی حشیش کشیدم. حتی وقت نکردم به دولده زنگ بزنم و به او خبر بدهم. صبح روز بعد، در دادگاه حاضر شدم و از در معمولی وارد شدم ـ قاضی رد شد و من را آنجا دید. تعجب کرد چون تا جایی که می‌دانست من هنوز در زندان بودم.

البته شخصی که پشت کل این محاکمه قرار داشت، صاحب مرکز خرید بود که سعی کرده بود به هر قیمتی من را بیرون کند. اما در طول کل دادگاه هیچ مدرک قاطعی مبنی بر اینکه من جُرمی انجام داده‌ام ارائه نشد. مرد آلمانی همان‌طوری که من در نامه‌ای که نورما تلفنی برایش خوانده بود از او خواسته بودم، شهادت داد. حتی دادستان به این نتیجه رسید که هیچ مدرک مشخصی علیه من وجود ندارد.

اما قاضی علیه من بود. او گفت من صاحب مرکز خرید را تهدید کرده‌ام که مغازه‌ها را از من نگیرد و گواه آن‌هم این حقیقت بود که آن‌ها را نگرفته بود. به همین دلیل است که او تخلف من را به‌عنوان تهدید و باج‌گیری موفق تعریف کرد.

قاضی من را به خاطر تهدیدها به پنج سال محکوم کرد به‌علاوه گذراندن دو سالی که قبلاً به‌صورت مشروط گرفته بودم.

دولده گفت درخواست تجدیدنظر خواهد داد و نیازی نیست نگران چیزی باشم. آن

موقع متوجه شدم که چقدر خوش‌شانس بودم که درخواست تجدیدنظرم علیه دستگیری پذیرفته شد و شب قبل از صدور حکم آزاد شدم - چون حالا تا زمانی که اعتراض علیه حکم ادامه داشت از رفتن به زندان در امان بودم. من تا پایانِ درخواست تجدیدنظر آزاد بودم. اگر حکم قبل از اعتراض به بازداشت صادر می‌شد، من تمام مدت تا تصمیم‌گیری در مورد تجدیدنظرخواهی در زندان می‌ماندم که درواقع تقریباً یک سال طول می‌کشید!

فصل ۸۵

دولده با قاضی به توافق می‌رسد

روز دادگاه پس از حدود یک سال و در پایان روند تجدیدنظر فرارسید. بیرون دادگاه نشسته بودم که ناگهان یک وکیل جوان از راه رسید و گفت که جایگزین دولده است، چون دولده نمی‌تواند بیاید. به من گفت نگران نباشم چون همه‌چیز با قاضی حل شده و من بی‌گناه شناخته خواهم شد.

اصرار کردم با دولده صحبت کنم. با دفتر او تماس گرفتم و آن‌ها به من گفتند که او خارج از شهر است و نمی‌تواند خودش را برساند. منشی اضافه کرد که شریک دولده، آیزنباوم[1] پایش آسیب دیده، بنابراین آن‌ها وکیل دیگری که نمی‌شناختم را فرستاده بودند. منشی همچنین گفت که دولده آخر هفته با قاضی تنیس بازی کرده و آن‌ها توافق کردند که پرونده بسته شود.

فهمیدم که اتفاقی افتاده، اما باور نکردم که دولده من را فروخته است. او این‌طوری نبود و من به او اعتماد داشتم. اما بازهم می‌ترسیدم که شاید به او فشار آورده‌اند و به همین دلیل نیامده است.

می‌دانستم به‌محض ورود به دادگاه با وکیل فعلی، دادگاه رسماً آغاز می‌شود. و بنابراین از رفتن به داخل اجتناب کردم تا زمانی که قاضی بیرون آمد و به من گفت که پرونده واقعاً بسته شده، همان‌طور که وکیل جوان قول داده بود. وکیل با قاضی تماس گرفته بود و او بیرون آمد (کاری که یک قاضی هرگز انجام نمی‌دهد!) و به من گفت که نباید نگران باشم و همه‌چیز با دولده حل‌وفصل شده است.

آرام شدم و وارد سالن شدم. دادگاه شروع شد و قاضی اعلام کرد که حکم را لغو کرده

---

1. Eisenbaum.

و پرونده بدون هیچ محکومیت زندان بسته شد.

اما صاحب مرکز خرید مصمم بود که من را از آلمان خارج کند، بنابراین تصمیم گرفت از راه‌های دیگری استفاده کند. هر فرد خارجی مقیم باید سالی یک بار مجوز اقامت خود را در اداره مهاجرت دولتی تمدید می‌کرد و تنها درصورتی‌که فرد دارای سوابق پاکی بود، مجوز تمدید می‌شد. وقتی برای تمدید مجوز رفتم، من را به اتاق بازجویی فراخواندند و دستور دادند که کشور را ترک کنم.

وقتی علت را پرسیدم، به من گفتند که من خطری برای عموم مردم هستم. شروع کردند به خواندن تمام پرونده‌های من. اشاره کردم که در تمام محاکمات تبرئه شدم و شروع کردم به متهم کردن پلیس مهاجرت به آزار و شکنجه من. آن‌ها گوش نکردند و به من دستور دادند که تاریخ عزیمت را تعیین کنم و آن را به آن‌ها اطلاع دهم. در این مدت، پاسپورت من پیش آن‌ها می‌ماند. من به آن‌ها گفتم که قصد ندارم کشور را ترک کنم و اگر بخواهند می‌توانند من را تحت پیگرد قانونی قرار دهند.

من را به دادگاه بردند. برای این دادگاه از شریک دولده کمک گرفتم، چون این بار به وکیلی کمتر تهاجمی نسبت به دولده نیاز داشتم. وقتی تاریخ دادگاه فرارسید، پلیس اداره مهاجرت مدارک لازم را ارائه نکرد. قاضی سی روز به آن‌ها فرصت داد تا دلایل خود را برای اخراج ارائه کنند. او گفت که اگر در پایان این مدت فرم‌ها را ارائه نکنند، حکم اخراج من را لغو می‌کند.

پس‌از گذشت سی روز که به دادگاه رفتم، در کمال تعجب متوجه شدم که قاضی عوض شده است. معلوم شد که پیِر، صاحب مرکز خرید، ترتیب این جایگزینی را داده است. قاضی جدید حتی بدون مدارک علیه من حکم داد که من برای مردم خطر دارم و باید آلمان را ترک کنم. او به من یک ماه فرصت داد تا همه‌چیز را جمع‌وجور کنم و بروم. بلافاصله متوجه شدم که دوباره فریب خورده‌ام.

به این نتیجه رسیدم که باید بروم.

دورهٔ بعداز آن وحشتناک بود. یک بحران را پشت سر گذاشتم. نمی‌دانستم چه‌کار کنم. اما مصمم بودم که از آلمانی‌ها انتقام بگیرم.

دراین‌بین به پلیس مهاجرت اطلاع دادم که با چه پروازی قصد خروج از آلمان را دارم و قبل از سوارشدن به هواپیما پاسپورت خود را با مهر اخراج سوم دریافت کردم. تنها به اسرائیل رفتم و نقشه کشیدم. تصمیم گرفتم به آلمان برگردم و یک عملیات محیلانه بزرگ در چند جهت انجام دهم. بخش اعظم آن شامل بانک‌ها و بخشی از آن شامل شهروندان

آلمانی می‌شد. آماده بودم به هر فرد آلمانی که دستم به او می‌رسید ازنظر مالی ضربه بزنم. با استفاده از پاسپورتی که مال من نبود به برلین برگشتم.

با نگاهی به گذشته، بازگشت به آلمان یک اقدام بسیار شجاعانه از سوی من بود، چون پلیس هر لحظه می‌توانست من را دستگیر و حبس کند.

در آن زمان بسیاری از افرادی که می‌شناختم آلمان را ترک کرده بودند. میشل آنجا را ترک کرده و به اسرائیل رفته بود. نامه‌ای برای او فرستادم و از او خواستم که برگردد و برای انجام عملیات محیلانه به من کمک کند. پسرم سه ماه دیگر داشت سال تحصیلی‌اش را در آلمان تمام می‌کرد و من قصد داشتم تا آن موقع عملیات را تمام کنم و با او از آلمان خارج شوم.

فصل ۸۶

عملیات محیلانه آلمانی

یک کانتینر سفارش دادم و در انبار یک شرکت باربری گذاشتم و چندین روز مبلمان و وسایل منزل، جواهرات، لوازم برقی و غیره را سفارش دادم تا با خود به اسرائیل ببرم. من از کارت‌های اعتباری و همچنین کارت اعتباری یک فروشگاه بزرگ استفاده کردم. در عرض دو روز خریدهای زیادی انجام دادم. از شرکت کارت اعتباری تماسی داشتم که گفت تراکنش‌های بسیار بزرگی را در حساب من می‌بینند. توضیح دادم که ارث زیادی به من رسیده، همسرم در سفر است و قرار است با تغییر مبلمان خانه او را غافلگیر کنم. در همین حین، لوازم منزل بیشتری سفارش دادم: مبل، فرش، اجاق‌گاز و غیره.

در دنیای زیرزمینی روسیه در آلمان، چک‌های بانکی از بانک‌های مشکوک واقع در شهرهای دورافتاده اتحاد جماهیر شوروی در گردش بود. بانک‌های آلمانی از نقد کردن چنین چک‌هایی اجتناب می‌کردند، چون چندین روز طول می‌کشید تا بتوان با این بانک در روسیه تماس برقرار کرد و نمی‌شد فهمید که آیا آن‌ها وجوه لازم برای پوشش آن چک را دارند یا خیر. من چنین چک‌هایی را در دنیای زیرزمینی خریدم. آن‌ها را به بانکم دادم اما به بانک اطلاع دادم که نیاز فوری به پول ندارم.

من رسماً مشغول واردات و صادرات بودم و مدیران بانک را متقاعد کردم که ازنظر مالی دارم خیلی خوب عمل می‌کنم. اطمینان حاصل کردم که بعضی از چک‌ها پوشش داده شوند. فقط وقتی که چک‌ها اعتبار می‌یافتند، بانک پول را برای من واریز می‌کرد. این‌طوری بود که اعتماد بانک‌های آلمانی را جلب کردم تا اینکه بالاخره درست قبل از خروجم چکی به مبلغ بسیار زیاد به آن‌ها دادم. اعتبار آن را تأیید کردند و من رفتم. همین ترفند را با چندین بانک دیگر انجام دادم.

بانک‌ها چک‌هایی هم داشتند که به آن‌ها یوروچک[1] (نوعی چک‌بانکی) می‌گفتند که می‌شد آن را تا ۳۰۰ مارک تهیه کرد. این چک‌ها در همه جای اروپا اعتبار داشتند. برای وصول آن‌ها به کارتی با نام و شماره نیاز داشتید و اگر شماره با پشت چک مطابقت داشت، بانک آن را تأیید می‌کرد.

من تعداد زیادی از این چک‌ها را جمع کرده بودم، چون می‌دانستم که روزی می‌توانم از آن‌ها استفاده کنم، حتی وقتی‌که دیگر خوب نبودند. در انواع بانک‌ها حساب باز کردم و از هرکدام ده چک ازاین‌دست سفارش دادم تا اینکه تعداد زیادی از این چک‌ها به دستم رسید.

بعداز اینکه آلمان را ترک کردم، از آن‌ها برای پرداخت انواع چیزها در اروپا استفاده کردم، درحالی‌که درواقع هیچ پولی برای پوشش آن‌ها در این حساب‌های بانکی وجود نداشت.

من چنین چک‌هایی را در بانکم سفارش می‌دادم، هر بار بسته‌های ده‌تایی یوروچک، و مدت‌ها قبل از دریافت حکم اخراج از آلمان ده‌ها مورد از آن‌ها را جمع کرده بودم. البته سفارش این حجم زیاد از چک شک مدیران بانک را برانگیخت. یک بار بانکی با من تماس گرفت و پرسید که چرا به این‌همه چک نیاز دارم. به آن‌ها توضیح دادم که چون آلمانی من ضعیف است، هنگام پر کردن آن‌ها اشتباه کردم و مجبور شدم تعداد زیادی از آن‌ها را دور بیندازم و آن‌ها را جایگزین کنم. این بهانه جواب داد، بنابراین به سفارش بیشتر و بیشتر بسته‌های ده چکی ادامه دادم.

همان‌طور که قبلاً گفتم، من یک آپارتمان اجاره‌ای زیبا در خیابان اِستیِر استراسه داشتم که می‌خواستم آن را به مستأجر جدید منتقل کنم. مقدار زیادی اثاثیه در آپارتمان داشتم و نقشه این بود که هرکسی که بخواهم اجاره‌نامه را به او منتقل کنم، همه وسایل را از من بخرد که پول زیادی می‌شد. من قصد داشتم آپارتمان را هم‌زمان به هر تعداد فرد ممکن واگذار کنم. در روزنامه آگهی دادم و تماس‌ها شروع شد.

همچنین به شرکت مدیریتی که اجارهٔ آپارتمان را انجام می‌داد رفتم و به آن‌ها گفتم که می‌خواهم اجاره‌نامه خود را به شخص دیگری واگذار کنم. مدیر تحت هیچ شرایطی با این موضوع موافقت نکرد. خوشبختانه در آن هفته من به یک کلوپ رفتم و این مدیر را دیدم که با دو دختر آنجا نشسته است. بلافاصله فهمیدم او چه تیپ آدمی است. برایش یک بطری شامپاین سفارش دادم. او دید که من این کار را کردم و من را صدا زد تا به او ملحق شوم.

1. Eurocheques.

گفتم نمی‌خواهم مزاحم شوم و ازآنجا رفتم.

روز بعد به دفترش رفتم و شروع کردم به حرف زدن دربارهٔ کلوپ‌ها و مکان‌های تفریحی. گفتم می‌خواهم یک سورپرایز دلپذیر برایش ترتیب دهم. از او خواستم به من بگوید برای یکی از جلسات کاری‌اش قرار است در کدام هتل باشد و من هدیه را آنجا برایش بفرستم. خندید اما درنهایت قبول کرد.

دو روز بعد با من تماس گرفت و به من گفت که ساعت چند در اتاق فلان هتل خواهد بود. دو تا دختر فرستادم آنجا و گفتم خیلی او را خوش‌حال کنند.

روز بعد به من اجازه داد اجاره آپارتمان را منتقل کنم، به شرطی که حق دلالی را به دخترش که در همان ساختمان زندگی می‌کرد، پرداخت کنم. او از من خواست یک ماه و نیم اجاره‌بها را به او بدهم. همان شب برای دخترش چک فرستادم.

دراین‌بین آپارتمان را برای اجاره همراه با فروش اثاثیه پیشنهاد دادم و با افراد مختلف قرارداد بستم. من از هرکدام از آن‌ها خواستم در زمان امضای قرارداد پنجاه‌درصد و هنگام اسباب‌کشی پنجاه‌درصد به من پرداخت کنند. با هرکدام جداگانه مذاکره کردم و با هرکدام قراردادی با مبلغی متفاوت حدود ۲۰ تا ۳۰۰۰۰ مارک بستم. شروع کردم به جمع‌آوری چک‌های زیادی از افرادی که آپارتمان را می‌خواستند و همه آن‌ها را نقد کردم. نقشه‌ام این بود که تا جایی که می‌شد پول به دست بیاورم و بعد ناپدید شوم.

با همه قرار گذاشتم که قبل از پرداخت دوم، قرارداد را با شرکت مدیریت امضا کنیم.

اما ناگهان فکری به ذهنم رسید. تصمیم گرفتم نصف دیگر پرداختی را هم بگیرم.

متوجه شدم که برای انجام این کار، باید به همه یک کلید بدهم.

آن موقع، برای پوشش خودم، به سراغ مونیکا، دختر شاغل در آژانس مسافرتی که هرازگاهی با او بیرون می‌رفتم، رفتم و از او خواستم تا چند پرواز را در چند روز متوالی برایم ترتیب بدهد. می‌خواستم خودم را برای لحظه‌ای که باید از آلمان فرار کنم آماده کنم و دقیقاً نمی‌دانستم آن موقع چه زمانی خواهد بود.

بعد قراردادهایی با نام تمام افرادی که خواهان آپارتمان بودند تهیه کردم و از یک مرد آلمانی که می‌شناختم خواستم وانمود کند که از شرکت مدیریت است و قراردادها را امضا کند.

شروع کردم به تنظیم جلسات با مردم و یک ساعت به هر یک از آن‌ها اختصاص دادم. سه روز پشت سر هم جلسه داشتم. بعداز امضای قرارداد، به هر مستأجری یک کلید آپارتمان دادم و قرار گذاشتم روزی که داشتم می‌رفتم بیایند، سه روز بعد. بعضی از آن‌ها

این را دوست نداشتند، بنابراین توانستم با گفتنِ اینکه می‌توانند مقداری از بقیه پول را نگه دارند و در روزی که خانه را ترک می‌کنم به من بدهند، آن‌ها را متقاعد کنم. می‌خواهم به این نکته اشاره کنم که آپارتمان را فقط به آلمانی‌ها "اجاره" دادم و مبلمان را فقط به آلمانی‌ها "فروختم". من خارجی‌ها را بیچاره نکردم. این آپارتمان به تقریباً سی نفر اجاره داده شد.

هم‌زمان در مورد بانک‌ها هم عملیات محیلانه را اجرا کردم. برای اینکه نشان دهم جریان خالص پول زیادی دارم، از منابع متفاوت به هر بانک پول واریز کردم.

همهٔ این اتفاقات به‌طور هم‌زمان رخ داد. این مانع نشد که من و میشل بیرون برویم و دخترها را به خانه بیاوریم. و در تمام این مدت پاسپورت غیرقانونی داشتم. من اصلاً اجازه حضور در آنجا را نداشتم، چون قبلاً اخراج شده بودم.

یک روز به یک نمایشگاه مرسدس رفتم. چندین ماشین را آنجا بررسی کردم و خواستم آن‌ها را برای تست رانندگی ببرم. شناسنامه‌ام را به‌عنوان ضمانت گرفتند. ماشین را پیش مدیر بانک بردم و دربارهٔ «ماشین جدیدی» که خریده بودم، لاف زدم.

یک گواهی مالکیت جعلی برای مرسدس به بانک بردم. من چنین گواهی‌نامه‌ای را به چندین بانک بردم و در مقابل مرسدس درخواست وام کردم. هر بانکی پذیرفت که شصت درصد مبلغ را به من بدهد. من از هر بانک ۲۵ـ۳۰۰۰۰ مارک وام گرفتم. همان‌طور که قبلاً اشاره کردم، چک‌های رقم بالا از بانک‌های دورافتاده روسیه را نیز به آن‌ها دادم و آن‌ها فکر می‌کردند که وجوه کافی برای پوشش آن‌ها وجود دارد، بنابراین آن‌ها را برای من نقد کردند.

من توانستم مقدار زیادی پول به اسرائیل منتقل کنم، ظاهراً به‌عنوان بخشی از تجارت واردات و صادراتی که انجام می‌دادم.

از تمام این عملیات محیلانه باهم، حدود نیم میلیون مارک به دست آوردم ـ پولی زیاد، امروز بیش از ۶۵۰۰۰۰ دلار ارزش داشت.

در یکی از روزهایی که در حال اجرای عملیات بودم، من، میشل و آن مرد آلمانی که وانمود می‌کرد اهل شرکت مدیریت است، در آپارتمان من نشسته بودیم که ناگهان در خانه به صدا درآمد. یکی از مستأجرهایی که با او قرارداد بسته بودم به همراه یک پلیس مرد و یک پلیس زن پشت در بود. قلبم ریخت، اما خون‌سردی خود را از دست ندادم. در درون دعای همیشگی‌ام را خواندم: «اسرائیل بشنو، خداوندگارا، خدای ما، خدا یکی است، شکوه و جلال پادشاهی تو تا ابد مستدام باد.» من همیشه می‌گویم «پادشاهی تو» نه «پادشاهی او».

احساس می‌کردم از این وضعیت هم به‌سلامت خارج می‌شوم. همان‌طور که گفتم در موقعیت‌های استرس‌زا ازنظر ظاهری همیشه آرام به نظر می‌رسم. با آن‌ها احوالپرسی خوبی کردم، اما مستأجر شروع به دادوفریاد کرد که من کلاه‌بردار و جاعل هستم. وانمود کردم که تعجب کرده‌ام و با قاطعیت به او گفتم که صدایش را پایین بیاورد و سر من فریاد نزند.

البته من نفهمیدم او از کجا فهمیده بود. از او پرسیدم دارد از چه حرف می‌زند و او به من گفت که از ناظر ساختمان شنیده که من آپارتمان را به فرد دیگری اجاره داده‌ام. من با بی‌تفاوتی به او پاسخ دادم که درواقع آن را به فرد دیگری اجاره دادم، اما او دو روز پیش معامله را به هم زد.

قبلاً هر وقت پلیس جلوی یک خارجی را می‌گرفت، کارت شناسایی و اجازه اقامت می‌خواست. خدا به من کمک کرد، چون آن دو پلیس هیچ سؤالی نپرسیدند و نخواستند کارت شناسایی را ببینند. علاوه بر این، کمد لباس من پر از اسکناس بود، چون از تمام مستاجرینی که کلید دریافت کرده بودند، پول نقد خواسته بودم.

من به صحبت با این "مستأجر" ادامه دادم و گفتم چون او به من تهمت زده، علاقه‌ای به انتقال آپارتمان به او ندارم. چکی نوشتم تا پولش را پس بدهم - چکی که به‌هرحال خوب نبود - و در را بستم.

در تمام این مدت، میشل و آن مرد آلمانی که من به‌عنوان مدیر استخدام کرده بودم در اتاق‌خواب بودند و جرئت بیرون آمدن را نداشتند. وقتی پلیس‌ها و «مستأجر» رفتند، مرد آلمانی به من گفت که می‌ترسد به دردسر بیفتد و پولی که گفته بودم به او می‌دهم را خواست، چون می‌خواست برود.

از او خواستم حداقل صبر کند تا پلیس خیابان را ترک کند. از پنجره دیدم پلیس‌ها و مستأجر در طبقهٔ پایین ایستاده و مشغول صحبت بودند. قلبم تندتند می‌زد، چون قرار بود مستأجر دیگری به‌زودی بیاید. اما بعداز چند دقیقه آن‌ها رفتند و مرد آلمانی با پولی که به او دادم از آپارتمان خارج شد.

دراین‌بین یکی دیگر آمد تا نصف دیگر را پرداخت کند. وقتی رسید از او عذرخواهی کردم و گفتم که آپارتمان را اجاره داده‌ایم. چکی معادل مبلغی که به من پرداخت کرده بود برایش نوشتم و گفتم تا چند روز دیگر آن را نقد کند که پول در حساب من باشد. به‌محض رفتن او، هرچیزی که می‌توانستم ببرم را جمع کردم و من و میشل ازآنجا فرار کردیم. با نورما تماس گرفتم و از او خواستم پسرمان را بیاورد و در خیابان اصلی با من ملاقات کند.

با تاکسی به آنجا رسیدیم. نورما و پسرم منتظر من بودند. به او گفتم که با پسرش خداحافظی کند، چون من به اسرائیل می‌روم و او را با خود می‌برم. او زد زیرِ گریه، بنابراین به او گفتم که بعداً به ما ملحق شود. پسرم نفهمید چه اتفاقی دارد می‌افتد، گریه کرد و زوزه کشید. او را با خودم بردم و ازآنجا به فرودگاه رفتیم.

از برلین به فرانکفورت با هواپیما رفتیم و ازآنجا یک پرواز ای آل اِی آل به اسرائیل داشتیم. در فرانکفورت دیر فرود آمدیم و هواپیما به‌سمتِ اسرائیل در شرف پرواز بود. مهماندار به من گفت که اگر به‌سمتِ درِ هواپیما بدوم، ممکن است قبول کنند که من را سوار کنند.

دو پاسپورت همراهم داشتم. یکی با مهر اخراج و دیگری پاسپورت اسرائیلی جعلی. وقتی دوان‌دوان به‌سمتِ دروازه رفتم، مأموران امنیتی خواستند چمدان‌های ما را بگیرند، به همین دلیل به کناری رفتم و پاسپورت جعلی را داخل چمدان گذاشتم. فکر می‌کردم دیگر به آن نیازی ندارم و نباید همراهم باشد. پاسپورت با مهر اخراج دستم مانده بود.

وقتی می‌خواستم سوار هواپیما بشوم، درست در ورودی دروازه پرواز، یک افسر پلیس مرزی دیگر بود که پاسپورت‌ها را چک می‌کرد! غیرمنتظره بود. به میشل گفتم پسرم را با خودش ببرد و جلوتر از من برود و من هم دنبال آن‌ها خواهم رفت.

پاسپورت واقعی را به پلیس نشان دادم ... مهر اخراج را دید و از من پرسید که چطور توانستم با چنین مهری وارد آلمان شوم. داستانی برایش ساختم که برای بردن پسرم که تازه مدرسه‌اش را تمام کرده بود، برگشتم. او بدون سؤال قبول کرد و اجازهٔ خروج از آلمان را امضا کرد. البته داستان من می‌توانست سؤالات زیادی ایجاد کند، بنابراین من آن را برایش تعریف کردم و به داخل هواپیما دویدم، چون وقتی در هواپیما بودم آن‌ها دیگر نمی‌توانستند من را دستگیر کنند ... و ما به‌سمتِ اسرائیل پرواز کردیم.

اوایل تابستان ۱۹۸۲ بود.

فصل ۸۷

مواجهه با پلیس اسرائیل

وقتی به اسرائیل برگشته بودم، هر بار سه چهار چک از بسته‌های یوروچکی که آن موقع به بانک سفارش داده بودم را نقد می‌کردم. البته آن‌ها دیگر خوب نبودند، اما چک‌های "معتبری" بودند که بانک باید آن‌ها را نقد می‌کرد. یک بار خرابکاری کردم. وقتی از من آدرس خواستند، آدرس پیرمرد را در فرم نوشتم و چندین چک وجود داشت که بانک آلمان آن‌ها را تأیید نکرد. وقتی برای نقد کردن چک‌های بیشتری وارد بانک شدم، کارمند بانک در اسرائیل به من گفت که داشته در آن آدرس به دنبال من می‌گشته و نتوانسته من را پیدا کند. توضیح دادم که موقتاً آنجا می‌مانم و به همین دلیل نامم روی در نیست، بنابراین او قبول کرد که چک‌های بیشتری را نقد کند.

بعد از چند روز پلیس با من تماس گرفت و شروع کردند به پرس‌وجو در مورد این چک‌ها. گفتم از حساب من هستند، همسرم در آلمان باید پول به حساب پول واریز می‌کرده و نکرده، و این فقط یک سوءتفاهم بوده.

کارآگاه من را برای بازجویی احضار کرد. من به جلسه رفتم. افسر ارشد من را به اتاق صدا زد و گفت: «ما همه‌چیز رو در مورد شما می‌دونیم. اینجا اسرائیل وطن شماست ـ بنابراین در وطن کارهای خلاف انجام ندید.»

بعد از مدتی نامه‌ای از دفتر نخست‌وزیری دریافت کردم. از چند نفر در مورد نامه پرسیدم و آن‌ها به من گفتند که از طرف شین بت، سرویس امنیت عمومی اسرائیل است. وقتی زنگ زدم تا بپرسم دربارۀ چیست، تلفنی به من گفتند که می‌خواهند من را دعوت کنند تا به‌صرف یک فنجان قهوه باهم صحبت کنیم.

من به جلسه رفتم. شخصی که ملاقات کردم مردی کوتاه‌قد با ژاکت و پیراهن سفید بود

که من را به یاد اسحاق شامیر[1] می‌انداخت. گفت: «گوش کن، ما همه‌چیز رو در مورد تو می‌دونیم و یک کلمه ازاینجا بیرون نمی‌ره».

و طبق توافق همه‌چیز در همان اتاق ماند...

---

1. Yitzhak Shamir.

فصل ۸۸

در پرواز تل آویو ـ نیویورک

در همین حین، کمی فکر کردم و به این نتیجه رسیدم که بهترین کار برای من این است که یک کسب‌وکار در ایالات متحده باز کنم. حتی در آن زمان به این فکر می‌کردم که وارد تجارت املاک و مستغلات شوم. برنامهٔ من این بود که در ایالات متحده ملک بخرم، آن را اجاره بدهم و از آن پول برای زندگی در اسرائیل استفاده کنم. من در اسرائیل یک آپارتمان در نزدیکی خواهرم اجاره کردم.

روزی که قرار بود نقل‌مکان کنم، همراه با باربرها با تمام اثاثیه‌ام که در یک کانتینر از آلمان آمده بود رسیدم. معلوم شد که یک زنِ دردسرساز در طبقهٔ آخر ساختمان زندگی می‌کند، یک مستأجر قدیمی‌تر که گفت ما نمی‌توانیم از آسانسور برای اسباب‌کشی استفاده کنیم. فهمیدم که او مالک اصلی زمینی است که ساختمان در آن قرار داشت، و در ساختمان سه آپارتمان داشت که فرزندانش در آن‌ها زندگی می‌کردند، هرکدام در آپارتمان خودش بود.

باربرها با تمام تجهیزات خود منتظر بودند ـ و آسانسور برای ما قابل‌استفاده نبود. آن روز، من به یک عروسی هم دعوت داشتم ... وقتی فهمیدم آسانسور را متوقف کرده عصبانی شدم و به آپارتمانش رفتم تا دلیلش را بپرسم. او منکر دانستن چیزی در مورد آن شد و این من را عصبانی‌تر کرد. با مشتم دستگاه تلفن داخلی آپارتمان را شکستم و شروع کردم به دادوبیداد و فحش دادن. همه‌چیز به هم ریخته بود. یکی از پسرانش صدای فریاد را شنید و به طبقهٔ بالا آمد. او من را آرام کرد و مطمئن شد که مادرش آسانسور را دوباره روشن کرده است.

آپارتمانی عالی بود. من عاشق رنگ هستم، بنابراین آن را در رنگ‌های مختلف، نه‌فقط سفید یا بژ، رنگ کردم و به سبک اروپایی مبله کردم. یک فرش سرتاسری هم بود که از آلمان آورده بودم.

در سفری از برلین به ایالات متحده در سال ۸۲، من شراکتی ۱۶ خانهٔ ییلاقی خریده بودم. وقتی تصمیم گرفتم دوباره از اسرائیل به آمریکا بروم، ویزای توریستی داشتم و همراه با آن شروع به گرفتن مدارک برای گرین کارت کردم.

در نیویورک، با یک مرد یمنی آشنا شدم که یک کیپا[1] روی سرش می‌گذاشت، انگار که مذهبی است، فقط برای به‌اصطلاح جلب اعتماد. گفت مشکلی نیست، برایت ترتیبِ گرین کارت را می‌دهم.

او من را با یک زن روس در تماس قرار داد که ظاهراً از طرفِ یک شرکت حقوقی با من صحبت می‌کرد و من به آن مرد چندین هزار پول دادم تا برایم گرین کارت بگیرد. دراین‌بین مجبور شدم به اسرائیل برگردم. چه‌کار می‌توانستم بکنم؟ او گفت اشکالی نداره می‌تونی سفر کنی و وقتی خواستی برگردی به من خبر بده. ما اسم تو رو در کامپیوتری که گرین کارتت در حال پردازشه، قرار می‌دیم، و این‌طوری می‌تونی دوباره برگردی. او همچنین مهر ادارهٔ مهاجرت ایالات متحده را در پاسپورت من زد که انگار درخواست من در حال بررسی است، و من به اسرائیل پرواز کردم.

وقتی به ایالات متحده برگشتم، کمی نگران ورود بودم. چمدانم را جمع کردم و به کنترل مرزی رسیدم. آن‌ها اسم من را بررسی کردند ـ و بله، در کامپیوتر بود! مهر ورودی گرفتم و رفتم. همه‌چیز خوب پیش رفت.

به این روش آن مرد در آن زمان افراد زیادی را به‌طور غیرقانونی وارد ایالات متحده کرد. به این کار ادامه دادند تا اینکه دستگیر شدند. مقامات به سراغ من هم آمدند. من مکالمات با آن زن روس که طوری حرف می‌زد که انگار از طرف یک شرکت حقوقی بود را ضبط کرده بودم. به بازرسان گفتم، اتفاقی که افتاد این است: با یک شرکت حقوقی تماس گرفتم، نمی‌دانستم چه‌کار کردند یا نکردند. خلاصه، پلیس با این باور که من قربانی هستم گذاشت که بروم. آن‌ها آن زن و کارمندی که در اداره مهاجرت به آن‌ها کمک کرده بود را دستگیر کردند. او همان کسی بود که اسامی را وارد کامپیوتر کرد. همهٔ آن‌ها را محاکمه کردند.

در نیویورک، زمانی که به دنبال خرید ملک بیشتر بودم، شنیدم که شخصی ۱۵۰ خانه ییلاقی را به قیمت یک‌ونیم‌میلیون دلار می‌فروشد. وقتی به اسرائیل بازگشتم، به این معامله فکر کردم و شروع به پرس‌وجو کردم. متوجه شدم که این خانه‌های ییلاقی متعلق به دو یهودی آلمانیِ بازنشسته است که می‌خواهند تمام دارایی خود را بفروشند. تمام پولی که با خودم آورده بودم ـ درمجموع نیم میلیون مارک ـ را بردم و خانه‌های ییلاقی را خریدم.

---

۱. Kippah، کلاه سنتی یهودی‌ها. (م.)

فصل ۸۹

نِتانیا[1] ۱۹۸۲

وقتی میشل، من و پسرم ـ که نه‌ساله بود ـ از برلین وارد اسرائیل شدیم، من می‌خواستم برای میشل کاری پیدا کنم. او در نتانیا زندگی می‌کردم و من واقعاً ازآنجا خوشم می‌آمد. زمان زیادی را آنجا می‌گذراندم.

میشل به من گفت که در اسرائیل تقاضا برای ویدئو کاست وجود دارد و پیشنهاد داد که یک کتابخانهٔ اجاره ویدئو باز کنیم. گفتم: «خب، بیا این کار رو بکنیم.» در آن زمان، تنها یک فروشگاه در تمام نتانیا وجود داشت که در آن می‌توانستی ویدیو اجاره کنی.

فروشگاهی پیدا کردیم، آن را اجاره کردیم و کلی جنس خریدیم. تمام پول را من گذاشتم. فروشگاه را پر از ویدیو کاست کردیم و آنجا را افتتاح کردیم. مردم می‌آمدند، اشتراک می‌گرفتند یا فیلم‌ها را یکی‌یکی اجاره می‌کردند. کارمان عالی بودیم.

در عرض شش ماه از روزی که افتتاح کردیم، ناگهان شاید ده فروشگاه ویدیوی دیگر در نتانیا ظاهر شدند، و اوضاع ما دیگر خوب نبود. گفتم باید از شر آنجا خلاص شویم.

کمی قبل از اینکه شروع به ضرر کنیم، فروشگاه مورد سرقت قرار گرفت و اجناس ما را بردند. متأسفانه بیمه ضرر را جبران نکرد. ناظر بیمه آمد، فروشگاه را بررسی کرد و گفت: «خب، از این به بعد باید میله‌هایی رو روی تمام پنجرهٔ جلویی و درب جلویی در قسمت شیشه‌هایش بذارید.» من مردی را آوردم که میله‌ها را نصب کرد.

بالای در ورودی میله زدیم و در قسمت پایین یک مربع چوبی به آن چسبانده شده بود ... یعنی اگر به این تخته لگد می‌زدی می‌افتاد و می‌توانستی داخل مغازه شوی.

وقتی اولین سرقت اتفاق افتاد، بیمه هیچی پرداخت نکرد، چون گفتند که فروشگاه

1. Netanya.

به‌درستی محافظت نشده است. بنابراین ما تغییرات موردنیاز آن‌ها را انجام دادیم، و من ترتیبِ یک دزدی به آنجا را دادم. به مربع چوبی پایینی لگد زدم و همه اجناس فروشگاه را خالی کردیم. روز بعد رسیدیم و اوه اوه، متوجه شدیم که از مغازه سرقت شده. پلیس آمد، ناظران بیمه آمدند، و ماجرا شروع شد.

ناظر بیمه‌ای که تحقیق کرد و گزارش‌ها را نوشت، یک روز از من و میشل خواست که به دفتر شرکت بیمه برویم. نشستیم و او گفت: «گوش کنید، من به شما فلان مبلغ رو پیشنهاد می‌کنم. شما رو تنها می‌ذارم تا در موردش فکر کنید و به من اطلاع بدید که موافقید یا نه.» از اتاق بیرون رفت و ما را آنجا تنها گذاشت.

من و میشل در مورد تهیه یک رسید جعلی برای مقدار کالایی که خریده بودیم صحبت کردیم. او حتماً در اتاق دیگری بود و گوش می‌داده. او مکالمه من و میشل را شنید یا ضبط کرد و تصمیم گرفت چطور مصاحبه را ادامه دهد. بعد به اتاق برگشت و گفت: «در موردش حرف می‌زنیم.»

بعداً نامه‌ای دریافت کردم مبنی بر اینکه آن‌ها حاضر به پرداخت نبودند. دقیقاً به خاطر ندارم دلیل آن چه بود، اما احتمالاً نمی‌خواستند پول بدهند چون می‌دانستند که ما داشتیم در مورد یک رسید جعلی صحبت می‌کردیم. من وکیل گرفتم و از آن‌ها شکایت کردم. به دادگاه رفتم و برنده شدم، همان‌طور که ۹۹ درصد مواقع برنده می‌شدم. درنهایت پول را از آن‌ها گرفتم. اینکه شنیدند دربارهٔ چه چیزی صحبت می‌کردیم به آن‌ها کمکی نکرد.

قبل از اینکه فروشگاه را ببندیم، یک روز با ماشینم رفتم. خیابان یک‌طرفه بود. ردیفی از ماشین‌های پارک شده وجود داشت و پهنای آن‌یکی لاین به‌اندازهٔ یک لاین و نیم بود. وقتی رسیدم یک جاپارکِ خالی جلوی فروشگاهم بود. جلو رفتم تا دنده‌عقب برگردم و پارک کنم و ناگهان یک ماشین پلیس از راه رسید و در سمت چپ خیابان، کنار ماشین من توقف کرد. پلیسی که کنار راننده نشسته بود از پنجره با تحقیر بر سر من فریاد زد: حرکت کن، حرکت کن، نمی‌بینی که جلوی ترافیک رو گرفتی؟ به پشت سرم نگاه کردم ـ حتی یک ماشین هم نبود. همهٔ ماشین‌ها پشت سر او بودند چون او ترافیک را متوقف کرده بود.

نگاهش کردم و گفتم: «چه مزخرفی داری می‌گی؟ نمی‌بینی که خودتون دارین ترافیک رو مسدود می‌کنین؟ هیچ‌کس پشت من نیست!» من عصبانی بر سرش داد زدم.

پلیس از ماشین پیاده شد، درحالی‌که من در ماشین نشسته بودم به‌سمتِ پنجره‌ام آمد و گفت: «کارت شناسایی، گواهی‌نامه، جواز اقامتت رو نشون بده ...!» با فریاد این را به من گفت.

و من به او گفتم: «توی حرومزا ...» او بلافاصله جلوی من را می‌گیرد و می‌گوید: «مراقب باش چی می‌گی.»
به او گفتم: «من باید مراقب باشم؟» و حالا داشتم از عصبانیت جوش می‌آوردم. سرش فریاد زدم: «تو مراقب باش از ماشین پیاده نشم و گردنت رو نَجَوم! باید بهم شلیک کنی تا منو از خودت جدا کنی!» این را که گفتم گواهی‌نامه و کارت بیمه را داخل ماشینم انداخت و رفت.

فصل ۹۰

یک ماجراجویی دیگر

در آن دوره، روزهای جمعه، بارها پسرم را به نتانیا می‌بردم و در خانه میشل یا خواهرش می‌ماندیم که در آنجا مثل یکی از اعضای خانواده بودم. آنجا واقعاً فضایی گرم و خانوادگی داشت، مخصوصاً شب‌های جمعه. شنبه‌ها آن‌ها را تا کنیسه همراهی می‌کردم. بعداز کنیسه باهم به استخر محلی می‌رفتیم. یک روزِ شنبه، وقتی با میشل آنجا بودیم، وارد محوطه شدم و دیدم که همه ـ مرد، زن و بچه - داشتند به چیزی درست روبه‌روی من نگاه می‌کنند: دختری با کفش‌های پاشنه‌بلند، با لباس شنای بندی بسیار لختی، تمام باسنش مشخص بود، و یک سوتین کوچک که بیشتر سینه‌هایش بیرون زده بود، سکسی و به‌شدت تحریک‌کننده.

از میشل پرسیدم او کیست و او گفت که او را می‌شناسد. از او پرسیدم که داستانش چیست و چرا لباس لختی پوشیده است. میشل گفت که او همسرِ یک مرد مراکشی است، آن‌ها فرزندی ندارند و همیشه با او دعوا می‌کند. او این‌طوری لباس می‌پوشد و از پهلو پیچ‌وتاب می‌خورد تا شوهرش را اذیت کند. از او پرسیدم که آیا می‌تواند او را به آپارتمان من بیاورد، و او گفت که فکر می‌کند ممکن است بتواند (در آن زمان هیچ تلفن همراهی وجود نداشت، بنابراین نمی‌توانست به من اطلاع بدهد که کی می‌آید).

یک روز دیگر در محله‌ام، از دفتری بیرون آمدم و میشل را دیدم که با دو دختر در یک کافه آن‌طرف خیابان نشسته بود. نزدیک شدم و دیدم یکی از دخترها همان دختر سکسیِ استخر است که ازقضا یک روسِ موتیره بود. کمی صحبت کردیم و آن‌ها را به آپارتمانم دعوت کردم. آن‌ها هم مثل بقیه خیلی از آپارتمان خوششان آمد. روی فرش اتاق نشیمن دراز کشیدیم، میشل با آن‌یکی دختر مشغول شد و من سعی کردم با دختر روسی

ارتباط بگیرم، اما او نپذیرفت. به او گفتم مشکلی نیست و به خواسته‌اش احترام می‌گذارم، به‌هرحال اگر او به من نشان ندهد که من را می‌خواهد، من نمی‌توانم کاری انجام دهم. پیگیرش نشدم. دیدار تمام شد و رفتند.

صبح روز بعد، پس‌از رفتن پسرم به مدرسه، زنگ خانه‌ام به صدا درآمد. رفتم ببینم کی پشت در است و همان زن روس دیروز را دیدم. یک روز تابستانی بود و من در تابستان همیشه برهنه می‌خوابم. در را باز کردم، او وارد شد و بلافاصله زانو زد و مشغول شد.

ما کارمان را به‌سمتِ اتاق‌خواب ادامه دادیم. هر کاری که کردم، او سرد ماند و جوابی نداد. بعداز چند دقیقه گفتم: «گوش کن، ما بچه نیستیم، تو می‌دونی چرا اینجایی من چرا اینجام، و چی می‌خوایم، پس بهم بگو چی دوست داری، چطوری دوست داری، مشکلی نیست.» او به من گفت: «چیزی که دوست دارم اینه که به من سیلی بزنی، بهم تف کنی، بهم فحش بدی و تا می‌تونی تحقیرم کنی.» می‌فهمیدم، چون قبلاً در آلمان در چنین سناریوهایی قرار گرفته بودم. چیزی که او می‌خواست را انجام دادم و بعد دیدم که یک آتش‌فشان فوران کرد؛ فریادهای ارضایِ هردوی ما بلند شد ... کار را تمام کردیم و او به خانه رفت.

فصل ۹۱

۱۹۸۳ ـ سقوط بازار سهام

در آن زمان، بازار سهام در اسرائیل مانند شعله‌های آتش داغ بود. هر روز سهام بانک‌ها نیم درصد بالا می‌رفت. برخی از مردم خانه‌های خود را فروختند و پول را در بورس سرمایه‌گذاری کردند. من هم در بورس سرمایه‌گذاری کردم. پیرمرد در اسرائیل در ویلایی زیبا در هرتزلیا[1] زندگی می‌کرد. او چیزهای زیادی در مورد سهام می‌دانست و حقه‌های زیادی به بانک‌ها می‌زد ... و به من توصیه کرد که در چه چیزی سرمایه‌گذاری کنم.

یکی از آخرین سرمایه‌گذاری‌های من به توصیهٔ مدیر بانک بود. او گفت که سهام بانک هاپوعلیم[2] روزانه حداقل نیم درصد بازده دارد و به من پیشنهاد خرید آن را داد. من تعداد زیادی از این سهام را خریدم و مشخص شد که گرفتار یکی از بزرگ‌ترین کلاه‌برداری‌های کشور شده‌ام. مدیران بانک‌ها با افزایش ساختگی ارزش سهام در بازار تقلب کردند تا افراد بیشتری آن را بخرند و حتی برای خرید سهام به مردم وام می‌دادند و از هر خریدی سود می‌بردند. من سهام را دو روز قبل از سقوط خریدم، وقتی‌که مشخص شد مدیران بانک از کل مردم کلاه‌برداری کرده بودند. به سراغ مدیر بانکم رفتم و خواستم پولم را پس بدهد. به رویم خندید. به من گفت نامه‌ای بنویس و به اداره حقوقی بفرست.

به صحبت کردن با او ادامه دادم، اما او نمی‌دانست که من دارم آنچه می‌گفتیم را ضبط می‌کنم. درحالی‌که داشتیم صحبت می‌کردیم، او را مجبور کردم اعتراف کند که او کسی بود که من را وادار کرد تا در آن سهام سرمایه‌گذاری کنم. بعدتر بخش مطالبات تلفنی با من تماس گرفت و من صدای ضبط‌شده‌ام با مدیر را برای آن‌ها پخش کردم. گفتم اگر پولم را پس ندهند، آن را به مطبوعات می‌برم و خیلی‌ها از آن‌ها شکایت خواهند کرد. من بالاخره کل پولم را پس گرفتم.

---

1. Herzliya.
2. Bank Hapoalim.

ایالات متحده
۱۹۸۳ـ اکنون

فصل ۹۲

سرمایه‌گذاری در خانه‌های ییلاقی

همان‌طور که گفتم، در این مرحله تصمیم گرفته بودم ۱۵۰ خانهٔ ییلاقی را بخرم. مونی، اِبون و سامی شرکای من بودند. به آن‌ها گفتم همه پول را من می‌گذارم و آن‌ها بعداً به من پس بدهند. وقتی دیدم آن‌ها قرارداد را نفرستادند و اهمیتی به معامله نمی‌دهند، معلوم شد که آقایان سامی و مونی پولی را که من برای پیش‌پرداخت فرستاده بودم خرج کرده‌اند. آن‌ها همیشه خمار بودند. به همین دلیل من این معامله را به‌تنهایی انجام دادم.

از راست به چپ: اِبون، سامی، مونی، دومینگو و آقای ز

در همان زمان پولی که در سهام بانک سرمایه‌گذاری کرده بودم از بین رفته بود. من ورشکسته شده بودم و اوضاع داشت بدتر می‌شد.

سال‌ها قبل، در یکی از سفرهایم به اسرائیل، تعدادی زمین کشاورزی خریدم که مجوز ساخت‌وساز در راعانانا[1] را داشت. من یک نقشه ساخت‌وساز فراهم کردم و با یک پیمانکار به توافق رسیدم که برایم ویلا بسازد. درازای آن یکی از دو قطعه زمینی که در اختیار داشتم را گرفت.

بنابراین برای جمع‌آوری پول، ویلای راعانانا را فروختم، اگرچه خانواده‌ام به‌شدت مخالف بودند. خوشبختانه دو روز قبل از سقوط بزرگ بانک آن را فروختم. هنگامی‌که بازار سقوط کرد، مردم پول خیلی کمتری برای سرمایه‌گذاری در املاک داشتند و قیمت املاک کاهش یافت.

پول را گرفتم و برای بستن معامله به آمریکا رفتم. قرارداد خرید به مبلغ یک‌ونیم‌میلیون دلار را امضا کردم و یک‌میلیون دیگر بدهکار بودم. در نیویورک وکیلی گرفتم تا در امور اداری که همه به زبان انگلیسی بود به من کمک کند. یک شرکت آمریکایی افتتاح کردم و یک حسابدار اسرائیلی پیدا کردم.

من هنوز تمام پول خانه‌های ییلاقی را نداشتم. با مالکان مذاکره کردم و از آن‌ها وام خواستم. آن‌ها موافقت کردند که یک‌میلیون دلاری که لازم داشتم را به من بدهند و من آن را با سودش پس بدهم. من متعهد شدم که آن را طی چندین سال پس بدهم. من تمام صحبت‌هایم با آن‌ها را ضبط کردم تا از خودم محافظت کنم.

خانه‌های ییلاقی در مکانی زیبا و رؤیایی در کنار دریا قرار داشتند. در ماه‌های تابستان، همهٔ آن‌ها به یک مرد لهستانی به نام هِشت[2] اجاره داده شده بودند. سه ماه از سال، او آن‌ها را به افراد عادی اجاره می‌داد، خانواده‌هایی که برای تعطیلات سه‌ماهه به آن منطقه می‌آمدند، مثل خانهٔ تابستانی. وقتی‌که من آن‌ها را خریدم، فصل تابستان بود و بخشی از قرارداد خرید این بود که اجاره‌نامه بین فروشندگان و هِشت به من منتقل شود.

هِشت خیلی استرس داشت که من خانه‌های ییلاقی را خریده بودم. می‌ترسید درآمدش را از دست بدهد. به او گفتم که قرارداد را بین خودمان ادامه می‌دهیم و جای نگرانی نیست. اما به او اطلاع هم دادم که به‌محض تمام شدن قرارداد، آن را تمدید نمی‌کنم. او بسیار عصبانی و حتی خشمگین بود، اما درنهایت آن را به‌عنوان یک واقعیت پذیرفت.

1. Ra’anana.
2. Hecht.

ایدهٔ من این بود که خانه‌های ییلاقی را بازسازی کنم تا در زمستان هم از آن‌ها استفاده شود. قصد داشتم در همه آن‌ها سیستم گرمایش نصب کنم و در تمام فصول سال آن‌ها را اجاره بدهم.

می‌خواستم مطمئن شوم که پول درمی‌آید و می‌توانم با پسرم راحت در اسرائیل زندگی کنم. در طول این مدت پسرم پیشِ خواهرم در اسرائیل بود و بخشی از آن مدت را با میشل در نتانیا گذراند.

من از طریق دوستان پیرمرد با مردی به نام گیل در اسرائیل آشنا شدم و او را با خودم به آمریکا آوردم. او را برای مدیریت خانه‌های ییلاقی و گرفتن اجاره‌بها استخدام کردم.

اوضاع اقتصادی سخت بود، چون در آن زمان صد خیابان با خانه‌های ییلاقی روی دریا در این منطقه وجود داشت، اما بعدها اکثر آن‌ها را خراب کردند تا اینکه فقط سه خیابان باقی ماند، تقریباً نیمی ازآنچه باقی مانده بود.

وقتی فصل تابستان تمام شد، خانه‌های ییلاقی تا فصل بعد خالی بودند. ازآنجایی‌که نمی‌خواستم قرارداد را با هِشت تمدید کنم، او قبل از رفتنش آن‌ها را به مردم خیریه اجاره داد. آن‌ها اکثراً افراد معتاد به مواد مخدر و فقیر بودند.

از اسرائیل که رسیدم تا اوضاع را بررسی کنم، شوکه شدم. آنجا زیرورو شده بود و من این را نمی‌دانستم. فروشندگان مواد مخدر کم‌کم وارد آنجا شده بودند. هیچ‌کس نمی‌دانست من کی هستم و من نمی‌توانستم ادعا کنم که مالک آنجا هستم. عصبانی بودم و آماده تا کسی را بکشم. اما جرئت نداشتم از مستأجران اجاره بخواهم چون آن‌ها خلاف‌کارهای خطرناکی بودند. هر بار که شکایت می‌کردم، پلیس به آن توجهی نمی‌کرد چون رشوه می‌گرفت. در آن زمان، همه‌چیز با رشوه انجام می‌شد ـ پلیس، بازرسان شهری، همه فاسد بودند.

همان‌طور که اشاره کردم، هِشت مددجویانِ خیریه را آورده بود و من باید شروع به بیرون کردن آن‌ها می‌کردم. هرکسی را که بیرون می‌کردم، خانهٔ ییلاقی را آتش می‌زد. بعداز چندین آتش‌سوزی، دیگر نتوانستم بیمه بگیرم. وقتی دیدم پلیس قصد کمک ندارد، نیروهایم را بسیج کردم و آشر[1]، یک دوست خوب، قلدری از لس آنجلس را برای نگهبانی از آن محل آوردم.

آشر جیپ دوست داشت. من یک جیپ به او دادم و او آن را در محل موردنظر پارک کرد تا کسی اقدام به آتش زدن آنجا نکند. ساعت‌ها در جیپش می‌نشست و تماشا می‌کرد. اگر

1. Asher.

کسی وارد خانه‌ها می‌شد، با ماشین به‌سمتِ آن‌ها می‌رفت. یک روز، او افرادی که بدون مجوز وارد یکی از خانه‌های ییلاقی می‌شدند را گرفت.

برق مستأجران به دلیل عدم پرداخت قطع شده بود، بنابراین آن‌ها به تیر برق وصل می‌شدند و ازآنجا برق می‌دزدیدند. پلیس از این موضوع خبر داشت، اما کاری انجام نداد. این کار غیرقانونی و خطرناک بود.

وقتی آشر می‌خواست برق آن‌ها را قطع کند، آن‌ها با پلیس تماس گرفتند. وقتی پلیس‌ها آمدند به آشر گفتند: «اگه به تیر برق دست بزنی دستگیرت می‌کنیم.» باید دقیقاً برعکس می‌شد، چون آن‌ها برق را دزدیده بودند، چیزی که غیرقانونی بود و جان انسان‌ها را تهدید می‌کرد. آشر به من گفت که یک روز پلیس‌ها او را پشت ماشینشان بردند و به او گفتند، دست از مزاحمت برای افراد مردم ما تو اینجا بردار، مداخله نکن، لعنتی. پلیس به او گفت که برود وگرنه به او شلیک خواهد کرد و اسلحه کوچکی که زیر ساق شلوارش به پایش بسته بود را نشانِ آشر داد. پلیس به او گفت: «من بهت شلیک می‌کنم و اسلحه رو تو دستت می‌گذارم تا این‌طور به نظر برسه که تو می‌خواستی به من شلیک کنی.»

آشر مأیوس شد و با هواپیما به لس آنجلس برگشت.

تصمیم گرفتم دو یا سه خانهٔ ییلاقی خالی را بردارم و آن‌ها را برای استفاده در زمستان بازسازی کنم. من مصالح ساختمانی، لوله و چوب سفارش دادم. اما خیلی سریع همه‌چیز دزدیده شد. غیرممکن بود. می‌دانستم که نمی‌توانم با زور و تهدید با این افراد برخورد کنم، چون آن‌ها خلاف‌کارهای خطرناکی بودند و هیچ‌چیز مانع آن‌ها نمی‌شد. همهٔ این‌ها از زمانی شروع شده بود که قراردادم را با هِشت خاتمه دادم.

موردی وجود داشت که یکی از خلاف‌کارها فردی را در داخل خانه ییلاقی بست و او را به آتش کشید. شایعاتی وجود داشت مبنی بر اینکه رئیس باند، فردی به نام مَکس[1]، به پاهای شخصی شلیک کرده بود. او همیشه خمار با یک اسلحه در شلوارش این‌طرف و آن‌طرف می‌رفت و بچه‌ها را استخدام می‌کرد تا برای او مواد بفروشند.

یک مرد ایرلندی آنجا بود که به‌عنوان پادو کار می‌کرد. او بی‌پول بود، بنابراین یک خانه ییلاقی اجاره کرد و در آنجا زندگی می‌کرد. او را آوردم تا برایم کار کند. او اتفاقات را زیر نظر می‌گرفت و به من گزارش می‌داد. یک روز او من را متقاعد کرد که پیشِ پلیس بروم و از مکس، رئیس باند شکایت کنم که به دلیل اختلافی که باهم داشتیم، بچه‌ها را می‌فرستد تا خانه‌های ییلاقی من را بسوزانند.

---

1. Max.

من با مرد ایرلندی پیش پلیس رفتم و وقتی در راه بازگشت به خانه‌های ییلاقی بودیم، مکس با اسلحه در دست وسط خیابان ایستاده بود و به من دستور توقف داد. مرد ایرلندی کاملاً رنگش پرید. مکس به من گفت که می‌داند پیش پلیس رفته‌ام و می‌خواهد به من شلیک کند. مرد ایرلندی کاملاً ترسیده بود و شلوارش را خیس کرد.

همان‌طور که قبلاً گفتم در چنین مواقعی از خودم آرامش و اعتمادبه‌نفس بروز می‌دهم تا ترس را نشان ندهم.

ازنظر روانی کار روی مکس را شروع کردم. برای اینکه به او نشان دهم از او نمی‌ترسم، مثل یک دوست با او صحبت کردم. آهسته از ماشین پیاده شدم و گفتم ما باهم دوستیم و من فقط داشتم سعی می‌کردم از او مراقبت کنم. گفتم فقط می‌خواهم به او بگویم یک خانهٔ ییلاقی جدید سر خیابان هست که می‌خواهم به او بدهم تا راحت باشد. به او گفتم که به‌عنوان دوست از او اجاره نخواهم گرفت و آماده بودم به او ثابت کنم که چیزی در مورد او به پلیس نگفته‌ام. دیدم نرم شد. درنهایت به او آبجو تعارف کردم و او کاملاً آرام شد.

بار دیگر وقتی به آنجا رفتم، یک قلدر قدبلند، یک مرد آفریقایی‐آمریکایی به نام جان[1] را دیدم، و همراه با او ۱۵ مرد و زن بی‌خانمان بودند که وارد خانه‌های ییلاقی شده بودند. جان کاملاً مست بود. او یک تفنگ ساچمه‌ای دولول بیرون آورد و به‌سمتِ من نشانه گرفت، درحالی‌که بقیه فریاد می‌زدند: «اون عوضی رو بزن!»

چیزی که بیشتر از همه از آن می‌ترسیدم این بود که همه داشتند به این مرد روحیه می‌دادند. فهمیدم برای خنثی کردن جان باید او را از این محیط بیرون ببرم. در ماشینم را باز کردم و از او خواستم که سوار شود. به او گفتم: «با اسلحه بیا تو، این‌جوری اگه بخوای بازهم می‌تونی منو بکشی.» سوار ماشین شد. او را به یک گردش کوچک بردم، بیست دلار به او دادم تا برود مواد بخرد و او از ماشین پیاده شد و من را تنها گذاشت.

می‌فهمید، در مدتی که در این محله کار می‌کردم، دو بار قصد کشتن من را داشتند.

شروع کردم به مشورت با سایرین که چطور می‌توانم از شر این مستأجران به‌طور قانونی خلاص شوم. یک آپارتمان روبه‌روی دادگاه مسکن اجاره کردم و شروع کردم به طرح دعوی علیه گروهی از مردم.

دادگاه‌های مسکن در نیویورک بسیار فاسد بودند (و هنوز هم هستند). آن‌ها علاقه‌مند بودند که مستأجران به خیابان ریخته نشوند، چون در این صورت برای شهرداری مشکل‌ساز می‌شد. هرکس جایی برای خواب نداشت به یک پناهگاه فرستاده می‌شد که مکان‌های

1. John.

وحشتناکی هستند. اما اگر زنی با بچه‌های کوچک بود برایش اتاقی در هتل می‌گرفتند و شهرداری باید هزینهٔ آن را می‌پرداخت. بنابراین، آن‌ها معمولاً به نفع مستأجران و نه به نفع مالکان حکم می‌دهند.

دادگاه‌ها بسیار کند بودند، اما من موفق شدم از شر بعضی از آن افراد خلاص شوم. بعضی از این مستأجران فقط برای اینکه به صلیب سرخ بروند و بگویند خانه‌شان سوخته و چیزی برایشان باقی نمانده، خانه را با تمام دارایی خود می‌سوزاندند. صلیب سرخ پوشاک و اثاثیه و مکانی برای زندگی را فراهم می‌کرد. صلیب سرخ همچنین آن‌ها را راهنمایی می‌کرد که برای دریافت کمک‌های مددکاری به کجا مراجعه کنند و کجا زندگی کنند.

به‌این‌ترتیب سی تا از خانه‌های ییلاقی من سوختند. شرکت بیمه پذیرفت که فقط یک‌سوم خسارت را پوشش بدهد به این دلیل که من فقط در فصل تابستان و نه بقیه سال اجازه استفاده از خانه‌های ییلاقی را داشتم. خیلی زیاد ضرر کردم.

شش ماه پس از شروع دادگاه‌ها، من حکمی دریافت کردم ـ حکم تخلیه چند مستأجر. در آن زمان قانون این بود که هر دادگاه باید ظرف شش ماه کامل می‌شد.

فرد مسئول عملیات تخلیه، کلانترِ پلیس بود. بعداز مدتی، کسانی که به‌طور قانونی اخراج کرده بودم، دوباره برگشتند. به سراغ کلانتر رفتم و او به من گفت که کاری از دستش برنمی‌آید و اگر بخواهم باید به دادگاه بروم. به او گفتم هیچ فایده‌ای ندارد که دوباره آن مسیر را طی کنم.

به دردسر بزرگی افتاده بودم. بسیاری از خانه‌های ییلاقی سوخته بودند و نمی‌توانستند اجاره داده شوند. من با تمام پول ویلایی که در راعانانا فروختم هزینه آن‌ها را پرداخت کردم. شاید ۱۰۰۰۰۰ دلار برایم باقی مانده بود و باید هر ماه ۷۰۰۰ دلار با سود هفت درصد برای بازپرداخت وام از صاحبان اصلی پرداخت می‌کردم. در همین بین، به دنبال شرکای سرمایه‌گذاری در منطقه بودم، اما هیچ‌کس هیچ بخشی از این معامله را نمی‌خواست.

در تمام این مدت بین اسرائیل و نیویورک رفت‌وآمد داشتم.

فصل ۹۳

آشنابازی

در آن زمان، شهر نیویورک یک قطعه زمین خالی در کنار خانه‌های ییلاقی من را برای فروش عرضه کرد، قطعه زمینی که بین خانه‌های من و همسایه بود. قانون می‌گفت که همسایگان مجاور منطقه اولین حق خرید را دارند. همه باید یک پیشنهاد کتبی ارائه می‌کردند و در یک تاریخ معین، پیشنهادها باز می‌شدند. بالاترین قیمت پیشنهادی ملک را دریافت می‌کرد.

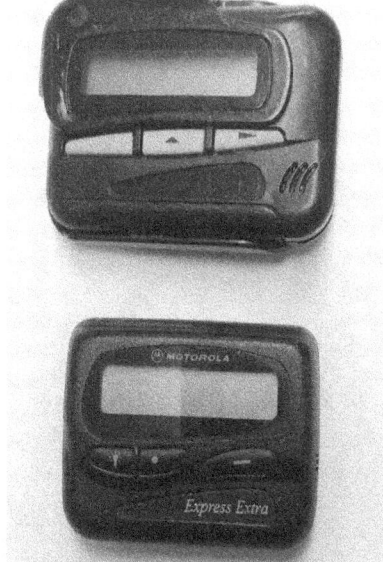

پیجرهایی که قبل از تلفن‌های همراه از آن‌ها استفاده می‌کردیم.

همسایه‌ام قبلاً پیشنهاد خود را ارسال کرده بود، و من می‌خواستم قبل از ارائه پیشنهاد خودم بدانم پیشنهاد او چقدر بود. به شهرداری مراجعه کردم و پیش مقام مسئول رسیدگی به مناقصه‌ها رفتم. او هم‌جنس‌گرا بود و وقتی نزدیک شدم دیدم سرخ شد. فهمیدم که من برایش جذاب بوده‌ام. در حین صحبت از او پرسیدم که آیا می‌توانم بدانم پیشنهاد همسایه دیگر چیست و او اعلام کرد که اجازه ندارد چنین اطلاعاتی را فاش کند. پرسیدم آیا می‌خواهد برای شام بیرون برود؟ برای شام همدیگر را دیدیم و بعد او من را برای صرف قهوه به آپارتمانش دعوت کرد.

قبل از تلفن‌های همراه، در آن زمان از پیجر[1] برای دریافت پیام‌های متنی استفاده می‌کردیم. وقتی در آپارتمانش بودیم، پیجرم را فشار دادم تا بوق بزند و به او گفتم که وضعیتی اضطراری پیش آمده و باید بروم.

قبل‌تر در هنگام صرف شام، مبلغی که همسایه پیشنهاد داده بود را برایم فاش کرده بود. روز بعد، پیشنهادی ۱۰۰۰ دلار بالاتر ارائه کردم و قطعه زمین را به قیمت ۸۵۰۰ دلار گرفتم ... ارزش آن ۶۰۰۰۰ تا ۷۰۰۰۰ دلار بود.

***

یک بار که به بانک ملی نیویورک رفتم، با دختری به نام مارتا[2] آشنا شدم که در آنجا کار می‌کرد. او از یک خانوادهٔ یهودی بسیار مذهبی در بروکلین[3] بود، اما زندگی مذهبی را ترک کرده بود. من شروع کردم به بیرون رفتن با او و رابطه‌ای قوی باهم داشتیم. او در روستای گرینویچ[4] در یک آپارتمان کوچک به‌اندازهٔ یک آشپزخانه کوچک با یک هم‌اتاقی زندگی می‌کرد.

دو تخت، مال او و هم‌اتاقی‌اش، پشت‌به‌پشت هم کنار دیوار گذاشته شده بودند. او از عمد من را به آپارتمان برد تا هم‌اتاقی‌اش را ناراحت کند. ظاهراً آن دخترِ دیگر کاری مشابه او انجام داده بود. این بود که ما هم در رختخواب عشق‌بازی کردیم و تخت هم‌اتاقی او نیز می‌لرزید. او سکوت کرد و پتو را روی سرش کشید. سکس آرامی بود، اما مارتا اصرار داشت که ما پرسروصدا و خشن باشیم، بنابراین همین کار را کردیم. چیزی که او می‌خواست این بود که سروصدا کند و تخت را تکان بدهد. بعداز این اتفاق، هم‌اتاقی‌اش آپارتمان را ترک کرد و مارتا به آنچه می‌خواست رسید. من ۳۵ ساله بودم.

مارتا گفت دفعهٔ بعد که به اسرائیل می‌روم به او بگویم شاید او هم بیاید.

در یکی از سفرهای من، مارتا هم آمد. ما جداگانه پرواز کردیم. برای برداشتنش، به فرودگاه رفتم. او مجبور شد به نتانیا بیاید چون در آنجا اقوامی داشت.

اما شب اول با من خوابید و ناگهان شروع کرد به صحبت در مورد ازدواج! من اصلاً به این سمت نمی‌رفتم. به او گفتم: «ببین، تو خیلی هیجان‌زده هستی، داری خیلی تند می‌ری.» شروع کرد به گریه کردن، بلند شد، وسایلش را جمع کرد و گفت: «منو ببر به

1. Pagers.
2. Marta.
3. Brooklyn.
4. Greenwich Village.

نتانیا.» او را به آنجا بردم.

به‌هرحال درنهایت من می‌خواستم از قرار گذاشتن با او دست بردارم. شاید این کار را به روش خوبی انجام ندادم، اما از آن زمان، دوستان خوبی باقی مانده‌ایم. بعدها حتی با همسرم که بعداً با او آشنا شدم دوست شد. چند سال بعد، با شخصی به نام گادی[1] آشنا شدم که دوست صمیمی من شد.

یک بار دیگر برای دیدن خواهرم در اسرائیل بودم. در زدند. یک دختر جوان زیبا بود که نقاشی می‌فروخت. او وارد شد و تعدادی از آن‌ها را به ما نشان داد و خواهرم گفت که ما علاقه‌ای نداریم. به او گفتم که من علاقه دارم، اما می‌خواهم ببینم چه چیزی برای آپارتمان من مناسب است. آپارتمانی که وقتی از آلمان برگشتم اجاره کردم، فاصلهٔ چندانی با خانه خواهرم نداشت. از دختر پرسیدم که مشکلی نیست به آپارتمان من برویم؟ و او به خانه من آمد. او زیبا بود، و مثل بقیه، خیلی از خانه من خوشش آمد؛ من یک آپارتمان رؤیایی داشتم.

او نشست و چیزی نوشید. به او نشان دادم که بهترین جا برای آویزان کردنِ تابلو کجاست و او با نگه داشتن آن به دیوار یک نقاشی مناسب را به من نشان داد. وقتی او آنجا بود و با دو دستش تابلو را نگه داشته بود از پشت به او نزدیک شدم انگار می‌خواهم کمکش کنم و دیدم عکس‌العمل مثبتی دارد. از پشت به او چسبیدم، پشت گردنش را بوسیدم و او بلافاصله جواب داد. کم‌کم شروع کردیم به عشق‌بازی و به رختخواب رفتیم. من هرگز جیغ ارگاسم او را فراموش نمی‌کنم.

در اتاق‌خواب یک تخت خاص و عجیب بود که از آلمان خریده بودم. سکسی که داشتیم آرام، ملایم و لذت‌بخش بود. دو تا تابلو از او خریدم. ۳۴ ساله بودم، سال ۱۹۸۲ بود.

1. Gadi.

فصل ۹۴

در جست‌وجوی عروس

یک روز یکی از دوستانم از آلمان به من گفت که موریس از لا پرگولا در اسرائیل است و می‌خواهد من را ببیند. من با او ملاقات کردم و داستان‌هایی از تجربیات خود را ردوبدل کردیم. او در روابط عمومی کار می‌کرد و در روزهای جمعه مهمانی‌های بزرگی برای مردان و زنان مجرد ترتیب می‌داد.

آن زمان خیلی دلم می‌خواست تشکیل خانواده بدهم و به دنبال عروس بودم. هرازگاهی با چند دختر قرار گذاشتم، اما چیزی از این کار حاصل نشد، چون من هنوز نورما را دوست داشتم.

موریس به من پیشنهاد داد که به مهمانی‌هایی که او ترتیب می‌داد بروم. چند بار رفتم، اما از آدم‌های آنجا خوشم نیامد. محدودهٔ سنی هم به من نمی‌خورد. من نسبت به سنم جوان به نظر می‌رسیدم و اگر با دختری هم‌سن‌وسال خودم قرار می‌گرفتم، او در کنار من بزرگ‌تر به نظر می‌رسید.

یک بار با یک دختر واقعاً زیبا قرار گذاشتم. او را در ویلای پیرمرد در هرتزلیا ملاقات کردم. او با من گرم گرفت و ما شروع به قرار گذاشتن کردیم. یک شب که به یک کلوپ رفته بودیم، او در آنجا نامزد سابقش را دید. روز بعد او از آن دختر پرسیده بود که چرا دارد با بچه‌های کوچک قرار می‌گذارد. وقتی به او گفته بود من چند سال دارم او شوکه شده بود.

یک بار دیگر با یک دختر اسرائیلی از ایران آشنا شدم که از من خوشش می‌آمد و می‌خواست با من ازدواج کند. یک روز به من گفت: «چطوره پسرت رو بفرستیم به یه مزرعهٔ اشتراکی؟» من از این حرف خیلی عصبانی شدم، بعداز آن‌همه خیلی سخت جنگیدن که پسرم با من باشد، او می‌خواهد پسرم را به خاطر او رها کنم؟ ما در ماشین نزدیک خانهٔ او بودیم که این گفت‌وگو انجام شد. در را باز کردم، شب‌به‌خیر گفتم و او دیگر خبری از من نشنید.

در مهمانی‌های موریس، نمی‌توانستم با زن‌ها ارتباط برقرار کنم. اما یک روز، او شماره

تلفن یک زن مطلقه یمنی بدون فرزند را به من داد و گفت باید با او تماس بگیرم. من درواقع همیشه زن‌های بور را ترجیح می‌دادم. یمنی‌ها از نوع موردعلاقهٔ من نبودند. اما به‌هرحال گوشی را برداشتم و به او زنگ زدم.

وقتی به آپارتمان او در تل آویو رسیدم، او با دو نفر از دوستانش نشسته بود و داشتند برای خواربارفروشی جدیدی که آن دو دوست باز کرده بودند، تابلو درست می‌کردند. وقتی وارد شدم او بلند شد و خودش را معرفی کرد. من آنجا احساس آرامش و گرمی زیادی داشتم. اسمش رینا[1] بود.

او ده سال از من کوچک‌تر، لاغر و زیبا بود، اما من ازنظر جنسی جذب او نشدم. با گذشت زمان، او نیز آن را احساس کرد.

او خیلی به پسرم وابسته شد و با او بسیار مهربان بود. پسرم او را خیلی دوست داشت و دیدم که آن‌ها پیوند خاصی دارند.

در مدتی که رینا را می‌شناختم اوضاع خانه‌های ییلاقی بدتر شد و من مدام بین آمریکا و اسرائیل رفت‌وآمد داشتم و بدهکار بودم. در نیویورک، در آپارتمان روبه‌روی دادگاه می‌ماندم، چون هر روز آنجا بودم. در آنجا با گیلی[2] زندگی می‌کردم، مردی اسرائیلی که از اسرائیل آورده بودم تا برایم کار کند.

داشتم عاشق رینا می‌شدم و وقتی در نیویورک بودم، مرتب برای هم نامه می‌نوشتیم. هرازگاهی تلفنی صحبت می‌کردیم. باورم نمی‌شد خدا چه روح خوبی برایم فرستاده بود. خیلی جذب او شدم.

زمانی که او در تل‌آویو زندگی می‌کرد، مدتی باهم بیرون رفتیم و برای مدتی طولانی باهم تماس داشتیم، اما بدون سکس. یک روز او قبول کرد که با من بخوابد، و آن فوق‌العاده بود. صبح که از خانهٔ او خارج شدم، جاده‌ها خالی بود و به قسمتی از جاده رسیدم که مرغ‌های دریایی آنجا بودند. من کاملاً خندان و خوش‌حال بودم. لحظه‌ای فراموش‌نشدنی بود. فهمیدم که سکسی که از عشق حاصل شود بسیار بهتر از سکسی است که با همهٔ دختران دیگر داشتم.

رابطهٔ ما ادامه داشت و دائماً در ارتباط بودیم. او هر روز با اتوبوس به شهر من می‌آمد تا از پسرم مراقبت کند تا اینکه سرانجام با پسرم به آپارتمان من نقل‌مکان کرد. یک بار ۱۰۰ دلار نداشتم که وقتی او پول نیاز داشت برایش بفرستم. از یکی از دوستانم قرض گرفتم و برایش فرستادم.

---

1. Rina.
2. Gili

فصل ۹۵

منطقهٔ خطرناک

در همین حال، منطقهٔ خانه‌های ییلاقی منطقه‌ای خطرناک اعلام شد. به من دستور دادند که آن‌ها را با تخته‌های چوبی ببندم. یک پیمانکار آفریقایی‌ـ‌آمریکایی را برای مهروموم کردن سقف و دیوار خانه‌های ییلاقی که سوخته بودند استخدام کردم. دو هزار دلار به او پیش‌پرداخت دادم. چند کارگر آورد که چند تخته نصب کردند و بعد ناپدید شدند. سعی کردم با او تماس بگیرم، اما او جواب تلفن را نداد. به دفترش رفتم و شروع کردم به داد زدن سرش. او از کیفش یک یوزی بیرون آورد و به من گفت از دفترش بیرون بروم. من وقت نداشتم با او درگیر شوم، بنابراین برگشتم و ازآنجا رفتم.

در آن زمان، من کلی از پرداخت وام ماهانه به مالکانی که ساختمان‌ها را به من فروخته بودند، عقب مانده بودم. بدهی به نزدیک یک‌میلیون دلار رسید. مالکان به خاطر آن علیه من شکایت کردند. اگر پرونده را می‌باختم، کلانتر ملک را می‌فروخت و پول را به طلبکاران می‌داد و تمام پولی که سرمایه‌گذاری کرده بودم از بین می‌رفت. خودم را در جنگی برای بقا می‌دیدم.

در همین حین یکی از پیرمردهایی که خانه‌های ییلاقی را به من فروخته بود فوت کرد. دخترش همسرِ یک یهودی متکبر آمریکایی به نام اِستیو[1] بود که این ارث را اداره می‌کرد. پیشِ اِستیو رفتم و وضعیتم را به او گفتم، اما او نمی‌خواست کمک کند. به من گفت که اگر بدهی‌ام را نپردازم به دادگاه می‌رود و این کار را کرد. نمی‌دانستم چه‌کار کنم. استیو دیگر قبول نمی‌کرد من را ببیند. همهٔ وکلایی که با آن‌ها ملاقات کردم متقاعد شده بودند که من برای موساد کار می‌کنم.

---

1. Steve.

همچنان به دنبال سرمایه‌گذار می‌گشتم. با یک زن اسرائیلی به نام آهووا[1] صحبت کردم که سال‌ها در آمریکا زندگی می‌کرد و آشناهای زیادی داشت. باهم صمیمی شدیم و او برای من وکیلی پیدا کرد که موافقت کرد تا وقتی‌که بتوانم شریک پیدا کنم و کسب‌وکار بهبود پیدا کند، مبلغ کمی دریافت کند. من تا امروز با آهووا رابطه‌ای دوستانه دارم.

با او به توافق رسیدم که او در دادگاه نمایندهٔ من باشد و همچنین به من کمک کند سرمایه‌گذار پیدا کنم. اگر موفق می‌شد برای من سرمایه‌گذار پیدا کند، کمیسیون می‌گرفت. ما پرونده دادگاه را باختیم. از استیو خواستم به من فرصت بیشتری بدهد تا سرمایه‌گذار پیدا کنم، اما او نپذیرفت.

من امیدوار بودم که وکیلم برایم سرمایه‌گذار پیدا کند، اما زمانی که دادگاه به پایان رسید، به پرداخت یک‌ونیم‌میلیون دلار با احتساب تمام هزینه‌های دادگاه محکوم شدم. حکم به نفع استیو بود و او می‌توانست هر زمان که بخواهد آن را اجرا کند. البته او در ابتدا هیچ کاری نکرد و در همین حین من مستأصل بودم. من حتی در یخچال غذا نداشتم.

یک روز در محلهٔ چینی‌ها قدم می‌زدم و یک زیورآلات دینامیت مانند دیدم. یک بسته از آن خریدم و سیم و دکمه‌ای به آن وصل کردم تا واقعی به نظر برسد و آن را در کیفم گذاشتم. به دفتر استیو رفتم. پرسید آیا سرمایه‌گذار دارم؟ به او گفتم بله. گفتم می‌خواهم نشان دهم که معامله چگونه انجام می‌شود. ما در دفتر او تنها بودیم. روی صندلی‌اش نشست و پاهایش را به نشانه تحقیر روی میز گذاشت. کیف را باز کردم و با دیدن بسته "دینامیت" داخلش سفید شد و از روی صندلی پرید و فریاد زد: «اون چه کوفتیه؟»

به او گفتم تکان نخورد و حرفی نزند. به من التماس کرد که آرام باشم.

گفتم: «تو کسی هستی که ما رو به این نقطه رسوندی. من اومدم پیشت و التماس کردم و تو به من امون ندادی. تنها چیزی که بهش اهمیت می‌دی پوله. پس حالا من و تو می‌ریم اون دنیا و می‌بینیم که پولت چقدر بهت کمک می‌کنه.»

او کاملاً عصبی شده بود. گفت راه‌حلی پیدا خواهیم کرد و به من التماس کرد که دست از تهدید او بردارم. من به این بازی که انگار خیلی عصبانی و بی‌قرار هستم ادامه دادم. صورتم کاملاً قرمز شد و گفتم: «چرا بس کنم؟ یک ماه دیگه تمام دارایی منو می‌گیری و من همه‌چیز رو از دست می‌دم. پس بهتره به‌جای اینکه فقط خودمو بکشم، هردومون رو باهم بکشم.»

مدام برای نجات جانش التماس می‌کرد و به من می‌گفت نگران نباش، یه راهی پیدا

---

1. Ahuva.

می‌کنیم. گفتم: «پیشنهادت چیه؟»
او گفت حاضر است به من فرصت بدهد، حتی یک سال، تا بتوانم خریدار یا شریکی پیدا کنم. وی افزود که اگرچه حکم قضایی به نفع اوست، اما او آن را اجرا نمی‌کند. به او گفتم که اگر به سراغ پلیس برود و من دستگیر شوم، دوستانم که از قبل دربارهٔ او و محل زندگی‌اش اطلاع داشتند، به سراغش خواهند آمد.

فصل ۹۶

پنت‌هاوسی برای خواهرم، رینا و پسرم

در سال ۱۹۸۴، قرارداد اجاره آپارتمانی که با پسرم در اسرائیل در آن زندگی می‌کردم به پایان رسید و من یک پنت‌هاوس اجاره کردم. رینا با پسرم به آنجا نقل‌مکان کرد. خواهر مجردم میری[1] از ایران آمد و به آن‌ها پیوست. وقتی از آمریکا برگشتم آن‌ها را غافلگیر کردم. به‌محض اینکه در را باز کردم، رینا از سروکولم بالا رفت. چمدانم را انداختم پایین و مستقیم من را به اتاق‌خواب برد. آن لحظه‌ای بود که هرگز فراموش نمی‌کنم.

در نیویورک که بودم، هر جمعه برای شام به منزل پسرعمویم دنی[2] دعوت می‌شدم. نامه‌های رینا از اسرائیل به آدرس او می‌رفت و آنجا منتظر من می‌ماند. وقتی می‌رسیدم نامه را روی بشقاب شام جمعه می‌گذاشتند و من با هیجان می‌خواندم. بعداز شام که به خانه می‌رسیدم، می‌نشستم و برای رینا جواب نامه‌اش را می‌نوشتم.

از طریق نامه به هم ابراز عشق می‌کردیم. به او قول دادم که از او مراقبت می‌کنم و هرآنچه نیاز داشته باشد را خواهد داشت و همیشه به قولم عمل می‌کردم.

بعداز جدایی از نورما، شرایط برایم خیلی سخت بود و عشق رینا دوباره قلبم را پُر کرد. کم‌کم خاطرات نورما محو شد. عشق ما به یکدیگر بیشتر شد. اغلب در افکارم با او صحبت می‌کردم. یک‌زمانی می‌خواستم تمام نامه‌هایمان را که تا امروز نگه داشته‌ام جمع کنم و از آن‌ها کتابی بسازم. یکی از سخت‌ترین دوره‌های مالی زندگی‌ام بود، اما رابطه با رینا باعث خوش‌حالی من شد و به من کمک کرد تا با این شرایط کنار بیایم. توانستم قلباً به این باور برسم که اوضاع خوب خواهد شد و دوباره قادر خواهم بود روی پاهایم بایستم.

---

1. Miri.
2. Danny.

در آن زمان، تماس‌های تلفنی با اسرائیل بسیار گران بود، بنابراین صدایم را روی نوار کاست ضبط می‌کردم و برای او می‌فرستادم. موسیقی و جوک را روی کاست‌های او ضبط می‌کردم. رینا به همراه خواهرم میری نوارهایشان را برای من می‌فرستادند و کمی خوش‌حالی برایم به ارمغان می‌آوردند.

نوارهای رینا را برمی‌داشتم و تکه‌های خنده‌دار آن را میکس می‌کردم و برایش پس می‌فرستادم. و این‌طوری به تقویت رابطهٔ خود ادامه دادیم. این بهترین اتفاقی بود که برای من در پس‌زمینهٔ تمام درگیری‌ها و کشمکش‌هایی که در آن زمان پشت سر گذاشتم افتاد.

دراین‌بین، وکیل من یک شرکت بسیار بزرگ را پیدا کرد که علاقه‌مند به مشارکت در خانه‌های ییلاقی بود. یک شرکت سرمایه‌گذاری بود که مالک آن یهودی بود. او مالک یک طبقهٔ کامل در خیابان پنجم و یک طبقهٔ دیگر در خیابان لکسینگتون[1] بود، جایی که بخش حسابداری در آن واقع بود. او صاحب یک بانک کوچک و یک شرکت خصوصی سرمایه‌گذاری در املاک و مستغلات بود.

---

1. Lexington

فصل ۹۷

شراکت با شاپ[1]

کارمند شرکت که مسئول معامله بود مردی بود به نام شاپ. شیوهٔ کار خاصی داشت. من از او یاد گرفتم و بعداً از آن استفاده کردم. می‌خواست بداند چقدر پول خرج کرده‌ام. او از من گزارشی از تمام هزینه‌هایم را خواست و من برایش رسید همه هزینه‌ها از زمان معامله تا آن امروز را برایش بردم و او همهٔ آن‌ها را در سرمایه‌گذاری لحاظ کرد. ما به توافق رسیدیم که برای هرچیزی که تا آن زمان خرج کرده بودم، نیم میلیون دلار دریافت کنم. او برای پوشش بدهی من به استیو یک وام به من می‌داد، و به‌این‌ترتیب ما شرکای برابر می‌شدیم، املاک را بازسازی می‌کردیم و مالکیت و درآمد را سهیم می‌شدیم.

نمی‌توانستم پیشنهادی بهتر از این را تصور کنم. از منبع دیگری پول می‌گرفتم و یک نفر داشت به من کمک می‌کرد.

من به وکیلم ۳۰۰۰۰ دلار برای میانجیگری با این شرکت و ده‌ها هزار دلار دیگر برای کمک حقوقی او دادم.

این شراکتی بود که در بهشت ایجاد شده بود. او هرآنچه من سرمایه‌گذاری کرده بودم را به من پس داد، هرآنچه برای خانه‌های ییلاقی پرداخت کرده بودم، یک شریک پنجاه‌درصدی گرفته بودم که قول داد تمام سرمایهٔ لازم برای تخریب خانه‌های ییلاقی و بازسازی را بیاورد. شرکت او خواهان کنترل منطقه بود. من معامله کردم، تمام رسیدهایم را برایشان آوردم و ترتیب همه‌چیز را دادیم.

وقتی پول را گرفتم، خوش‌حال از اینکه بهترین معامله زندگی‌ام را انجام داده‌ام، یک بطری شامپاین در خانهٔ پسرعمویم دنی باز کردم. چکی که به من دادند را گرفتم و پول همه

---

1. Shapp.

طلبکارانم را پس دادم.

درواقع ما یک شرکت سرمایه‌گذاری مشترک تأسیس کردیم. او دستم را در شراکت باز گذاشت و چند میلیون دیگر هم برای سرمایه‌گذاری داد. او می‌خواست در آن مکان قوی‌تر شود، و به من گفت که هرچیزی که می‌توانم در آنجا بخرم. من املاک زیادی خریدم ـ ساختمان‌های قدیمی که می‌توانستند خراب شوند و دوباره ساخته شوند، یا قطعه زمین‌های خالی.

هر بار که قرار بود معامله کنم، شاپ جزئیات و تمام موارد قانونی را مدیریت می‌کرد. آن‌ها یک وکیل در دفتر او داشتند که به معاملات من رسیدگی می‌کرد. این وکیل گهگاه چیزهایی به من می‌گفت که باعث می‌شد بفهمم به من حسادت می‌کند. من آن موقع‌ها اغلب به اسرائیل سفر می‌کردم. و یک‌جورهایی هر بار که به اسرائیل می‌رفتم یا برمی‌گشتم، خبرِ یک عملیات مخفیانه موساد در جایی از دنیا منتشر می‌شد. بنابراین این وکیل همیشه می‌گفت: «تو برای موساد کار می‌کنی. هر بار که در اسرائیل هستی، داری به مأموریت می‌ری.»

او به پولی که من درمی‌آوردم حسادت می‌کرد. یک روز که به دفتر رفتم، او آنجا نبود. پرسیدم چه اتفاقی افتاده. متوجه شدم او و همسرش براثرِ مسمومیت با گاز مونوکسید کربن در رختخواب مردند. در خواب آن را استنشاق کرده بودند و بیدار نشدند. خوشبختانه بچه‌ها در خانه نبودند. از اینکه بچه‌هایشان بی‌پدرومادر شده بودند، احساس بدی داشتم.

فصل ۹۸

گرفتن بیمه

یک بار که از نیویورک به اسرائیل رفتم، با همسر آینده‌ام، پسرم و خواهرم که با آن‌ها در آپارتمان من زندگی می‌کرد، به یک سفر شمال رفتیم. وقتی برگشتیم، دیدم که از آپارتمان دزدی شده.

با پلیس تماس گرفتیم و شرکت بیمه یک بازرس فرستاد. آن‌ها کل آپارتمان و صندوق امانات بانک را بررسی کردند. به آن‌ها گفتم که تمام جواهراتم رفته است. بازرسان بیمه حرفم را باور نکردند.

من از قبل می‌دانستم که باید چطوری آماده باشم. تمام جواهرات را به فروشگاهی در نتانیا، پیش کسی که خوب می‌شناختم بردم، که تک‌تک قطعات را ارزیابی کرد. او گزارشی نوشت. چند قطعه تقلبی هم در بسته‌ای که برایش برده بودم گذاشتم. حتی یادم هست وقتی برای ارزیابی رفتم، چند ساعت لوکس دیگر از پیرمرد گرفتم و یک بسته زیبا از جواهرات گران‌قیمت داشتم. بازرسان چیزی پیدا نکردند و بیمه همچنان آن را باور نکرد.

مجبور شدم به نیویورک برگردم. وقتی با چمدانم به وارسی خروجی رسیدم، ناگهان دو مرد را دیدم که در سمت راست و چپ من ایستاده بودند و به من گفتند که پلیس هستند و باید با آن‌ها بروم. آن‌ها من را با ماشین به کلانتری بردند که با ماشین چند دقیقه فاصله داشت. چمدانم را از من گرفتند چون فکر می‌کردند داشتم جواهرات را به آمریکا قاچاق می‌کردم.

پلیس و بازرسان بیمه در جست‌وجوی جواهرات همه‌چیز را زیرورو کردند. چیزی پیدا نکردند. همه این‌ها درست زمانی اتفاق افتاد که من داشتم خانه‌های ییلاقی را با فرشتهٔ سرمایه‌گذار که برای نجات من آمده بود معامله می‌کردم. من یک قرارداد داشتم و

۵۰۰/۰۰۰ دلار در حساب بانکی.

من از شرکت بیمه شکایت کردم. وقتی به دادگاه رفتم، قرارداد ترجمه‌شده را بردم. به قاضی نشان دادم که در آن زمان نیم میلیون دلار درآمد داشتم و بیمه من را متهم به سازمان‌دهی دزدی اموالی به ارزش ۱۵۰ هزار دلار کرده بود. شواهدی ارائه دادم که نشان می‌داد من یک فرد قابل‌اعتماد، و مالک تجارت املاک و مستغلات هستم. مسیرِ دفاع من این بود که چرا باید به این دردسر نیاز داشته باشم، چرا باید به پول آن‌ها نیاز داشته باشم؟

ازقضا قاضی همان کسی بود که به دعوی دزدی از فروشگاه ویدیویی رسیدگی کرده بود. نگران بودم که این موضوع بر تصمیم او تأثیر بگذارد، اما ظاهراً او اصلاً من را نشناخت.

شرکت بیمه باخت و مجبور شد به من پول بدهد. من خیلی خوش‌شانس بودم چون حدود یک هفته بعد همین شرکت بیمه اعلام ورشکستگی کرد. ضمناً، در این دادگاه و در دادگاه مربوط به سرقت از فروشگاه ویدئویی، وکیلی از منطقهٔ شارون[1] وکالت من را به عهده داشت و من خیلی تحت تأثیر حرفه‌ای بودن، شیوهٔ دفاع و دانش گسترده او قرار گرفتم. من تا به امروز با او کار می‌کنم.

در این مدت، بعداز اینکه معامله مرتبط با خانه‌های ییلاقی را انجام دادم، دو ساختمان نزدیک به خانه‌های ییلاقی خریدم. در این خیابان که بن‌بست بود، چهار ساختمان وجود داشت. بعداز این خرید به اسرائیل رفتم. همسر آینده‌ام را به سفری به آمریکا بردم. ما به فلوریدا و واشنگتن رفتیم و بعد به اسرائیل برگشتیم.

1. Sharon.

فصل ۹۹

ازدواج با رینا

همان‌طور که قبلاً گفتم، رینا اصالتاً یمنی است و مادرش در آپارتمانی در تل آویو زندگی می‌کرد. مادرش می‌خواست که من بروم و رسماً از رینا خواستگاری کنم. با خواهر و شوهر خواهرم رفتیم. یک جواهر بسیار زیبا با خودم بردم و در حضور مادرش از او خواستگاری کردم.

ما قصد داشتیم به آمریکا مهاجرت کنیم، اما می‌خواستیم در اسرائیل ازدواج کنیم. شروع کردم به رسیدگی به طلاق خود از نورما. خاخام‌ها من را این‌طرف و آن‌طرف می‌فرستادند و متوجه شدم که در آنجا فقط با رشوه می‌توان کارها را پیش برد. و درواقع درنهایت موفق شدم ...

من مجبور شدم طلاق‌نامه را با پیک به نورما در آلمان بدهم. به‌محض اینکه او طلاق گرفت پرونده‌ای باز کردم تا ازدواج کنم. این هم داستان پیچیده‌ای بود. من را از جایی به‌جایی دیگر می‌فرستادند و صف‌ها بی‌پایان بود. تاریخ خروج ما از اسرائیل فرا رسیده بود و ما نتوانسته بودیم موضوع ازدواج را با خاخام‌ها حل‌وفصل کنیم. بنابراین در عوض، تصمیم گرفتیم فقط یک مهمانی داشته باشیم. ما همهٔ دوستانمان را به چیزی که شبیه جشن عروسی بود دعوت کردیم ... فقط بدون چوپه[۱].

جشن را در حیاط خانهٔ خواهر رینا در کفار شَماریاهو[۲] برگزار کردیم. غذا را از بیرون سفارش دادیم. پرواز ما به ایالات متحده صبح روز بعد بود. بعداز مهمانی در خانهٔ خواهرم خوابیدیم. به ما اجازه داد در اتاق روی پشت‌بام بخوابیم. آن شب اصلاً نخوابیدیم. صبح ما

---

۱. Chuppah، سایبانی که زوج یهودی زیرِ آن در مراسم عروسی می‌ایستند. (م.)

2. Kfar Shmariyahu.

را به فرودگاه بردند و خویشاوندان بیشتری برای خداحافظی از راه رسیدند.

حقیقت این است که در سه سالی که در مسیر تل آویو - نیویورک رفت‌وآمد داشتم، بیشتر وقتم را در نیویورک گذراندم نه در اسرائیل. پسرم آن سه سال در اسرائیل به مدرسه می‌رفت. او زبان عبری را یاد گرفت و آن را به‌خوبی صحبت می‌کرد که این موضوع خیلی باعث خوش‌حالی من شد.

در ابتدا، وقتی به اسرائیل رسیدیم، او با من فقط به زبان آلمانی صحبت می‌کرد. در آلمانی، «پدر» می‌شود «پاپی»[1]. و در اسرائیل، پاپی یعنی یک سگ جوان: یک «توله‌سگ». و وقتی او به من می‌گفت «پاپی»، بچه‌ها می‌خندیدند. من خیلی خوش‌حال بودم که وقتی او در اسرائیل بود آلمانی را رها کرده و شروع به صحبت کردن به زبان عبری کرده بود.

من و همسرم به دنبال مکانی برای اجاره در نیویورک بودیم و قصد داشتیم یک عروسی یهودی در ایالات متحده برگزار کنیم. ما به کنیسه‌ای در منطقه‌ای که پسرعمویم زندگی می‌کرد رفتیم و طبق مذهب یهود در آنجا با یک چوپه عروسی سنتی برگزار کردیم.

پسرعمویم دنی خانه‌ای در منطقه‌ای بسیار باکلاس و زیبا در کوئینز خریده بود. معلوم شد که آپارتمان قبلی او توسط مستأجرانی که بعداز او در آنجا زندگی می‌کردند تخلیه شده بود. من این را می‌دانستم که آنجا یک آپارتمان خوش‌شانس بود. پسرعموی من خوش‌شانس بود و زمانی که در آنجا زندگی می‌کرد ثروتمند شد و خانواده‌ای که بعداز او در آنجا زندگی می‌کردند نیز ثروتمند شدند. من با رینا و پسرم به آن آپارتمان نقل‌مکان کردیم.

در همین حین شروع به تجارت کردم. حدود یک سال بعد، یک خانهٔ زیبا خریدم، یک ویلای بزرگ در یک محلهٔ خوب، یکی از زیباترین خانه‌های کوئینز. در سال ۱۹۸۶ کل خانه را بازسازی کردیم. ما منتظر ماندیم تا بازسازی تمام شود و بعداز تعطیلات، به آنجا نقل‌مکان کردیم. من یک ماشین جدید خریدم و واقعاً داشتم کسب‌وکاری بزرگ را شروع می‌کردم.

---

1. Pappy.

فصل ۱۰۰

خرید و بازسازی یک خانه

وقتی خانه را بازسازی کردم، کارهای زیادی روی آن انجام دادم ـ پنجره‌ها، لوله‌کشی، سیم‌کشی برق. وقتی تعمیرات را تمام کردم، با چندین متخصص مشاجره داشتم که به ضرب‌وشتم یا تهدید ختم شد. اگرچه در آن زمان من از قبل درگیر بازسازی ساختمان بودم، اما هنوز هم فریب متخصصین شیاد را می‌خوردم. متعجب بودم که فهمیدم در ایالات متحده مردم پول تو را علی‌الحساب می‌گیرند و کار را انجام نمی‌دهند. حتی پلیس‌ها و کارمندان خدمات شهری، همه رشوه می‌گیرند.

در مقطع مشخصی در حین انجام کار، یک پیمانکار به سراغ من آمد، یک مرد لاغر و قدبلند آمریکایی-آفریقایی با یک سرِ تراشیده. ما برای آنچه او باید انجام می‌داد به توافق رسیدیم. من علی‌الحساب به او پول دادم و او کم‌کم کار را شروع کرد. گاهی اوقات به همراه کارگران و گاهی بدونِ آن‌ها می‌آمد و کار مرتب طول می‌کشید. او همچنان پول بیشتری از من می‌گرفت و من دیدم که او با کارگران مشکل دارد چون همیشه به آن‌ها پول نمی‌داد.

او قرار بود کارِ لوله‌کشی را انجام بدهد - سینک‌ها و وان‌ها. برای خرید لوازم جانبی پول خواست. با توجه به تجربه‌ام با او تا آن موقع، به او گفتم که به او پول نمی‌دهم و فقط چکی به‌حساب فروشگاه به او می‌دهم. آنچه او سفارش داده بود را با فروشگاه بررسی کردم و دیدم که آن چیزی است که نیاز دارم، بنابراین چک را به او دادم. او چک را پرداخت کرد، اما اجناس را فعلاً همان‌جا گذاشت، چون هنوز آماده انجام کار نبود. قرار بود وقتی سر کار برمی‌گشت همه‌چیز را بیاورد، اما بارها و بارها بدون هیچ کارگری سروکله‌اش پیدا می‌شد.

من همان موقع هم از دست او کلافه شده بودم و می‌خواستم کله‌اش را خرد کنم.

مرتیکه عوضی یک خانه نصفه‌نیمه و به‌هم‌ریخته برایم گذاشت! یک روز منتظرش بودم. من همیشه یک چوب بیسبال در دفتر خانه‌ام آماده دارم. میز زیبایی داشتم که از هر طرف من را احاطه کرده بود. من در دفتر جلسه برگزار می‌کردم، بنابراین چوب بیسبال را زیر میز پنهان کردم و یک کارتن پر از کاغذ را روی میز گذاشتم.

او با یک قلدر آفریقایی‌ـ‌آمریکایی به‌عنوان محافظ پیش من آمد. می‌خواست لوازمی که برای من خریده بود را برای کار دیگری ببرد. بلافاصله کله‌ام به کار افتاد ـ چه‌کار کنم؟ اول‌ازهمه، باید شر قلدر کم شود. من عصبانی شدم، سر پیمانکار فریاد زدم، به او فحش دادم و به او نشان دادم که به‌رغم اینکه مرد خشنی با اوست من نمی‌ترسم. هرگز ترس از خود نشان ندهید.

به او گفتم: «چه غلطا، با خودت ولگردها رو می‌آری اینجا؟» به آن مرد درشت‌اندام نگاه کردم و به او اشاره کردم، «توی حرومزاده!» با چوب بیسبال به کارتنی که روی میز گذاشته بودم کوبیدم. همه‌چیز همه‌جا پرتاب شد، که آن قلدر را مات و مبهوت کرد. سرش فریاد زدم: «همین‌الان گورت رو از خونهٔ من گم کن!» آن مرد رفت و بیرون منتظر ماند. وقتی پیمانکار داشت می‌رفت، گلویش را گرفتم و او را به دیوار چسباندم. او فهمید که با چه‌جور جانوری سروکار دارد و با آرامش صحبت کرد: «همه‌چیز درست می‌شه، مرد، مشکلی نیست، ما حلش می‌کنیم.» به او گفتم: «حرومزاده، برو به اون فروشگاهی که با چک من پول دادی و بگو اجناس رو برای من بفرستند.» با فروشگاه تماس گرفتیم و صاحب فروشگاه به من گفت مشکلی نیست چون چک از طرفِ من است.

پیمانکار را از خانه پرت کردم بیرون و به او گفتم: «دیگه این طرفا پیدات نشه.» از یکی از کارگرانش، یکی که خوب بود، خواستم بیاید برای من کار کند. او دو نفر دیگر را هم آورد و آن‌ها کار را تمام کردند.

بعد رنگ خریدم. به او نشان دادم چه کاری باید انجام شود و توضیح دادم که همه جا دو لایه رنگ می‌خواهم، حتی روی سقف. او صبح زود آمد و از اتاق نشیمن شروع به کار کرد. حوالی ساعت نه از خواب بیدار شدم، به طبقهٔ پایین رفتم، و دیدم که او غلتک را در یک دستش گرفته و دست دیگرش داخل جیبش است، و دارد با بی خیالی برای خودش سوت می‌زند.

گفتم: «صبح بخیر، سقف رو انجام دادی؟» او گفت: «بله، تموم کردم.»
نگاه کردم و رگه‌های زیادی دیدم، خیلی آبکی. به او گفتم که رنگ به خوبی روی آن را نپوشانده، و او گفت: «دوبار رنگش کردم، دیگه دوباره تکرارش نمی‌کنم.» و با بی‌ادبی

گفت: «اگه ازش خوشت نمی‌آد، الان کار رو تموم می‌کنم.»
به او گفتم: «باشه، بس کن.» او گفت: «و تو برای امروز بهم بدهکاری.»
یادم نیست چقدر می‌خواست، اما وقتی به من گفت، وا رفتم. کارش افتضاح بود و من عصبانی بودم. گلویش را گرفتم، او را به دیوار فشار دادم و به او فحش دادم. «مرتیکه حروم‌زاده، چه پولی می‌خوای وقتی اومدی اینجا و کاری که می‌خواستم رو انجام ندادی؟» بلندش کردم و از گلویش به‌سمتِ در کشیدم و انداختمش بیرون. وسایلش را برداشتم، از بالکن انداختم پایین و سرش فریاد زدم: «اگر دوباره اینجا ببینمت، هر دو پات رو می‌شکنم!» وسایلش را برداشت و پا به فرار گذاشت.
وقتی بازسازی تمام شد، فرش‌ها را پهن کردم، یک مبل برای اتاق نشیمن سفارش داده بودم و منتظر بودیم تا برسد. با همسرم برای خرید مبلمان اتاق تلویزیون بیرون رفتیم. اتاق نسبتاً کوچک بود. آن را اندازه گرفتیم و به یک فروشگاه رفتیم تا چیزی مناسب پیدا کنیم. فروشگاه چیزی که ما دوست داشته باشیم در انبار نداشت، بنابراین فروشنده چیزی در کاتالوگ به ما نشان داد که خوب به نظر می‌رسید. ما اندازه‌ها را به او دادیم، از او پرسیدم آیا مطمئن است که اندازه است یا نه، و او به من گفت: «بله، قطعاً.»
من علی الحساب به او چیزی پرداختم و یک هفته ـ ده روز صبر کردم. خود صاحب مغازه به همراه پسرش و یک کارگر دیگر از راه رسیدند. صندلی‌ها را از کامیون پایین آوردند ـ چند صندلی راحتی بود که می‌خواستیم کنارِ هم بگذاریم و یک کاناپه طویل. وقتی داشتند همه چیز را داخل اتاق می‌گذاشتند، من بلافاصله دیدم که اندازه نخواهد بود.
او شروع کرد به هل دادن یکی از صندلی‌ها به داخل و از در رد نمی‌شد. همه چیز زیادی بزرگ بود. او به من گفت: «نگران نباش، اون رو به فروشگاه برمی‌گردونم و درستش می‌کنم. من این قطعه کوچک تو اینجا رو می‌برم و بعد اندازه می‌شه.» دیدم دارد چرت‌وپرت می‌گوید و اصلاً حرفش درست نبود. می‌دانستم که این قطعات هرگز اندازه نمی‌شوند.
گفتم: «حسابی داری دری‌وری می‌گی.»
او شروع کرد گستاخی و گفت: «تویی که داری دری‌وری می‌گی، این مبل‌ها و صندلی‌ها رو برای اتاق نشیمن سفارش دادی.»
این را گفت چون اتاق نشیمن بزرگ بود و جا داشت. به او گفتم: «داری می‌گی که نمی دونم چی سفارشی دادم؟» و من سفارش اتاق نشیمن و نه اتاق تلویزیون را به او نشان دادم.
گفت: «باشه، من همه این‌ها رو به کارخونه برمی‌گردونم. بیا فروشگاه، یه چیزی برات پیدا می‌کنیم.»

دوباره دیدم که دارد مزخرف می‌گوید. می‌دانستم که اگر مبل‌ها را برگرداند، پیش پرداختم را به شکل نقد پس نخواهم گرفت. به او گفتم: «تا پیش‌پرداختم رو به صورت نقدی به من پس ندی، چیزی از اینجا بیرون نمی‌بری.» گفت: «بعداً بیا مغازه، بهت می‌دم.»

می‌دانستم که در فروشگاهِ او دچار مشکل خواهم شد. نمی‌توانم در آنجا عصبانی شوم چون آنجا قلمرو اوست، او در زمین خودش است. به او گفتم: «اینهارو از اینجا بیرون نمی‌بری!» در همین حال، درحالی‌که داشتم با او صحبت می‌کردم، پسر و کارگرش داشتند برای بارگیری وسایل به کامیونی که در کنار خانه پارک شده بود، آماده می‌شدند. می‌دانستم که اگر آن‌ها وسایل را در کامیون سوار کنند ـ کارِ من تمام شده است ... باید آن‌ها را متوقف می‌کردم.

دو سه نفر از آن‌ها با هم داشتند وسایل را بلند می‌کردند که داخل کامیون بگذارند، و من سعی کردم آن‌ها را متوقف کنم و نتوانستم.

همسرم در بالکن بود و داشت همه این‌ها را تماشا می‌کرد. رو به او داد زدم که بنزین را بیاورد. گفت: «کدوم بنزین؟» و به او گفتم: «همونی که برای روشن کردن کباب پز روی زغال می‌ریزیم.» او دوید و سریع آن را آورد. در همین حال، آن‌ها داشتند سعی می‌کردند مبل را بلند کنند و داخل کامیون بگذارند و من همچنان داشتم سعی می‌کردم آن را پایین بیاورم.

کاناپه‌ها با پلاستیک پوشانده شده بودند. روی چیزی که نیمی از آن داخل کامیون بود، بنزین ریختم. یک فندک بیرون آوردم و به او گفتم: «اگه این کار رو ادامه بدی، روشنش می‌کنم.» بلافاصله کاناپه را رها کردند و عقب رفتند. به صاحب مغازه گفتم: «فروشگاهتون دور نیست، پانزده دقیقه با ماشینه. برو پول رو بیار.» او رفت و برگشت و پول را به من پس داد. و اجازه دادم کاناپه را ببرد.

می‌خواهم چیزی را روشن کنم. در تمام عمرم، از کودکی، هرگز اجازه ندادم کسی از من سوءاستفاده کند یا چیزی که مال من بود را از من بگیرد. فرقی نمی‌کرد یک لیر باشد یا یک میلیون دلار، چون یاد گرفته‌ام که اگر چیزهای کوچک را رها کنی، به تسلیم شدن عادت می‌کنی، و چیزهای بزرگ را هم رها می‌کنی. بنابراین برای من، مقدار آن مهم نیست، این یک اصل است. نمی‌توانی به صورتم تف کنی و بگویی که دارد باران می‌بارد. من روی حرفم می‌ایستم.

یک داستان دیگر در مورد کله شق بودنِ من: در نیویورک در آن زمان، آن‌ها از قبل

تلویزیون کابلی داشتند. اما برای اینکه آن را ارزان‌تر به دست بیاورند، بعضی‌ها پایرت باکس[1] می‌خریدند که تلویزیون را به آن وصل می‌کردند و همه کانال‌ها، فیلم‌ها، اِچ‌بی‌اُو[2] و هرچیزِ دیگری را غیرقانونی می‌دیدند. این خیلی خیلی ارزان‌تر از پرداخت برای خرید کانال‌ها بود.

یک روز، شخصی به من در مورد مردی گفت که از این پایرِت باکس‌ها می‌فروخت. به او سفارش دادم و او آن را برایم آورد. بعداز یکی دو روز، نه تنها از کار افتاد، بلکه حتی نمی‌توانستم تلویزیون محلی را تماشا کنم. به تماشای فیلم‌های تلویزیونی در شب عادت کرده بودم، تا استراحت کنم و روز کاری را فراموش کنم. بدون تلویزیون، کسل‌کننده بود، دیوانه می‌شدی. بنابراین چندین بار به آن مرد زنگ زدم، و او به من گفت: «بله، بله، می‌آم.» منتظرش ماندم و او پیدایش نشد. کم کم داشتم جوش می‌آوردم.

به او زنگ زدم و گفتم: «گوش کن، اگه الان بیای اینجا، سه تا دوست دارم که می‌خوان یه دستگاه بخرن. جوری که گفت: «دارم می‌آم»، می‌دانستم که واقعاً دارد می‌آید. چوب بیسبال را آماده کردم؛ جایش همیشه کنارِ در است.

او با سه دستگاه وارد شد. به او گفتم دوستانم به زودی می‌آیند، اول دستگاه من را درست کن. وقتی کار تعمیر دستگاه من را تمام کرد، گفت که پول بیشتری می‌خواهد. عصبانی شدم و گفتم: «چند وقته که منتظر توام؟ چند روزه یه جمله مزخرف تحویل من می‌دی و می‌گی که داری می‌آی و نمی‌آی؟» داشتم داد می‌زدم و از عصبانیت در مرز انفجار بودم. او حرف توهین‌آمیزی زد و بوم! مشتی به صورتش زدم. او سعی کرد در برود و من چوب بیسبال را برداشتم و با آن شروع به کتک زدن او به کمر و پاهایش کردم. او داشت به خیابان می‌دوید و فریاد می‌زد اوه! اوه!

من فوران کرده بودم.

همان‌طور که اشاره کردم، وقتی واقعاً عصبانی می‌شوم، دچار خشمی کور می‌شوم.

1. Pirated box.
2. HBO.

فصل ۱۰۱

به هم زدنِ شراکت

قبلاً در مورد مردی که من را نجات داد به شما گفتم، مردی که هم بانک خصوصی و هم یک شرکت املاک و مستغلات بسیار بزرگ در نیویورک داشت. او تمام بدهی‌های من را پرداخت و نیم میلیون دلار دیگر به من داد. بنابراین وارد یک شراکت شدیم. در دوران شراکت او دست من را باز گذاشت. چند میلیون دیگر به من داد تا سرمایه‌گذاری کنم و من مقدار زیادی ملک خریدم. فکر می‌کنم سال ۱۹۸۶ بود ـ بازار سقوط کرد و او تصمیم گرفت شراکت را به هم بزند.

اگر او می‌خواست سرمایه‌گذاری مشترک را تمام کند، من نمی‌توانستم مانع آن شوم. اما این سرمایه‌گذاری مشترک سه میلیون دلار به بانک بدهکار بود.

یک روز از یکی از کارمندانش با من تماس گرفت که به من گفت به دفتر بروم، او می‌خواهد با من صحبت کند. رئیس او را مسئول رسیدگی به تمام جزئیات برای انحلال شراکت کرده بود. به دفتر رفتم. او گفت: «گوش کن، تمام زمینی که باقی مانده (اشاره به زمینی که وارد شراکت کرده بودم و هنوز روی آن چیزی نساخته بودیم و زمین دیگری که خریده بودم - دارایی‌هایی به ارزش چندین میلیون)، می‌تونم ترتیبی بدم که تو همه این‌ها رو به قیمت نیم میلیون دلار بخری ـ اگه ۵۰/۰۰۰ دلار رشوه نقدی به من بدی. به او گفتم: «مشکلی نیست، اما نصفش رو الان می‌دم و نصفش رو بعداز انجام معامله.» او موافقت کرد.

بعداز یکی دو روز به دفترش رفتم. من یک ضبط کاست با خودم داشتم، چون اگر ۲۵/۰۰۰ دلار پول نقد به او می‌دادم، فردا ممکن بود بگوید: «کدوم ۲۵/۰۰۰؟ داری دربارهٔ چی حرف می‌زنی؟» وقتی وارد دفترش شدم، چک کرد که آیا دارم جلسه را ضبط می‌کنم یا نه. من خون‌سرد بودم و گفتم: «خجالت نمی‌کشی؟ چرا باید جلسه‌مون رو ضبط

کنم؟ من نمی‌خواهم به خودم ضربه بزنم، من هم درگیر ماجرا هستم.» او داخل کیف من را گشت، اما دستگاه ضبط روی بدنم بود. من ۲۵/۰۰۰ دلار را به او دادم.

در مدت کوتاهی، آنچه که «بستن کسب‌وکار» نامیده می‌شود را تعیین کردیم. قرار گذاشتیم، یک وکیل از طرف او، یک وکیل از طرف من، و با شرکت ضامن، شرکتی که به خریدار ضمانت می‌دهد که زمینی که می‌خرد، آزاد و بدونِ بدهی و دردسر است.

در جلسهٔ برنامه‌ریزی شده با بانک، قرار شد من نیم میلیون بپردازم و مالکیت محدوده‌ای که وارد شراکت کرده بودم و تمام مناطقی که در دوران مشارکت خریده بودم را به دست بیاورم. در آن صورت بانک حق حبس خود را از آن منطقه آزاد می‌کرد. این همان چیزی است که با کارمند شریکم به توافق رسیدیم.

دقیقاً یادم نیست در آن زمان چه اتفاقی افتاده بود، اما نیم میلیون نداشتم. چه کار می‌توانستم بکنم؟ بعداز اینکه خانه‌های ییلاقی را خراب کردم، شخصی بود که می‌خواست زمین را بخرد چون در کنار ملک من ساختمانی داشت. آن موقع بازار داغ بود. ما قراردادی به مبلغ هشت و نیم میلیون دلار داشتیم. در آخرین لحظه، او بهانه‌ای در آورد ـ وقتی خانه‌های ییلاقی را خراب کردیم، مقداری نخاله در منطقه باقی مانده بود که از شر آن‌ها خلاص نشده بودیم. بنابراین او شکایت کرد که: «چرا منطقه رو تمیز نکردی، چرا فلان کار رو نکردی و بهمان کار رو کردی ...؟»

می‌خواست که من قیمت را پایین بیاورم. بازار داغ بود، بنابراین شریکم گفت: «گور باباش، بیعانه‌ش رو پس بده ـ پیش پرداختی که داده رو بهش پس بده، من دنبال دردسر از طرف کسی که دنبال دردسره نیستم.» از آن زمان می‌دانستم که آن مرد می‌خواهد زمین من را بخرد، بنابراین به سراغش رفتم و از او پرسیدم که آیا هنوز هم می‌خواهد آن را بخرد.

گفت: «گوش کن، بازار راکده، فعلاً کاری نمی‌کنم، الان نمی‌خرم.» گفتم: «گوش کن، قیمت رو پایین می‌آرم.» به جز او، من هیچ خریدار دست به نقد دیگری نداشتم و به نیم میلیون دلار نیاز فوری داشتم تا بقیه را از دست ندهم.

گفتم: «من کل قطعه رو به مبلغ نیم میلیون بهت می‌دم، و تو فقط تمام مالیات اموالی که بدهکارم رو بده.» او از فرصت استفاده کرد. تجارت تجارت است. او را با خودم به جلسهٔ اختتامیه بانک بردم.

در آن جلسه، به آن‌ها گفتم که آن منطقه را به فردی که زمینی در مجاورت خانه‌های ییلاقی داشت فروختم و بانک حق تملک تمام املاک دیگر من را آزاد کرد. بانک همچنین توقیف را متوقف کرد، منطقهٔ خانه‌های ییلاقی آزاد و خالی بود و من مالک آن بودم. بنابراین

به شرکت ضامن گفتم، عنوان را به فلانی و بهمانی منتقل کند. زمین خانه‌های ییلاقی من به اسم او شد. او نیم میلیون را پرداخت، اما به جای اینکه آن را به من بدهد، به هرکسی که باید پول می‌گرفت داد، همه روی یک میز.

او زمین را به قیمت نیم میلیون گرفت، بهترین معاملهٔ عمرش. چند سال بعد، آن مرد یک مجتمع بزرگ در آنجا ساخت و حداقل برای چهار مجتمع دیگر در آن قطعه زمین جا وجود دارد. بقیه را نگه داشتم و کم کم شروع به فروش آن‌ها کردم و درآمد خوبی کسب کردم. برگشتم و با کارمند شریکم، که کل کار را ترتیب داده بود، ملاقات کردم، ۲۵/۰۰۰ دلار دیگر را به صورت نقدی به او دادم و همه خوش‌حال رفتند.

به‌این‌ترتیب راه من از شراکت جدا شد.

فصل ۱۰۲

«شما اسرائیل» و یک طومار تورات

تا به حال چندین بار گفته‌ام که هر وقت دچار مشکل می‌شدم، دعای «شما اسرائیل» را با قدرت زیاد می‌خواندم و هر کلمه را حس می‌کردم، طوری که دعا به آسمان می‌رفت. و همیشه وقتی دعا می‌کردم، توسط چیزهایی نجات پیدا می‌کردم که باورش سخت بود. توضیح من این است که آیه‌ای در مزامیر وجود دارد که می‌گوید: «خداوند به همهٔ کسانی که او را به راستی می‌خوانند نزدیک است». خدا به کسانی که واقعاً او را صدا می‌کنند گوش می‌دهد.

«واقعاً» یعنی چه؟ وقتی با تمام وجود دعای «شما اسرائیل» را می‌خوانی و هر کلمه‌ای را احساس می‌کنی، وقتی این دعا را «با نیت» می‌خوانی، احساس می‌کنی همه چیز برایت باز می‌شود. اگر مثل من به تک‌تک کلمات این دعا دقت کنی، دعایت قبول می‌شود و به جایی که لازم است می‌رسد. احساس تکان می‌کنی ـ یک تقویت انرژی واقعی ـ واقعاً تفاوت را احساس خواهی کرد.

وقتی بعداز آن‌همه دردسری که در آلمان درست کردم به اسرائیل رسیدم با خودم گفتم: باید یه کار خوب انجام بدم. به خاطرِ رضای خدا سفارش می‌دم که یه طومارِ تورات بنویسند. در آن زمان نمی‌دانستم که رسم نوشتن طومار تورات برای عروج روح یک فرد متوفی وجود دارد. از آن خبر نداشتم. از کاتبان خواستم که آن را برای رضای خدا بنویسند. با مادرزنم ملاقات کردم و او در اورشلیم کاتبی پیدا کرد که به او اعتماد داشت و با او قرارداد بستیم.

ما از قبل از تمام شدنِ طومار در ایالات متحده زندگی می‌کردیم. طومار را به نیویورک آوردم. یک سِفر تورات شگفت‌انگیز بود. تازه وقتی‌که آن را به کنیسه آوردم از حرف‌های

مردم آنجا متوجه شدم چقدر زیبا نوشته شده بود. دستخط خیلی خوب است. من آن را به کنیسه‌ای که شنبه‌ها می‌رفتم بردم تا اینکه در محلهٔ خودم کنیسه‌ای باز کردند، کنیسه چاباد[1] که از ابتدا در آن نقش داشتم. وقتی آن را به کنیسه جدید آوردیم جشن بزرگی گرفتیم و سرودهای مذهبی خواندیم. من از همهٔ این‌ها بسیار متأثر شدم.

پدرم که از دنیا رفت، تصمیم گرفتم تورات را به عروج روحش تقدیم کنم. این طومار تا به امروز، پس از گذشت بیش از سی سال در خانه چاباد باقی مانده است.

قرار دادن طومار تورات آقای ز در کنیسه‌ای در نیویورک.

---

1. Chabad.

فصل ۱۰۳

دخترم به دنیا می‌آید

در سال ۱۹۸۹، ما یک دختربچهٔ شیرین داشتیم، یک فرشته، که خوش‌حالی زیادی برای من به ارمغان آورد. از زمانی که پسرم به دنیا آمد، آرزو داشتم یک دختر داشته باشم. از همان لحظهٔ اول مراقبش بودم. همسرم در ابتدا کمی می‌ترسید که او را، وقتی‌که واقعاً کوچک بود در آغوش بگیرد. من قبلاً تجربه‌اش را داشتم و برای او اولین بار بود. مادر همسرم هم از اسرائیل آمده بود تا برای مدتی کمک کند. من عاشق حمام کردن کودک، پوشانیدن لباس‌های کوچک به او و شانه کردن موهای فرفری‌اش بودم.

آن زمان وضعیت مالی من چندان خوب نبود. اما با این حال، همیشه، در تمام عمرم ـ مهم نیست که پول دارم یا نه ـ هر چند ماه یک بار به تعطیلات می‌روم. باید یک جایی برم. من و همسرم و دختر کوچکمان به بسیاری از نقاط جهان سفر کردیم و انواع سفرها را انجام دادیم. سه سال بعد صاحب یک پسر شدیم.

راه اندازی هیئت انجمن محله برای ۱۵۰۰ خانواده

در نیویورک، ساکنان این گزینه را دارند که یک هیئت انجمن محله تأسیس کنند. در سال ۱۹۸۶ در محله‌ای که زندگی می‌کردم، شورایی برای ۱۵۰۰ خانواده (حدود ۵۰۰۰ نفر) و حدود صد مغازه ایجاد کردم. این محله فقط خانه‌های تک‌خانواده داشت. من دورادور با آن ارتباط داشتم تا اینکه به‌عنوان رئیس هیئت مدیره انتخاب شدم و سی سال در این سمت بودم.

در دوران مسئولیتم، تغییرات مثبت زیادی را برای محله و منطقه آغاز کردم. به همین دلیل نام من در بین سیاست‌مداران شناخته شد و آن‌ها اغلب به دفتر من مراجعه می‌کردند و من را به رویدادهایشان دعوت می‌کردند. من با بسیاری از سیاست‌مداران، مقامات منتخب

و حتی برخی از شهرداران شهر نیویورک ملاقات و ارتباط داشتم.

به‌عنوان رئیس هیئت انجمن محله، متوجه شدم که دفتر دولتی دیگری به نام «هیئت برنامه‌ریزی جامعه» وجود دارد. نیویورک به پنجاه شورا تقسیم می‌شود که هر کدام مسئولیت چهار تا پنج محله را بر عهده دارند. اگر کسی بخواهد خیابانی یک‌طرفه شود یا نخواهد در فلان مکان ماشین پارک کنند، یا بخواهد مدرسه بسازد، باید به این کمیته بیاید تا این را با آن‌ها در میان بگذارد، پیشنهاد خود را ارائه دهد و بعد اعضای شورا در مورد آن بحث می‌کنند و به آن رأی می‌دهند و آن موقع تصمیم گرفته می‌شود.

من می‌خواستم عضو شورای مربوط به محله‌ام باشم. برای پذیرش در این شورا نیاز داشتم یک سیاست‌مدار من را معرفی کند. یکی را پیدا کردم که این کار را انجام دهد و به‌عنوان نماینده محله‌ام در شورا پذیرفته شدم.

از راست به چپ: آقای ز، سناتور پادوان[2] و شهردار پیشین نیویورک، مایکل بلومبرگ[3] هنگام صرف شام.

آقای ز به همراه سناتور چاک شومر

پس از ورودم به شورا، من را رئیس کمیته مسکن کردند، کمیته‌ای که هر تغییری در برنامه‌ریزی ساخت‌وساز، تغییر منطقه‌بندی و انحراف در ساخت‌وسازهای جدید را تأیید می‌کند. من به‌عنوان رئیسی که هر جلسه را با دقت، واقع‌بینی و سرعت انجام می‌دهد شهرت پیدا کردم، درحالی‌که در کمیته‌های دیگر جلسهٔ مشابهی سه برابر بیشتر طول می‌کشید.

---

1. Chuck Schumer.
2. Padvan.
3. Michael Bloomberg.

آقای ز به همراه شهردار سابق نیویورک، دیوید دینکینز.[2]   آقای ز به همراه سناتور وینستین[1] که این روزها به‌عنوان رئیس کمیتهٔ قضایی بخش کوئیینز در نیویورک خدمت می‌کند.

آقای ز به همراه شهردار سابق نیویورک، دیوید دینکینز.   آقای ز به همراه هیئت‌منصفهٔ دادگاه‌ها در نیویورک.

این شورا ماهی یک بار تشکیل جلسه می‌دهد و تمام تصمیمات آن به شهر نیویورک می‌رسد. پس از پنج سال عضویت در شورا، به دلیل پنج سال خدمت و فعالیت اجتماعی لوح تقدیری از شهرداری نیویورک دریافت کردم. بعد از این پنج سال، پنج سال دیگر ادامه دادم

---

1. Senator Weinstein.
2. David Dinkins.

و بعداز ده سال خدمت، یک بار دیگر لوح تقدیر گرفتم. هنوز هم اشتیاق و انرژی برای ادامه داشتم، به همین دلیل پنج سال دیگر رفتم و به پاس ۱۵ سال خدمت به جامعه لوح تقدیر دیگری دریافت کردم و بعد بازنشسته شدم. پس از بازنشستگی، یک نامهٔ خداحافظی نوشتم و آن را برای رئیس بخش کوئینز فرستادم.

دریافت لوح تقدیر آقای ز از شهرداری نیویورک به پاس سی سال خدمت به جامعه.

لوح تقدیر اهدا شده به آقای ز به پاس سی سال خدمت به جامعه.

کمیتهٔ دیگری که من ریاست آن را بر عهده داشتم، مدیریت امور سالمندان و نیازهای جاری آن‌ها بود.

پس از بازنشستگی از شورا، به‌عنوان رئیس محلهٔ خودم به کارم ادامه دادم. هر سه سال یکبار دوباره انتخاب می‌شدم و بعداز ۳۳ سال ردای خود را آویختم و از این سمت نیز بازنشسته شدم. همان شبی که اعلام بازنشستگی کردم، خزانه‌داری که تمام آن سال‌ها با من کار کرده بود نیز تصمیم گرفت بازنشسته شود. هردوی ما یک لوح تقدیر بزرگ از شهرداری نیویورک به خاطر مشارکت خود در محله دریافت کردیم و بازنشستگی من را با مراسمی شگفت‌انگیز جشن گرفتیم.

آقای ز به همراه هِلن مارشال[1]، رئیس پیشین بخش کوئینز، نیویورک.

---

1. Helen Marshall.

فصل ۱۰۴

خشک‌شویی

در طولِ این مدت یک خشک‌شویی هم داشتم. در تمام عمرم وارد انواع ماجراجویی‌ها شده‌ام. فارغ از اینکه چه نوع کاری باشد، اگر از آن خوشم می‌آمد، نحوهٔ انجام آن کسب‌وکار را یاد می‌گرفتم و وارد آن می‌شدم. انواع شرکت‌ها را افتتاح کردم و انواع کارها را انجام دادم. در یک مقطعی، با یک مرد اسرائیلی به نام جویی[1] آشنا شدم که مکان مناسب برای خشک‌شویی‌ها را پیدا می‌کرد و به آن‌ها تجهیزات می‌فروخت.

او به من یک مکان خوب برای خشک‌شویی در محله‌ای که ترکیبی بود از ایتالیایی‌ها، آلمانی‌ها و لهستانی‌ها در بیست‌متری گوشهٔ خیابان اصلی به من پیشنهاد داد. من منطقه را بررسی کردم، دیدم که در دو یا سه بلوک در هر جهت از قبل یک خشک‌شویی وجود دارد. اما وقتی سایر خشک‌شویی‌ها را بررسی کردم، به این فکر کردم که چطور از هر کدام از آن‌ها یک سوم مشتریانشان را بدزدم ـ و کاملاً آماده بودم. طبیعتاً، تمام محاسبات را انجام دادم: روزانه چقدر باید درآمد داشته باشد، هزینه‌ها چقدر خواهد بود، هزینهٔ ساخت چقدر خواهد بود و دیدم که این معاملهٔ سودآوری خواهد بود.

آن مکان را اجاره کردم، آن را تعمیر کردم و تمام تجهیزات و ماشین آلات را خریدم. چطوری مشتریان را از رقبا دور کردم؟ تمام خشک‌شویی‌های این منطقه مکان‌هایی کسالت‌بار با رنگ‌های تیره و نور کم بودند. من آن مکان را با میز پذیرش و یک نیمکت انتظار سبز و زرد تزئین کردم. کلی چراغ آویزان کردم و گلدان‌های گل را از سقف آویزان کردم. یک سیستم صوتی برای موسیقی و یک دستگاه قهوه و آبمیوه رایگان برای مشتریان قرار دادم. شربت تمشک می‌خریدم و آن را داخل دستگاهی می‌ریختم که آب و آب گازدار

---

1. Joey.

را به آن اضافه می‌کرد. مشتریان خوش‌حال بودند و آنجا داشت خیلی خوب کار می‌کرد. حتی یک تلفن عمومی داخل فروشگاه نصب کردند که من از آن درصدی می‌گرفتم.

اما بعد ناگهان، انواع و اقسام افراد محله که عادت داشتند گوشه خیابان جمع شوند، جوان‌های مزاحم، شروع کردند به آمدن و نشستن در داخل مغازهٔ من و برای خرید مواد مخدر تماس می‌گرفتند. تلفن را از مغازه بیرون بردم اما بعداز آن آن‌ها عصبانی شدند و یک روز نیمه شب شیشه مغازه‌ام را از بیرون شکستند. البته زنگ هشدار به صدا درآمد. به آنجا دویدم و دیدم که فقط پنجره را شکستند اما داخل نشده بودند.

پنجره را درست کردم و دری با یک بخش شیشه‌ای کوچک نصب کردم تا اگر اتفاقی افتاد پلیس یا آتش نشانی بتواند ببیند داخل مغازه چه خبر است.

با چند نفر صحبت کردم تا بفهمم چه کسی شیشه را شکسته است. زنی در همسایگی به من گفت که او کیست، و آن مرد به آنچه که لیاقتش را داشت رسید ـ با چوب بیسبال مورد ضرب‌وشتم قرار گرفت.

روز بعد دوباره زنگ هشدار به صدا در آمد، اما این بار هیچ نشانه‌ای از ورود به داخل نبود. اما بعد دیدم صندوق را خالی کرده‌اند. ما همیشه برای دختری که صبح شروع به کار می‌کرد، چند صد دلار پول خرد می‌گذاشتیم.

سعی کردم بفهمم که چطور کسی از پشت وارد شده است. پشت خشک‌کن‌هایی که در امتداد کل دیوار قرار داشتند، فضایی وجود داشت که از پشت می‌شد برای تعمیر به آن‌ها دسترسی داشت. یک در آنجا بود و یک سوراخ در کف که به زیرزمین منتهی می‌شد. من به همراه دو صاحب فروشگاه دیگر، کلید زیرزمین مشترک را داشتیم. من چیزی در آنجا نداشتم، اما اینجا جایی بود که از آن یک نفر وارد خشک‌شوییِ من شده بود.

تحقیقات بیشتری انجام دادم و متوجه شدم که دزد یک پسر جوان و لاغر است که یک وقتی در آنجا کار می‌کرد، اما معتاد به مواد مخدر بود، بنابراین می‌توانستم از شرش خلاص شوم.

پس‌از آن، یک روز او را در خیابان دیدم. صدایش زدم و به او گفتم که در زیرزمین برایش کاری دارم، تاکردنِ کارتن‌ها. او البته به پول نیاز داشت و به دنبال کار بود. یک قیچی که در مغازه داشتم با خودم بردم و رفتیم زیرزمین. رسیدیم پایین و او را به دیوار چسباندم و قیچی را زیر گلویش گذاشتم. گفتم: «کله‌پوک کوچولو، اگه یه بار دیگه بیای سراغ مغازهٔ من ...»

چند دقیقه بعد، برادر بزرگ‌ترش که یک قلدر بود از راه رسید. وارد مغازه شد، شروع

کرد به فحش دادن به من و به نظر می‌رسید که آماده است من را بزند. آدم قوی و خشنی بود و من می‌دانستم که نمی‌توانم از پس او بر بیایم، بنابراین شروع کردم به دویدن بین دستگاه‌ها. چاقوی کوچکی در آورد و به‌سمتِ من پرتاب کرد و بیرون دوید. خوشبختانه چاقو به من اصابت نکرد.

دیدم که این دارودسته ولگردها دارند من را به دردسر می‌اندازند. برادران دوقلویی بودند که یک آگهی ضدیهودی چاپ کردند و آن را همه جا به دیوار زدند. من به پلیس و سازمان مبارزه با افترا اطلاع دادم اما آن‌ها هیچ کاری نکردند. چه کار می‌توانستم بکنم؟ در دلم آن حرام‌زاده‌ها را نفرین کردم ...

زمستان بود. جاده‌ای که کوئینز را به بروکلین متصل می‌کند، جاده‌ای بسیار پرپیچ‌وخم، از بین دو قبرستان می‌گذرد. برادران دوقلو در آن جاده رانندگی می‌کردند. آنجا یخ زده بود و آن‌ها سُر خوردند، تصادف کردند و هر دو کشته شدند. قبلاً هم اتفاق افتاده بود که نفرین‌های من جواب داده بودند.

برای اینکه کاری کنم که دوستانشان دست از سرم بردارند، به تشییع جنازه رفتم. مراسم در فضایی بود که مسیحیان مردگان خود را دفن می‌کنند، در سالن تشییع. رفتم ادای احترام کنم و امیدوار بودم که ولگردهای دیگرِ گروه من را بپذیرند. اما این اتفاق نیفتاد.

یک روز، در گوشه‌ای که جمع شده بودند، بین دو نفر از بچه‌ها بحث شد. یکی از آن‌ها چاقوی بزرگی بیرون آورد و آن یکی را کشت. حتی قبل از این اتفاق، من پیش پلیس رفته بودم و از این باند شکایت کرده بودم، اما آن‌ها هیچ کاری نکردند. هرازگاهی یک ماشین گشت می‌فرستادند، اما البته فایده‌ای نداشت.

در مغازه، از همهٔ مشتریان خواستم که طوماری را امضا کنند. امضاهای زیادی جمع کردم و به سراغ رئیس پلیس کلانتری رفتم. گفتم: «ببین اینجا چه خبره. یه کاری بکن.» او هیچ کاری نکرد.

با سیاست‌مدارانی که می‌شناختم تماس گرفتم و سه نفر از آن‌ها نامه‌ای به رئیس پلیس نوشتند. او با من تماس گرفت و از من دعوت کرد که پیش او بروم و من هم رفتم. بعداز اینکه نشستم، برای من یک فنجان قهوه سفارش داد و از من پرسید: «تو این سیاست‌مداران رو از کجا می‌شناسی؟» گفت: «گوش کن، من می‌خوام دوست تو باشم. چی می‌خوای؟»

به او گفتم که راه‌حل این باند مشکل‌ساز این است که برای مدتی دو پلیس در آن گوشه مستقر کنند و او این کار را کرد. با حضور دو پلیس در آنجا، آن گروه دیدند که دیگر نمی‌توانند در آن گوشه پرسه بزنند و کم کم متفرق شدند.

تا آن موقع تصمیم گرفته بودم آنجا را بفروشم. آن را فروختم و ماجراجویی جدیدی را شروع کردم.

دوست دارم هر بار کار جدیدی انجام دهم. می‌بینید که مهم نیست که چه کاری است، اگر به چیزی علاقه داشته باشم ـ آن را انجام می‌دهم. فرقی نمی‌کند که خشک‌شویی، شرکت قالی‌شویی، بوتیک، سالن ماساژ یا هرچیزِ دیگری باشد. این همان چیزی است که به من انرژی می‌دهد. اگر در یک جا بمانم، یک کار را انجام دهم ـ مثل این است که مرده‌ام. همان‌طور که می‌گویند آب اگر یک جا بماند می‌گندد ...

گاهی اوقات به افرادِ پیرامونم که می‌شناسم نگاه می‌کنم ـ افراد جوان‌تر از من، جوری که کار می‌کنند. آن‌ها صبح به مغازه می‌روند، ساعت هفت یا هشت شب به خانه می‌آیند، در ترافیک گیر می‌کنند، با شلوغ‌پلوغی مبارزه می‌کنند ـ اصلاً زندگی ندارند. هر روز یک چیز تکراری، یک کار تکراری.

من هرگز نمی‌توانم آن طوری هر روز در چنین دفتری کار کنم: صبح بیدار شوم، بکوبم روی ساعت، شب به خانه بروم. اگر به خاطر داشته باشید، این همان چیزی است که در مزرعهٔ اشتراکی برای من اتفاق افتاد. من نمی‌توانستم هر روز در یک کار ثابت باشم. دوبار فرار کردم. من این‌طوری هستم. چیزی که به من جان می‌دهد و باعث می‌شود احساس جوانی، حیات و انرژی زیاد کنم این است که همیشه کاری جدید انجام دهم، یک کسب‌وکار جدید، یک مکان جدید برای تعطیلات، این‌جور چیزها. آن‌ها ذهن من را دوباره تقویت می‌کنند. وقتی مدام هر روز یک کار تکراری را انجام می‌دهید، خسته می‌شوید، مغزتان پیر می‌شود.

فصل ۱۰۵

کسب‌وکار قالی‌شویی

سرمایه‌گذاری بعدی من یک شرکت قالی‌شویی بود. یک روز از طرف یک شرکت به خانه‌ام آمدند تا فرش‌ها را تمیز کنند. یک مرد جوان با یک دستگاه آمد، کار را در یک ساعت تمام کرد و از من ۲۶۰ دلار گرفت. سعی کرد برای فرش روی پله‌ها که به او گفته بودم نمی‌خواهم آن را تمیز کند از من هزینه اضافی بگیرد.

او از من اجازه خواست با دفتری که او را استخدام کرده تماس بگیرد و از آن‌ها خواست که او را به سراغ مشتری بعدی خود بفرستند.

دیدم که او در یک ساعت ۲۶۰ دلار به دست آورد و شروع کردم به پرسیدن در مورد آن کار. از او پرسیدم چند کارگر در شرکت وجود دارند، گفت سی نفر. دو دوتا چهارتا کردم، سی کارگر ضربدر ۲۶۰ دلار در ساعت، که به نظرم خیلی خوب بود.

به او گفتم می‌خواهم در چنین چیزی سرمایه‌گذاری کنم. بنابراین او من را فرستاد تا با مدیر شرکتش که به گفته او شمارهٔ یک در آن صنعت بود صحبت کنم. اسم آن مرد اِد[1] بود. به او گفتم که یک شرکت سرمایه‌گذاری دارم و به دنبال پروژه‌ای برای سرمایه‌گذاری هستم. اگر برای من کار می‌کرد، به او قول دادم که پول بیشتری نسبت به درآمدش داشته باشد.

او گفت که جوابم را خواهد داد و این کار را کرد. او گفت: «گوش کن، من یه فکری دارم. من برای انجام این کار آماده‌ام. چندتا شرط دارم.» او به من گفت که منطقهٔ نیویورک در حال حاضر از شرکت‌های قالی‌شویی اشباع شده است. آن‌ها مثل قارچ جوانه زدند. و اتفاقاً بسیاری از آن‌ها متعلق به اسرائیلی‌ها بودند. گفت باید از شهر برویم بیرون. به او

---

1. Ed.

گفتم که تا جایی که از نیویورک دور نباشد قابل قبول است.

او توضیح داد که ما کسب‌وکار را به روش خاصی تبلیغ می‌کنیم و باید سرمایه‌گذاری زیادی برای تبلیغات انجام دهم. روش این بود که یک کارت‌پستال با یک آگهی تبلیغ برای شرکتمان به کل منطقه ارسال شود. آدرس‌ها را در پنج یا شش کد پستی می‌خریدم تا به همه خانواده‌های آنجا دسترسی داشته باشم. قرار بود هم‌زمان به نیم میلیون خانه کارت‌پستال بفرستیم. اِد گفت باید مردی را از فلوریدا بیاوریم تا با ما کار کند که در این روش تبلیغاتی متخصص بود. آن مرد متأهل بود و یک بچهٔ کوچک داشت. قول دادم برایش آپارتمانی ترتیب بدهم و به مدیر اِد، قول یک آپارتمان و ماشین دادم تا اینکه آن‌ها قبول کردند با من به فیلادلفیا[1] بیایند.

ما توافق کردیم که شرکت را در فیلادلفیا راه اندازی کنیم. در آن زمان تعداد زیادی شرکت قالی‌شویی در آنجا وجود نداشت، فقط یک شرکت بزرگ و مشهور که در سراسر ایالات متحده شعبه داشت. شرکت من اولین شرکت «تازه‌کار» در آن منطقه بود.

برای هردوی آن‌ها یک آپارتمان اجاره کردم. همان‌طور که اشاره کردم، بخشی از قرارداد این بود که مدیر اِد یک ماشین بگیرد. برایش یک ماشین اسپورت دست دوم گران قیمت خریدم. او مردی سرسخت و خشن بود. هر روز به باشگاه می‌رفت و ورزش می‌کرد. یک روز دیدم در کیف باشگاهش اسلحه دارد.

یک ساختمان دوطبقه اجاره کردیم. طبقهٔ پایین دفتری بود که در آن چهار دختر می‌نشستند و به تلفن‌های مشتریان پاسخ می‌دادند، اتاق دیگری که مدیر در آن می‌نشست، با یک تابلوی اعلانات حاوی نام تمام تکنسین‌های نظافتی که برای ما کار می‌کردند، و در پشت یک انبار بزرگ بود که در آن ماشین‌آلات و مواد تمیزکننده قرار داشتند. دفتر من در طبقهٔ دوم بود.

در آگهی ما آمده بود اتاقی پنج دلار. دخترها سفارش‌ها را می‌گرفتند. وقتی تکنسین به خانه‌ای می‌رفت، یک مایع تمیزکننده بسیار قوی روی فرش می‌ریخت، به‌عنوان نمونه یک قسمت مستطیلی‌شکل را با آن روی فرش تمیز می‌کرد و در کنار آن مستطیل، قسمتی را بخارشوی می‌کرد. او به مشتری می‌گفت که تمیز کردن با بخار برای هر اتاق پنج دلار هزینه دارد، اما تمیز کردن با آن یکی مواد قدرتمندتر ۵۰۰ دلار هزینه دارد. بخش تمیز شده با مایع قوی در مقایسه با بقیه فرش کاملاً نو به نظر می‌رسید. البته خانم خانه می‌گفت نه، خیلی گران است، و تکنسین به او می‌گفت، اشکالی ندارد، من با پنج دلار برایت

1. Philadelphia.

بخارشویی انجام می‌دهم.

در همین حین، او متوجه می‌شود که یک منطقهٔ روشن براق در وسط فرش برایش باقی خواهد ماند. تکنسین شروع به استفاده از تکنیک مدیر می‌کند ـ او تلفنی با مدیر تماس می‌گیرد و می‌گوید: «خانم خوبیه، حتی یه ساندویچ به من داد، مثل مادرمه. قیمت تمیز کردن فرشش ۵۰۰ دلاره. می‌تونیم بهش تخفیف بدیم؟» و مدیر می‌گوید: «خب، بهش تخفیف بده ـ ۳۰۰ دلار، اما نقد.» این روشی بود که ما استفاده می‌کردیم.

افرادی که به‌عنوان تکنسین کار می‌کردند بدترین نوع ممکن بودند ـ دزد و کلاه‌بردار. خلاف‌کارها، چون این روش مدیر بود. او از این دسته افراد بود و همه کارگرانی که آورده بود شبیه خودش بودند. بیشتر آن‌ها را از نیویورک آورد. اما آن‌ها پول در می‌آوردند و شرکت هم پول در می‌آورد.

زمانی که این کار را شروع کردم، به دنبال یک حسابدار بودم. یک اسراییلی پیدا کردم و به او گفتم که می‌خواهم یک شرکت قالی‌شویی باز کنم. او از من پرسید که انتظار دارم چقدر درآمد داشته باشم. گفتم در سال اول حداقل یک میلیون دلار. او به من خندید. «این اولین باره که در این تجارت مشغول به کار شدی، و حتی اهل این منطقه هم نیستی.» او گفت که برای کارش با گردش مالی سالانه ۳۰۰/۰۰۰ دلار با من محاسبه خواهد کرد.

شروع به کار کردیم. زنگ تلفن‌های دفتر در تمام طول روز قطع نمی‌شد. چهار پنج دختر در دفتر بودند و وقت نداشتند به همه تلفن‌ها پاسخ دهند، تماس‌های زیادی وجود داشت. یک روز یکی از مدیران بانک به ما مراجعه کرد. او با دیدن آن همه فعالیت تلفنی دیوانه شد و بلافاصله به من پیشنهاد وام داد. همیشه وقتی موفقیت شما را می‌بینند، می‌خواهند به شما وام بدهند و وقتی موفق نمی‌شوید، وقتی واقعاً به آن‌ها نیاز دارید ـ آن‌ها به دادتان نمی‌رسند ...

من به پول نیاز نداشتم و هیچ وامی نگرفتم. دفتر من با یک میز بسیار زیبا در طبقهٔ دوم بود. اتاق بزرگی بود با یک پنجرهٔ تمام‌قد. در کنارم دختری می‌نشست که به شکایات مشتریان رسیدگی می‌کرد. انواع عکس‌هایی که از سناتورها و شهرداران و افراد مشهور داشتم را به دیوار آویزان کرده بودم و وقتی کسی به دفتر می‌آمد تحت تأثیر قرار می‌گرفت. طبیعتاً ایده همین بود.

هر روز صبح، مدیر تکنسین‌ها را برای یک گفت‌وگوی انگیزشی جمع می‌کرد. او آن‌ها را به کسب درآمد بیشتر سوق می‌داد و بین آن‌ها ایجاد رقابت می‌کرد ـ کسی که پول بیشتری در بیاورد پاداش دریافت می‌کند. او همچنین وقتی‌که تکنسین‌ها تقلب می‌کردند، مچشان

را می‌گرفت. مثلاً اگر ۴۵۰ دلار از خانمی گرفته بودند اما فقط ۲۵۰ دلار در فیش‌ها ثبت شده بود. او می‌دانست که همیشه چنین اتفاقاتی رخ می‌دهند.

او روشی برای فهمیدن این موضوع داشت. او تظاهر می‌کرد که یک تکنسین است، به خانمی که تکنسین به خانه‌اش رفته بود زنگ می‌زد و از او می‌پرسید چقدر به من پول دادی؟ اگر تفاوتی بین آن و قیمتی که تکنسین به او گزارش کرده بود وجود داشت، او را به دفتر خود فرا می‌خواند تا مواد شیمیایی برای تمیز کردن فرش بگیرد. وقتی آن مرد وارد می‌شد، او را بدجور کتک می‌زد. از او پرسیدم: «داری چی‌کار می‌کنی؟» او به من گفت که باید هر چند وقت یک بار این کار را انجام دهد تا دیگران از فریب دادن ما بترسند.

من از آنجا پول زیادی به دست آوردم. خروارها پول نقد در جیبم، هر روز چند هزار دلار، هر هفته، ۰۰۰/ ۲۵ـ ۳۰/۰۰۰ دلار نقد، هر ماه ۱۲۰/۰۰۰ دلار در می‌آوردیم. و درواقع، در همان سال اول، ما ۱/۲۰۰/۰۰۰ دلار درآمد داشتیم. هر روز سی تکنسین کار می‌کردند، و حتی یک روز هم نبود که حداقل بیست کار دیگر در لیست وجود نداشته باشد که برایشان وقت نداشته باشیم. مردم ناراحت می‌شدند، می‌گفتند: «اتاق رو آماده کرده بودم، چرا نیومدین؟»

ما فقط نمی‌توانستیم به همه مشتری‌ها برسیم ...

فصل ۱۰۶

آغازِ پایان

یک روز، مدیر اِد و مرد دیگری که برای ما کار می‌کرد به یک سفر آخر هفته رفتند. آن‌ها یک مسافر توراهی را سوار کردند و معلوم شد که به او تجاوز کردند. پلیس به آن‌ها رسید و هر دو دستگیر شدند. از آن لحظه، تجارت شروع به فروپاشی کرد چون مدیر نیروی محرکه شرکت بود. من فقط با کاغذبازی‌ها، حساب‌ها و امور مالی سروکار داشتم.

سعی کردم بدون او ادامه دهم و یکی از کارمندان را مدیر جدید کردم. او هم یک عوضی بود. یک روز، یکی از بچه‌هایی که برای ما کار می‌کرد، با دستگاه نظافت ناپدید شد و خودش شروع به کار کرد. ما او را متقاعد کردیم که به دفتر بیاید، با او صحبت کردیم و اوضاع را آرام کردیم. ازآنجایی‌که به تکنسین‌های خوب نیاز داشتیم، او را بیرون نکردیم.

دختری که تلفن‌ها را جواب می‌داد کنار ما می‌نشست. روی میز او همهٔ کارت‌های پیوست با تمام سفارش‌های مشتری‌ها بود. این تکنسین عوضی همه کارت‌های شغلی را دزدید و فرار کرد.

شروع کرد به زنگ زدن به همه آن آدم‌ها و برای انجام کارهایشان رفت و از هر خانه‌ای که واردش می‌شد دزدی هم می‌کرد. به سراغ پلیس رفتم. آن‌ها تحقیق کردند و معلوم شد که این عوضی یک خلاف‌کار بزرگ است که از فلوریدا به فیلادلفیا فرار کرده بود و آن‌ها در آنجا به دنبال او بودند. در بدترین حالت می‌خواستم پلیس حداقل بداند که او یکی از آدم‌های من نیست. به آن‌ها گفتم که کارت‌های سفارش کار را دزدیده و فرار کرده است. او مدام از خانه‌ای به خانه‌ای دیگر می‌رفت و دردسر درست می‌کرد. پلیس نتوانست او را دستگیر کند. آن‌ها نمی‌توانستند بفهمند کارِ بعدی کجاست، چون او همه کارت‌ها با آدرس‌ها را داشت.

باز هم بعداز مدتی دوباره توانستم او را متقاعد کنم که به دفتر بیاید، انگار که از همه این‌ها چیزی نمی‌دانستم. گفتم کار بزرگی است و باید بیاید وسایل را بگیرد. او به دفتر آمد و من رو به کارگرم فریاد زدم: «در رو ببند تا نتونه فرار کنه!»

با سیگاری که در دست داشتم به‌سمتش رفتم و آن را روی صورتش خاموش کردم. او را کتک زدم و به او لگد زدم، بینی‌اش را جر دادم و خون داشت بیرون می‌ریخت. سرش را به دیوار کوبیدم و صورتش را به دیوار فشار دادم. به او گفتم اگر به یک خانه دیگر در لیست برود، او را پیدا می‌کنم و می‌کشمش. بعد او را بیرون انداختم. او دست برداشت.

بعداز این ماجرا من آماده بودم که تسلیم شوم. گفتم: «همینه، شرکت رو می‌فروشم.» آگهی دادم، اما یافتن خریدار سخت بود، چون مدیریت آن کار پیچیده‌ای بود. یک آدم خوب برای خرید آمد و ما نشستیم و ناهار خوردیم. او علاقه‌مند بود، من اعداد را به او نشان دادم ـ این تجارت چقدر درآمد دارد، چقدر سود و غیره. او به من گفت که آن را برای پسرش می‌خرد. از او پرسیدم پسرش چند ساله است؟ به من گفت که بچه‌اش ۲۶ساله است.

من فوراً می‌دانستم که آن پسر هرگز نمی‌تواند چنین تجارتی را با تکنسین‌های مزخرفی که در این صنعت کار می‌کنند و همگی هرزه هستند مدیریت کند و در عرض یک هفته تمام پول خود را از دست می‌دهد. او نه کاری خواهد داشت و نه کارگری.

دلم برای این مرد سوخت و با حُسن وجدان نتوانستم آن را به او بفروشم. شروع کردم به گفتن همه چیز در مورد جنبهٔ تاریک و معایب آن تا اینکه او متوجه شد این کار مناسب او نیست. من از معامله منصرف شدم، حتی با وجودی که به راحتی می‌توانستم آن کسب‌وکار را به او بفروشم.

بعداز آن تجربه، شرکت را منحل کردم. تعدادی از دستگاه‌ها را فروختم و تعدادی را هدیه دادم و آن ماجرا به پایان رسید.

فصل ۱۰۷

جراحی‌های همسرم

در سال ۱۹۹۲، دخترم سه‌ساله بود و پسر بزرگم که در آلمان به دنیا آمده بود حدود شانزده سال داشت، یعنی سن «مشکل‌ساز». در آن زمان همسرم از سنگ کلیه رنج می‌برد. یک بار که او یک سنگ بزرگ داشت، رفتیم بیمارستان، یکی از بهترین بیمارستان‌ها، و رئیس بخش آمد، نشست و با ما صحبت کرد. هم خودش و هم دفترش بسیار تأثیرگذار بودند. او به ما گفت که در دانشگاه تدریس می‌کند.

تشخیص این بود که سنگ در مجرای ادرار او گیر کرده بود. او پیشنهاد کرد که آن را دوباره به‌سمتِ کلیه بگرداند و بعد می‌شد آن را با لیزر از بین برد.

همسرم جراحی شد. من بیرون نشستم و منتظر ماندم. وقتی‌که زمان زیادی گذشت و دیدم هنوز بیرون نیامده، به سراغ منشی‌ای رفتم که نام فردی که از اتاق جراحی بیرون می‌آمد را اعلام می‌کرد. از او پرسیدم چه خبر است و او به من گفت که همسرم هنوز تحت عمل جراحی است. وقتی تمام شد، دکتر بیرون آمد و به من گفت که عارضه‌ای وجود دارد ـ او نمی‌توانست سنگ را حرکت دهد، بنابراین چاره‌ای نداشت و از پشت سوراخی ایجاد کرد تا به کلیه برسد و سنگ را از آنجا بیرون بیاورد.

اما به ما نگفت که به مسیر ادراری او که ادرار را از کلیه به مثانه می‌برد آسیب رسانده است و ظاهراً برای ترمیم آسیبی که به مخاط وارد کرده بود، لوله‌ای پلاستیکی داخل آن قرار داده بود. از آن زمان بود که مشکلات همسرم شروع شد.

من از دست او عصبانی بودم. «چرا بدون اینکه از من بپرسی این کار رو کردی؟» او گفت که سالن انتظار را گشته و من را پیدا نکرده است. فهمیدم دروغ می‌گوید. کم‌کم فهمیدیم چه اتفاقی افتاده بود و او چه کرده بود. ورود از پشت، بیرون آوردن سنگ، و غیره

- این روشی بود که او ابداع کرده بود، و این همان چیزی بود که او به دانشجویان پزشکی می‌آموخت و توصیه می‌کرد که انجام دهند.

تمام آن مدت از دختر کوچکم مراقبت می‌کردم. با هر فرزندم که متولد می‌شد، همیشه کار را رها می‌کردم، پول را فراموش می‌کردم، به هیچ‌چیز دیگری علاقه نداشتم. از روزی که به دنیا می‌آیند شبانه روز با آن‌ها هستم و تا زمانی که به مدرسه بروند از آن‌ها مراقبت می‌کنم و از آن‌ها لذت می‌برم. چقدر آن دختر کوچولو را دوست داشتم، خیلی شکرگذارِ وجودش بودم. سال‌ها بود که دختر می‌خواستم. وقتی او در حال رشد بود بسیار لذت می‌بردم، لذت ناب.

به‌این‌ترتیب آن دختر کوچک روی دستم بود. پسر بزرگ‌ترم، تا آنجا که یادم می‌آید، به‌ندرت در کارهای خانه شرکت می‌کرد.

و آن عارضه ـ جراح یک لوله پلاستیکی گذاشته بود تا ادرار بتواند از آن عبور کند. قرار بود بخشی از لوله واقعی باشد تا زمانی که درمان شود. اما زمانی که لوله شروع به بهبود کرد، مثل هر زخمی، جای زخم باقی ماند، کمی بافت غیر ضروری در آنجا رشد کرد و وضعیت لوله را بدتر کرد.

ما دیگر نمی‌خواستیم آن جراح سعی کند آن را درست کند، چون او به ما دروغ گفته بود. از این دکتر به سراغ آن دکتر رفتیم و هر کدام می‌گفت که می‌تواند آسیب را درمان کند. همسرم تحت جراحی انواع دکترها قرار گرفت که در نهایت گفتند که نمی‌توان آن را درست کرد چون گرفتگی دارد. همسر بیچاره‌ام از این دکتر به آن دکتر رفت و در عرض یازده ماه ۹ عمل جراحی انجام داد ... و من از دختر کوچک سه‌ساله‌مان مراقبت می‌کردم.

خواهرزنم کمی برای کمک می‌آمد، اما مواقعی بود که روزی دو بار، صبح و عصر به بیمارستان می‌رفتم. بعضی از بیمارستان‌ها دور بودند. خسته و کوفته به خانه می‌آمدم! یادم می‌آید یک بار که به خانه آمدم نتوانستم بایستم. وقتی وارد خانه شدم به معنای واقعی کلمه از پا افتادم. بدجور نیاز داشتم که بخوابم.

در پایان گفتند چاره‌ای نیست، مشکل حل نمی‌شود و باید کلیه را خارج کنند. من متوجه شدم که بهترین پزشک متخصص در نیویورک در این زمینه یک آلمانی است که در بیمارستانی در برانکس[1] کار می‌کرد. دکتر اولسون[2]. هرگز او را فراموش نمی‌کنم. یادم که می‌آید احساساتی می‌شوم. وقتی او در مورد تمام مشکلات و دردسرهای همسرم شنید،

---

1. Bronx.
2. Olson.

نمی‌خواست او را به‌عنوان یک بیمار قبول کند. بنابراین به سراغ اولین دکتری که تمام این آسیب را وارد کرده بود رفتم و شروع کردم به تهدید کردن او. حقیقت این است که می‌خواستم با پیچ گوشتی در پارکینگ منتظرش بمانم و کلیه‌هایش را سوراخ کنم ... اما آن‌قدر درگیر بدوبدو کردن برای همسرم بودم که البته این کار را نکردم. اما با تهدید و ناسزا به سراغش رفتم تا نشان دهم که چقدر عصبانی هستم. گفتم: «گوش کن، با دکتر اولسون صحبت کن تا اون رو برای جراحی بپذیره.» همدیگر را می‌شناختند، همکارهای هم رشته بودند.

او با اولسون صحبت کرد و او برای قرار ملاقات با ما تماس گرفت.

اولین بار که دیدمش شوکه شدم. او مثل دزدان دریایی یک پای چوبی داشت. نه یک پای مصنوعی، بلکه یک کندهٔ ضخیم واقعی به جای پا. وقتی راه می‌رفت، صدای ضربه پا را می‌شنیدی ـ تق، تق. با او در مطبش نشستیم. او گفت: «ما تکه‌ای از روده رو برمی داریم ـ این یه عمل خیلی سخته ـ و کلیه و مثانه رو به هم وصل می‌کنیم.» گفتیم: «هر کاری لازمه انجام بشه، باید برای نجات کلیه انجام بدیم.»

عمل جراحی واقعاً بسیار سخت بود، اما همسرم آن را پشت سر گذاشت و تا به امروز همه چیز خوب است، خدا را شکر!

از آن دکتر اول شکایت کردیم و پیروز شدیم. طبق معمول پرونده‌ای به ضخامت دفترچهٔ تلفن برای دعوی آماده کردم. من شواهدی از هر روز و همه آنچه که از سر گذراندیم جمع‌آوری کردم و عکس‌هایی را پیوست کردم. تعریف کردم که چگونه همسرم از درد و رنجی که برایش ایجاد کرده بودند، گریه می‌کرد، من در بیمارستان‌ها به این‌طرف و آن‌طرف می‌دویدم، از درد و رنج خودم هم گفتم.

یک وکیل گرفتم و او آنچه من آماده کرده بودم را به‌عنوان «منبع موثق» خود گرفت و از آن در دادگاه علاوه بر اسنادی که برای دادخواست ارائه کرده بود، همراه با تمام دلایل و شهادت کارشناس و شواهدی دال بر اینکه این دکتر گند زده بود و باعث تمام آن آسیب شده بود، استفاده کرد.

ما پرونده را بردیم و وجه نقد قابل توجهی دریافت کردیم، اما پول به جهنم، برایم مهم نبود، حتی اگر ده برابر بیشتر بود. رنجی که همسرم متحمل شد و من هم همراه او، بیش از هر مقدار پولی برای جبرانش ارزش داشت.

فصل ۱۰۸

مشاور املاک و سرمایه‌گذاری

شروع کرده بودم به خرید زمین‌های کشاورزی در اسرائیل، آن‌ها را به زمین‌های نیم‌دونم[1] تقسیم می‌کردم و به آژانس املاک اسرائیلی در ایالات متحده می‌فروختم. برای مدتی کارم خیلی خوب بود و زمین‌های زیادی را در دو منطقهٔ اصلی، واقع در شمال تل آویو، فروختم.

درواقع، تا به امروز هنوز هم در این کار فعالیت دارم. همان وقتی‌که از آلمان به اسرائیل رسیدم، دو قطعه زمین خریدم. مشتاق این رشته شدم و در نهایت وارد املاک اسرائیل هم شدم. روش من این بود که روی یک منطقهٔ خاص، در یک شهر خاص، متمرکز می‌شدم و در آنجا سرمایه‌گذاری هنگفتی انجام می‌دادم، املاک زیادی می‌خریدم و به‌این‌ترتیب با شهردار و رئیس شورا ارتباط برقرار می‌کردم و هر زمان که چیزی نیاز داشتند به شورا کمک می‌کردم. به‌عنوان مثال، یک دستگاه فتوکپی پیشرفته برای مدرسه. هر بار که چیزی لازم بود، رئیس شورا زنگ می‌زد که آیا حاضرم کمک کنم؟ اگر می‌خواستند تأسیس شهرک را جشن بگیرند و به ویدیو، آگهی تبلیغاتی و بروشور نیاز داشتند، همه چیز به عهده من بود ـ بخشی از بازی.

در سال‌های ۱۹۸۸ـ۱۹۸۹، داشتم املاک اسرائیل را در ایالات متحده و اروپا می‌فروختم. من موفق بودم و خوب کار می‌کردم. چندین مقاله در مورد من در روزنامه‌های اسرائیلی مانند «یدیوت آحرونوت[2]» (که در ایالات متحده نیز به صورت محلی منتشر می‌شد)، «اسرائیل ما» و همچنین در روزنامه‌های آمریکایی وجود داشت.

در همان دوران با گادی آشنا شدم. مارتا دوستان را دعوت کرد. او با همسر اسرائیلی‌اش

---

۱. Dunam، معیار اندازه‌گیری زمین برابر با هزار مترمربع. (م.)

2. Yediot Ahronoth.

آمد و من با همسرم رفتم. ما هر دو «اسرائیلی‌های ساکن کوئینز» بودیم و دوستان بسیار خوبی شدیم. گادی در آن زمان در نیوجرسی یک پمپ‌بنزین داشت. او یک شریک روسی داشت که دائماً درگیر خریدوفروش سوخت بود. او از گادی دزدی می‌کرد، زیرا گادی نمی‌دانست چطور یک تجارت را اداره کند و حساب‌ها را به‌درستی بررسی کند.

گادی می‌خواست سهمش را در پمپ‌بنزین بفروشد. او با آن روس که پول کمی به او می‌داد کنار نمی‌آمد، بنابراین من مذاکرات را برای او مدیریت کردم. با او به پمپ‌بنزین رفتم و به مرد روس گفتم که اعدادی که او دارد در موردشان حرف می‌زند باهم جور درنمی‌آیند و من یک کپی از تمام قبوض سوخت از شرکت‌هایی که با آن‌ها سروکار داشت می‌خواهم. من کاری می‌کنم که این شرکت‌ها دقیقاً گزارش دهند که چقدر به تو سوخت فروخته‌اند و دروغ‌های تو را فاش می‌کنم!

همیشه در جنگ‌هایم با دیگران، کارت‌هایم را نشان می‌دهم. وقتی کارت‌ها را در دستم می‌بینند می‌ترسند با من مخالفت کنند. مرد روس این را فهمید و پذیرفت که بنشینند و مبلغ معقول‌تری برای سهم گادی در نظر بگیرد. این مبلغ نجومی بود. بخشی از مبلغ قرارداد، نیم میلیون دلار از کل قرارداد را نقداً به گادی پرداخت کرد. در دفتر من نشستیم تا پول‌ها را بشماریم و معامله را تمام کردیم.

حالا گادی برای سرمایه‌گذاری پول داشت. پول را صرف خرید زمین کرد و من او را به‌عنوان شریک در معاملات املاک در اسرائیل گرفتم. وقتی او به اسرائیل بازگشت، از زمین‌ها در آنجا مراقبت می‌کرد، درحالی‌که من فروش تمام زمین‌ها در ایالات متحده، کانادا، آلمان و سراسر اروپا را انجام می‌دادم. ما پول زیادی به دست آوردیم.

وقتی گادی سهم خود را در پمپ‌بنزین فروخت، گروهی از روس‌ها بودند که در خرید بنزین بدون مالیات متخصص بودند و با سود کلان آن را به پمپ‌بنزین‌ها می‌فروختند. گادی در این معاملات شرکت داشت و در مقطعی، اف‌بی‌آی از این کلاه‌برداری مطلع شد و تله‌ای برای گادی گذاشت. آن‌ها یک دفتر جعلی برای فروش سوخت باز کردند و ضبط کردند که گادی یک معامله غیرقانونی سوخت معاف از مالیات با آن‌ها بسته است. (پنجاه‌درصد قیمتی که در پمپ‌بنزین می‌پردازید، مالیات است). همهٔ کسانی که در این ماجرا نقش داشتند دستگیر و به پنج سال زندان محکوم شدند. گادی هم محاکمه شد و قرار بود به پنج سال زندان محکوم شود. شب قبل از صدور حکم، او با گذرنامه دیگری به اسرائیل گریخت. به همین دلیل قاضی حکم او را دو برابر کرد و به ده سال رساند. او از اوایل دههٔ نود در اسرائیل زندگی می‌کند. من تا جایی که می‌توانستم به او کمک کردم.

من به اسرائیل می‌رفتم و با گادی ملاقات می‌کردم. در مقطعی، همسرش را طلاق داد. او همیشه دوست داشت سطح بالا زندگی کند و در آپارتمان‌ها، مبلمان و همچنین رستوران‌ها سلیقه خوبی داشت. همیشه در آپارتمان‌های بسیار زیبا زندگی می‌کرد. آدم ولخرجی بود و مثل ریگ پول خرج می‌کرد. همیشه یک دفتر در آپارتمان‌هایش داشت، یک اتاق‌خواب برای خودش، یک اتاق‌خواب برای من و یک اتاق نشیمن زیبا. ما در آنجا با آدم‌ها ملاقات می‌کردیم تا املاک و مستغلات را به آن‌ها بفروشیم.

در یکی از سفرهایم به اسرائیل، من با گادی در آپارتمان او در یک طبقهٔ بسیار بالا در یک منطقهٔ مرتفع، در ساختمانی باشکوه بودم. آپارتمان بسیار زیبایی بود. گادی در این چیزها تخصص داشت. ما یک اتاق بسیار زیبا در آنجا داشتیم با انواع گواهی‌نامه‌های من و عکس‌هایی از من با کلی افراد مشهور.

روزی زوج جوانی آمدند که علاقه‌مند به خرید یک قطعه زمین بودند. زن و شوهر نشستند و من دیدم که صورت دختر قرمز شد و گیج به نظر می‌رسید. می‌دانستم چه اتفاقی داشت می‌افتاد ... «قلاب» او به من گیر کرده بود. بسیار خب، آن‌ها پیشنهاد ما را دیدند، گفتند باید در مورد آن فکر کنند و رفتند.

فکر کنم روز بعد بود، آن دختر زنگ زد و از من پرسید که آیا علاقه‌ای به خرید زمین‌های بیشتری دارم؟ به او گفتم: «بله، البته، کی، کجا، چی؟» گفت من را به آنجا می‌برد. موافقت کردیم و او آمد و من را به‌جایی برد. یادم نمی‌آید کجا بود، یک‌جور جنگل، مطرود، هیچ‌کس آن دوروبر نبود، هیچ‌کس آنجا زندگی نمی‌کرد، هیچ خانه‌ای آنجا نبود. از ماشین پیاده شدیم و راه افتادیم. من به نوع راه رفتن او نگاه کردم و حس کردم به‌زودی در اینجا با یک انفجار کوچک روبه‌رو خواهیم شد. بنابراین از او پرسیدم: «بهم بگو کجاست؟» او دو قدم جلوتر از من می‌رفت، دستش را دراز کرد و اشاره می‌کرد، اما من چیزی نمی‌دیدم. در آن لحظه از پشت به او نزدیک شدم، باسنش را نوازش کردم و گفتم شاید این همون منطقه‌ایه که می‌خواستی به من نشون بدی؟ برگشت و من را بوسید. در یک مکان متروک که پرنده پر نمی‌زد، شروع کردیم به عشق‌بازی. او درخت روبه‌رویش را بغل کرد و من از پشت کار را انجام دادم.

در کسب‌وکار املاک من و گدی ۵۰-۵۰ شریک بودیم، اما به‌عنوان عامل فروش، من درصدی اضافی برای کار و فروش ملک می‌گرفتم. یک روز پس‌از سال‌ها گادی آمد و به من گفت: «چرا بیشتر از من پول می‌گیری؟» گفتم: «براش کار می‌کنم خوشت نمی‌آد؟ مشکلی نیست. من دیگه نمی‌فروشم. برو یکی دیگه رو برای فروش پیدا کن ...»

و این‌طوری بود که کسب‌وکار رو به افول گذاشت، چون کسی نبود که بتواند مثل من بفروشد. همه‌چیز متوقف شد تا اینکه ما بالاخره تصمیم گرفتیم که شراکت را به هم بزنیم. اما ما دوست ماندیم.

آقای ز در دفترش.

یک روز، مرد جوانی وارد دفتر من در نیویورک شد. او با مادرش برای خرید یک قطعه زمین در اسرائیل آمده بود. آن مرد واقعاً من را تحت تأثیر قرار داد چون وظیفه‌اش را انجام داده بود. او در مورد مناطق و زمین‌های من اطلاعات زیادی داشت. جوان بود، ۲۴ساله. تازه کالج را تمام کرده بود و می‌خواست حسابداری بخواند. دانش و طرز فکرش من را جذب کرد. یک آدم ماهر. گفتم: «گوش کن، تو در مورد زمین چیزهای زیادی می‌دونی، می‌خوای بیای برای من کار کنی، و زمین بفروشی؟» چشم‌هایش کاملاً باز شد و گفت: «بله!» فرصت را در هوا قاپید.

❋ ❋ ❋

اورن[1] برای من شروع به کار کرد. من همه‌چیز در مورد ادارهٔ دفتر و همه‌چیز در مورد املاک را به او یاد دادم. او نیاز چندانی به آموزش نداشت و شروع به کار کرد، یک تیم مدیریتی تشکیل داد و سال‌ها با من ماند. من دیوانهٔ او بودم. وقتی دخترم کوچک بود، شاید ده‌ساله، طوری با او رفتار می‌کرد که انگار برادر بزرگش است.

و او برای من مثل یک پسر بود. همیشه ناهار را باهم می‌خوردیم. وقتی او ازدواج

---

1. Oren.

کرد، من در مراسم عروسی بودم. بعد در مقطعی او خواست مسیر خودش را برود. من با خوش‌حالی دعایم را بدرقه‌اش کردم. او دفتری افتتاح کرد و با کسب دانش درزمینهٔ مدیریت ساختمان، شروع به مدیریت املاک کرد. در یک مقطع خاص، او حتی به من کمک کرد تا ساختمان‌های دیگران را مدیریت کنم، وقتی‌که دیگر حوصله انجام آن را نداشتم. من در مدیریت ساختمان برای دیگران متخصص بودم. من می‌توانستم یک ساختمان مشکل‌ساز که بازده پولی نداشت را به سوددهی برسانم.

در حوالی سال ۱۹۹۰ «آخرهفته‌های اسرائیلی» در شمال نیویورک وجود داشت. برگزارکنندگان هتلی با استخر و سالن کنسرت اجاره می‌کردند، یک خوانندهٔ معروف از اسرائیل را برای آخر هفته دعوت می‌کردند، غذا و بازاری با انواع غرفه‌ها وجود داشت.

من و همسرم، بچه‌ها و خواهرزنم چندین بار به این آخر هفته‌ها رفتیم. یک بار یک غرفهٔ تبلیغاتی برای تبلیغ اینکه املاک اسرائیل را در ایالات متحده می‌فروشم اجاره کردم. پسرم را با اورن فرستادم تا غرفه را با میز و نقشه، غرفه‌ها و پوستری از عکس مرتب کنند و همچنین یک دستگاه برای نمایش فیلم وجود داشت. آن‌ها جلوتر از من به آنجا رفتند و وقتی من رسیدم همه‌چیز آماده بود. من حتی چند چیز کوچک را کمی اصلاح کردم، چون من یک "یککه[۱]" هستم، یک کمال‌گرا، و همه‌چیز باید شسته‌رفته باشد. کمی بیشتر روی غرفه کار کردیم و رفتیم ناهار بخوریم.

موقعیت مکانی ما در گوشه‌ای بود، بنابراین من دو میز گذاشتم. سایر غرفه‌ها در یک ردیف بودند و هرکدام فقط یک میز داشتند. وقتی از ناهار برگشتیم، دیدم غرفه من به هم ریخته است. یک نفر میز گوشه را به راهروی کناری منتقل کرده بود و در راهروی اصلی، شخص دیگری میز خودشان را گذاشته بود. من آن را دیدم و عصبانی شدم.

به آن مرد گفتم: «چی‌کار کردی؟» او بی‌ادبانه رفتار کرد و گفت که او را ول کنم و به او گفته‌اند که آنجا خالی است، «چرا دو تا میز گرفتی؟» اما من یک میز در گذرِ اصلی گرفته بودم و چون در گوشه‌ای بودم که هیچ‌کس نبود، میز دیگری آنجا گذاشته بودم و او من را به گوشه‌ای فرستاده بود که رفت‌وآمد رهگذران وجود نداشت.

البته من برای آن میز اضافی پول داده بودم، اما این یارو هنوز داشت برای من زرنگ‌بازی درمی‌آورد. رفتم و میزش را گرفتم و سعی کردم تا او را ازآنجا بیرون ببرم و او از آن‌طرف میز می‌کشید. روی میز چیزهایی بود که او می‌فروخت، انواع زیورآلات مرمر، مثل زیرسیگاری و لیوان. میز شروع به تکان خوردن کرد. بعد درحالی‌که داشتم میز را می‌کشیدم او به‌سمتم

۱. Yekke، یک یهودی آلمانی که در اسرائیل زندگی می‌کند. (م.)

آمد و من را زد. من هم او را زدم. یک زیرسیگاری مرمر روی میزش دیدم، آن را برداشتم و با آن به سرش کوبیدم.
سرش شکافته شد و با آمبولانس تماس گرفتند. نگهبان هتل به‌سمتم آمد. او ترسیده بود و سعی کرد من را آرام کند، و من مثل یک شیر وحشی بودم، نمی‌توانستند آرامم کنند. نگهبان به تلاش خود ادامه داد. او گفت: «آروم باش، با من بیا بیرون.» دیدم که قرار نیست کاری با من بکند. سیگاری به من داد و من شروع به کشیدن آن کردم. برگزارکننده مراسم آمد. وقتی به او گفتم چه اتفاقی افتاده است، او گفت: «ببخشید، این یه سوءتفاهمه، من اون رو از اینجا بیرون می‌کنم.» او واقعاً آن مرد را بیرون کرد، اما من دیگر حوصله نداشتم با آن چیزها سروکله بزنم. اورن، کارمندم را آنجا گذاشتم تا روی غرفه کار کند.
اورن که قبلاً ساختمان‌ها را مدیریت می‌کرد، خودش شروع به سرمایه‌گذاری در ساختمان‌ها کرد و موفق شد، بزرگ شد و به من کمک زیادی کرد. او همیشه به مردم می‌گفت که من معلم او هستم و این هم برای من خوب بود. من درنهایت از او ناامید شدم، چون در مقطعی او دیگر به تماس‌های من پاسخ نداد. و وقتی کسی با من این‌طور رفتار می‌کند واقعاً ناراحت می‌شوم. و این‌گونه بود که رابطه شروع به از هم پاشیدن کرد.

فصل ۱۰۹

سی‌تی فوق‌سریع[1]

یک بار دیگر، یک اسرائیلی آمد پیشم که علاقه‌مند به خرید زمین در اسرائیل بود. نشستیم و صحبت کردیم و اتفاقاً جواب آزمایش خونم که دکتر من را برای آن فرستاده بود، روی میز من بود. آن‌ها را دید و پرسید: «چی، قند خونت بالاست؟» از او پرسیدم که آیا چیزی در این مورد می‌داند؟ معلوم شد که دکتر است. از من زمین خرید و باهم دوست شدیم. او در مورد دستگاه جدیدی به من گفت که چندی پیش به بازار آمده بود ـ به نام «سی‌تی فوق‌سریع» که چندین عکس از قلب در حال تپش در حین یک عمل جراحی می‌گیرد. ساخت شرکتی به نام "آماترون[2]" بود. این دستگاه می‌تواند از کل بدن بدون نفوذ در آن عکس بگیرد، بعد ویدیویی را به نمایش می‌گذارد که سرخرگ‌ها را در داخل بدن نشان می‌دهد، انگار که در رگ‌ها پرواز می‌کند. نشان می‌دهد که آیا گرفتگی در رگ وجود دارد یا نه. نشان می‌دهد که دقیقاً گرفتگی‌ها در کجا هستند، کجا هرگونه مشکلی وجود دارد، همه نوع مشکلات قلبی و در صورت لزوم کاتتریزاسیون[3].

این یک دستگاه جدید بود و بسیاری از کشورهای اروپایی فقط یک نمونه خریده بودند. ترکیه، فرانسه، آلمان، یونان و روسیه این دستگاه را برای آزمایش آن خریداری کرده بودند. این دستگاه در بازار کاملاً جدید بود و سهام شرکتی که آن را اختراع کرده بود شروع به افزایش کرد. منظورم این است که مردم پتانسیل آن را دیدند. من از او پرسیدم که آیا اسرائیل قبلاً چنین وسیله‌ای داشته است، او گفت: نه.

او گفت که در بیمارستان تخصصی مشکلات قلبی در نیویورک که در آن کار می‌کرد،

1. Ultrafast CT.

2. Amatron.

۳. Catheterization، قرار دادن کاتتر در دریچه یا رگ قلب. (م.)

آن‌ها این دستگاه را داشتند و او مسئول بخش بود. من خودم در آنجا معاینه شدم و از جیب پرداخت کردم و همه‌چیز خوب بود. وقتی فلان رئیس شورای شهر از اسرائیل به دیدن من آمد، به او هم پیشنهاد دادم که این آزمایش را انجام دهد و او بسیار مشتاق بود.

هیجان‌زده بودم و از قبل می‌دانستم که قرار است چه‌کار کنم. گفتم حاضرم حق انحصاری این دستگاه را در اسرائیل بخرم. همان‌طور که قبلاً اشاره کردم، بلافاصله در ذهنم، فیلم را در حرکت فوق‌سریع می‌بینم، می‌دانم در پایان چه اتفاقی قرار است بیفتد.

من با نمایندهٔ شرکت صحبت کردم. او به دفتر من آمد و ما قرارداد انحصاری برای آوردن دستگاه به اسرائیل امضا کردیم. من یک سی‌دی با محتویات گرفتم ـ فیلم‌هایی که نحوهٔ کار دستگاه را نشان می‌دهند.

آنچه در مورد آن خوب بود این بود که می‌توانست نشان بدهد که آیا گرفتگی وجود دارد یا نه، به‌جای انجام آزمایش‌های آنژیوگرافی (سی‌تیِ رگ‌های خونی) که در آن باید به رگ دست یا پا نفوذ کنید و آن را تا قلب دنبال کنید. این دستگاه جدید می‌تواند این کار را به‌صورت غیرتهاجمی انجام دهد.

ما شرکتی را استخدام کردیم تا محاسبه کند که سالانه چند نفر در اسرائیل تحت کاتتریزاسیون قرار می‌گیرند و از این تعداد، چه تعداد کاتتریزاسیون غیرضروری است. روش کاتتر نیاز به بستری شدن در بیمارستان دارد و می‌تواند باعث عفونت و مشکلات دیگر شود، وقتی‌که فرد واقعاً نیازی به انجام عمل نداشته باشد، چون سی‌تی فوق‌سریع ما می‌تواند آزمایش مشابهی را انجام دهد تا ببیند آیا گرفتگی وجود دارد یا نه، و فقط اگر واقعاً وجود داشته باشد، پزشک باید عمل را انجام دهد.

من با وزارت بهداشت تماس گرفتم و گفتم که این دستگاه می‌تواند در آزمایش‌ها و کاتتریزاسیون صرفه‌جویی کند. آن موقع بود که مشکل شروع شد. وزارت بهداشت به من گفت که به حمایت و تأیید کمیته‌ای در وزارت بهداشت نیاز دارم، کمیته‌ای متشکل از پزشکان و اساتید که در مورد ورود دستگاه‌های پزشکی جدید به اسرائیل تصمیم می‌گیرند. بنابراین شروع کردم به رفتن به تمام بیمارستان‌های اسرائیل، با پروفسورهای برجسته ملاقات کردم و فیلم دستگاه را به آن‌ها نشان دادم. همهٔ آن‌ها با اغماض با من رفتار کردند: «خب، باید ببینیم ...»

درنهایت با یک پروفسور برجسته در بیمارستان هداسا[1] در اورشلیم که مردی مسن بود، ارتباط برقرار کردم. باهم خوب بودیم، کششی بینمان بود و حتی یک روز من را به خانه‌اش

1. Hadassah.

دعوت کرد. او به من گفت: «آقای ز، بذار راستش رو بهت بگم. دست از هدر دادن وقت و پول خودت بردار. تو هیچ‌وقت تأییدیه این دستگاه رو نمی‌گیری، چون پزشکای کمیته همون افرادی هستند که کاتتریزاسیون رو انجام می‌دن. کارشون رو از دست می‌دن ...»

قضیه را گرفتم. مدیرکل وزارت بهداشت در آن زمان از حزب شاس[1] بود. با شهردار پیشینی که با شاس مرتبط بود دیدار کردم. وقتی پیش او رفتم، گفت: «می‌تونم ترتیبش رو برات بدم. برات هزینه برمی‌داده.» گفتم: «مشکلی نیست. من آماده‌ام ۲۰۰/۰۰۰ دلار تقدیم کنم، به شرطی که برای دستگاه اوکی بگیرم.»

او ۵/۰۰۰ دلار علی‌الحساب خواست و من را به کِنِسِت[2] برد. من با چند تن از اعضای شاسِ کِنِسِت آشنا شدم و این شهردار سابق من را به کسی رساند که قرار بود به من کمک کند. ما وارد دفتر عضو کنست شدیم (اسمی آورده نمی‌شود). گفت: «سلام.»، دستم را فشرد و گفت درست می‌شود. من موافقت کردم و ۵/۰۰۰ دلار را به او دادم. درنهایت کار به تأخیر افتاد و بازهم به تأخیر افتاد و متوجه شدم که آن‌ها داشتند من را فریب می‌دادند. شروع کردم به تهدید کردن و بلافاصله پولم را پس گرفتم. و این پایان داستان سی‌تی فوق‌سریع بود ...

---

1. Shas Party.

۲. Knesset، پارلمان اسرائیل که در شهر اورشلیم قرار دارد و دارای ۱۲۰ کرسی است. (م.)

فصل ۱۱۰

یک معامله ملکی دیگر

معاملهٔ جالب دیگری که انجام دادم خرید دو ساختمان و سه قطعه زمین از یکی از کلیساهایی بود که دارایی زیادی دارند، و آن‌ها فقط برخی از املاک خود در نیویورک را فروختند. با آن‌ها قراردادی بستم و کل آن املاک را یکجا خریدم. ایده‌ام این بود که هر دو ساختمان را به‌طور کامل بازسازی کنم و آن‌ها را به آپارتمان‌هایی برای فروش تبدیل کنم. هر دو ساختمان تقریباً خالی بودند. هر ساختمان ده آپارتمان داشت، فقط سه آپارتمان اشغال شده بود و بقیه ساختمان خالی بود. تصمیم گرفتم زمین‌ها را بفروشم چون نه قدرت شروع ساخت‌وساز جدید را از پایه داشتم و نه دانش و تجربه‌اش را. زمین‌ها را به دلال سپردم و او یک مشتری برایم آورد که می‌خواست هر سه را بخرد. خریدار به دیدن من آمد و ما روی قیمت توافق کردیم ـ یک‌میلیون دلار برای هر سه زمین (من کل املاک را به قیمت ۱/۴ میلیون خریده بودم. در معامله خریدی که انجام داده بودم، ۴۰۰/۰۰۰ دلار داده بودم، و باید یک‌میلیون دیگر برای بستن معامله می‌دادم.)

چطور این کار را می‌کنی؟ قراردادی می‌نویسی که می‌گوید ۶۰ روز فرصت داری تا معامله را ببندی و مانده آن را بپردازی، بعد مالکیت آنجا را دریافت می‌کنی. جلسه‌ای برگزار می‌شود که در آن خریدار، فروشنده، وکلای هر دو طرف و شرکت بیمه ضامن که تضمین می‌کند معامله از وجود حق حبس مبری است حضور دارند. در این جلسه اختتامیه، دیدم به‌جز خریداری که به او فروختم، دو نفر دیگر هم هستند. دیدم که آن‌ها همه سؤال‌ها را می‌پرسند و تمام کارهای اداری را انجام می‌دهند. خلاصه، آن‌ها معامله را بستند و چک یک‌میلیونی را به من دادند که من آن را به معامله کل املاک منتقل کردم. معامله بسته شد و هر دو ساختمان به مبلغ ۴۰۰/۰۰۰ دلار برایم باقی ماند.

در راه خانه متوجه شدم که خریدار رو هوا معامله کرده. رو هوا یعنی چه؟ وقتی‌که شخصی از شما چیزی می‌خرد، اما معامله را نمی‌بندد و دراین‌بین آن ملک را به دیگری می‌فروشد.

در قرارداد فروش یک بند استاندارد وجود داشت که اگر او ملک را به خریدار دیگری واگذار می‌کرد، باید ثابت می‌کرد که حداقل ۵۱ درصد سهامدار شرکتی است که داشت از من ملک می‌خرید.

پس آن مرد رو هوا معامله کرد و به من نگفت. او از این معامله ۶۰۰/۰۰۰ دلار سود کرد. من به او یک‌میلیون فروختم و او به آن‌ها ۱/۶ میلیون فروخت. من چک یک‌میلیونی را گرفتم، او چک ۶۰۰ هزارتومانی را گرفت.

در جاده به او زنگ زدم. من یکی از اولین کسانی بودم که در ماشین تلفن همراه داشتم. به او گفتم: «گوش کن، خوش به حالت بابت تمام سودی که کردی، اما من باید ۶۰/۰۰۰ به دلالی بدهم که تو رو وارد این معامله کرد. اگه این ۶۰/۰۰۰ رو به من ندی، معامله رو متوقف می‌کنم،» باوجودی‌که این معامله همان موقع هم «بسته شده بود». «من می‌تونم این کار رو بکنم چون تو مفاد قرارداد رو رعایت نکردی. رو هوا معامله کردی. مگه اینکه به من ثابت کنی که ۵۱ درصد مالکیت شرکتی رو داری که خرید رو انجام داده.» او به لکنت افتاد و بلافاصله گفت: «مشکلی نیست، من فوراً یک چک ۶۰/۰۰۰ برای شما می‌فرستم.» و بنابراین من ۶۰ هزار تای دیگر به دست آوردم ـ و پورسانت من به دلال فقط ۳۰ هزارتا بود.

برای این دو ساختمان، برنامه‌ای داشتم که آن‌ها را تخلیه و بازسازی کنم و در هر طبقه دو آپارتمان زیبا بسازم و آن‌ها را بفروشم. حساب کردم که این کار می‌تواند ۵ تا ۵/۵ میلیون دلار سود برای من داشته باشد.

بعداز چند ماه، یک روز آن مرد خوب ایرانی که زمین را خریده بود با من تماس گرفت. از من پرسید که آیا می‌خواهم این دو ساختمان را هم بفروشم؟ به او گفتم «نه»، برنامه‌هایی دارم. بعداز یکی دو هفته دوباره به من زنگ زد و گفت: «می‌خوام شما رو به ناهار دعوت کنم، بیا منهتن.»

من با او و شریکش ملاقات کردم. معلوم شد که یکی از آن‌ها یک اسرائیلی از ایران بود و دیگری یک عراقی بود که در ایالات متحده زندگی می‌کرد (خانواده او چندین نسل آنجا بودند)، هر دو آدم‌های خوب و تأثیرگذاری بودند. در یک رستوران خیلی خوب ناهار خوردیم و او دوباره پرسید: «بگو، برای ساختمان‌ها چه برنامه‌ای داری؟ می‌خوای باهاشون

چه‌کار کنی؟» به او گفتم: «می‌خوام اون‌ها رو بازسازی کنم.» او گفت: «خوبه، خوبه. می‌بینم که حساب‌کتابت رو کردی. چقدر از اونجا گیرت می‌آد؟» به او گفتم: «پنج تا ۵.۵ میلیون دلار بعداز بازسازی و فروش آپارتمان‌ها.»

بنابراین به من گفت: «نظرت چیه که ساختمان‌ها رو به من بفروشی و من پنج میلیون دلار به تو بدم، بدون اینکه اون‌ها رو خراب کنی و بسازی و بدون اون همه دردسر، و الان سودت را ببری؟»

یک‌لحظه فکر کردم و با خودم گفتم اینجا یک‌چیزی اشتباه است. چه خبر است؟ از او پرسیدم: «چرا برای تو این‌قدر مهمه که حاضری مبلغی رو به من بپردازی که من ظرف سه سال دیگه می‌تونم به دست بیارم؟» او گفت: «زمین‌ها مال ماست. این دو ساختمان مثل استخون مرغیه که تو گلوی ما گیر کرده. اگه اون‌ها رو خراب کنیم، می‌تونیم یه مجتمع ساختمانی عظیم برای کل منطقه بسازیم.» این حقیقت داشت. فهمیدم که این معامله ارزشش را دارد و گفتم: «باشه، می‌فروشم.» هر دو ساختمان را به آن‌ها فروختم.

دراین‌بین آن‌ها از من خواستند ساختمان‌ها را مدیریت کنم و سعی کنم مستأجرانی که آنجا را اجاره کرده بودند را بیرون کنم. در یکی از ساختمان‌ها این کار آسان بود. سه مستأجر بودند ـ یکی ۱۰/۰۰۰ دلار، یکی ۱۵/۰۰۰ دلار و دیگری ۳۰/۰۰۰ دلار برای تخلیه آپارتمان‌ها گرفتند. من قراردادها را نوشتم و شرکت خریداران آن را پرداخت کرد.

در ساختمان دوم، یک زن هشتادساله بود که آپارتمانش یک زباله‌دان واقعی بود. و من نتوانستم او را راضی کنم که پول بگیرد و برود. یک هم‌جنس‌باز هم آنجا بود که می‌دانست حقوقش چیست و با من چانه می‌زد. او فقط برای بیرون رفتن ۱۰۰/۰۰۰ دلار می‌خواست. من یک جنگ طولانی با این مرد داشتم، بنابراین گفتم: «باید چه‌کار کنم؟» من یک گروه از بی‌خانمان‌ها را در آپارتمان‌های خالی می‌نشانم. فکر می‌کردم این‌طوری ساختمان اُفت می‌کند و خراب می‌شود. مدیری که من مسئولیت ساختمان را بر عهده‌اش گذاشته بودم، مستأجرهای زیادی را به آنجا راه داد و ساختمان به‌کلی به‌هم‌ریخته بود.

من فکر می‌کردم که این حقه روی مستأجر هم‌جنس‌گرا جواب می‌دهد، که او حق‌وحقوق خود را می‌فروشد و از آپارتمان می‌رود، او و آن زن مسن. در همین حین متوجه شدم که آن هم‌جنس‌گرا از آپارتمانش به آپارتمان‌های بی‌خانمان‌ها برق می‌رساند. او درواقع از این وضعیت لذت می‌برد. او افرادی را پیدا کرده بود که با آن‌ها باشد. به آن‌ها پول می‌داد تا با او بخوابند.

درنهایت، یک مدیر دیگر پیدا کردم، از نوع خشن و بداخلاق که می‌دانست چطور با

این نوع مشکلات کنار بیاید. گفت: «بذار من خودم حلش می‌کنم.» من به او اجازه دادم. او مردی را آورد که با آن هم‌جنس‌گرا دوست شد و خانه او را آتش زد. تمام طبقه سوخت.

درخواست تخریب ساختمان را به شهرداری دادم و مجوز گرفتم تا آن را خراب کنم. مرد هم‌جنس‌گرا به سراغ شهردار و هر جای دیگری رفت و جلوی آن کار را گرفت! او موفق شد مجوزی را که من برای تخریب ساختمان گرفته بودم لغو کند. آن‌ها جلوی تخریب را گرفتند و به من گفتند که اول به فکر مستأجران باشم. بازهم نتیجه نداد. ماه‌ها گذشت و من دیدم که نمی‌توانم آن‌ها را بیرون کنم. من به خریداران، مالکان جدید اطلاع دادم ـ نمی‌توانستم از شر آن دو مستأجر آخر خلاص شوم.

آن‌ها اوضاع را به دست گرفتند. با پیرزن و مرد هم‌جنس‌باز مذاکره کردند، هرچه می‌خواستند به آن‌ها پرداخت کردند و آن‌ها را بیرون کردند. آن‌ها دو ساختمان را که در کنار زمین‌هایی بودند که از من خریده بودند، خراب کردند و دو ساختمان عظیم در آنجا ساختند. معلوم شد که آن‌ها یک شرکت بزرگ بودند که ساختمان‌های زیادی را ساخته بودند. آن‌ها در هر گوشه و کنار نیویورک صاحب ساختمان‌هایی بودند و این ساختمان‌ها را مدیریت می‌کردند و مالکشان بودند. آنجا کار زیبایی انجام دادند.

حتی قبل از اینکه این دو ساختمان و زمین‌ها را بفروشم، دو پیمانکار بزرگ از اسرائیل، دو برادر، به من مراجعه کردند که می‌خواستند در ایالات متحده سرمایه‌گذاری کنند. وکیل آن‌ها به آن‌ها گفته بود که باید با من ملاقات کنند. چند چیز ازجمله دو ساختمان و زمین‌ها را به آن‌ها پیشنهاد دادم. بعداز اینکه با من ملاقات کردند، با من آشنا شدند، به من اعتماد کردند و تحت تأثیر قرار گرفتند، گفتند که فقط در صورتی حاضر به معامله هستند که من شریک باشم. شخصی به آن‌ها پیشنهاد داد منطقه‌ای را بخرند که در آن می‌شد یک مرکز خرید ساخت. من با آن‌ها رفتم تا آنجا را ببینم. گفتند: «داری به‌عنوان شریک با ما می‌آی؟» گفتم: «بله.» وارد شراکت شدم. ۵۰-۵۰ بودیم و شروع کردیم به رفتن به سراغ بانک‌ها برای وام ساخت‌وساز. آن‌ها حوصلهٔ چندانی برای این چیزها نداشتند. بعداز دو ماه، نمی‌خواستند ادامه بدهند، بنابراین پرسیدند که آیا می‌خواهم سهم آن‌ها را بخرم. من سهم آن‌ها را با سود کمی خریدم. آن‌ها افراد خوبی بودند و من با آن‌ها ارتباط خوبی داشتم.

آن‌ها به اسرائیل برگشتند و من بالاخره از بانک وام گرفتم و شروع به ساخت‌وساز کردم. قبلاً یک پیمانکار در این زمینه وجود داشت. من با او توافق کردم و او شروع به کار کرد ـ و اوضاع را به هم ریخت. این پیمانکار وجوه را دریافت می‌کرد و به پیمانکاران

فرعی ـ برق‌کار و لوله‌کش ـ پرداخت نمی‌کرد و مشکلات بزرگی به وجود آمد. من خیلی از دست او عصبانی بودم و دیگر به او پول ندادم. در ملکی که دفتر او واقع بود یک تریلر وجود داشت. یه روز که آنجا بودم عصبانی شدم چون فهمیدم او داشت پول می‌دزدید. به او لگد زدم و او را از تریلر بیرون انداختم، پایینِ دو طبقه پله، روی محوطه شنی آن زیر.

به او گفتم: «گم شو، دیگه نمی‌خواهم تو رو اینجا ببینم و دیگه به این محوطه نیا!» من خودم یکی‌یکی سراغ پیمانکاران فرعی رفتم و با آن‌ها شروع به کار کردم. چنان رابطهٔ خوبی با آن‌ها برقرار کردم که به من می‌گفتند: «آقای ز، هر کاری که داشته باشید، ما پایه‌ایم. می‌خواهیم با شما کار کنیم.» ساخت‌وساز را تمام کردم و مغازه‌ها را اجاره دادم. آنجا در طول سال‌ها پول بسیار خوبی به ارمغان آورده است.

فصل ۱۱۱

پرونده‌های دادگاه با مستأجران

در سال ۱۹۹۵، من دعوی‌های زیادی با مستأجران داشتم. در ایالات متحده، یک دادگاه ویژه برای این کار وجود دارد ـ دادگاه مسکن. در یکی از ساختمان‌های من در آن زمان، من یک مستأجر اسپانیایی‌تبار داشتم که مشکل درست می‌کرد. بسیاری از قضات دادگاه مسکن نیز اسپانیایی‌تبار بودند. پروندهٔ این مستأجر به یک قاضی که من می‌شناختم رسید. او هیچ نشانه‌ای از آشنایی با من نشان نداد و به نفع من حکم داد. من با همین قاضی پروندهٔ دیگری داشتم و مستأجر با وکیل حاضر شد. در این شرایط با حضور وکیل، قاضی اعلام کرد که من را می‌شناسد و نمی‌تواند به رسیدگی به شکایت ادامه دهد و پرونده را به قاضی دیگری ارجاع داد.

به خاطرِ تمام پرونده‌هایی که در دادگاه داشتم، از قبل با قضات آشنا بودم. می‌دانستم چه کسانی تمایل داشتند به نفع صاحب‌خانه‌ها حکم بدهند و چه کسانی طرفدار مستأجران بودند. من همیشه با آن‌ها بحث می‌کردم و از دستشان ناراحت می‌شدم.

یک قاضی زن بود که بسیار درستکار بود. اگر مستأجری اجاره را پرداخت نمی‌کرد، به او دستور می‌داد که پرداخت کند و اگر پرداخت نمی‌کرد، به او می‌گفت که آپارتمان را تخلیه کند یا برای کمک‌هزینه مسکن به خدمات اجتماعی مراجعه کند.

یک قاضی اسپانیایی بود که تقریباً همیشه به نفع مستأجر حکم می‌داد. او وکلا را دیوانه می‌کرد تا اینکه سرانجام به نفع مستأجر قضاوت می‌کرد.

من پرونده‌ای داشتم که مدت زیادی طول کشید. قاضی سعی کرد از مستأجر بخواهد که بگوید آپارتمانی که من به او اجاره داده‌ام وضعیت مناسبی ندارد، تا او بتواند حکم به ماندن مستأجر در آپارتمان بدهد.

قاضی از مستأجر می‌پرسید، آیا تعمیراتی هست که باید در آپارتمان انجام شود؟ مستأجر می‌گفت: «نه.» بعد می‌پرسید: «زیر سینک نشتی ندارید؟ تو آشپزخانه یا حمام؟» مستأجر اشاره را می‌گرفت و می‌گفت: «بله! نشتی دارم!» بعد قاضی پرونده را سی یا شصت روز دیگر به تعویق می‌انداخت و دستور رسیدگی به کلیه تعمیرات آپارتمان را صادر می‌کرد. به‌این‌ترتیب او به مستأجر علاوه بر اجاره‌ای که از قبل بدهکار بود، یک ماه دیگر بدون پرداخت اجاره فرصت می‌داد.

وقتی سالن دادگاه این قاضی را ترک می‌کردم، همیشه چیزهای ناخوشایندی دربارهٔ او می‌گفتم. دنبال راه‌هایی می‌گشتم که به او توهین کنم. یک روز که در راهروی دادگاه بودم، این قاضی از کنارم گذشت. پایم را بلند کردم و محکم به زمین کوبیدم و فریاد زدم: «کوکاراچا!» (سوسک!) او به‌خوبی متوجه منظور من شد.

قوانین حمایت از مستأجر در نیویورک بسیار سخت‌گیرانه است. دائماً قوانینی علیه صاحب‌خانه‌ها و به نفع مستأجران وضع می‌شود. علاوه بر همه این‌ها، همه می‌دانند که قضات تمایل دارند به نفع مستأجران حکم بدهند و اغلب اوقات علیه صاحب‌خانه‌ها حکم می‌کنند.

وقتی شخصاً از من شکایت بشود، می‌توانم از خودم دفاع کنم. اما وقتی از یک شرکت شکایت می‌شود، باید وکیل حضور داشته باشد. وقتی از شرکت من شکایت کردند، من همیشه به‌عنوان شاهد حاضر می‌شدم.

ازآنجایی‌که من صاحب‌خانه هستم، یک شرکت محسوب می‌شوم و باید وکیل بیاورم. در مواردی از این قبیل با وکیلم هماهنگ می‌کنم که وقتی جلوی قاضی می‌رویم حق دفاع را به من واگذار کند و من در آن صورت مثل یک وکیل حق صحبت و دفاع از خودم را دارم. من به‌جای وکیل همه پرسش و پاسخ‌ها را ارائه می‌کردم.

روند مشخصی وجود دارد، رویه‌ای برای چگونگی شروع پرونده‌ها: چه زمانی باید به مستأجر اخطار داد، چه زمانی باید نامه تقاضای پرداخت ظرف چند روز را برای مستأجر ارسال کرد، و چگونه آن را به او تسلیم کرد و غیره.

در یکی از این پرونده‌ها، علاوه بر بدهی اولیه مستأجر که چهار ماه اجاره را پرداخت نکرده بود، چهار ماه دیگر طول کشید تا پیش قاضی برویم. قاضی مرتب پرونده را به تعویق می‌انداخت و آن را به تاریخ‌های مختلف موکول می‌کرد و بدهی مستأجر بیشتر و بیشتر می‌شد. من با وکیلم بودم و مستأجر کنار ما ایستاده بود. قاضی روی اوراق ما مهر زد و گفت: «پرونده مختومه شد.» او این پرونده را مختومه کرد، چون زمانی که ما مدارک لازم

برای محاکمه را ارائه کردیم، اشکالاتی در روند کار پیدا کرده بود. او پرونده را بست و حالا باید همه‌چیز را دوباره شروع می‌کردیم.

واقعاً داشتم عصبانی می‌شدم. مستأجر ماه‌ها معوقه داشت. تا زمانی که دوباره پیش این قاضی بروم، او چهار ماه دیگر بدهکار می‌شد. اگر او پرونده را ببندد، مستأجر می‌تواند به‌طور قانونی چند ماه دیگر بدون پرداخت اجاره‌بها در آپارتمان بماند.

البته وکیل من هم این را فهمید و به قاضی گفت: «عالی‌جناب، کاری که دارید می‌کنید در حق موکل من بی‌انصافیه.» اما قاضی گفت که اوست که تصمیم می‌گیرد و اگر بخواهیم می‌توانیم درخواست تجدیدنظر کنیم. ارائه درخواست تجدیدنظر زمان زیادی می‌برد، بنابراین مردم از انجام آن اجتناب می‌کنند، مگر در مواردی که دارند پول زیادی از دست می‌دهند. قضات می‌دانستند که می‌توانند هر کاری که می‌خواهند انجام دهند، و بیشتر مردم درخواست تجدیدنظر نمی‌کنند. ازاین‌رو بلند شدم و به زبان انگلیسی فریاد زدم: «قاضی داره از قدرت خودش سوءاستفاده می‌کنه! قاضی داره از قدرت خودش سوءاستفاده می‌کنه!» قاضی به من نگاه کرد، نیمه از روی صندلی بلند شد و گفت: «چی گفتی؟!» و من سر او فریاد زدم: «همین که شنیدی!» پلیسی که در دادگاه کنار قاضی بود به‌سمتِ من آمد و به من گفت آرام باشم. به او گفتم: «به قاضی بگو آروم باشه.» قاضی گفت: «بابت حرفی که زدی عذرخواهی کن!» گفتم: «نه! عذرخواهی نمی‌کنم.» بعد او گفت: «باشه. من پرونده‌های بیشتری اینجا دارم. بعداز استراحت ناهار، بلافاصله دوباره اینجا حاضر بشید.»

از وکیلم پرسیدم، بهم بگو اون چی‌کار می‌تونه بکنه؟ گفت قاضی می‌تواند من را به دلیل اهانت به دادگاه یا چیزی شبیه به آن بازداشت کند. به وکیلم گفتم که من عذرخواهی نمی‌کنم و اگر قاضی بخواهد من را بازداشت کند، ببیند چقدر وثیقه لازم است تا من را از زندان بیرون بیاورد.

به سالن دادگاه برگشتیم. قاضی به من گفت: «الان آماده‌ای که عذرخواهی کنی؟» به او گفتم: «برای چه چیزی باید عذرخواهی کنم؟» او گفت: «برای حرفی که زدی.»

به او گفتم: «شاید این شما هستید که باید عذرخواهی کنید چون این چیزی بود که وقتی داشتم با وکیلم حرف می‌زدم گفتم. شما مجبور نیستید در اون مداخله کنید.» او در شوک بود. من این‌طوری او را سر جایش نشاندم. چون اجازه دارم با وکیلم صحبت کنم. گفتم: «من با وکیلم با صدای بلند حرف زدم. باید به این خاطر از شما عذرخواهی کنم؟» دید که نمی‌تواند علیه من کاری بکند. بنابراین با عصبانیت به من گفت: «از دادگاه

من برو بیرون!» وکیل من از این موضوع شوکه شد. به او توضیح دادم که من مثل او از قاضی نمی‌ترسم، چون وکیل هر روز در دادگاه حضور داشت و باید با قضات رابطهٔ خوبی می‌داشت، اما من نه.

در پروندهٔ دیگری با یکی از مستأجران، من و وکیلم در فاصلهٔ نه‌چندان دوری از صندلی قاضی ایستاده بودیم. او حکمی صادر کرد که اصلاً منطقی نبود و من در پاسخ به او بی‌ادبی کردم. درست در همان لحظه یک قاضی دیگر از در پشتی وارد شد و می‌خواست با قاضیِ من صحبت کند. او دید که من عصبانی بودم و اوراق حکم را برداشتم و پاره کردم.

در پرونده‌ای دیگر، مقابل قاضی‌ای قرار گرفتم که بی‌ادبی من به قاضی اول را دیده بود. ما نزدیک او بودیم و او من را یادش بود. اولین چیزی که او به من گفت این بود: «دهنت رو ببند و یک کلمه هم نگو.» با خودم گفتم، اوه پسر، حالا باید با اون چی‌کار کنم... گفتم: «ببخشید خانم. این پروندهٔ منه، می‌دونم اینجا چی شد، اونجا چی شد. وکیل همه جزئیات رو نمی‌دونه و من حق صحبت می‌خوام.» او به من گفت: «نه! اجازه نمی‌دم حرف بزنی. هرچی می‌خوای بگی به وکیلت بگو تا اون من رو مورد خطاب قرار بده.»

راهی برای دور زدن آن پیدا کردم. هرچه باید می‌گفتم را با صدای بلند به وکیلم گفتم: «به قاضی بگو که مستأجر فلان کار و بهمان کار رو کرده.» و او به قاضی نگاه کرد و با دست‌هایش حرکتی پرسشگر انجام داد. «می‌خواهید که من حرفش رو تکرار کنم؟» او قبلاً آن را شنیده بود و من این‌طوری او را مسخره کردم.

او متوجه شد که نمی‌تواند این‌طوری ادامه دهد، چون من همچنان با صدای بلند با وکیلم صحبت می‌کردم. گفتم: «ببخشید، صدای من این‌طوریه، من صدام بلنده.» او فهمید که با چه کسی سروکار دارد و اجازه داد من صحبت کنم، اما از من خواست که به شأن دادگاه احترام بگذارم.

فصل ۱۱۲

پرونده‌های دادگاه با کارمند من

یک‌وقتی بود که من در خانهٔ خودم دفتر داشتم، با یک ورودی جداگانه. دو اتاق، دست‌شویی و یک در بود که دفتر را به خانه‌ام وصل می‌کرد. با کارمندهایی که برای من کار می‌کردند همیشه با گرمی و خوبی برخورد می‌شد. من سخاوتمند بودم. هر کارمندی پاداش دریافت می‌کرد ـ برای پرداخت هزینهٔ دندانپزشکی، یا هرچیزِ دیگری که نیاز داشتند.

من و همسرم به کارمندانم می‌گفتیم درِ یخچال را باز کنند، هرچه می‌خواهند بردارند و من همیشه برایشان ناهار سِرو می‌کردم. من عاشق آشپزی و درست کردن غذاهای لذیذ هستم. من دوست دارم کسی باشد که برای او غذا درست کنم، بنابراین هنگام ناهار اغلب برای کارمندانم غذا درست می‌کردم.

یک بار کارمندی داشتم که اتفاق عجیبی در ارتباط با او افتاد. یک بار او به آشپزخانه رفت، تکه کیکی را که روی پیشخوان بود برداشت و در همان لحظه من و همسرم وارد شدیم. آن دختر از اینکه ما او را دیدیم ناراحت بود. نمی‌دانم چرا، واقعاً دلیلی نداشت. همسرم آن تکه کیک را برداشت و روی میز او گذاشت تا او معذب نباشد، اما او طوری واکنش نشان داد که انگار همسرم فکر کرده که او کار اشتباهی انجام داده بوده.

از روزی که او را در آشپزخانه دیدیم، او شروع کرد به دردسر درست کردن برای من. فهمیدم که او به سبک زندگی، ثروت و موقعیت ما حسادت می‌کند. شوهرش روی یک کامیون زباله کار می‌کرد. آن‌ها چندین فرزند داشتند که یکی از آن‌ها مشکل رشدی داشت و سطح زندگی خانوادهٔ او پایین بود.

چون او برای من مشکلاتی درست کرد، من مشکوک شدم. دستگاه ضبط را به تلفن دفتر وصل کردم و تمام تماس‌های او را ضبط کردم. من شنیدم که او با مستأجرانم علیه من

صحبت می‌کند. او به آن‌ها می‌گفت که چه‌کار کنند، کجا و چگونه از من شکایت کنند. من عصبانی بودم. من با او خوب بودم. در کنار سرو ناهار برای او، با او منعطف بودم و چندین روز به او مرخصی می‌دادم تا بچه را برای درمان ببرد.

یک روز، در جشن یهودی پوریم[1]، گفتم بسه دیگه، دیگه خسته شدم، دیگه نمی‌تونم اون رو نگه دارم، یه نفر دیگه رو پیدا می‌کنیم. چک آخرین دستمزد او آماده بود. وقتی به دفتر رسیدم، او را به داخل اتاق صدا کردم و به او گفتم: «امروز پوریمه، می‌دونی چیه؟» او یهودی بود، اما با یک مسیحی ازدواج کرده بود و چیزی در مورد یهودیت نمی‌دانست. بنابراین با لکنت گفت: «پوریم چیه؟»

من داستان پادشاه آهاشورش[2] و وزیر دربارِ او هامان[3] که می‌خواست مُردخای[4] و همه یهودیان را بکشد و درنهایت خودِ او را به دار آویختند را برایش تعریف کردم. بعد به او گفتم: «در مورد تو هم همین‌طوره. تو می‌خواستی با شکایت‌هایی که به مستأجران یاد می‌دی که استفاده کنند، من رو نابود کنی، حالا این به خودت برمی‌گرده.» رنگش پرید و گفت: «دارید در مورد چی حرف می‌زنید؟» من صدای ضبط‌شده‌ای را برای او پخش کردم که در آن او داشت به مستأجران می‌گفت چگونه علیه من شکایت کنند.

بلند شد کیفش را برداشت و از دفتر بیرون زد. او فقط به این دلیل فرار نکرد که من مچ او را در حال صحبت با مستأجران علیه خودم گرفته بودم. در نوارهای ضبط‌شده، این را هم شنیدم که وقتی من در دفتر نبودم، او پشت تلفن دائماً در مورد رابطۀ جنسی صحبت می‌کرد. می‌توانستم صدای کسی را آن‌طرف خط بشنوم. او می‌پرسید: «بهم بگو با من چه‌کار می‌کنی؟» او این را دوست داشت، دوست داشت تلفنی به او بگویند، من این کار را می‌کنم و آن کار را می‌کنم … ساعت‌ها از این نوع مکالمات وجود داشت. من فهمیدم که او و شوهرش به دیدنِ زوج‌های دیگر می‌رفتند و شریک جنسی خود را باهم عوض می‌کردند.

بعد از یکی دو روز برگشت. ظاهراً رفته بود و حق‌وحقوقش را بررسی کرده بود، چون اگر بلند می‌شد و فرار می‌کرد، به این معنا بود که استعفا داده، که در این صورت مقرری بیکاری نمی‌گرفت. به همین دلیل او برگشت. به او گفتم: «من دیگه نمی‌خوام که تو

---

1. Purim.
2. King Ahasuerus.
3. Haman.
4. Mordecai.

برگردی، تو علیه من عمل کردی.» بنابراین رفت و شکایت کرد.

در دادگاه کار، قاضی بالای سر ما نشست. پشت میز پایین‌تر، یک‌طرف یک وکیل مسن نشسته بود و من طرف دیگر همان میز نشسته بودم. کاغذهایم زیادی به او نزدیک بود، بنابراین او کاغذهایم را هول داد و باعث شد من جایم را عوض کنم. بدون اینکه قاضی متوجه شود انگشتم را به او نشان دادم ـ لعنت بر تو.

شروع کردم به توضیح دادن به قاضی که سه یا چهار نوار دارم که می‌توانید بشنوید او چطور سعی می‌کرد به کسب‌وکار من آسیب بزند، و بعد او بلند شد و از دفتر فرار کرد، پس او لیاقت هیچ‌چیزی را ندارد. کارمندم گفت که او مستحق یک هفته مرخصی بود. قاضی گفت: «من نمی‌تونم اینجا بنشینم و به سه نوار ضبط‌شده گوش بدم، خلاصه‌ای از اون رو به من بده.» بعد دادگاه را به تعویق انداخت. من نشستم و وقت گذاشتم تا سه نوار را در یک نوار ویرایش کنم. در جلسهٔ بعد گزیده‌ای از مکالمات را به دادگاه بردم. قاضی گفت: «این چیه؟ نمی‌تونی فقط بخشی از اون رو به من بدی، من باید همه‌چیز رو بشنوم.» گفتم: «شما به من گفتید سه تا نوار خیلی طولانیه.» من همان موقع هم عصبی بودم، چون می‌دانستم که قضات همیشه طرف کارمند را می‌گیرند. هرچه من می‌گفتم به‌هیچ‌وجه منصفانه برداشت نمی‌شد.

دیدم که دارم پرونده را از دست می‌دهم. به‌محض اینکه متوجه این می‌شوم، برایم مهم نیست که با قاضی بی‌ادب باشم، چون درهرصورت داشتم می‌باختم. برخاستم و برگه‌هایم را جمع کردم و بر سر او فریاد زدم: «عالی‌جناب، من حاضر نیستم در دادگاه شما محاکمه شوم، چون شما بی‌کفایت هستید، بی‌طرف نیستید و دارید جانب‌داری می‌کنید.» به او رحم نکردم و گفتم: «اون چی‌کار کرده، به شما هم قول رابطه داده؟»

قاضی بلافاصله ضابط حاضر در سالن دادگاه را صدا کرد تا من را از دادگاه بیرون کند. حکم این بود که حقوق یک هفته مرخصی را به او بدهم و او دیگر سر کار برنگردد.

فصل ۱۱۳

دعوی در دادگاه فدرال و دعاوی دیگر

آن کارمند شکایت دیگری علیه من در دادگاه فدرال تنظیم کرد. چرا دارد از من شکایت می‌کند؟ برای ضبط کردن صدای او. من یک وکیل گرفتم و توضیح دادم که چه اتفاقی افتاده است. اینجا خانهٔ من، دفتر من و این تلفن من است و تمام مکالماتم را ضبط می‌کنم تا یادم بماند با چه کسی صحبت کرده‌ام. و وقتی‌که او با تلفن صحبت می‌کرد، من اتفاقی مکالمات او را نیز شنیدم، این مشکل من نیست.

او وکیل دیگری گرفت که مدعی شد من بدون اجازه او صدای افرادی که با او تماس می‌گرفتند و با او صحبت می‌کردند را هم ضبط کردم. این یک مورد بسیار جدی است و شما می‌توانید به خاطر آن زندانی شوید و جریمهٔ بزرگی شوید. بنابراین او گفت، ما می‌خواهیم به یک راه‌حل سازش برسیم. عصبانی شدم. من این کار را نمی‌کردم، برود به جهنم.

همیشه قبل از دادگاه، شاکی و متهم هرکدام با وکیل خود و با دستیار قاضی می‌نشینند و پیشنهادی برای حل‌وفصل وجود دارد. قضات برای رفتن به دادگاه و صدور حکم عجله نمی‌کنند، چون طرفِ بازنده تقریباً همیشه درخواست تجدیدنظر می‌کند. اگر درخواست تجدیدنظر به موفقیت برسد، برای قاضی بد می‌شود. بنابراین آن‌ها سعی می‌کنند طرفین را وادار به سازش کنند. گفتم این کار را نمی‌کنم، خواستار تشکیل دادگاه بودم.

مصالحه‌ای که آن‌ها پیشنهاد کردند این بود که برای چیزی که ضبط کرده بودم ۵٬۰۰۰ دلار غرامت بپردازم. منطقی نبود، چون در دادگاه دیگری که داشتم، صدای طرف مقابل را ضبط کرده بودم و در دادگاه پخش کردم و چیزی در مورد غیرقانونی بودن آن نگفتند. پس بازهم گفتم که می‌خواهم دادگاه تشکیل شود.

دستیار قاضی رفت و قاضی را صدا کرد که بیاید و من را متقاعد کند. قاضی بیرون آمد. در دادگاه عادی، قاضی معمولاً «عالی‌جناب» خطاب می‌شود و در دادگاه فدرال به قاضی می‌گویند "اعلی‌حضرت." شنیدم که وکیل داشت با او صحبت می‌کرد: «اعلی‌حضرت ...» انگار که دارد با شاه صحبت می‌کند. قاضی نزد من آمد و به من گفت: «گوش کن، چاره‌ای نداری. اگه به دادگاه برید جریمه بسیار بیشتری می‌شی و ممکنه به زندان هم بری. ارزشش رو داره برای پنج هزار دلار؟ کار رو تموم کن و برو خونه. و من شما رو موظف می‌کنم که توصیه‌نامه خوبی به اون بدی.» از او می‌پرسم: «دارید مجبورم می‌کنید که دروغ بگم؟!»

او گفت: «بله. باید یه توصیه‌نامه خوب به اون بدی، نه توصیه‌نامه بد. و پنج هزار دلار.» دیدم گیر افتاده‌ام و آماده ریسک کردن نیستم. اگر دادگاهی تشکیل می‌شد، یک دادگاه کیفری بود. مصالحه بهتر بود.

در مورد پرونده‌های زیادی شنیده‌ام که هیچ سازش با شاکی و دادگاه صورت نگرفته و نتیجه صد برابر بدتر بوده است. بیش از ۹۵ درصد پرونده‌ها به سازش می‌رسند، چون هیچ گزینهٔ دیگری وجود ندارد. این کار خیلی بد است. به همین دلیل است که آمریکا به نسبت جمعیت آن بیش از هر کشور دیگری در جهان زندانی دارد.

بنابراین با او توافق مصالحه کردم و باید توصیه‌نامه‌ای به او می‌دادم ... اما به‌جای اینکه آن را روی کامپیوتر چاپ کنم، از آن‌ها خواستم که آن را روی ماشین‌تحریر با فاصله نادرست تایپ کنند. از من خواسته شد که کلمات خوبی بنویسم، اما شکل ظاهری نامه، خودش گویای واقعیت است. می‌توانست با آن خودش را تمیز کند. این نامه‌ای بود که او نمی‌توانست به کسی نشان دهد.

در سال ۱۹۸۹، سه ساختمان در یک خیابان کوچک بن‌بست خریدم، در منطقه‌ای که مردم ساده و فقیر زندگی می‌کردند، مردمی که کمک‌های اجتماعی دریافت می‌کردند. یک ساختمان خریدم، بعد دومی و سومی را. همه آپارتمان‌ها را بازسازی کردم و بعد از چند سال آن املاک را با سود نسبتاً خوبی فروختم و ادامه دادم.

مستأجران آنجا همیشه یک وکیل از کانون وکلا می‌گرفتند، کارآموزانی که برای شهرداری کار می‌کردند. شهرداری به آن‌ها پول می‌داد تا یکی از آن مستأجران که فقیر بودند دفاع کند. این خدمت خصوصی به‌حساب می‌آمد، اما توسط شهرداری یارانه‌اش پرداخت می‌شد.

برخی از وکلا بودند که واقعاً از صاحب‌خانه‌ها متنفر بودند، به‌ویژه رئیس انجمن

کمک‌های حقوقی ـ سازمانی که کمک‌های حقوقی ارائه می‌داد. آن‌ها واقعاً کمونیست بودند و از هرکسی که پول درمی‌آورد متنفر بودند.

اعضای سازمان با مالکین رفتار موذیانه داشتند و تا حد امکان برای آن‌ها دردسر درست می‌کردند. رئیس سازمان در دادگاه علیه من بود. چندین بار در گذشته او من و وکیلم را له کرده بود. دائماً جلسهٔ رسیدگی به پرونده را به تعویق می‌انداخت. وقتی موفق می‌شد آن را برای سه ماه یا یک ماه دیگر به تعویق بیندازد، مستأجر بدون پرداخت اجاره به زندگی خود در آپارتمان ادامه می‌داد.

وقتی منتظر شروع دادگاه بودیم، همهٔ وکلا در یک اتاق کوچک و شلوغ می‌ایستادند و منشی دادگاه بیرون می‌آمد، شمارهٔ پرونده‌ها را می‌خواند و اعلام می‌کرد که جلسه در کدام دادگاه برگزار می‌شود. یک بار که در آن اتاق بودیم، رئیس انجمن کمک‌های حقوقی کنار من ایستاده بود و شروع به صحبت کردیم. ناگهان آن‌قدر من را ناراحت کرد که می‌خواستم سرش را به دیوار بکوبم، با سرم به صورتش بکوبم و صورتش را داغون کنم. البته من در آنجا نمی‌توانستم چنین کاری بکنم، اما انگشتم را روی گلویش گذاشتم، مثل وقتی‌که اسلحه را روی گلوی کسی می‌گذاری، او را به دیوار فشار دادم و مادرش را نفرین کردم. به او گفتم: «از من دوری کن و تمام دردسرهایی که برای من درست می‌کنی رو تموم کن. انصاف داشته باش، با من مثل زباله رفتار نکن. من برای این افراد مکانی برای زندگی فراهم می‌کنم و باید به اون‌ها توضیح بدی که باید یاد بگیرند که چطوری از یک آپارتمان مراقبت کنند و اون را خراب نکنند. تو از اون‌ها دفاع می‌کنی و می‌ذاری به کاری که می‌کنند ادامه بدن تا به من به‌عنوان مالک ساختمان صدمه بزنی. تو این امکان رو براشون فراهم می‌کنی که به زندگی کردن مثل حیوون ادامه بدن.»

او از من ترسید و بعداز آن دیگر هیچ‌یک از پرونده‌های من را به عهده نمی‌گرفت.

من یک موفقیت حقوقی دیگر با خواهرم داشتم. خواهرم در آپارتمانی زندگی می‌کرد که از آمیدر[1] ـ ادارهٔ مسکن عمومی در اسرائیل ـ گرفته بود. او طلاق گرفته بود و یک فرزند داشت. در حوالی سال ۲۰۰۰، یک روز نامه‌ای از آمیدر دریافت کرد که یک بازرس بررسی کرده و متوجه شده است که او در آنجا زندگی نمی‌کند. من هم یک آپارتمان در همان منطقه داشتم، آپارتمانی که خالی بود، و او گاهی اوقات به آنجا می‌رفت ـ اما او در آپارتمان من زندگی نمی‌کرد. او ترسید. من در آن زمان سفری به اسرائیل رفته بودم و از او خواستم نامه را به من نشان دهد. با پسرش نشستم و به او گفتم که نامه‌ای بنویسد، چون من

1 Amidar.

به عبری خوب نمی‌نویسم. من به تک‌تک بخش‌هایی که بازرس فهرست کرده بود پاسخ دادم و هرآنچه را که ادعا می‌کرد رد کردم و گزارش او را کاملاً تکه‌تکه کردم، همه‌اش را.

به خواهرم گفتم نامه را به وکیلش بدهد. وکیلش چندان خوب نبود، اما به او گفتم آنچه نوشته بودم را به او بدهد. این پاسخ شما به تمام ادعاهای بازرس آمیدر است. خواهرم یک نسخه از نامه‌ای را که وکیل برای آمیدر فرستاده بود برایم آورد. کلمه به کلمه‌اش چیزی بود که به پسرش دیکته کرده بودم. او فقط یک شروع رسمی به آن اضافه کرده بود. خواهرم پیامی دریافت کرد که جلسه‌ای که برای او در نظر گرفته شده بود لغو شده است. آن‌ها متوجه شدند که هیچ پرونده‌ای ندارند.

در زندگی‌ام بارها در دادگاه حاضر شدم. نمی‌دانم چرا. این سرنوشت من است. همسرم مدام به من می‌گوید که من باید وکیل می‌شدم. وقتی به دادگاه می‌آیم، بهتر از وکلا لباس می‌پوشم. بارها پیش آمد که شخصی به سراغ من آمد و از من پرسید که آیا وکیل هستم ـ و همچنین به دلیل نحوهٔ صحبت کردنم در دادگاه. من همیشه می‌خواهم روی نحوه بیان خودم کنترل داشته باشم. وقتی من ـ و نه وکیل ـ محاکمه را مدیریت می‌کنم موفق می‌شوم. در تمام پرونده‌های قضایی من، از آلمان گرفته تا آمریکا، می‌توان گفت که در ۹۵ درصد موارد که شخصاً درگیر رسیدگی به پرونده بودم، برنده شدم.

فصل ۱۱۴

داستان‌های مهربانی

من با ۹۰/۰۰۰ دلار وارد آمریکا شدم و شروع به تجارت کردم. میلیون‌ها دلار پول درآورده‌ام، و همچنین میلیون‌ها دلار از دست داده‌ام، چون دوست دارم اوقات خوبی داشته باشم. من زندگیِ خوب را دوست دارم. برایم خیلی مهم نیست که اتفاق بیفتد که مقداری پول از دست بدهم یا اگر گاهی مستأجران اجاره نپردازند.

در مرکز خرید من، یک زوج جوان، یک مرد ایتالیایی و همسرش بودند که صاحب یک پیتزافروشی بودند. کار او عالی بود و من تا جایی که می‌توانستم به او کمک کردم. می‌خواست تابلوی دیگری نصب کند و من اجازه دادم. داشت خوب پیش می‌رفت تا اینکه توفان آمد و درخت بزرگی روی خانه‌اش افتاد. ازآنجا به مشکل خورد. او بیمه نداشت و اوضاعش به هم ریخته بود. او با همسر جدیدش هم مشکل داشت. دعوا داشتند. او باردار بود، سقط‌جنین کرد و به خانه پدرومادرش نقل‌مکان کرد. آن مرد از پیتزافروشی خود غافل شد و درنهایت آن را از دست داد.

او به من بدهکار بود، اما من برای پول به او فشار نیاوردم. به او گفتم هر وقت توانست به من پول بدهد. او همه‌چیز را کِش داد تا جایی که آنجا را بست درحالی‌که ۶۰/۰۰۰ دلار اجاره به من بدهکار بود.

من از او شکایت کردم و برای ۶۰/۰۰۰ دلار حکم گرفت. البته از طریق وکیل. من نیازی به درگیر شدن در چنین مسائلی ندارم. وکیل مالکیت خانه‌ای به اسم او در نیوجرسی را گرفت ــ نه خانه‌ای که درخت روی آن افتاد. یک خانه دیگر.

دوسه سال گذشت. یک روز دختری به من زنگ زد که گفت خواهر این پیتر از پیتزافروشی است. و گفت که خانه مال او بوده نه پیتر و او آن را به اسم او خریده چون

در آن زمان وضعیت مالی خودش او را واجد شرایط وام مسکن نمی‌کرد. او داشت پشت تلفن گریه می‌کرد: «لطفاً کمکم کنید، من تو دردسر افتادم.» واقعاً احساس بدی داشتم. همان‌قدر که در مبارزه سرسخت هستم، وجه لطیفی هم دارم. من از او خواستم که مدرک مشخصی مبنی بر مالکیتش برای من بفرستد. او هرچه خواسته بودم را برایم فرستاد و دیدم حرفی که زده درست است. او به من چیزهایی داد که قابل بررسی بود، مثلاً اینکه چه کسی پیش‌پرداخت وام مسکن را داده، و واقعاً به نام خودش بود و نه برادرش.

فهمیدم چه اتفاقی افتاده و گفتم، گوش کن، حاضرم اجاره‌ای که از دست دادم را فراموش کنم. فقط باید هزینه وکیل را پرداخت کنی ـ ۵/۰۰۰ دلار. او قبول کرد. او را در یک مرکز خرید ملاقات کردم. از خوش‌حالی گریه می‌کرد که من نسبت به او آن‌قدر سخاوتمند بودم. سندی که از طرف وکیلش آورده بود را امضا کردم که از حق حبس صرف‌نظر می‌کنم. او به من ۵/۰۰۰ دلار داد و این پایان کار بود.

و داشتم از مهربان بودن صحبت می‌کردم ... یک بار در سال ۸۳ـ۸۴، وقتی‌که خانه‌های ییلاقی‌ام سوزانده شدند و انواع مستأجران غیرقانونی و افراد بی‌خانمان آمدند و در آنجا زندگی کردند. یک روز دیدم در یکی از خانه‌های ییلاقی پنجره‌ای شکسته و یک نفر وارد آنجا شده است. با یکی از کارگرانم به آنجا رفتم و زن جوانی را دیدم که بچه‌ای در بغل داشت. وای چقدر قلبم به درد آمد. بلافاصله فهمیدم که جایی برای رفتن ندارد، که حتماً از خانهٔ والدینش فرار کرده و کل ماجرا. واقعاً دلم برایش سوخت، اشک به چشم‌هایم آمد. چند صد دلار به او دادم و به او گفتم برود بیرون و کمی لباس، غذا و هرچه احتیاج داشت بخرد.

یک بار دیگر، در یکی از ساختمان‌هایم یک آپارتمان خالی بود و یک دخترِ آمریکایی-آفریقایی پیش من آمد و خواست آن را اجاره کند. با او نشستم و دیدم که هیچ وثیقه‌ای ندارد و هیچ‌کسی با وضعیت مالی که او داشت به او آپارتمان اجاره نمی‌داد. او گفت که تازه ازدواج کرده و این من را متأثر کرد. آپارتمان را به او دادم و او قرار بود قیمت نسبتاً کمی بپردازد، اما نتوانست بپردازد. بیش‌از یک سال اجاره بدهکار بود و من دلم نمی‌آمد او را به خیابان بیندازم.

سعی کردم به او کمک کنم تا کمک‌های اجتماعی دریافت کند. به او نشان دادم که چطوره می‌توان از خدمات رفاهی کمک‌هزینه و مقرری بیکاری دریافت کرد، چون به‌خوبی می‌دانستم مردم چطور می‌توانند بدون کار کردن پول دریافت کنند. افراد زیادی هستند که با هزینهٔ دولت زندگی می‌کنند. من به او توضیح دادم که چطوری باید برای دریافت کمک

فرم درخواست را ارائه دهد و امیدوار بودم بتواند خدمات رفاهی دریافت کند. اگر هم نشد، به جهنم، پول بر باد رفته است. می‌دانستم که دلم نمی‌آید او را بیرون کنم. چون اگر از خانهٔ من می‌رفت، او را به آن سرپناه‌های بی‌خانمان‌ها می‌فرستادند، و نمی‌دانید چه اتفاقی می‌تواند در آنجا بیفتد. یک‌جاهایی باعث می‌شود حال دلم خوب شود و می‌گویم: «به یه نفر دیگه کمک کردم، شاید نکتهٔ مثبتی به‌نفعم اضافه بشه ...»

یک روز دوباره یک دختر آفریقایی‌ـ‌آمریکایی با همان وضعیت پیدایش شد. او مجرد بود و هیچ‌کس هرگز به او آپارتمان نمی‌داد. او هم به‌نوعی من را متأثر کرد و به او اجازه دادم به آپارتمانی نقل‌مکان کند. با این دختر داستان به‌خوبی تمام شد. رابطهٔ خاصی بین ما ایجاد شد. او مدت‌ها پیش آپارتمان را ترک کرد. الان متأهل است و یک بچه دارد. تا به امروز با من در ارتباط است. هرازگاهی گوشی را برمی‌دارد و می‌گوید: «حالتون چطوره؟» او کمکی که به او کردم را فراموش نمی‌کند. به من می‌گوید در زندگی‌اش چه می‌گذرد، آن را با من در میان می‌گذارد، و این به من احساس خوبی می‌دهد. هر بار که او تماس می‌گیرد، به من می‌گوید: «فراموش نمی‌کنم که شما چطور به من یه فرصت دادی.»

فصل ۱۱۵

مشارکت در منطقهٔ مزرعه بوفالو

من دوست ندارم که پول در بانک بماند، چون آن فقط پولِ مرده است. معمولاً سعی می‌کنم آن پول برایم کار کند. یک روز مقداری پول نقد داشتم و به دنبال سرمایه‌گذاری بودم. حسابدارم یک اسرائیلی به نام بِن[1] را به من معرفی کرد، واردکننده عینک، مردی ۴۵، ۵۰ ساله، متأهل و دارای دو دختر. او زمینی را با یک مرد آمریکایی در شمال نیویورک شریک بود. منطقهٔ سرسبزی بود، با تپه‌ها و دریاچه‌ها، چیزی حدود ۵۰ هکتار. قبلاً مزرعه‌ای برای پرورش گاومیش بود که آزادانه در این منطقه تردد می‌کردند. همه‌چیز سبز بود و زیبا.

یک خانهٔ بزرگ در کل منطقه وجود داشت. بِن قصد داشت آن را به قطعات کوچک با اندازه‌های مختلف تقسیم کند، برخی در کنار دریاچه، برخی نه. او می‌خواست زمین را به افرادی بفروشد که در آنجا خانه بسازند. بِن اسرائیلی با مردی به نام آل[2] شریک بود. او چاق و بسیار بامزه بود و همیشه لبخند می‌زد.

من معامله را بررسی کردم. آن‌ها نیاز داشتند شریک دیگری بیاورند چون پول نقد نداشتند. آن‌ها می‌خواستند سه خانهٔ نمونه در زمین بسازند تا به مردم و هرکه می‌خواست نشان بدهند که می‌توانند یکی از این خانه‌ها را برای آن‌ها بسازند. این‌ها خانه‌هایی بودند که به شکل آماده از کارخانه می‌آمدند. من با آن‌ها وارد شراکت شدم، پول گذاشتم و سه خانه خریدیم.

خانه‌ها را با جرثقیل به ملک آوردند. فقط باید زیرساخت‌ها و زمین را آماده می‌کردیم. چند تا از آن‌ها را ساختیم. در ضمن من کل هزینهٔ کار را تأمین می‌کردم. و بعد ناگهان

---

1 Ben.
2. Al.

فهمیدم که آن‌ها داشتند اختلاس می‌کردند. به‌جای تبلیغ معاملات، داشتند پول را در جیب خودشان می‌گذاشتند، مخصوصاً آل آمریکایی که مالک اصلی زمین بود.

دیدم که دارم با آن‌ها به مشکل عمیقی می‌خورم و هیچ پیشرفتی نمی‌کنم، بنابراین سهم آمریکایی را خریدم و در کنار مردِ اسرائیلی بِن ماندم که کمی منطقی‌تر بود. اما درنهایت با او هم کنار نیامدم. شروع کردیم به دعوا کردن، واقعاً داشتم عصبانی می‌شدم، دیوانه می‌شدم و به نقطه‌ای می‌رسیدم که نمی‌خواستم به آن برسم. حتی به او هشدار دادم که نباید با من کل‌کل کند، چون ممکن است یکهو ببیند که داخلِ یک خانه در حال سوختن است. کار را با من تمام کن، پولم را پس بده و همه‌چیز بین ما تمام است.

اگر کسی با من درست رفتار کند، من با او مشکلی ندارم، برایش همه‌کار می‌کنم. اگر با من اشتباه برخورد کنی، تو را پاره‌پاره می‌کنم. من در هر دو جهت افراطی هستم. بنابراین نشستیم و به توافق رسیدیم که او از معامله خارج شود.

در آن زمان، او هنوز به من پول بدهکار بود، چون من پول گذاشته بودم و او نه، بنابراین آنچه من سرمایه‌گذاری کرده بودم را به من بدهکار بود. یادم می‌آید که در دفتر وکیلش حسابی جوش آوردم. وکیلش یک عوضی بود که می‌خواست من را بازی بدهد. شروع کردم به فحش دادن و تهدید کردنش: «خودتو قاتی نکن، به تو ربطی نداره! تو فقط مطمئن شو که قرارداد ازنظر قانونی محکمه. من با اون قول‌وقرار گذاشته بودم. چرا داری خرابش می‌کنی؟» این‌طوری با او صحبت کردم.

ما قرارداد را خاتمه دادیم و او هنوز مقداری به من بدهکار بود و پس‌از مدتی سهم خود را به یک دلال الماس جوان اسرائیلی از خیابان ۴۷ام، مرکز الماس در منهتن فروخت. من از همه‌چیز آمدم بیرون و دلال الماس قرار بود ۳۰۰/۰۰۰ دلار به من بپردازد. او پول را به‌موقع طبق توافقمان پرداخت نکرد. به من گفت که ندارد. می‌دانستم که دارد. از کوره دررفتم.

یک شرخرِ آفریقایی-آمریکایی با اسلحه را استخدام کردم تا به دفترش برود و او را تهدید کند. دوسه روز بعد وقتی‌که بیرون از خانه بودم، همسرم به من زنگ زد و گفت سریع بیا خانه، دو مرد ایتالیایی اینجا هستند که قیل‌وقال می‌کنند و می‌خواهند با تو صحبت کنند. من بلافاصله فهمیدم که مرد الماس فروش آن‌ها را فرستاده است.

بلافاصله به‌سمتِ خانه راندم و ماشین را پارک کردم. وحشت کرده بودم و به‌طرف آن‌ها رفتم و فحش دادم: «شماها می‌خواید منو کتک بزنید، شما حروم‌زاده‌ها؟! آماده بودم که آن عوضی‌ها را پاره‌پاره کنم و آن‌ها عقب رفتند و فقط به من هشدار دادند که: «کاری به کار

دوستمون نداشته باش. وگرنه، برمی‌گردیم.» و رفتند.

من نمی‌خواستم مسائل را بیشتر از آن پیچیده کنم. متوجه شدم که اگر کاری کنم، او واکنش نشان می‌دهد و بعد من کاملاً کنترل خودم را از دست می‌دهم و ممکن است کاری کنم که بعداً پشیمان شوم.

تصمیم گرفتم از دلال الماس شکایت کنم و طرح دعوی کردم. پس‌از چند ماه، تاریخ جلسهٔ دادگاه فرارسید و من و مرد الماس‌فروش اسرائیلی در دادگاه همدیگر را دیدیم. در دادگاه، او از طرف شرکت حاضر شد، چون او مالک بود و زمین به نام شرکت بود. اما او به‌جای آوردن وکیل به‌تنهایی آمد.

من هم تنهایی رفتم، چون اگر من از کسی شکایت کنم می‌توانم از خودم دفاع کنم. اما اگر یک شرکت باشد، باید یک وکیل به نمایندگی صحبت کند. آن فرد «مالک» به‌حساب نمی‌آید. شرکت مالک است. او می‌تواند به‌عنوان شاهد در آنجا حضور داشته باشد، اما باید یک وکیل برای انجام جلسه داشته باشد.

بنابراین منشی دادگاه به ما تاریخ دیگری داد و به او گفت که با وکیل بیاید. او گفت که در غیر این صورت حکم «غیابی» می‌گیرد، انگار که برای این پرونده حاضر نشده است و قاضی بدون حضور مدعی‌علیه حکم می‌دهد. منشی همهٔ این‌ها را برای او توضیح داد.

تاریخ دوم فرارسید و او دوباره بدون وکیل آمد. طوری نقش بازی می‌کرد که انگار نمی‌فهمد. این بار که مقابل قاضی رفتیم، گفتم: «عالی‌جناب، دلیلی نداره که یه فرصت دیگه به اون بدید، اون دو تا فرصت داشت. اگه یه شانس دیگه به اون بدید، اساساً دارید می‌گید که منشی دادگاه بار اول موضوع رو به اون توضیح نداده و علاوه بر این، طبق اسناد و مدارکی که من به دادگاه ارائه کردم، اون پرونده‌ای ندارد.» او امکان دفاع از خودش را نداشت چون مدعی‌علیه یک شرکت بود نه یک فرد و قاضی به من یک حکم غیابی داد.

بنابراین آن مرد رفت و یک وکیل گرفت تا درخواست تجدیدنظر کند. برای یک حکم غیابی، اگر شخص با وکیل حاضر شود، معمولاً اکثر قضات به او فرصت می‌دهند و پرونده را دوباره باز می‌کنند. وکیل باید تمام ادعاهای خود را به‌صورت کتبی ارائه کند. وقتی او درخواست باز کردن پرونده را ارائه می‌کند، پرونده همیشه به همان قاضی قبلی ارجاع داده نمی‌شود. معمولاً دفعهٔ بعد قاضی دیگری می‌آورند. فقط پرونده‌های بزرگ و پیچیده با همان قاضی قبلی باقی می‌مانند.

بنابراین آن‌ها مدارک کتبی را ارائه کردند و من حق داشتم به آنچه در آن بود پاسخ بدهم و من در این کار خیلی خوب هستم و می‌دانم جواب را چطوری آماده کنم. من بارها دیده‌ام

که وکلا چگونه آماده می‌شوند. برای قاضی نوشتم: «اگر شما حکم غیابی را باز کنید و به او حق دادرسی بدهید، اساساً دارید می‌گویید قاضی قبلی اشتباه کرده است.» و قاضی از بازگشایی پرونده خودداری کرد. مرد الماس‌فروش مثل یک بچه خوب آمد و تمام پولی که بدهکار بود را به من پرداخت و آن قرارداد شراکت تمام شد.

فصل ۱۱۶

سالن ماساژ با جویی

وقتی خشک‌شویی را راه انداختم با جویی آشنا شدم. او در آن صنعت کار می‌کرد و من را با این تجارت آشنا کرد. دستگاه‌ها را از او خریدم و باهم دوست شدیم. باهم بیرون می‌رفتیم. او هم مردی بود که خیلی دوست داشت با دخترها خوش بگذراند.

یک روز جویی پیش من آمد و به من گفت که می‌خواهد یک سالن ماساژ با دخترهای روسی باز کند. او گفت که یک دختر روس را می‌شناسد که مشتاق است این مکان را مدیریت کند و اگر من مقداری به او قرض بدهم، می‌توانم با او شریک شوم. پول را به او دادم و شریک شدیم.

یک آپارتمان بود با یک اتاق نشیمن و دو اتاق‌خواب. هر اتاق یک تخت ماساژ داشت. یک مدیر و دو دختر بودند که کار را انجام می‌دادند. مردی وارد می‌شد و هزینه ماساژ را به سالن پرداخت می‌کرد و ازآنجا به بعد همه‌چیز مابین او و آن دختر بود، که از او چه می‌خواهد و چقدر به او انعام می‌دهد و آن دختر می‌گفت که چه چیزی را قبول می‌کند و چه چیزی را قبول نمی‌کند. قطعاً موضوع این نبود که آن مرد دنبال سکس باشد. آنجا چنین مکانی نبود. اما برای بعضی از دخترها ممکن بود این اتفاق بیفتد.

دخترها عوض می‌شدند، و تعدادی بودند که برای مقدار مشخصی پول همه‌کار می‌کردند ـ چه کسی می‌دانست چه‌کار می‌کردند؟ مدیر آنجا یک زن متأهل زیبا بود. او در آنجا هیچ ماساژی انجام نمی‌داد، فقط پول جمع می‌کرد و آن مکان را اداره می‌کرد. من تجربیات زیادی در آنجا داشتم. وقتی می‌رفتم، مجبور نبودم پولی بپردازم، چون مالک آنجا بودم. فقط به آن دختر انعام می‌دادم.

یک دفعه مدیر آنجا، این «مادام» به من گفت، می‌خواهم با تو وارد اتاق شوم.

او وارد شد. وای که او با من چه‌کار کرد ... از آن موقع اغلب به دیدنش می‌رفتم. هر جلسه شامل چندین تجربه بود. او لباس‌زیر شهوانی می‌پوشید که من خیلی دوست داشتم و من سکس ملایم و لذت‌بخشی با او داشتم.

یک روز با او تماس گرفتم که بگویم دارم می‌آیم و او گفت که یک سورپرایز در انتظار من است. من به آنجا رفتم و دختری را دیدم که قبلاً آنجا ندیده بودم. مادام او را به‌عنوان دوستی معرفی کرد که او هم با ما به داخل اتاق ماساژ می‌آید. فهمیدم که مادام دربارهٔ من به او گفته است، او خوشش آمده و خواسته که به ما بپیوندد. ما سه نفر بودیم. من به‌خوبی به یاد دارم که دخترها چقدر لذت می‌بردند، جیغ و ناله می‌کردند، چیزی که اغلب شانس تجربه کردن آن را ندارید.

مدتی را آنجا گذراندیم. از داشتنِ آن مکان لذت می‌بردم، تا اینکه یک روز جویی به من گفت که دیگر حاضر به ادامهٔ کار نیست، چون من هیچ کاری انجام نمی‌دادم. هر ماه با رسیدها می‌آمد و پول را تقسیم می‌کردیم. به نظر او درست نبود که من «کار نمی‌کردم» و «هیچ کاری انجام نمی‌دادم»، بنابراین تصمیم گرفت آن کسب‌وکار را بفروشد. پرسیدم: «چرا؟» و او از جواب دادن به من طفره رفت.

یک روز او با پولی در دستش به دفتر من آمد و به من گفت: «فروختمش.» «چند فروختیش؟» «فلان قیمت فروختم و این سهم توئه ...» و این پایان داستان است. ظاهراً بعداز آن به‌تنهایی ادامه داد.

از آن زمان دوستی خود را به هم زدیم. می‌توان گفت رابطهٔ من با او به پایان رسیده و تمام شده است.

فصل ۱۱۷

دو ساختمان در هارلم[1] با وامی از شهرداری

به خرید خانه‌ها و زمین‌ها، بازسازی و فروش آن‌ها ادامه دادم و همیشه افرادی که می‌خواستند سرمایه‌گذاری کنند به من مراجعه می‌کردند. من به‌عنوان مشاور سرمایه‌گذاری املاک، در مدیریت املاک و در همه‌چیز مربوط به املاک و مستغلات فعالیت داشتم.

در سال ۲۰۰۱، دو ساختمان در هارلم خریدم. به‌طور اتفاقی با فردی آشنا شدم که در بخش تنظیم وام یارانه‌ای از شهرداری با شرایطی خاص، کار می‌کرد. نشستم و با او صحبت کردم و یک‌جور معامله کردم. ساختمان‌ها را با وام می‌خریدم. وقتی آن‌ها متوجه موضوع شدند، پول پرداخت وام و همچنین پول بازسازی دو ساختمان از بالا به پایین را به من می‌دادند. البته باید برنامه‌های تأییدشده می‌داشتم، افراد متخصص را می‌آوردم و تمام هزینه‌هایم را ثابت می‌کردم. باید ساختمان‌ها را هم بیمه می‌کردم. شرط این بود که نیمی از آپارتمان‌ها را به افرادی که درآمد سالانه آن‌ها کمتر از ۳۰٬۰۰۰ دلار در سال بود اجاره می‌دادم و باوجوداینکه ساختمان را بازسازی کرده بودم، اجاره‌بهای سایر مستأجران را افزایش نمی‌دادم. در صورت قراردادی با شهرداری، اجاره‌بها افزایش پیدا نمی‌کرد، مگر یک بار در سال به میزان مصوب شهرداری. این‌ها ساختمان‌هایی هستند که تحت قانون حمایت از مستأجر هستند.

من پیمانکار این پروژه بودم و در مدت بسیار کوتاهی درآمد بسیار قابل‌توجهی معادل نیم میلیون دلار کسب کردم. من کاری را انجام دادم که هیچ‌کس باور نمی‌کرد ممکن باشد. من یک ساختمان کامل را بدون تخلیه مستأجران ساختمان به‌طور کل بازسازی کردم.

کاری که کردم این بود که یکی از مستأجران که بدهی‌هایش را پرداخت نکرده بود را

---

1. Harlem.

بیرون کردم. بعد یک مستأجر را از طبقهٔ بالا آوردم و او را به آن آپارتمان خالی منتقل کردم. وسایلش را جابجا کردم، آپارتمانش را بازسازی کردم و او دوباره به آنجا نقل‌مکان کرد. من این کار را بارها و بارها با هر مستأجری انجام دادم.

بسیار موفق آمیز بود. توافق بر این بود که اگر من ۱۵ سال قرارداد را حفظ کنم بدون اینکه اجاره‌بهای مستأجران را به‌رغمِ بازسازی‌ها افزایش دهم و اجاره‌بهای نصف آپارتمان‌ها را پایین نگه دارم، ۷۰۰/۰۰۰ دلار از بدهی تبدیل به هدیه می‌شود. علاوه بر نیم میلیونی که کسب کردم، کل سودم ۱/۲ میلیون بود. و من هنوز هر دو ساختمان را داشتم که درآمد خوبی داشتند. درنهایت، هر بار که به آنجا می‌روم، شگفت‌زده می‌شوم و از این ساختمان‌ها لذت می‌برم، آن‌ها زیباترین ساختمان‌های خیابان هستند.

اکنون، در سال ۲۰۲۳، من بازنشسته شده‌ام و بیشتر دارایی‌هایم را در اختیار دارم و دو ساختمان در هارلم را فروخته‌ام. از وقتی‌که ۲۰ سال پیش آن‌ها را خریدم، ارزششان ۱۵ برابر شده بود.

پس‌از ساختن اولین مرکز خرید در نیوجرسی، که هنوز هم مالک آن هستم، معامله‌ای در منطقه‌ای که از قبل مجوز ساخت یک مرکز خرید ...۱۰۳/ فوت مربع (چیزی حدود ۹ تا ۱۰ دونم) را داشت، به من پیشنهاد شد. چند میلیون برایم هزینه داشت. نقشه این بود که یک سوپرمارکت بزرگ و مغازه‌هایی در یک ردیف در مجاورت سوپرمارکت و چند رستوران یا کسب‌وکار دیگر در یک ساختمان جداگانه ساخته شود. دلالی که با او کار می‌کردم با من تماس گرفت و این معامله را به من پیشنهاد داد. او به من گفت که به دلیل دعوای شرکا، فروشنده‌ها برای فروش تحت فشار هستند.

آدرس را به من داد. ازآنجا دور نبودم. از او خواستم ببیند که آیا می‌توانم فوراً بروم یا نه، و مستقیماً به آنجا رفتم. نقشه‌ها را دیدم و بسیار هیجان‌زده شدم. اولین مرکز خرید من سالانه حدود نیم میلیون دلار درآمد داشت و یک مرکز خرید مثل این می‌توانست سالی حدود دو میلیون دلار درآمد داشته باشد. آنجا نزدیک آتلانتیک سیتی[1] بود، یک شهر توریستی با تعداد زیادی هتل و کازینو. من این منطقه را چند میلیون دلار خریدم.

طرح‌های موجود را خیلی دوست داشتم. شروع کردم به آوردن پیمانکار، گرفتن مظنه و همه‌چیز و جست‌وجوی مستأجر. آماده‌سازی و شروع ساخت‌وساز مدتی طول کشید، چون در آنجا با اتحادیه‌های تخصصی کارگران مشکل داشتم. در ایالات متحده همه نوع اتحادیه وجود دارد: اتحادیه کارگران بتن، اتحادیه کارگران برق و غیره. درواقع، این یک

1. Atlantic City.

نوع مافیا است. اگر به آن‌ها کار ندهی، آن‌ها می‌آیند و در نزدیکی محل ساخت‌وساز تظاهرات می‌کنند و به هیچ پیمانکاری دیگری اجازه ورود نمی‌دهند، به دیگران آسیب می‌رسانند، بنابراین باید با آن‌ها کنار بیایی و آن‌ها را استخدام کنی. مشکل این است که هزینه آن حداقل ۵۰ـ۶۰ درصد بیشتر از کار با هر پیمانکار غیراتحادیه‌ای است. وقتی آن‌ها به محل ساخت‌وساز آسیب می‌رسانند، پلیس مداخله نمی‌کند، چون پلیس از طرف آن‌ها «حمایت» می‌شود.

وقتی اولین مرکز خرید را ساختم، هیچ مشکلی نداشتم. آن در شهر دیگری در نیوجرسی واقع است. کاری که ما در آنجا انجام دادیم این بود که به اتحادیه رفتیم و توافق کردیم که فقط کارهای مشخصی را به آن‌ها بدهیم، مثلاً لوله‌کشی را به آن‌ها بدهیم و بقیه را به سایر پیمانکاران که ارزان‌تر هستند، بدهیم. در آنجا با آن‌ها کنار آمدم. در غیر این صورت، به قیمتی که اتحادیه‌ها می‌خواستند، نمی‌توانستم بسازم. مجبور می‌شدم کرایهٔ خیلی بالایی بگیرم.

آتلانتیک سیتی شهری است که بر اساس مهاجرت ساخته شده است، شهری که جدیدترین ساکنین را می‌پذیرد. بازنشستگانی که دوست دارند در کازینو قمار کنند، برای زندگی به آنجا می‌آیند. آنجا زندگی می‌کنند تا بتوانند نزدیک کازینوها باشند و تمام روز را بازی کنند.

دراین‌بین، سال ۲۰۰۸ بود و بحران اقتصادی رخ داد. در این دوره، کسب‌وکارها شروع به اُفول کردند. کازینوها شروع کردند به بسته شدن و شهر ضربه سختی خورد.

من ساخت‌وساز را متوقف کردم، چون کسی را ندیدم که برایش بسازم، و هنوز هم منتظر ساخت‌وساز هستم، تا وقت مناسب برسد. سعی کردم آن را بفروشم چون به‌اندازهٔ کافی کار کرده بودم، می‌خواهم بازنشسته شوم و دیگر انرژی برای ساخت‌وساز نداشتم. تصمیم گرفتم آن را با نقشه‌ها بفروشم اما به مشکل برخوردم. هر وقت که مشکلی پیش می‌آید، سعی می‌کنم بفهمم از کجا نشئت می‌گیرد، ازنظر معنوی چه معنایی دارد. در این مورد، وقتی موفق به فروش ملک نشدم، متوجه شدم که روزی زمان آن فرا خواهد رسید. دراین‌بین، من باید صبر می‌کردم.

در حال حاضر، آنجا قطعه زمینی است که به آب یا برق نیاز ندارد و روزی می‌رسد که من به هردوی آن‌ها نیاز خواهم داشت. این اعتقاد من است و بسیار قوی است. من آن را این‌طوری می‌بینم و این چیزی است که به آن باور دارم. هرچیزی زمان خودش را دارد. یک لحظهٔ خاص وجود دارد که همه‌چیز آن‌طور که تو دلت می‌خواهد پیش می‌رود. اگر با اراده به‌سمتِ اهداف خودت بروی و اگر لیاقتش را داشته باشی، پیش خواهد آمد.

فصل ۱۱۸

با نگاهی به گذشته، همه‌چیز خیر بود

چیزهای خاصی هستند که من در زندگی‌ام می‌خواستم و به آن‌ها نرسیدم. و بعد فهمیدم که آن‌ها احتمالاً برای من خوب نبودند، حتی اگر آن‌ها را می‌خواستم و فکر می‌کردم که خوب باشند. این همان چیزی است که وقتی من از آلمان اخراج شدم اتفاق افتادم. روزهای زیادی گریه کردم. تمام زندگی‌ام آنجا بود، ناگهان من را بیرون انداختند. آن‌وقت با خودم گفتم: «خدایا، خدا، چرا این کار رو با من می‌کنی؟»

تازه پس‌از چند سال زندگی در نیویورک، و پس‌از ازدواج با همسر فعلی‌ام بود که متوجه شدم چیزی که آن زمان آن‌قدر زیاد در آلمان می‌خواستم، برایم خوب نبود. از خدا خیلی ممنونم که باعث شد ازآنجا برم. اگر آن‌ها من را بیرون نمی‌انداختند، شاید هرگز نمی‌رفتم، و شاید درنهایت عاقبتم مثل بسیاری از اسرائیلی‌های دیگری می‌شد که در آن روزها می‌شناختم. برخی از آن‌ها به زندان رفتند، برخی در آنجا پیر شدند و در آنجا مردند. من آن زندگی را نمی‌خواستم.

من هرگز چیزی را که در ایالات متحده دارم با زندگی در آلمان عوض نمی‌کنم. به‌هرحال، وقتی برای سر زدن به آنجا می‌رفتم، احساس می‌کردم که دارم خفه می‌شوم، مثل اینکه یک نفر چیزی روی گلویم گذاشته باشد؛ نمی‌توانستم نفس بکشم البته، فرصتی داشتم که جاهایی را ببینم که در طول سال‌ها ندیده بودم، اما نگرانی‌هایی که در آنجا داشتم را هم به یاد می‌آوردم.

راستش من چندین بار فکر کرده‌ام که ممکن است روزی در آلمان دستگیر شوم. من از این نمی‌ترسم، چون می‌دانم که می‌توانم از آن قسر دربروم. نمی‌ترسم، چون اگر دستگیر شوم، می‌شنوند که با آن‌ها چه‌کار می‌توانم بکنم. باور کنید، آن‌ها نمی‌خواهند من را حتی یک‌لحظه در آنجا نگه دارند.

یک بار من و همسرم با کشتی به بندری در آلمان رفتیم. من یک ماشین کرایه کردم و

دو ساعت تا برلین رانندگی کردم. در راه، سه پلیس را در گوشه‌ای دیدم که مشغول صحبت بودند. ماشین را نزدیک آن‌ها متوقف کردم، پیاده شدم، به‌سمتِ آن‌ها رفتم و پرسیدم چگونه به فلان آدرس بروم. ایستادن در کنار پلیس فرصتی بود برای از بین بردن تنش و تغییر احساسی که نسبت به آن‌ها داشتم. به‌جای فرار کردن، رودررو با آن‌ها ملاقات می‌کنم. هر وقت در برلین هستم با پلیس‌ها صحبت می‌کنم و با آن‌ها عکس می‌گیرم، درحالی‌که در دلم می‌خندم ... اگر آن‌ها می‌دانستند من کی هستم ...

ما با نورما ملاقات کردیم. رفتم مغازه‌هایی که قبلاً مال من بود را دیدم و با سرعت تمام با ماشین به‌سمتِ کشتی برگشتم.

یک بار هم با گادی به آنجا رفتم. اخیراً، در سال ۲۰۲۲، برای گرفتن چند عکس برای کتاب به برلین رفتم و با دوست قدیمی‌ام وِرا ملاقات کردم. احساس می‌کردم دارم خفه می‌شوم. با خودم گفتم حتی اگر خانه‌ای مجانی و میلیون‌ها دلار دیگر به من بدهند، هرگز به آلمان برنمی‌گردم، اگرچه برلین هنوز یکی از بزرگ‌ترین و باارزش‌ترین مراکز تفریحی اروپاست. اما بااین‌حال باید بگویم که نسل جوان در آلمان چیز دیگری است. آن‌ها گشاده‌روتر، مهربان‌تر و حتی سرگرم‌کننده‌تر هستند. مثل نسل قدیمی‌تر که من می‌شناختم نیستند.

بازدید آقای ز از برلین، ۲۰۲۲.

بعداز اینکه از آلمان اخراج شدم، هر زمان که از ایالات متحده به اروپا سفر می‌کردم، اگر صدای حرف زدن آلمانی‌ها را می‌شنیدم ـ مثلاً در استخر هتلی که در آن اقامت داشتم ـ بر سر آن‌ها فریاد می‌زدم همان‌طوری که آن‌ها بر سر ما به‌عنوان خارجی‌هایی در کشورشان فریاد می‌زدند.: "schiess auslander" ـ آلمانی به معنای «یه خارجیِ آشغال.»

این همان چیزی است که آن‌ها بر سر خارجی‌ها فریاد می‌زدند، به‌خصوص مسن‌ترهایشان. بنابراین وقتی آن‌ها را در هرکجای اروپا می‌دیدم، بر سر آن‌ها فریاد می‌زدم. بگذار آن‌ها هم چیزی که ما احساس کردیم را حس کنند. باید صورت آن‌ها را می‌دیدید.

فصل ۱۱۹

سفری به آلاسکا

همان‌طور که گفتم، من با همسرم سفرهای زیادی رفته‌ام. یکی از سفرهای ما به آلاسکا بود. شگفت‌انگیز بود. ما یک سفر دریایی طولانی و آرام، یک تعطیلات رؤیایی داشتیم. هر جا کشتی پهلو می‌گرفت، پیاده می‌شدیم و می‌توانستی یک تور سازمان‌یافته را در هر جایی خریداری کنی.

در یکی از این تورها، سوار یک کشتی شدیم که برای دیدن نهنگ‌ها می‌رفت. یک مرد مسن‌تر جلوی من نشسته بود، یک آقای باشخصیت که من را به یاد عمویم می‌انداخت. باهم صحبت کردیم و معلوم شد که او یهودی است و از شخصیت‌های مهم ایران بوده که از نزدیک با شاه کار کرده است. او به ما گفت که شاه چقدر مرد خوبی بود و چقدر به یهودیان نزدیک بود، همه‌اش در پشت پرده. او گفت که شاه یک بار به او گفته: «هر کالایی که قرار است وارد کنید، سعی کنید از اسرائیل وارد کنید.» بسیاری از کالاها ـ میوه، تخم‌مرغ، مرغ ـ تحت پرچم کشورهای دیگر از اسرائیل آورده می‌شدند. علاوه بر این، شرکت ساختمانی اسرائیلی به نامِ سولل بونه[1]، جاده‌های زیادی در تهران و همچنین فرودگاه اصلی ساخت. من واقعاً از صحبت با این مرد لذت بردم، چون او اطلاعات من را در مورد اتفاقاتی که پس از رفتنم در ایران رخ داده بود به‌روز کرد.

---

1. Solel Boneh.

فصل ۱۲۰

سرکشی عصبی، دعوا، ضربه‌مغزی و تجربیات غیرمعمول در دادگاه

وقتی بچه‌هایم کوچک بودند، ما برای دخترم عینکی از یک فروشگاه بزرگ خریدیم. مجبور شدیم دو بار به آنجا برگردیم، چون یکی از پیچ‌هایی که آرمیچر را نگه می‌داشت مرتب شل می‌شد و او نمی‌توانست عینک را بزند. آن‌ها "ظاهراً" آن را دو بار تعمیر کردند. بار سوم، گفتم که دیگر این را تعمیر نمی‌کنم. این گارانتی دارد، این را با یکی دیگر تعویض کنید. آخر هفته بود و فروشگاه‌ها غلغله بودند، فروشگاه‌های عینک هم همین‌طور. دختر فروشنده پشت یک پیشخوان شیشه‌ای بود و روی پیشخوان آینه‌هایی قاب شده وجود داشتند تا بتوانید خودتان را ببینید.

دختر فروشنده گفت: «نه، ما نمی‌توانیم اون‌ها رو تعویض کنیم، باید با سازنده صحبت کنید.»

به او گفتم: «داری چی می‌گی؟» دیگر داشتم عصبانی می‌شدم. او داشت من را به مرز انفجار می‌رساند. «به من بگو چرا به سازنده نیاز دارم؟ اصلاً من می‌دونم اون کیه؟ من اینو از سازنده خریدم؟ نه! از تو خریدم و تو مسئولی. اگه می‌خوای خودت با سازنده حرف بزن. یه عینک جدید برام بیار.» همان موقع هم دود از کله‌ام بلند شد و شروع به داد زدن کردم.

او من را این‌طوری که دید گفت: «بهتره همین‌الان برید وگرنه به حراست زنگ می‌زنم.» حالا به خاطر نحوه صحبت کردنش با من جوش آوردم. با مشت به آینه روی میز زدم. متلاشی شد و از هم پاشید و تکه‌هایش به هر طرف پرتاب شدند. مردم شروع کردند به فریاد زدن. بلافاصله با حراست تماس گرفتند. دو قلدر درشت‌اندام از راه رسیدند که بلافاصله من را گرفتند و به زمین انداختند. دست راستم با شیشه برید و داشت خونریزی

می‌کرد. با نگاهی به گذشته، بسیار متأسفم که جلوی چشم دو فرزند خردسالم کنترلم را از دست دادم.

آن‌ها من را به یک اتاق حفاظتی مخصوص بردند، از من عکس گرفتند و با پلیس تماس گرفتند. به من دستبند زدند و من را به کلانتری بردند. ازآنجا من را به یک بازداشتگاه در پایینِ سالن دادگاه بردند. افراد زیادی آنجا بودند. وقتی به آنجا می‌روی، اثرانگشت و عکس‌های بیشتری از تو می‌گیرند. منتظر می‌مانی و ظرف ۲۴ ساعت به دادگاه احضار می‌شوی. در جلسه دادگاه، یا فوراً با تو به توافق می‌رسند، یا اگر یک پرونده دشوار یا یک موقعیت خطرناک باشد، دادگاه را به تاریخ جدیدی موکول می‌کنند و به تو می‌گویند که یک وکیل بیاوری.

من حدود ۸ـ۱۰ ساعت آنجا بودم، با افراد زیادی که نمی‌شناختمشان. و ناگهان چیزی به ذهنم خطور کرد - آن قاضی که پیشش خواهم رفت من را خواهد شناخت! آن‌ها من را به داخل دادگاه صدا کردند و به‌طرزی باورنکردنی می‌بینم که قاضی زنی است که من می‌شناسم. او در محلهٔ من زندگی می‌کرد. قضات زیادی در همسایگی من زندگی می‌کردند، برخی از آن‌ها افراد شناخته‌شده در سمت‌های بسیار عالی بودند.

من وکیل مدافعی از دولت گرفتم. تو اجازه صحبت کردن نداری. فقط وکیل مدافع و دادستان با قاضی صحبت می‌کنند. قاضی دادستان و وکیل مدافع را صدا کرد که نزدیک بروند. با آن‌ها صحبت کرد و بعد به من گفت: «آقای ز، منو می‌شناسید؟» مطمئن بودم وکلای دادگستری نمی‌دانستند من و قاضی همدیگر را می‌شناختیم، چون اگر این را می‌دانستند، قاضی اجازه رسیدگی به پرونده من را نمی‌داشت. بنابراین گفتم: «نه، شما رو نمی‌شناسم.» او گفت: «بسیار خوب» و دادگاه شروع شد. او من را جریمه کرد و هیچ اتهام کیفری در کار نبود. پول را دادم و از آن خلاص شدم.

یک پرونده دیگر هم بود که به دادگاه کیفری ختم شد. به‌غیراز این دو، من در ایالات متحده برای اعمال مجرمانه محاکمه نشده‌ام، درحالی‌که در موضوعات مدنی شاید در بیش‌از سیصد مورد درگیر بوده‌ام ...

زمانی که رئیس محله بودم، سالی یک بار خیابان را می‌بستم و جشن می‌گرفتم، یک نمایشگاه خیابانی با غرفه‌های غذا. مردم غرفه‌ای باز می‌کردند، اجناس خود را می‌فروختند و بازی‌ها و فعالیت‌هایی برای کودکان وجود داشت. بلیت بخت‌آزمایی هم می‌فروختیم. دو خیابان را می‌بستیم.

یک بار برای چنین رویدادی دو اسب پونی به مدت دو ساعت رزرو کردم که هزینه آن

۳۰۰ دلار شد. توافق همین بود. مرد فقط با یک پونی آمد. از او می‌پرسم چه اتفاقی افتاده؟ او به من گفت، آن‌یکی اسب مریض است، فقط توانستم یکی را بیاورم. به او گفتم، باشه، با یکی آمدی، پس من فقط برای یکی به تو پول می‌دهم. چیزی نگفت و شروع کرد به سوار کردن بچه‌ها روی اسب برای سواری کردن.

در اواخر مراسم، ایستادم و از بلندگو اعدادی که در بخت‌آزمایی برنده شده بودند را خواندم و از دور دیدم مردی که پونی را آورده بود، که یک مرد مسن‌تر بود، داشت با دو قلدر می‌آمد و آن‌ها به من نزدیک شدند. آن‌ها اهمیتی ندادند که من در وسط قرعه‌کشی بلیت‌ها بودم و همه منتظر شنیدن قرعه‌کشی بودند ـ یکی از آن اراذل به‌سمتِ من آمد و شروع کرد با شکم به من فشار دادن و من را هل داد. به او گفتم یک‌لحظه دست بردار. او گفت: همین حالا پول رو بده!»

گفتم: «اول‌ازهمه اینکه من ۳۰۰ دلار نمی‌دم. اون با یک پونی اومد. ۱۵۰ دلار گیرش می‌آد.» گفت: «۳۰۰ دلار رو بده». گفتم: «نه! به اون مردی که اونجاست پنجاه تا میز سفارش دادم، اون فقط سی تا میز آورد. قراره پول ۵۰ تا رو از من بگیره؟ نه! پول سی تا رو می‌گیره!»

یک بار دیگر با شکم مرا هل دادند. چرا این‌طوری فشار می‌دادند؟ چون این قانون عجیب وجود دارد، اگر کسی با شکمش تو را آن‌طوری فشار دهد، نمی‌توانی بگویی که کاری برای دفاع از خود انجام داده‌ای. بنابراین او به‌شدت مرا هل داد. افتادم روی زمین و سرم ضربه خورد. وقتی آن پایین افتاده بودم، پیرمرد شروع کرد به لگدزدن به من.

از جایم بلند شدم و آن لحظه مثل یک شیر خشمگین در حالت خمیده بودم. از جا پریدم ـ یکی از آن سه نفر که از من بلندتر بود جلوی من بود. به هوا پریدم و محکم توی دهانش کوبیدم.

لب‌هایش پاره شد و یک دندانش شکست. مرد سوم گلوی من را گرفت و شروع کرد به کشیدن من در خیابان. نمی‌توانستم تکان بخورم چون گردنم را می‌شکست.

مردم به‌سرعت با پلیس تماس گرفتند. آمدند و او من را رها کرد. آمبولانس رسید. مرد قدبلندی که من مجروحش کرده بودم را سوار آمبولانس کردند و دو نفر دیگر ناپدید شدند. پلیس از فرد مجروح پرسید که چه اتفاقی افتاده، بعد به سراغ من آمدند. پلیس گفت: «اینجا بمون و تکون نخور.» دیدم در نزدیکی من یکی از شرکت‌کنندگان در نمایشگاه داشت سعی می‌کرد سطل زباله بسیار سنگینی را جابه‌جا کند. بنابراین رفتم تا به او کمک کنم تا آن را از جاده به کناری منتقل کند. پلیس آمد و گفت: «گفتم تکون نخور!» از او

می‌پرسم: «من چی‌کار کردم؟» گفت: «خفه شو! تو بازداشتی.» چون عصبانی شده بود، به من دستبند زد و من را به صندلی عقب ماشین گشت هل داد.

چه شرم‌آور. من رئیس محله بودم. بنابراین یکی از مردهای اسرائیلی به‌سمتِ من آمد و گفت: «براش نقش بازی کن، بهش بگو صدمه دیدی، به سرت ضربه خورده.» شروع می‌کنم به تلاش برای بالا آوردن و او پلیس را صدا کرد و به او گفت: «گوش کن، اون هم به آمبولانس نیاز داره.» آمبولانس دیگری آمد و من را به بیمارستان بردند.

در بیمارستان، وانمود کردم که نمی‌دانم کی هستم. از من سؤال می‌پرسیدند. از من پرسیدند رئیس‌جمهور کیست، گفتم آریل شارون[1] (نخست‌وزیر وقت اسرائیل). پرسیدند چه روزی است، جوابشان را چرت‌وپرت گفتم. شلوارم را با قیچی بریدند تا مطمئن شوند مجروح نشده‌ام. من را برای معاینه سر بردند و همه این‌ها درحالی‌که دستبند به دستم بود. یک دستم به تخت بیمارستان بسته شده بود و پلیس تمام مدت کنارم بود. چندساعتی من را معاینه کردند و گفتند طبق آنچه به آن‌ها گفته بودم، ضربه‌مغزی شده بودم. حالا یک مدرک از اورژانس داشتم مبنی بر اینکه ضربه‌مغزی شده‌ام.

پلیسی که من را دستگیر کرد نمی‌دانست من کی هستم. اما وقتی به کلانتری رسیدیم، ناگهان شخصی که من را می‌شناخت آمد و به این پلیس توضیح داد که من کی هستم و در نمایشگاه چه‌کار می‌کردم، و آن پلیس بلافاصله از رفتارش با من پشیمان شد و از من پرسید که می‌تواند چیزی برای نوشیدن به من بدهد، کوکاکولا یا یک میان وعده از دستگاه. رفت و برایم چیزهایی خرید و آورد به‌جایی که من نشسته بودم. درنهایت به من گفتند که چون سابقهٔ کیفری ندارم من را آزاد می‌کنند و پرونده به دادگاه فرستاده شد.

دوباره نشستم و پرونده را آماده کردم و دقیقاً نوشتم که چه اتفاقی افتاده بود و چطوری، شاهدان چه کسانی بودند، دفاع از خود بوده، من هم مجروح شده بودم و از بیمارستان مدرکی دارم که نشان می‌دهد ضربه‌مغزی شده‌ام. تاریخ محاکمه فرارسید و بار دیگر قاضی کسی بود که من می‌شناختم. او قبلاً سناتور ایالت نیویورک بود و من هم ازنظر مالی و هم با نفوذی که داشتم از او حمایت کرده بودم. بنابراین باهم دوست شده بودیم. بارها در مراسم‌های مختلف با او ملاقات کرده بودم و بعدها قاضی شد.

او اصلاً نشان نداد که من را می‌شناسد و پرونده بسته شد. انگار هیچ اتفاقی نیفتاده بود.

---

1. Ariel Sharon.

فصل ۱۲۱

پرونده‌ای علیه شرکت برق

یکی دیگر از دادگاه‌های جالبی که در آن شرکت داشتم، یک پروندهٔ مدنی بود که در آن از شرکت برق شکایت کردم. یک زمستان از آن‌ها خواستم برق فلان خانه‌ای که به‌عنوان سرمایه‌گذاری داشتم را وصل کنند و گفتند که می‌کنند. دو بار با آن‌ها تماس گرفتم و برق را وصل نکردند. زمستان سختی بود. آسیب وارد شد، لوله‌ها از سرما ترکیدند.

بار سوم که با آن‌ها صحبت کردم، مکالمه را ضبط کردم. گفتند: «بله، بله.» اولین بار به من گفتند اشتباهی رخ داده است، بار دوم دلیل دیگری آوردند. بار سوم قول دادند که بیایند و این کار را انجام دهند، اما نیامدند.

در همین حین تمام لوله‌های خانه یخ زد و ترکید. خسارت شدید بود. من یک لوله‌کش آوردم و همه‌چیز را عوض کردم. من رسیدها و ضبط مکالمه تلفنی با شرکت برق را داشتم و از آن‌ها شکایت کردم. آن‌ها نمی‌خواستند خسارت را بپردازند. آن‌ها همیشه با دعوی‌های قضایی مبارزه می‌کنند، چون اگر یکی از آن‌ها را پرداخت کنند، بقیه نیز از آن‌ها شکایت خواهند کرد و آن‌ها باید به افراد زیادی پول بدهند. این اصل عملکرد آن‌هاست. و همچنین قانونی وجود دارد که از آن‌ها حمایت می‌کند. قانون می‌گوید که شما نمی‌توانید از شرکت برق شکایت کنید، مگر اینکه مورد «قصور فاحش» باشد. فقط در این صورت است که می‌توانید آن‌ها را به دادگاه بکشید. به نظر من شواهد کافی در این مورد مبنی بر تداوم قصور وجود داشت. چیز کوچکی نبود ـ سه بار قول دادند که بیایند و به حرفشان عمل نکردند.

وکیل شرکت برق دید که من وکیل ندارم و خودم وکالت خودم را به عهده دارم. او می‌خواست کار را برای من سخت کند و خواستار نظر هیئت‌منصفه شد. او اجازهٔ این کار را داشت، اما قاضی عصبانی بود، چون مبلغ موردادعا چندان زیاد نبود. قاضی به وکیل گفت:

«چرا می‌خوای دادگاهی با هیئت‌منصفه برگزار بشه؟ به توافق برسید.» آن وکیل گفت که طبق دستورالعمل مدیریت ارشد، او تحت هیچ شرایطی مجاز به سازش نیست. او باید در این پرونده پیروز می‌شد. خب بنابراین، ما شروع به انتخاب هیئت‌منصفه کردیم.

این اولین بار بود که در دادگاهی ازاین‌دست شرکت می‌کردم و باید هیئت‌منصفه را انتخاب می‌کردم. اوه، برای من تجربهٔ بی‌نظیری بود.

افراد چگونه برای هیئت‌منصفه انتخاب می‌شوند؟ از آن‌ها سؤالاتی می‌پرسید: شما کی هستید، سابقهٔ شما چیست و غیره، و بر اساس آن تصمیم می‌گیرید که آیا آن شخص برای شما داور خوبی خواهد بود یا خیر. دو نفر بودند که به نظر من خوب نبودند و آن‌ها را رد کردم. اگر درست یادم باشد شش عضو هیئت‌منصفه بودند. ما انتخاب اعضا را تمام کردیم و دادگاه شروع شد. من به‌عنوان وکیل خودم در برابر وکیل شرکت برق قرار گرفتم.

طبق قانون، اگر فاکتور و رسیدی برای تعمیر خسارت وارده دارید، باید فردی را که آن کار را انجام داده است را بیاورید تا طرف مقابل بتواند در مورد کار از او سؤال کند. من نتوانستم با شخصی که تعمیرات را انجام می‌داد تماس بگیرم، چون زمان زیادی از تعمیر خسارت و دادگاه گذشته بود، بنابراین لوله‌کش دیگری آوردم تا کار را توضیح دهد ـ هزینهٔ تجهیزات، دیگ بخار و غیره. وکیل طرف مقابل پرسید: «آیا دیدید لوله‌های زیرِ زمین و داخل دیوارها لوله‌های نویی هستند که تعویض شده‌اند؟» او گفت که فقط لبه‌ها را می‌دید و آن‌ها کاملاً نو بودند.

بعد وکیل گفت: «لبه‌ها ... باشه»، و با یک‌جور بی‌تفاوتی نگاهش را از او دور کرد و اعضای هیئت‌منصفه متوجه طرز نگاه او شدند. بعد نوبت من بود که از شاهد سؤال کنم. دقیقاً می‌دانستم چه چیزی و چگونه بپرسم. گفتم: «بهم بگو چند ساله که در این حرفه کار می‌کنی؟» گفت ده سال. و بعد پرسیدم: «آیا تابه‌حال دیدی که یه لوله‌کش فقط قسمتی از لوله که بیرون زده رو عوض کنه و بقیه‌اش رو نه؟»

عکس‌هایی که داشتم به قاضی و هیئت‌منصفه نشان دادم و همه آن‌ها مقدار یخ را دیدند، طوری که کل آپارتمان مثل یک کوه کوچک با توده‌های یخ پوشیده شده بود. از او پرسیدم: «بعداز چنین آسیبی، آیا ممکنه که همه لوله‌ها رو عوض نکنند؟» و او گفت: «غیرممکنه، باید همه‌چیز رو عوض کرد.» در اینجا، من در مورد خسارتی که ایجاد شده بود توضیح بیشتری دادم.

نوارهای ضبط‌شدهٔ مکالماتم با شرکت برق را آوردم که تأیید کرده بودند سه بار اشتباه کرده بودند. و این «قصور فاحش» را ثابت می‌کرد.

دادگاه چند روز (هر روز نیم ساعت تا یک ساعت) طول کشید. وقتی بیرون بودیم، من و وکیل طرف مقابل، باهم دوست شدیم. در مورد همه‌چیز صحبت کردیم. یک روز او به من گفت: «آفرین، اون‌طوری که تو داشتی سؤال پرسیدن رو مدیریت می‌کردی، زانوهای من داشتن می‌لرزیدن، کارِت درسته.» از اینکه از طرفِ او تعریف و تمجید می‌شدم، احساس خوبی داشتم.

یک روز، در خلال وقفه‌ای در دادرسی، قاضی منشی دادگاه را فرستاد تا دوباره به ما بگوید که می‌خواهد ما با سازشی نزد او برویم، چون نمی‌خواهد دادگاه و هیئت‌منصفه را برای چنین مبلغ ناچیزی معطل کنیم.

اگر درست یادم باشد مبلغی که مطالبه کرده بودم ۵/۰۰۰ دلار بود. وکیل گفت نمی‌تواند این را بپذیرد. قاضی بیرون آمد و به او گفت: «گوش کن، می‌خوام این کار رو تموم کنی. با رئیست صحبت کن، به یک توافق برسید.» بنابراین او به رئیس خود گفت که قاضی به‌شدت برای حل‌وفصل قضیه پافشاری می‌کند و او موافقت کرد که ۲۵۰۰ دلار بپردازد.

قاضی پرسید: «آیا قبول می‌کنی اون رو بگیری و کارمون تموم بشه؟» گفتم: «بگذارید در موردش فکر کنم.» دادگاه به روز بعد موکول شد. در خانه فکر کردم، اگه ۲۵۰۰ دلار رو بگیرم چی؟ لعنت به ۲۵۰۰ دلار، معاملهٔ بزرگ! حتی اگه شکست بخورم، ارزش داره که در یک دادگاه هیئت‌منصفه‌ای شرکت کنم و از این روند چیز یاد بگیرم. این یه تجربهٔ شگفت‌انگیز برای من بود، یه رؤیا!

نزد قاضی رفتم و جوابم به مصالحه «نه» بود. می‌خواستم هیئت‌منصفه تصمیم بگیرد. او عصبانی بود، اما به دادگاه ادامه دادیم. در پایان دادگاه، هیئت‌منصفه به اتاقی می‌رود و در مورد پرونده تصمیم‌گیری می‌کند. اما در آخرین لحظه، چون من مصالحه نکردم، قاضی مشتِ ناک اوت را زد. او هیئت‌منصفه را برکنار کرد و گفت هیچ مدرکی دال بر قصور فاحش وجود ندارد و این پرونده نباید به هیئت‌منصفه برود. بنابراین قاضی خودش برای پرونده تصمیم گرفت. او از همان ابتدا می‌توانست بگوید که شواهد کافی برای محاکمه وجود ندارد، اما حالا که هیئت‌منصفه باید تصمیم می‌گرفت که آیا این قصور فاحش بوده یا نه، آن‌ها را برکنار کرد و به نفع شرکت برق رأی داد.

من در دادگاه‌های زیادی شرکت کرده‌ام، شاید حتی ۳۰۰ دادگاه مدنی. کلی پرونده. من دنبال عدالت هستم. اما برای من دادگاه هیئت‌منصفه تجربهٔ خاصی بود و ارزش هر پنی که هزینه کردم را داشت.

فصل ۱۲۲

دادگاه فیلم‌برداری‌شده

در دو ساختمانی که در منهتن داشتم، یک مستأجر بسیار مشکل‌ساز وجود داشت. یک روز یک تکه گچ از سقف افتاد، یک تکه واقعاً کوچک. رفتم که آن را ببینم و یکی را فرستادم که آن را درست کند. مستأجر به خاطر آن من را به دردسر انداخت. بنابراین با او به توافق رسیدم. قبول کردم که اجاره دوماهه را نگیرم تا موضوع حل شود. پرونده قضایی نمی‌خواستم. او موافقت کرد و من یک قرارداد امضاشده و محضری داشتم. بعداز دوسه هفته ناگهان نامه‌ای دریافت کردم با این ادعا که او از ناحیه کتف به‌شدت آسیب دیده و در بیمارستان بستری بوده. او وکیل گرفته بود و از من شکایت کرده بود.

دربارهٔ برنامهٔ تلویزیونی «دادگاه مردم» شنیده‌اید که در آن محاکمه‌های واقعی به‌جای دادگاه عادی در یک دادگاه تلویزیونی فیلم‌برداری می‌شوند؟ آن‌ها یک لیموزین می‌فرستند تا شما را از خانه بردارد و شما را برگرداند، و اگر در دادگاه شکست خوردید ـ آنچه از دست می‌دهید را پرداخت می‌کنند. پس چه چیزی برای از دست دادن دارم؟ یک تجربهٔ دیگر خواهم داشت ... هاهاها ... چرا که نه؟

وقتی این را یادم می‌آید می‌زنم زیرِ خنده ...

قبل از شروع دادگاه، تهیه‌کنندهٔ برنامه به من گفت: «گوش کن، این یک قاضی واقعیه مثل یکی تو دادگاه واقعی، اما فراموش نکن، اینجا تلویزیونه. می‌تونی آزادانه هرچی می‌خوای بگی.» بنابراین فکر کردم که آن‌ها به دنبال اقدامی هستند. قطعاً در صحبت‌های او درخواست برای اقدام وجود داشت.

وارد سالن شدم و از بلندگو اعلام شد: «آقای فلانی از صاحب‌خانه خود به خاطر

افتادن یک تکه سقف بر سرش شکایت دارد ...» محاکمه آغاز شد. قاضی جری شاندلین[1] بود که در آن زمان با قاضی جودی[2] معروف ازدواج کرده بود. جودی یک قاضی خشمگین و فریادزن بود که به آدم‌ها سخت می‌گرفت. وقتی او را تماشا می‌کردم، می‌گفتم: «وای، اگه قرار باشه با اون دادگاهی داشته باشم، چه جنگی بین من و اون پیش می‌آد. من نمی‌فهمم وقتی آن‌طوری مردم را خرد می‌کند، چطوری آن‌ها سکوت می‌کنند. من اگر بودم کلمه‌به‌کلمه جوابش را می‌دادم و واقعاً حسابش را می‌رسیدم.» به‌این‌ترتیب قاضی این دادگاه شوهرِ او بود و یک‌جایی به او بی‌ادبی کردم.

البته من برنده شدم، چون یک توافق‌نامه امضاشده داشتم که او غرامت گرفته بود و مدرک آوردم. به قاضی گفتم بعداز اینکه او با من توافق‌نامه را امضا کرد به سراغ وکیل رفت و بعد به اورژانس رفت و عکس گرفت. و بنابراین من برنده شدم و تجربهٔ بسیار لذت‌بخشی داشتم.

من هنوز یک نسخه از آن ویدیو را دارم و گاهی اوقات آن را با دوستان تماشا می‌کنم. همه می‌خندند. دوستان پسر بزرگ‌ترم می‌خندند. قسمتی بود که قاضی به آن مرد می‌گوید: «این توافق‌نامه‌ایه که تو امضا کردی، مبنی بر اینکه دو ماه اجارهٔ رایگان گرفتی و از هر ادعایی صرف‌نظر می‌کنی.»

بعد آن مرد به قاضی می‌گوید: «اما اون به من گفت امضا کنم.» و من می‌پرم وسط و می‌گویم: «و اگه بهت بگم از پنجره بپری بیرون، می‌پری؟» همه در سالن خندیدند.

قسمتی بود که من وسط حرف پریدم و با قاضی صحبت کردم. او سرم داد زد و گفت ساکت شو و من با بلندترین صدایم بر سر او فریاد زدم: «می‌شه اجازه بدید حرفمو بزنم؟» او خیلی ناراحت، قرمز و عصبانی شد و فریاد زد: «می‌تونی دهنت رو ببندی؟» راستش حس خوبی داشت که دیدم او را خیلی ناراحت کردم. با نگاهی به گذشته، فکر می‌کنم اگر پروندهٔ من به دست قاضی جودی که خانمی بسیار عصبانی است می‌افتاد، ممکن بود من و او کارمان به کتک‌کاری بکشد ...

این پرونده از این‌طرف به آن‌طرف در سراسر ایالات متحده پخش شد، چندین بار تکرار هم شد ... افراد زیادی که من را می‌شناختند با من تماس گرفتند.

طبق معمول، در مورد تمام قضات، اگر یک قاضی اشتباه کند، من با او بی‌ادب هستم. برایش تره هم خرد نمی‌کنم. بگذار منفجر شود، بگذار غر بزند و سروصدا کند ... اما

---

1. Jery Shandlin.
2. Judge Judy.

اگر قاضی خوب و منصف باشد، به او احترام می‌گذارم. من هیچ مشکلی ندارم حتی اگر مجبور به مجازات شوم ـ فقط منصف باشید.

در سال ۲۰۱۰، مستأجر بسیار مشکل‌سازی داشتم که از او در دادگاه دعاوی کوچک شکایت کردم. او در دادگاه حاضر نشد و من به حکمی که می‌خواستم رسیدم. مبلغ نسبتاً کمی بود، اما او من را خیلی عصبانی کرد و مرتب برایم دردسر ایجاد می‌کرد، بنابراین می‌خواستم او را سرِ جایش بنشانم.

همان‌طور که قبلاً هم اشاره کردم، طبق قانون، زمانی که مدعی‌علیه در جلسه محاکمه حضور ندارد، معمولاً می‌تواند با ذکر دلایل عدم حضور در دادگاه، درخواست اعادهٔ دادرسی کند و دلایل دفاعی خود را در چند جمله فهرست کند.

اکثر قضات به مدعی‌علیه فرصت می‌دهند و دوباره پرونده را باز می‌کنند و پرونده به دست قاضی دیگری می‌افتد. او درخواست بازگشایی پرونده با وکیل را داد. شرایطی که او ذکر کرده بود، به نظر من بی‌ربط بود.

البته او مجبور شد نسخه‌ای از استدلال‌های خود را قبل از دادگاه برای من بفرستد. پاسخ کتبی متقابل را تهیه و به دادگاه تقدیم کردم. بعد روز دادگاه فرارسید. این بار یک قاضی داشتیم. دفاع من اول‌ازهمه این بود که او مدرکی نداشت و من تمام اسنادی که در دادگاه قبلی به‌عنوان مدرک استفاده کرده بودم را در اختیار داشتم. وقتی بدون حضور او حکم گرفتم، باید به قاضی ثابت می‌کردم که مستحق صدور حکمی به نفع خودم هستم. نزد قاضی که رفتیم، گفتم که قاضیِ قبلی قبلاً بررسی کرده و حکم را درست تشخیص داده است و دلیلی برای تلف کردن وقت دادگاه برای چیزی که او نمی‌تواند ثابت کند وجود ندارد ـ و قاضی درخواست او را رد کرد.

او وکیل خود را تغییر داد و درخواست دیگری داد و دوباره به نزد قاضی رفتیم. این بار هم دفاع من این بود که این پرونده قبلاً توسط دو قاضی بررسی شده بود و ادعاهای او را رد کرده بودند و دلیلی برای تأیید آن‌ها وجود نداشت. اگر قاضی فعلی پرونده را باز کند به این معنی است که قاضی قبلی اشتباه کرده است و اولین قاضی که به من رأی مساعد داده نیز اشتباه کرده است. به همین دلیل از قاضی خواستم پرونده را دوباره باز نکند. و همین‌طور هم شد. حکم به قوت خود باقی ماند.

فصل ۱۲۳

یک پرونده قضایی دیگر

درحالی‌که هنوز صاحبِ خانه‌های ییلاقی بودم، ساکنانی غیرقانونی در آنجا بودند. یک روز، زنی با یک پسر کوچک یک‌ساله وارد یکی از خانه‌های ییلاقی شد و به شهرداری شکایت کرد که در آپارتمان سیستم گرمایشی ندارد. شهرداری شکایت را برای من فرستاد. من در دادگاه علیه او پرونده‌ای باز کردم که او یک متجاوز است و مستأجر من نیست. من یک نسخه را به شهرداری به اداره‌ای که شکایت را ارسال کرده بود ارائه دادم تا نشان دهم که او متجاوز است و من برای بیرون کردن او شکایت کرده بودم.

سه ماه طول کشید تا به نزد قاضی برویم. او مردی قدبلند و آفریقایی-آمریکایی بود که ماه‌به‌ماه این پرونده را به تعویق انداخته بود تا به او فرصتی بدهد تا جایی دیگر برای نقل‌مکان پیدا کند. می‌دانست که اگر او را از خانه من بیرون کند، شهرداری باید از او مراقبت کند. هفت ماه گذشته بود و قاضی هنوز حاضر نبود به او اخطار تخلیه بدهد.

در صفحه اول نیویورک، «دیلی نیوز[1]»، عکسی از این دختر به همراه فرزندش در زیرِ این تیتر بود: «صاحب‌خانه‌ای که برای یک زن و بچه سیستم گرمایشی فراهم نمی‌کند». در آن مقاله دربارهٔ من به‌عنوان صاحب‌خانه چیزهای بد زیادی نوشته بودند. من با روزنامه تماس گرفتم و پرسیدم چرا آن‌ها به من مراجعه نکردند. به آن‌ها گفتم که قاضی مقصر است، چون قانون می‌گوید وقتی پرونده‌ای قضایی برای مستأجر وجود دارد، قاضی نباید اجازه دهد مستأجر بیش‌از شش ماه در آن خانه بماند. آن‌ها گوش نکردند و گفتند: «اون تموم شده، ما دیگه کاری باهاش نداریم.» یک هفته پس‌از آن نوشته کوتاهی منتشر کردند

---

1. Daily News.

که به ادعای من اشاره داشت و در همین حین من از آن قاضی شکایت کردم. در مدت کوتاهی او از دادگاه مسکن به دادگاه مدنی منتقل شد.

در دادگاه مرتبط به شرکت برق با هیئت‌منصفه، او قاضی مسئول انتخاب اعضای هیئت‌منصفه بر طبق قانون بود و من را به یاد آورد. در طول انتخاب اعضای هیئت‌منصفه، وکیل شرکت برق مواردی را به اعضای هیئت‌منصفه گفت که من دوست نداشتم و من به آن‌ها گفتم: «نذارید شما رو شست‌وشوی مغزی بده.» وکیل شرکت برق به‌شدت با آنچه من گفتم مخالفت کرد و می‌خواست همهٔ اعضای هیئت‌منصفه را رد صلاحیت کند و افراد جدیدی را بیاورد. بنابراین ما در برابر قاضی ارشد آفریقایی‌ـ‌آمریکایی حاضر شده بودیم، او به نفع من رأی داد و بعد به انتخاب اعضای هیئت‌منصفه پرداختیم.

فصل ۱۲۴

سفرهایی به اسرائیل، تعطیلات و کلوپ‌ها

از اواخر سال ۱۹۸۳ تا ۲۰۲۲، در سال‌هایی که در ایالات متحده زندگی می‌کردم، سالی یک یا دو بار به اسرائیل سفر می‌کردم. من دوست داشتم از اسرائیل دیدن کنم و همیشه از آن لذت می‌بردم. همسرم فقط در چند سفر همراهم آمد، چون او به‌اندازهٔ من دوست نداشت سفر کند. نوددرصد مواقع تنها بودم. من یک ماه می‌رفتم و او مخالفتی نداشت. او همیشه دوست داشت که من از زندگی لذت ببرم. بعداً در مورد همسرم بیشتر خواهم گفت که چگونه یک جواهر به دست آوردم.

از وقتی‌که گادی به اسرائیل بازگشته بود، هر بار که به آنجا می‌رفتم، در آپارتمان او می‌ماندم. من در آنجا یک اتاق داشتم و یک دفتر داشتیم. او در هرزلیا[1] در ساختمانی چشمگیر و بلند زندگی می‌کرد و ما به سفرهایی به ایلات، کینرت[2] و دِد سی[3] می‌رفتیم.

یک بار که به آنجا رفتیم، قرار شد روز بعد به ایلات یا یک‌جایی برویم. گادی گفت: «گوش کن، من با یه دختر آشنا شدم و دیوونه‌شم. اون جوان و زیباست.» گادی این‌طوری است، او همیشه سراغ زنان جوان‌تر می‌رود. گفت: «من دارم می‌رم حیفا تا اون رو بیارم و فردا اون با ما می‌آد.» من زیاد خوشم نیامد، اما مهم نبود. او به حیفا رفت و آن دختر را به هرزلیا آورد. روز بعد به سفر رفتیم.

دوست‌دختر گادی یک دختر روس به نام یولیا[4] بود که تازه به اسراییل آمده بود و بسیار زیبا بود ـ یک فرشته! فقط می‌نشینی و از زیبایی او حیرت می‌کنی. و درواقع سفر بسیار

---

1. Herzliya.
2. Kinneret.
3. Dead Sea.
4. Yulia.

خوبی بود. او اجتماعی بود، باهم دوست شدیم و گادی به رابطه‌اش با او ادامه داد.

بعداز مدتی شروع کردند به زندگی باهم و گادی از خوش‌حالی روی ابرها بود. او داشت از زندگی لذت می‌برد. قبل از آن، او با شخص دیگری زندگی می‌کرد، بازهم یک دختر روس به نام یولیا، اما آن‌ها از هم جدا شدند و او پس‌از آن شروع به قرار گذاشتن کرد.

یک روز که بعداز چند روز اقامت در هتلی در دِد سی برگشتیم، در راهِ خانه، یولیای قبلی زنگ زد و گفت: «چه خبر، چطوری؟» آن‌ها به او گفتند: «ما سفر خیلی خوبی داشتیم.»

به آپارتمان گادی برگشتیم. یک ساعت بعد، بوم، در زدند. پلیس مهاجرت. گادی در را باز نمی‌کرد. آن‌ها گفتند: «گوش کن، اگه باز نکنی، ما به‌هرحال وارد می‌شیم.» گادی وحشت کرده بود و رنگش پرید. یولیا وحشت کرده بود و من با آن‌ها در آپارتمان بودم. اول‌ازهمه، ما به‌سرعت تمام موادی که داشتیم را پنهان کردیم. گادی داشت فکر می‌کرد که چه‌کار کند و در را باز نمی‌کرد. گفت: «من نمی‌تونم اونو بهشون تحویل بدم!»

در را شکستند. وارد شدند و شروع کردند به بازجویی از همه و به ما گفتند که مدارک شناسایی نشان دهیم. پاسپورتم را به آن‌ها دادم، آن‌ها دیدند من کی هستم و دیگر با من صحبت نکردند. آن‌ها مدارک گادی را بررسی کردند و بعد اوراق یولیا را قاپیدند تا بررسی کنند که کارت شناسایی‌اش جعلی بود یا نه. بعد او را با خود بردند. گفتند او باید اخراج شود.

من و گادی در آپارتمان ماندیم. او زد زیر گریه و گفت که زندگی‌اش تمام شده، باید چه‌کار کند؟ در آن زمان گادی ورشکست شده بود، یک سِنت هم نداشت. کمی قبل از آن ۵/۰۰۰ دلار به او قرض داده بودم. دیدم آن‌قدر غمگین است که به نظر می‌رسید ممکن است از یک طبقهٔ بسیار بلند از بالکن به پایین بپرد.

گفتم: «گادی اون‌قد سخت نگیر، همه‌چیز درست می‌شه.» و همراه او گریه کردم. برای من دردناک بود که ببینم او چه حالی دارد. با خودم گفتم: چاره‌ای نیست، باید برم کمکش کنم. پرسیدم: «چه اتفاقی قراره برای اون بیفته؟» گفت که او را به روسیه برمی‌گردانند. برای برگرداندن او باید به روسیه بروم، با او ازدواج کنم و بعداز ازدواج او را برگردانم. هزینهٔ زیادی دارد و من یک سِنت ندارم و بدهکار هستم.

گفتم: «گادی، در کل هزینه‌اش چقدر می‌شه؟ چقدر بدهکاری؟» به ۳۵/۰۰۰ دلار رسید. «گوش کن گادی، تو ۵ هزار تا به من بدهکاری و من ۴۵ هزار تای دیگه بهت می‌دم، پس ۵۰ هزار دلار به من بدهکار خواهی بود. ما این کار رو می‌کنیم و اون رو برمی‌گردونیم.» این بود که او توانست کمی نفس بکشد و گفت: «باشه، من می‌خوام اونو ببینم، بهش سر بزنم و قبل از رفتن چند دلار بهش بدم.»

متوجه شدیم که او در یک بازداشتگاه در اتاقی است که همه زنان روسی که دستگیر کرده بودند را در آنجا نگه داشته بودند. من و گادی به آنجا رفتیم. به دروازهٔ بزرگی رسیدیم که با زنجیر قفل شده و پشت آن یک نگهبان بود. به او گفتم: «گوش کن، دختری به اسم فلانی رو آوردن اینجا ...» و تمام ماجرا را برایش تعریف کردم. این دوست‌پسر اوست، می‌خواهد با او خداحافظی کند. او گفت: «من از خودم نمی‌تونم این کار رو انجام بدم، افسر مسئول رو می‌آرم.» افسری که بازداشتگاه را اداره می‌کرد، به‌سمتِ دروازه آمد و گفت: «تحت هیچ شرایطی این امکان وجود نداره. اینجا هتل نیست که بتونید بیایید و برید، نمی‌تونید این کار رو بکنید.»

در کناری، نزدیک دروازه، نشستیم. گادی حسابی به‌هم‌ریخته و غمگین بود. فکر کردم، چه‌کاری می‌توانیم بکنیم؟ یادم آمد که همه‌جا آشنا دارم. گوشی را برداشتم و با دو نفر تماس گرفتم. یکی از آن‌ها رئیس هیئت‌مدیره منطقه‌ای بود که قبلاً با او سروکار داشتم و همیشه به او کمک کرده بودم. من پول زیادی به جامعه، کنیسه و غیره اهدا کرده بودم. یک روز که او در ایالات متحده بود، با یکی از دوستانش، رئیس آتش‌نشانی آن منطقه، به دیدن من آمد. من با او هم دوست شدم. او را به رستوران‌های خوب نیویورک بردم. وقتی افراد مهم به دیدن من می‌آیند، مطمئن می‌شوم که آن‌ها از هرچیزی که می‌خواهند لذت ببرند. بنابراین گوشی را برداشتم و با این دو نفر تماس گرفتم و به آن‌ها گفتم چه خبر است. گفتم: «ما می‌خوایم بریم داخل.»

ده دقیقه بعد افسر ارشد بازداشتگاه به دروازه برگشت و گفت: «آقای ز کیه؟» به او گفتم: «منم.» گفت: «این افراد رو از کجا می‌شناسی؟» گفتم: «اون‌ها دوستان خوبی هستن.» او به ما گفت: «بیاید، بیاید داخل.» ما را به دفترش برد و به گادی گفت: «اونجا یه اتاق اضافی هست. برو اونجا، دوست‌دخترت رو می‌آرن پیشت.»

یولیا را به اتاق آوردند، گادی نشست و با او صحبت کرد، درحالی‌که من در اتاق دیگر با آن افسر بودم و او می‌خواست بداند من کی هستم، چه‌کار می‌کنم و من به او گفتم. و او واقعاً هیجان‌زده شد، بعد کارت ویزیت خود را به او دادم و به او گفتم، هر وقت که بخواهی به نیویورک بیایی، مهمان من هستی. باهم دوست شدیم.

گادی از یولیا خداحافظی کرد، مقداری پول به او داد، همه‌چیز خوب بود و ما رفتیم. و بعد واقعاً او را از کشور بیرون کردند. گادی با پولی که به او دادم به آنجا رفت و با او ازدواج کرد و با او به اسرائیل بازگشت.

یولیا رفت تا در یک آژانس مسافرتی کار کند. من به او توصیه کردم ـ هر روز تمام

ارتباطاتی که برقرار می‌کنی را یادداشت کن، از کجا چی می‌گیری، قیمت‌ها، همه‌چیز را! او مثل یک دختر خوب همه‌چیز را یادداشت کرد و کار را یاد گرفت، بعد از خانه شروع به فروش بسته‌های مسافرتی به روسیه کرد. درنهایت، پس از چند سال، او و گادی یک دفتر مسافرتی افتتاح کردند که دومین دفتر بزرگ در آوردن گردشگران از روسیه بود. آن‌ها برای خودشان چیزی شده بودند.

زمانی که او و یولیا کسب‌وکار را باز کردند، ما در مورد آن ۵۰ هزار دلاری که به من بدهکار بود بحث کردیم. از رفتاری که او از وقتی‌که ازدواج کرده بود با من داشت عصبانی بودم، و این حتی بعد از آن بود که به یولیا دقیقاً یاد دادم که برای تبدیل شدن به یک نمایندهٔ آژانس مسافرتی چه‌کاری انجام دهد.

یک دوره‌ای بود که ما باهم حرف نمی‌زدیم. درنهایت ۵۰ هزار دلار را قسطی به من پرداخت و هنوز هم باهم حرف نمی‌زدیم تا اینکه در عید یوم کیپور با من تماس گرفت و طلب بخشش کرد. او من را اذیت کرده بود، اما او را بخشیدم. از آن زمان دوباره باهم دوست شدیم و به سفر کردن باهم ادامه دادیم.

من همیشه برای یک ماه یا یک ماه و نیم می‌آیم و بعد هم با پسرم و خانواده‌اش به اروپا می‌روم و با گادی هم سفر می‌کنیم. هر بار که به اسرائیل می‌رفتم، من و گادی برای یک هفته به ایلات می‌رفتیم، یک تجربهٔ عالی. ما سال‌هاست که باهم دوست هستیم و همیشه در تمام سفرهایی که ازاینجا تا آن سرِ دنیا رفته‌ایم خیلی باهم خوش می‌گذرانیم تا اینکه ایلات آن‌قدر گران شد که انگار آنجا الماس می‌دادند و ما شروع به سفر به خارج کردیم.

در سال ۲۰۰۵، در دسامبر به اسرائیل رفتم. من و گادی در آن زمان هنوز به ایلات سفر می‌کردیم. یک بار من و او در ساحل بودیم. هوا گرم بود، زیاد آبجو نوشیدیم، موسیقی خوب گوش دادیم و شروع کردیم به شیطنت کردن. گادی گفت: «بذار ببینم می‌تونی سعی می‌کنی یکی رو تور کنی.» شروع به قدم زدن در ساحل کردم. ناگهان زن جوان زیبایی را دیدم که روی یک تخت ساحلی خوابیده بود.

روی تخت خالی کنارش نشستم و وانمود کردم که دارم به انگلیسی با تلفن صحبت می‌کنم. آنجا نشسته بودم و داشتم صحبت می‌کنم، مثلاً در مورد یک مهمانی برای فردا. شب بعد عید سال نو بود و من باید به تل آویو برمی‌گشتم ـ برای چندین کلوپ بلیت داشتم.

او «مهمانی، نوشیدنی» را شنید و شروع کرد به نشستن. و جوری نشست که قسمت انتهایی مایواش تکان خورد و من چیزی را دیدم که معمولاً پنهان است. او آتش من را روشن کرد! آنجا نشست و شروع کرد به گفتن چند کلمه به من به زبان انگلیسی. معلوم

شد که او روس بود، اما با چشم‌های مورب، چه تیکه‌ای، خاص! ما شروع به صحبت در مورد این‌وآن کردیم. به او گفتم: «بیا شب همدیگه رو ببینیم.» او گفت که یک دوست دیگر همراهش است. به او گفتم: «باشه، اون دوستِ دختر رو هم بیار.» او را برای ناهار به یک رستوران سوشی بردم و قرار گذاشتیم که شب همدیگر را ببینیم.

او و دوستش به هتل رسیدند و در لابی منتظر ماندند. رفتم پایین، او را با دوستش دیدم. تقریباً او را نشناختم. خوش‌تیپ کرده بود، یک لباس بافتنی سفیدِ تنگ با کفش پاشنه‌بلند و مدل موی فانتزی.

خب بیا برویم بالا داخل اتاق. من همیشه بطری‌های ودکا و ویسکی در اتاق دارم. ازآنجایی‌که گادی صاحب یک آژانس مسافرتی است، یک سبد با دو بطری شراب هم به ما دادند. دوست‌دخترش هم خوشگل بود. ما شروع به نوشیدن و کشیدن وید کردیم و هرازگاهی بوس و بغلی هم بود. او به‌سختی انگلیسی صحبت می‌کرد، فقط در حد چند کلمه، و شروع کرد به حرف زدن به زبان روسی با گادی. دوستش انگلیسی را خوب صحبت می‌کرد.

برای سیگار کشیدن به بالکن رفتم و دوستش هم دنبالم آمد. بالکن نسبتاً کوچک بود. جلوی من ایستاد درحالی‌که به دیوار تکیه داده بود، به چشم‌هایم نگاه کرد، با دو دستش پایین کمرم را گرفت، من را به خودش چسباند و گفت: «بهم بگو دوست داری با من چی‌کار کنی.» این بود که شروع کردم به این‌جوری گفتن به او، مثل الان اینجا به دیوار چسبیدی. هر دو دستش را گرفتم و او را بالا بردم. زانویم را بین پاهایش فشار دادم و به او گفتم: «باهات فلان کار و بهمان کار رو می‌کنم ...» تمام کارهایی که ممکن بود با او انجام بدهم را به او گفتم و هیچ‌کدام از آن‌ها واقعی نبود، چون من از او خوشم نمی‌آمد. او نوع دلخواه من نبود. در همین حین چشم‌هایش شروع کردند به چرخیدن. مطمئنم که او از آن لذت برد. بعد سر عقل آمد و به اتاقش در هتل برگشت.

آن دختر با چشم‌های مورب مثل دیوانه‌ها نوشید و همهٔ بطری‌ها را خالی کرد، خدای من! و او هنوز هم بیشتر می‌خواست. رفتیم پایین داخل بار. او چند لیوان دیگر ویسکی در آنجا خورد، و من گفتم: «بی‌خیال، بسه. بیا بریم.» او صورت‌حساب را خواست. متصدی بار مرد جوانی بود. من برای پرداخت صورتحساب رفتم. همان موقع هم در دستش بود. بعد به من گفت: «هی، تو اسرائیلی هستی؟» بعد مبلغ را به «قیمت به حساب اسرائیلی‌ها» تغییر داد. این نصف قیمتی بود که از روس‌ها می‌گرفت. او تحسین‌آمیز با من صحبت کرد و پرسید: «چند سالته؟ پدر من از شما کوچک‌تره و الان تو رختخواب خوابیده.» با هم دوست شدیم.

دوستِ آن دختر رفته بود و دختر چشم مورب به همراه من و گادی به اتاق آمد. کت

مخصوص خودم را پوشیده بودم، کتی بی‌نظیر. من با این کت داستان‌های زیادی دارم ... یک کت شگفت‌انگیز! بنابراین در راه رفتن به بالا او من را گرفت و خواست با من عکس بگیرد. شروع کرد به ژست گرفتن و گادی عکس می‌گرفت. او ژست‌های شگفت‌انگیز زیادی گرفت. گادی چه عکس‌هایی گرفت!

❋❋❋

به اتاق رسیدیم، او آنجا نشسته بود و می‌خواست کمی دیگر بنوشد. من گفتم: «بسه، ما فردا صبح پرواز داریم، باید برای شب سال نو به تل آویو برگردیم.» من دیگر طاقت او را نداشتم. او تقریباً روی کاناپه افتاده بود، و من به او گفتم: «بسه، پا شو. لطفاً برو. خوش گذشت، خوب بود، حالا برو.» و او نمی‌فهمید من داشتم چه می‌گفتم.

گادی به اتاقش رفته بود و من با او تماس‌گرفتم تا به زبان روسی توضیح دهد، سپس ناگهان وقتی‌که داشتم با تلفن صحبت می‌کردم، او لباسش را بالا زد. لباس‌زیر نپوشیده بود. خیلی هیجان‌زده شدم. او بلند شد، لباسش را درآورد و اول به رختخواب رفت. آنجا دراز کشیده بود، روی شکمش. تا حالا ندیده بودم یک دختر این‌قدر بنوشد. هرازگاهی چشم‌هایش را باز می‌کرد و با دستش من را لمس می‌کرد. من نمی‌توانستم کاری با او کنم چون بسیار مست بود. دختری که هوشیار نیست و واکنشی نشان نمی‌دهد ـ من قادر به لمسش نیستم. حدود سه ساعت تا صبح کنارش دراز کشیدم، او را به هتلش بردم و من و گادی به تل آویو پرواز کردیم.

آقای ز در تعطیلات ایلات.

وقتی به اسرائیل می‌رفتم، همیشه دوست داشتم در بهترین و معروف‌ترین کلوپ‌ها، «سگ و گربه»، «ماکسیم[1]» یا «اِلِفنت[2]» وقت بگذرانم. من به کلوپ‌های زیادی می‌رفتم. بعداز اینکه از ایلات برگشتیم، با دوست‌دختری که همه‌چیز را در مورد

1. Maxim.
2. The Elaphant.

کلوپ‌های درجه‌یک تل آویو می‌دانست، این‌طرف و آن‌طرف می‌رفتم. وقتی با او می‌رفتم، جمعیت را مثل دریای سرخ باز می‌کردند تا او وارد شود. حس جالبی بود، انگار هر جا که می‌رفتیم دریا از هم گشوده می‌شد.

ما به «ماکسیم» در خیابان کینگ جورج رفتیم، کلوپی که سبکش شب‌به‌شب تغییر می‌کرد. یک بار که آنجا بودم، یک شب بی‌دی‌اِس‌اِم[1] بود، همه لباس‌های چرمی به تن داشتند با شلاق. آن شب سال نو جمعیت عادی بود. ما به خوش‌گذرانی پیوستیم. من نوشیدم، رقصیدم و احساس خوبی داشتم. لحظه‌ای با لیوانم کنار بار ایستادم و دیدم دختری دارد با دوستم صحبت می‌کند. من نمی‌دانستم آن‌ها داشتند در مورد چه چیزی صحبت می‌کنند، اما بعد آن دختر به‌سمتِ من آمد. او آمد و گفت: «امروز با کی رابطه داری؟» می‌توان گفت برای یک‌لحظه شوکه شدم. چنین چیزهایی به من استرس می‌دهند. به او گفتم: «نه متشکرم، من با یه نفر اومدم اینجا ...» چنین چیزی فقط یک بار دیگر در عمرم برای من اتفاق افتاده بود.

در یکی از سفرهایم به اسرائیل، وقت زیادی را با خواهر بزرگ‌ترم که بسیار با او صمیمی هستم گذراندم. او یک پنت‌هاوس با منظره‌ای شگفت‌انگیز داشت. همیشه دوست داشتم بالای پشت‌بامش باشم. وقتی به اسرائیل می‌رفتم، گاهی پیش او می‌ماندم و گاهی به هتل می‌رفتم.

یک بار که از خانه او خارج شدم، سوار آسانسور شدم و به دختر همسایه با دوست‌پسرش برخورد کردم. او یک زن جوان، شاید ۲۴ـ۲۵ ساله بود. از روزی که به دنیا آمده بود او را می‌شناختم، چون پدرومادرش از دوستان خوب خواهرم بودند، و در واحدِ کناری زندگی می‌کردند. حالا او با دوستش در آسانسور بود. آسانسور واقعاً کوچک بود، چهار نفر به‌سختی جا می‌شدند، همه به هم چسبیده بودند. این بود که من در یک‌طرف ایستادم و او و دوست‌پسرش در سمت راست من. او به من نگاه کرد و نگاه کرد ... و من داشتم معذب می‌شدم.

ناگهان او دوست‌پسرش را بوسید. آن پسر شوکه شد، نمی‌فهمید او چه می‌خواهد، و او هنوز داشت می‌بوسید، و نگاهش به من دوخته شده بود. من آنجا ذوب شدم، تا اینکه به طبقهٔ پایین رسیدیم. از آن آسانسور بیرون آمدم انگار که از یک‌جور کوره بیرون آمده بودم، از تماشای آن صحنه گُر گرفتم، چون فهمیدم او من را می‌خواهد ... به‌اندازهٔ کافی چنین صحنه‌ای را دیده‌ام.

---

1. BDSM.

فصل ۱۲۵

مدل موی جدید

در آن زمان خاص، من موهای بلند و سفیدم را دم‌اسبی می‌بستم. یک روز با چند نفر از دوستان در ساحل نشسته بودم، و شخصی که نمی‌شناختم پیش من آمد و گفت: «به دیدن من بیا، تا ببینی چه‌کاری می‌تونم برات بکنم.» گفتم: «ببخشید؟!» من او را نمی‌شناختم. معلوم شد که او یک آرایشگر است. او گفت: «اوه، ببخشید، من یه آرایشگرم و اون دم‌اسبی به شما نمی‌آد.»

به او گفتم: «می‌دونی چیه، من سال‌هاست که این دم‌اسبی رو دارم، و خب ازش خسته شده‌م. وقت تغییره.» هر ده سال یک‌بار مدل موهایم را عوض می‌کنم. گفتم: باشه و رفتم به آرایشگاهش. موهایم را کوتاهِ کوتاه کرد، سیخ‌سیخی.

بعداز اینکه موهایم را کوتاه کردم، به شام دعوت شدم، و همه در مورد موهایم شلوغ کردند. گفتند: «بیست سال جوان‌تر به نظر می‌رسی، مثل بچه‌ها شدی.» من ۶۰ـ۶۱ساله بودم. از این فرصت استفاده می‌کنم و می‌گویم که من هرگز به سنم نمی‌خورم، همیشه بیست سال از خودم جوان‌تر به نظر می‌رسیدم. درواقع همین‌طوری هم رفتار می‌کنم.

وقتی قیمت‌ها در ایالات بالا رفت، یولیا با لهجهٔ روسی‌اش به ما گفت: «گوش کن، چرا به ایالات می‌رید؟ قیمت‌های دیوانه‌کننده. بیا، من براتون هماهنگ می‌کنم، با قیمت خیلی ارزون تر شامل هزینهٔ پرواز و غذا به رودز[1] برید. گفتیم: «باشه، می‌ریم.» او برای ما سفری به رودز ترتیب داد.

من و گادی وارد رودز شدیم، و من موی کوتاه‌شده جدیدی داشتم که بسیار مورد تمجید قرار گرفت. به هتل رسیدیم، سوار تاکسی شدیم و از راننده پرسیدیم که آنجا بروبیا

1. Rhodes.

در کجاست. راننده گفت جایی به نام خیابان بار[1] وجود دارد. در اولین شب اقامتمان در رودز، او ما را به آنجا برد. البته بسیاری از اسرائیلی‌ها از این موضوع اطلاع داشتند و ما آن‌ها را در آنجا دیدیم.

آنجا یک خیابان شگفت‌انگیز است ـ یک گردشگاه برای پیاده‌ها: یک سر آن به ساحل منتهی می‌شود و سر دیگر به شهر برمی‌گردد. همه‌جا، در سمت راست و چپ، بارها، دیسکوها و کلوپ‌ها در مجاورت یکدیگر قرار دارند. فضای سرزنده‌ای است. کل خیابان مملو از رفت‌وآمد است، تعداد زیادی توریست از سوئد و اروپا، و هر بار دو یا سه برابرِ تعداد مردها، مملو از دختر است.

شب زود رسیدیم و هنوز جمعیت زیادی آنجا نبود. از بیرون به یکی از بارها نگاه کردیم و دیدیم که گروه بزرگی از دخترها و پسرها داخل آن هستند. برخی از دخترها در بار می‌رقصیدند - دیوانه‌وار!

وارد شدیم و نوشیدنی سفارش دادیم. بعداز حدود ده دقیقه، یکی از آدم‌ها کل آن گروه را به بیرون هدایت کرد. فهمیدیم که آن‌ها در حال چرخیدن در بار بودند. گروهی از مردم به یک راهنما پول می‌دهند تا آن‌ها را به ده بار مختلف ببرد. چنددقیقه‌ای را در هرکدام می‌گذرانند، یک نوشیدنی می‌خرند و به بارِ بعدی می‌روند.

آن‌ها ازآنجا بیرون رفتند و ما به دنبال آن‌ها رفتیم. آن‌ها به یک کلوپ نسبتاً بزرگ رفتند. هنوز خیلی خالی بود، چون زود بود و ما تنها افراد آنجا بودیم. و همه دخترها و پسرها بلند شدند و روی صحنه رقصیدند. موسیقی خوب بود و فضا فوق‌العاده. من و گادی نوشیدنی سفارش دادیم. نه‌چندان دور از ورودی ایستادیم با نوشیدنی در دست و تماشا می‌کردیم.

ناگهان دختری که داشت روی صحنه می‌رقصید به‌سمتِ ما نگاه کرد و با دستانش ادایی مثل دوربین درآورد و به‌سمتِ ما اشاره کرد. پشت سرم را نگاه کردم تا ببینم دارد به چه کسی اشاره می‌کند و دیدم که دارد به من اشاره می‌کند: «نه، تو، تو!» فهمیدم که عکس می‌خواهد. گفتم: «اوه، باشه، بیا.»

آمد جلو، من را بغل کرد و با من یک عکس گرفت. و ناگهان دختر دیگری آمد. گادی دیوانه شد و من حتی بیشتر. اینجا چه خبر است؟ وای چه شبی داشتم ... تمام شب تا خودِ صبح.

نگهبانِ ورودی یک دیسکو بارِ بسیار خوب، مردی اهل آمریکای جنوبی بود. البته من همه‌جا سیگار حشیش می‌کشم. او بو کرد و گفت: «گوش کن، مراقب باش، اینجا

1. Bar Street.

کارآگاه‌ها هستن و تو رو به خاطر اون زندانی می‌کنن. با من بیا، تو رو می‌برم جایی که بتوانی بکشی.» کسی را به‌جای خودش گذاشت و من را به یک کوچه خلوت برد، جایی که کشیدیم و باهم دوست شدیم. به‌این‌ترتیب حالا ورودِ من به این بار آزاد بود.

یک شب در بار نشسته بودم، دخترها در حال رقصیدن روی تمامِ صحنه‌های کوچکِ پراکنده در اطراف آنجا بودند. حال‌وهوای خوبی داشتم. وقتی در یک کلوپ هستم و موسیقی خوبی وجود دارد، دوست دارم کمی کوکایین بزنم، بنابراین حسابی فعال بودم. وقتی این‌طوری هستم، دوست دارم برقصم. و روی سه‌پایهٔ بار نیمه‌نشسته- نیمه‌ایستاده بودم و سرم را تکان می‌دادم، ناگهان دختری آمد، جلوی من پرید و شروع کرد به رقصیدن با من.

بعداز رفتن او دوباره نشستم، با متصدی بار ارتباط برقرار کردم و برای او یک نوشیدنی خریدم. در سمت چپ من سه دختر سوئدی نشسته بودند و یکی دیگر آنجا ایستاده بود. شروع کردم به صحبت کردن با آن‌ها، برایشان نوشیدنی سفارش دادم، یک شات و یکی دیگر، و همه حال خوبی داشتیم. آن‌ها در آنجا یک شات ویسکی با طعم هلو داشتند که کمی شیرین و خوش‌مزه بود و مستقیم به کله می‌رفت. متصدی بار از قبل رفیق من شده بود. به او انعام می‌دادم و او بارها و بارها به ما نوشیدنی رایگان می‌داد.

ناگهان دختری که در انتهای بار بود، یک‌تکه یخ برداشت و در دهانش گذاشت و با بوسه‌ای آن را به دختری که در کنارش بود داد و او آن را به دومی و سومی داد و بعد سومی آن را به من داد. عجب بوسه‌ای! یخ از قبل آب شده بود ... وای خدا چه حالی دارم! فکر کن من چند سال دارم. همیشه وقتی چنین اتفاقاتی برایم می‌افتد، می‌روم جلوی آینه و نگاه می‌کنم و واقعاً سعی می‌کنم بفهمم آن‌ها در من چه می‌بینند، و نمی‌توانم ...

یک شب دیگر به بهترین دیسکوی کل منطقه رفتیم. در ورودی، یک بار و یک سکوی مربع کوچک برای رقص وجود دارد. وقتی عقب‌تر می‌روید، مربع بزرگ‌تری برای رقص وجود دارد. و مثل همیشه با یک لیوان ویسکی در دست، به آن پشت رفتم و دو دختر در مقابلم دیدم. یکی در گوش دیگری چیزی گفت و بعد آن دیگری به من نگاه کرد و ناگهان جلوی من آمد و گفت: «سلام!» من در جوابش گفتم: «سلام.» وقتی به او «سلام» کردم، او دستش را روی من گذاشت و بوسه‌ای روی لبانم نشاند. دوباره شوکه شدم.

گادی می‌گوید، تو باید شبیه یک بازیگر معروفی باشی که در این کشور دارند ... نمی‌دانم.

در آلمان نیز این اتفاق افتاد که دخترها من را می‌گرفتند و می‌بوسیدند، اما شبیه آنچه در

آن زمان در رودز برای من اتفاق افتاد ــ هرگز اتفاق افتاد.

شب بعد، من و گادی دوباره به چرخیدن در بار رفتیم. نگهبان اهل آمریکای جنوبی که من را برای سیگار کشیدن به کوچه برده بود با ما آمد و ما را به همهٔ متصدیان بار معرفی کرد. نوشیدنی‌های رایگان، ما دوستان متصدی بار هستیم، رفتن از جایی به‌جایی دیگر، و بیشتر ماندن در جایی که موسیقی خوب بود.

یک روز، خیلی دیروقت به داخل یکی از کلوپ‌ها رفتم، تقریباً صبح شده بود ... یک آهنگ دیوانه‌کننده پخش می‌شد، و من همان موقع هم بالا بودم، احساسی عالی داشتم، در ابرها می‌رقصیدم. وقتی سفر تمام شد و در هواپیمای بازگشت به اسرائیل بودیم، بلند شدم تا به پاهایم استراحت بدهم. ناگهان مرد جوانی که همان نزدیکی نشسته بود به من گفت: «هی، تو همونی که می‌رقصیدی.» از اینکه من را شناخته بود، شوکه شده بودم، بنابراین به او لبخند زدم و به قدم زدن ادامه دادم.

فصل ۱۲۶

بازدید از میامی

یک‌وقتی املاک و مستغلات در فلوریدا بیشتر و بیشتر اوج گرفت. افراد زیادی از نیویورک و کشورهای آمریکای لاتین در آنجا آپارتمان خریدند. من هم تصمیم گرفتم سرمایه‌گذاری کنم. با یک مشاور املاک اسرائیلی تماس گرفتم و او سه‌چهار آپارتمان را به من نشان داد. من یکی که دوست داشتم را انتخاب کردم، و بعد از او پرسیدم که در فلوریدا کجا می‌شود خوش گذراند. گفت برادر کوچک‌ترش اهل تفریح است و من را به او معرفی کرد. اسمش بِن بود و از پسر بزرگ‌ترم کوچک‌تر بود. ما باهم دوست شدیم و از آن زمان که ۱۵ سال می‌گذرد، باهم دوست هستیم. من اغلب به میامی پرواز می‌کنم تا با بِن وقت بگذرانم. با دو تا از دوستانش آشنا شدم که همگی نصف سن من داشتند. و آن‌ها عاشق معاشرت با من هستند. وقتی با من بیرون می‌روند خیلی به آن‌ها خوش می‌گذرد. آن‌ها همیشه در نیویورک با من تماس می‌گیرند ... «کی می‌آی، کی می‌آی؟» این است که به میامی، فلوریدا زیاد می‌روم. من آنجا یک پنت‌هاوس زیبا خریدم.

در میامی، یک داستان دیگر با مدل موی جدید وجود داشت. یک روز با بِن و یکی دیگر از دوستان به یک مهمانی در پشت‌بام یک هتل رفتیم. همه آن اطراف ایستاده بودند. یک دی‌جی بود، موسیقی بود، جمعیت زیادی بود، اما هیچ حرکتی در کار نبود. همه ایستاده بودند و باهم صحبت می‌کردند. دوتا دیگر از دوستان اسرائیلی بِن به ما پیوستند و ما دورهم ایستاده بودیم و حرف می‌زدیم. ناگهان دختری را دیدم که نگاهش روی من قفل شده بود. او آمد جلو، وسط دایره، روبه‌روی من چهره‌به‌چهره و به انگلیسی به من گفت: «یه چیزی به من بگو.» گفتم: «چی می‌خوای بهت بگم؟» گفت: «بهم بگو که من زیبا و جذاب هستم و می‌خوای با من باشی!» یک بار دیگر مات و مبهوت شدم. به او گفتم: «من

هیچ‌وقت چیزی که منظورم نباشه رو نمی‌گم.» بعد گفت: «بهم دروغ بگو!» و بوسه‌ای طولانی بر لب‌های من نشاند. همه دوستانم شگفت‌زده شدند. او گفت: «من از مردهای باهوشی مثل تو خوشم می‌آد.» ما باهم حرف نزده بودیم ـ چطور به این نتیجه رسیده بود؟ دستم را گرفت و به من گفت: «بریم.» با آسانسور پایین رفتیم.

ناگهان در آسانسور به خودم آمدم. خودم را آرام کردم، اجازه دادم که شور و هیجانم برای لحظه‌ای از بین برود. با خودم گفتم، سه‌چهار روز اومدم اینجا با دوستای خوبم. چرا باید اون‌ها رو به‌خاطرِ یه رابطه رها کنم؟ نه! به آن دختر گفتم: «گوش کن، متأسفم.» از او فاصله گرفتم ... عصبانی شد و شروع کرد به راه رفتن. برایش تاکسی گرفتم و سوارش کردم و گفتم شب خوبی داشته باشی و برگشتم بالا. دوستانم به منِ گفتند: «هی، چی شد؟» به آن‌ها گفتم: «یهو متوجه شدم که به خاطرِ شماها اینجام.» دخترِ یک زوج اسرائیلی که آنجا بودند به‌سمتِ من آمد و برای قدردانی از این واقعیت که من به خاطرِ بودن با دوستانم از یک رابطه منصرف شدم، گونهٔ من را بوسید.

وقتی در رودز بودم، این اتفاق می‌افتاد که دو یا سه دختر از کنارم رد می‌شدند، یکی از آن‌ها من را می‌دید، چیزی در گوش دیگری زمزمه می‌کرد و بعد آن‌یکی به من نگاه می‌کرد. چندین بار این اتفاق افتاد تا اینکه تقریباً به آن عادت کردم. حتی وقتی به نیویورک برگشتم چنین موردی داشتم. وقت دکتر داشتم. دو منشی آنجا در مطب بودند. رفتم سرِ میز و اسمم را گفتم. به من گفتند بنشینم و منتظر باشم. روبه‌رویشان نشستم و به دو منشی نگاه می‌کردم. دیدم که یکی از آن‌ها چیزی در گوش آن‌یکی زمزمه کرد و سرش را بالا آورد و به من نگاه کرد. بعد هر دو سرشان را پایین آوردند. چه می‌توانم بگویم؟ این از یک رابطه هم بهتر است ...

فصل ۱۲۷

ایبیزا[1]

وقتی در یکی از سفرهایم به اسرائیل رسیدم، گادی پیشنهاد داد که به ایبیزا برویم. او کسی است که به‌خوبی می‌داند کجا باید برود. من نمی‌دانستم، شنیده بودم ایبیزا زیباست. ما به آنجا رفتیم. او برایمان اتاق‌هایی در هتل یوشوآیا[2] رزرو کرد، مکانی بسیار باکلاس، بهترین جا. یک فرش قرمز در لابی بود و همه‌جا دخترها، مدل‌ها، همه‌شان قدبلند بودند. دو دختر کنار آسانسور ایستاده بودند و دو دختر در بار. وقتی چنین زیبایی‌هایی را یکی پس از دیگری می‌بینید، هیجان‌زده می‌شوید. یک تجربهٔ فراموش‌نشدنی!

آقای ز در یک جشن استخر در ایبیزا.

---

1. Ibiza.
2 Ushuaia.

آقای زد با یک خانم میزبان در هتل یوشوآیا.   هتل یوشوآیا در ایبیزا.

یک استخر بزرگ در آنجا بود، با یک صحنهٔ بزرگ و محوطه‌ای بزرگ در اطراف آن. هر شب مهمانی‌هایی با هزاران جوان برگزار می‌شد. هر شب، یک دی‌جی معروفِ متفاوت، بزرگ‌ترین در اروپا. ما در آنجا تجربه‌ای داشتیم، خدای من، عجب چیزی. هر شب حسابی خوش می‌گذراندیم. عجب جای جالبی بود. فعالیت استخر از ساعت ۸ شب بود تا نیمه‌شب، و بعد تنها جایی که باز بود، یک کلوپ روی پشت‌بام بود. همه به آنجا می‌رفتند و تجربه‌ای خوشایند بود. وقتی به آسانسور رسیدیم، صفی طویل وجود داشت ـ همه می‌خواستند به پشت‌بام بروند. میهمانان هتل نوار مخصوص علامت‌گذاری روی دست خود داشتند، برحسب رنگ و نوع. طبقهٔ بالا در بار ـ نواری یکسان. به‌عنوان مهمان هتل، ما وی‌آی‌پی بودیم. بدون اینکه در صف بایستیم ابتدا ما را به داخل راه می‌دادند. فضایی عالی روی پشت‌بام وجود داشت و منظره فوق‌العاده بود. این هتل مشرف به دریا است و چندین رستوران مجلل در آن وجود دارد.

فصل ۱۲۸

میکونوس[1]

یک بار دیگر به میکونوس رفتیم، یکی دیگر از مکان‌های سرگرمی عالی با کلوپ‌های معروف، همه آنجا بودند. من مسن‌ترین بودم. از گذراندن وقت با جوانان لذت می‌برم و آن‌ها طوری با من رفیق می‌شوند که انگار یکی از آن‌ها هستم.

سواحل خاصی هم در آنجا وجود داشت. یکی از آن‌ها ساحل بهشت نام داشت. چه کلاسی! در ساحل یک بار و رستوران با یک دی‌جی بود. دو صحنه آنجا بود؛ روی هرکدام یک رقصندهٔ جذاب وجود داشت. همهٔ زن‌ها با بالاتنه برهنه روی ساحل دراز کشیده بودند. تصور کنید چه فضایی بود. هوای گرم و مطبوع، دریای آرام، زیبا، آبی روشن. من و گادی هر نیم ساعت یک‌بار داخل آب می‌رفتیم، حشیشمان را می‌کشیدیم، شراب، آبجو و ویسکی می‌نوشیدیم. یک لذت بزرگ و عالی.

در لبهٔ قله کوه یک کلوپ معروف بود. مردم برای تماشای طلوع خورشید به آنجا می‌رفتند. می‌توانستی تمام شب برقصی تا زمانی که خورشید طلوع کند. باشکوه.

به آنجا رفتیم. آن موقع هزینهٔ ورودی شاید هشتاد یورو برای هر نفر بود. منظره حیرت‌انگیز بود، روی قله کوه فضا کاملاً باز بود، اما موسیقی مزخرف بود، مثل پُتکی روی سرم. بعداز پانزده دقیقه یا نیم ساعت ازآنجا بیرون آمدیم.

به هتل برگشتیم، یک هتل بوتیک که از خانه‌های سفید دوطبقه ساخته شده بود. این هتل یک رستوران در زیر یک سقف زیبا و کاه‌گلی هم داشت که در آنجا همچنان می‌توانستی منظره را ببینی.

روز اول به ساحل رفتیم و در یک رستوران دریایی غذا خوردیم. روز دوم تنبلی کردیم

---

1. Mykonos.

و در هتل غذا خوردیم و خوش‌شانس بودیم، زیرا هر غذایی یک غذای پنج‌ستاره بود. همه‌چیز خوش‌مزه‌تر و زیباتر از بشقاب قبلی ارائه شد. برایمان محرز شد که این واقعاً یکی از بهترین و معتبرترین رستوران‌های جزیره بود. لذت محض بود.

فصل ۱۲۹

کلوپ‌ها در نیویورک

در نیویورک هم من هر شنبه‌شب به رقصیدن در کلوپ‌ها می‌رفتم. یک کلوپ معروف داخل یک مرکز خرید در لانگ آیلند[1] وجود داشت که من مرتباً به آنجا می‌رفتم. نگهبان‌ها و متصدیان بار من را می‌شناختند. به‌محض ورود، نوشیدنی من آماده بود. یک‌وقتی بود که وقتی می‌رفتم و می‌رقصیدم کمی کوکائین می‌زدم، اما به شرطی که موسیقی خوب باشد. وگرنه دست نمی‌زدم. دستم در جیبم می‌ماند.

موسیقی خوب و فضای خوبی بود، این بود که کمی مصرف می‌کردم و شروع می‌کردم به‌تنهایی رقصیدن. بیش‌از یک بار اتفاق افتاده بود که وقتی می‌رقصیدم، دخترها می‌آمدند جلوی من و با من شروع به رقصیدن می‌کردند.

یک روز، کلوپ هنوز پُر نشده بود، من به ستونی تکیه داده بودم، درحالی‌که یک پایم روی دیوار خم شده بود، ایستاده بودم و می‌نوشیدم. من همیشه خوب لباس می‌پوشم و از ظاهرم تعریف می‌کنند. بااین‌حال، قبل از بیرون رفتن از همسرم می‌پرسم که ظاهرم خوب است یا نه، و او به من می‌گوید: «پیراهنت رو عوض کن.» یا «کفشات رو عوض کن.» ـ تا این حد هماهنگی و عشق بین ما وجود دارد.

بعد یک بار، وقتی وسط سالن رقص بودم و داشتم با سه دختر می‌رقصم، ناگهان یک زن چینی ـ نه جوان ـ جلوی من آمد و می‌خواست با من برقصد. کمی با او رقصیدم. با ملایمت، کمی به‌سمتِ بقیه دخترها هم می‌چرخیدم. بعداز چند دقیقه رقصیدن در وسط سالن، ناگهان آرنجی به پهلویم خورد و آن زن عوضی چینی را دیدم که داشت لبخندی زننده به من می‌زد، انگار می‌خواست بگوید «چه بد شد!»، انگار درحالی‌که داشت

1. Long Island.

می‌رقصید، ناخواسته اتفاق افتاده بود.

یک شب در یکی از معروف‌ترین کلوپ‌های نیویورک، "لاوو"[1] بودم، جایی که ورود به آن بسیار سخت است. هر وقت به آنجا می‌رفتم، یک اسکناس صددلاری کف دست انتخاب‌کننده می‌گذاشتم و داخل می‌شدم. فضای درجه‌یک و موسیقی خوب. واقعاً سطح بالا. آن‌ها بهترین دی‌جی‌ها را می‌آوردند. و به دخترهایی که به‌اندازهٔ مدل‌ها جذاب و خوش‌لباس نبودند، اجازه ورود نمی‌دادند. مردها هم همین‌طور. یک بار با یکی از دوستانم که شلخته لباس پوشیده بود به آنجا رفتم. دستم را به‌سمتِ انتخاب‌کننده بالا بردم، گفت: «با کی اومدی؟» و دوستم را به او نشان دادم. او می‌گوید: «نه، نمی‌تونید بیاید داخل.»

یک بار دیگر در لاوو بودم، احساس خوبی داشتم و حسابی خوش‌حال بودم. ناگهان چند دختر آمدند و شروع کردند به رقصیدن با من. یکی از آن‌ها با گوشی‌اش از ما عکس گرفت. آن موقع حدود ۶۰ـ۶۱ ساله بودم. بعداز چند دقیقه یکی از آن دخترها به‌سمتِ من آمد و اسم دختری را روی گوشی‌اش به من نشان داد و گفت: «اونو می‌شناسی؟»

چه اتفاقی افتاد؟ او ویدیوی رقصیدن من با دخترها را در فیس بوک بارگذاری کرد. دخترعمویم آن را دید و به او پیام داده بود: «هی، این پسرعموی منه.»

یک روز با خانوادهٔ همان دخترعمو در یک مراسم خانوادگی بودیم. مامان و بابایش آنجا بودند. نشستیم و غذا خوردیم. او باید به مادرش در مورد جریان دیسکو گفته باشد. مادرش با لبخندی به من نگاه کرد و گفت، «شنیدم که دوست داری برقصی.» بلافاصله گفتم که این چیزی پنهانی نیست و همسرم هم می‌داند. فکر نکنید دارم پشت سر او کاری انجام می‌دهم.

---

1. Lavo.

فصل ۱۳۰

محاکمه گادی

وقتی در میکونوس بودیم، خیلی به ما خوش گذشت، به‌خصوص در رستوران‌های آنجا. در یکی از دفعاتی که به اسرائیل رفتم، دوباره به رفتن به میکونوس فکر کردیم، چون بسیار سرگرم‌کننده بود. بنابراین گادی پرواز و هتل را رزرو کرد و درست قبل از سفر، تولد همسرش یولیا بود. بنابراین تصمیم گرفت برای آخر هفته همراه او به یونان سفر کند.

تا آن زمان من و گادی به یونان، آلمان و بسیاری از جاهای دیگر در اروپا رفته بودیم و هیچ مشکلی وجود نداشت.

ازآنجایی‌که او به ده سال حبس محکوم شده بود و از ایالات متحده فرار کرده بود، بررسی می‌کرد که پلیس اینترپل به دنبالش نباشد و برای مدتی طولانی همه‌چیز خوب پیش می‌رفت. بعد در این سفر به مناسبت تولد همسرش، بااینکه قبلاً نام خانوادگی خود را تغییر داده بود و گذرنامه جدیدی برایش صادر شده بود، از ورودش به یونان ممانعت شد.

در روزهای اول هنوز گوشی‌اش دستش بود داشت و با من صحبت می‌کرد تا ببیند چه‌کار می‌شود کرد. همسرش تا وقتی‌که می‌توانست آنجا ماند و درنهایت مجبور شد به خاطر کار برگردد.

ما سعی کردیم با کمک انواع اسناد مثل قانون اساسی و غیره با استرداد به آمریکا مبارزه کنیم.

یک وکیل یونانی استخدام کردیم که فردی تأثیرگذار بود. او دوست و همسایه وزیر دادگستری یونان بود. او ۲۵۰ هزار یورو دریافت کرد ـ قیمت یک آپارتمان! اما بعد مرتب همه‌چیز را کِش داد. به این فکر کردیم که شاهد بیاوریم. گادی فکر کرد که چه کسی را بیاورد و نظرش این بود که دادستان در پرونده علیه خودش را بیاورد.

از زمان صدور حکم تا زمانی که دستگیر شد، حدود ده سال گذشته بود و همان شاکی حالا به‌عنوان وکیل مشغول به کار بود. گادی فکر کرد شاید او بتواند کمک کند. او ۱۰۰ هزار دلار برای شهادت می‌خواست. آن ۱۰۰ هزار دلار را دریافت کرد. آمد و شهادتش مزخرف بود.

خلاصه تصمیم گرفتند گادی را به آمریکا تحویل بدهند و تا آن زمان او در زندانی در یونان بود. وقتی به ایالات متحده رسید، بلافاصله مطمئن شدم که در بازداشتگاه به او غذای کوشر بدهند، چون معمولاً نسبت به چیزهای همیشگی که در زندان می‌دهند غذای بهتری است. همچنین مطمئن شدم که او به یک زندان فدرال در نیوجرسی، زندانی برای مجرمان یقه‌سفید، منتقل شود. اما با کمال تعجب متوجه شدم که این زندان نه‌تنها برای محکومان یقه‌سفید، بلکه برای قاتلین و پدوفیل‌ها نیز بوده است، اگرچه آن‌ها به یقه‌سفیدها آزادی بیشتری نسبت به سایر زندانیان می‌دهند.

به آنجا می‌رفتم و مسیری طولانی را رانندگی می‌کردم که برایم سخت بود. در راه، برای بازدید از مرکز خریدی که قبلاً در نیوجرسی داشتم، توقف می‌کردم. هفته‌ای یک بار، دو هفته یک بار و بعد ماهی یک بار به گادی سر می‌زدم و از طریق ایمیل با او مکاتبه می‌کردم. او هم به من زنگ می‌زد، گاهی با تلفنی که از داخل زندان دزدیده شده بود

فصل ۱۳۱

آزادی به دلیل ویروس کرونا

در راستای کاهش ازدحام بیش‌از حد زندان‌ها در طول همه‌گیری کرونا، مقامات تصمیم گرفتند که افراد بالای شصت سال که در حال گذراندن اولین جرم خود بودند آزاد و حبس خانگی شوند. به گادی گفتند که آزاد می‌شود ـ بعداز شش سال و نیم ـ و بعد چند روز بعد به او گفتند که آزاد نمی‌شود. چند روز دیگر گذشت و گفتند اگر بتواند آدرسی که به آنجا می‌رود را بدهد آزاد می‌شود. من تنها کسی بودم که با او در ارتباط بودم. همسرش یولیا سه سال بعداز رفتنش به زندان از او جدا شد.

من جزئیات مربوط به اینکه چه کسی باید آزادی را تأیید کند را دریافت کردم و فقط با یک تماس تلفنی ترتیب آن را دادم. یک اتاق در خانه‌مان به گادی دادم و او نه ماه پیش من ماند. بعد به خانهٔ دوست دیگری رفت.

طبیعتاً ما برنامه‌هایی برای لذت بردن ازآنچه در این زندگی باقی مانده بود داشتیم. در سن ۷۵سالگی، می‌دانستم که سال‌های زیادی برای سلامت و استواری روی پاهایم برایم نمانده. نمی‌توانستیم مثل سی‌سالگی سفر کنیم. بااین‌حال، امیدوار بودیم که وقتی او آزاد شد، بتوانیم بار دیگر فعال شویم.

گادی که از زندان بیرون آمد، به نظر می‌رسید که از زاغه آزاد شده است. لاغر بود، دندان‌هایش شکسته بود و حتی نمی‌توانست غذای جامد را بجود. در مدتی که پیش من بود ـ ۹ ماه ـ ما هر روز برای او غذاهای مخصوص می‌پختیم. در عرض دو ماه دوباره وزنش را به دست آورد. برایش گواهی‌نامه رانندگی و کارت شناسایی آمریکایی گرفتم. حبس خانگی بود اما اجازهٔ کار داشت. نامه‌ای تهیه کردم مبنی بر اینکه او از نه صبح تا هفت شب برای من در مدیریت ساختمان‌هایم کار می‌کند. این به او اجازه آزادی می‌داد تا تمام روز بیرون باشد.

هر شب ساعت یک بامداد با تلفن‌خانه تماس می‌گرفتند تا ببینند او آنجاست. البته من و همسرم هم هر شب بیدار می‌شدیم. من با او مثل یک پادشاه رفتار کردم.

زمانی که در زندان بود، گهگاه از من می‌خواست که با همسر یکی از زندانیان دیگر ملاقات کنم. من ۵۰۰ دلار به او می‌دادم و او به شوهرش در زندان اطلاع می‌داد. به‌این‌ترتیب گادی می‌توانست آنچه را که نیاز داشت در بازار سیاه زندان به دست بیاورد. فقط برای اینکه بدانید، زندان همه‌چیز داشت، از شیر مرغ تا جان آدمیزاد، هرچیزی که می‌خواستید ـ اگر می‌توانستید پولش را بدهید.

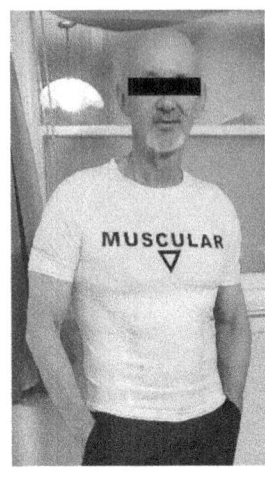

گادی در روز آزادی‌اش، پس‌از هفت سال زندان، در خانهٔ آقای ز.

گادی پس‌از آزادی از زندان، وقتی به مدت نه ماه در خانه آقای ز ماند.

وقتی آزاد شد، چندین هزار دلار بدهی انباشته را به من پرداخت. ۵۰ هزار شِکِل دیگر باقی مانده بود که او به من بدهکار بود، اما آن را به بعداز اتمام دوران محکومیتش موکول کردم. وارد تمام جزئیات نمی‌شوم، اما او از تعهد خود برای بازپرداخت این پول به من سر باز کرد، و این پس‌از آن ۹ ماه بود که من با او مثل یک پادشاه رفتار کردم. این باعث شد احساس انزجار کنم.

بعداز اینکه او به خانهٔ یکی دیگر از دوستانش نقل‌مکان کرد، به‌ندرت با او صحبت می‌کردم.

شبیه حسِ آشناپنداری بود، مثل همان ۵۰ هزار دلاری که در ماجرای یولیا به من بدهکار بود. همسرم همیشه می‌گوید من با مردم زیادی مهربان هستم و آن‌ها از من سوءاستفاده می‌کنند.

من بیشتر ازآنچه یک برادر ممکن است انجام دهد، کنارش بودم. چند ماه گذشت و او متوجه شد که من و همسرم چقدر خوب از او مراقبت کرده بودیم و ما دوباره رابطه‌مان را تجدید کردیم.

فصل ۱۳۲

مدیریت خشم و رویگردانی از دارو

شما در این کتاب چندین بار فیوز پریدنِ من را دیده‌اید و می‌خواهم کمی در مورد آن توضیح دهم. این چیزی است که از دوران کودکی ویژگی من بوده است. وقتی فیوز می‌پرانم، عصبانی می‌شوم، چیزی نمی‌بینم. می‌توانم چشم هرکسی را دربیاورم، و این بلا را یک بار بر سرِ یک دوست دوران کودکی آوردم. می‌توانم یک نفر را بدون هیچ احساسی پاره‌پاره کنم، اصلاً متوجه نمی‌شوم. بعداز تمام شدن، می‌توانم بنشینم و به خاطرِ کاری که با انسان دیگری کردم، گریه کنم.

از این موضوع به این نتیجه رسیدم که شخصیت من دوپاره است. من ملایم و حساس هستم و دوست دارم به دیگران کمک کنم، اما وقتی فوران می‌کنم، می‌توانم با خشونت شدید رفتار کنم، مثل اینکه شخص دیگری هستم، کاملاً برعکس رفتار معمولم.

من برنامه معروف باربارا والترز[1] را از تلویزیون تماشا می‌کردم، برنامه‌ای به نام «۲۰/۲۰». او در مورد انواع موضوعات جالب تحقیق می‌کرد. یک روز، او برنامه‌ای دربارهٔ شخصی شبیه من، که طغیان‌هایی مثل من داشت، اجرا کرد. او هم مثل من به فرزندانش و به همسرش حمله می‌کرد. در برنامه گفتند که برای آن درمانی پیدا کرده‌اند. آن‌ها او را برای MRI از سرش بردند و نشان دادند که وقتی ناامید می‌شود در داخل سرش چه اتفاقی می‌افتد. تا به امروز، من فیلم ضبط‌شدهٔ آن برنامه را نگه داشته‌ام ـ آن‌ها نشان دادند که چگونه تمام مغز او به‌جز یک ناحیه از کار می‌افتد، و بعد فشار زیادی روی آن قسمت کوچک مغز وارد می‌شود و مثل فیوز الکتریکی که اضافه‌بار دارد، می‌سوزد. وقتی این اتفاق برای من می‌افتاد، یک فوران عصبی داشتم. احساس می‌کردم یک آتش‌فشان دارد در سرم

1. Barbara Walters.

فوران می‌کند، ازنظر فیزیکی وحشی می‌شدم و تنها پس‌از آن، آرام می‌شدم.

وقتی آن برنامه را تماشا کردم، متوجه شدم که طغیان‌های من هزار برابر بدتر از او بود. تا آن زمان، چندین بار به کارگاه‌های مدیریت خشم رفته بودم، اما فایده‌ای نداشت. خیلی چیزها را امتحان کردم که جواب نداد.

خلاصه در برنامه قرصی به نام پاکسیل[1] معرفی کردند که به این وضعیت کمک می‌کند. پیش دکتر رفتم و آنچه را که دیده بودم به او گفتم و نسخه‌ای برای آن خواستم.

شروع کردم به مصرف پاکسیل و ناگهان تبدیل به فردی آرام شدم. اما آن‌قدر آرام شدم که کم‌کم طعم زندگی را از دست دادم. یادم می‌آید از نیویورک با پسرم که با خانواده‌اش در اسرائیل بود تماس می‌گرفتم. ما مدام صحبت می‌کنیم. به او گفتم: «من هیچ فایده‌ای تو زندگی نمی‌بینم، نمی‌دونم برای چیه، بی‌فایده است» ـ چیزهایی از این قبیل.

یک روز، در اخبار دیدم که سازمان غذا و دارو پاکسیل را از بازار خارج کرده چون متوجه شده بودند که برخی از افرادی که آن را مصرف می‌کردند خودکشی کرده‌اند. این من را نجات داد. اگر به مصرف آن قرص ادامه می‌دادم، چه کسی می‌داند که عاقبتم چه می‌شد؟ از آن زمان، به دلیل عوارض جانبی تمام قرص‌هایی که مصرف کرده‌ام، نمی‌توانم هیچ دارویی را برای مدتی طولانی مصرف کنم. فقط از داروهای کوتاه‌مدت مثل آنتی‌بیوتیک، قرص‌های خواب یا قرصی برای سردرد استفاده می‌کنم. اما از مصرف دارو برای کنترل قند و کلسترول خون خودداری می‌کنم.

قندم بالاست و مدام آزمایش خون می‌دهم. سالی یک‌بار معاینهٔ کلی، سینه، قلب و آزمایش خون انجام می‌دهم. وقتی پزشکان به من می‌گویند: «باید این دارو رو مصرف کنی»، تحقیق می‌کنم که این قرصی که به من داده‌اند چه‌کار می‌کند و عوارض جانبی آن را می‌خوانم و می‌بینم که می‌تواند ده مشکل دیگر حتی خطرناک‌تر ایجاد کند.

بنابراین هر بار از دکتر می‌پرسم: «بهم بگو چرا باید این قرص‌ها رو بخورم؟» به من می‌گوید قندم بالاست. بنابراین من می‌گویم، «باشه، بالا، بالا، شما می‌گید بالاست. چه‌کاری می‌تونه با بدن من انجام بده؟» او توضیح داد که می‌تواند باعث مشکلات کلیه، چشم، کبد و انواع مشکلات دیگر شود. به او می‌گویم: «لطفاً بهم بگید، با توجه به آزمایش خونم، آیا مشکل پزشکی دارم؟» او به من می‌گوید: «نه.» بنابراین می‌گویم: «چرا باید این قرص‌ها رو بخورم و خودم رو در معرض خطر قرار بدم و ده تا بیماری و مرض دیگه بگیرم و بعدش مجبور بشم قرص‌های بیشتری بخورم تا اون‌ها را برطرف کنم؟» خلاصه از آن

---

1. Paxil.

زمان من با مصرف قرص و دارو مخالفم و معتقدم بدن می‌تواند خودش را درمان کند. من دیده‌ام و یاد گرفته‌ام و شواهدی وجود دارد که نشان می‌دهد مردم حتی سرطان خودشان درمان کرده‌اند.

فصل ۱۳۳

خوددرمانی

چطور شروع شد؟

خواهر کوچک‌ترم که در ایران زندگی می‌کرد به‌عنوان پرستار در بیمارستان کار می‌کرد. در بخشی که او کار می‌کرد، مرد جوانی بستری شده بود که از ناحیه پاهایش مشکل داشت. پس‌از مدتی که از او مراقبت کرد، ناگهان خودش شروع به لنگیدن کرد. پزشکان در ایران نمی‌دانستند چطور به او کمک کنند. پدرومادرم او را در اوایل دههٔ هفتاد به اسرائیل فرستادند و من از آلمان به اسرائیل رفتم تا به او کمک کنم. یک روز تشنج کرد و تمام بدنش لرزید، تشنجی شبیه به صرع.

مستقیم بردمش اورژانس. چند ساعت آنجا نشستیم و منتظر ماندیم و کسی به سراغمان نیامد. شروع کردم به عصبانیت و داد زدن سر دکتر و حتی دنبالش کردم تا اینکه جلوی من را گرفتند و آرامم کردند. بعداز آن آمدند و او را برای آزمایش فرستادند. طبق جواب‌ها همه‌چیز خوب بود. یک روان‌شناس آوردند تا او را معاینه کند و او گفت: «می‌دونم مشکل چیه. مشکل روانیه. به کلینیک خصوصی من مراجعه کنید. مجبور نیستید پول بدید، چون این یه مورد خاصه که می‌خوام اون رو به دانشجوهام نشون بدم.»

پایان ماجرا این بود که روان‌شناس او را هیپنوتیزم کرد. پس‌از معالجهٔ او در مطب، او این کار را در حضور دانشجویانش انجام داد و لنگ زدن و تشنج خواهرم را درمان کرد.

در این درمان‌ها، دیدم که او چگونه توانست ذهن او را کنترل کند. به او گفت که حالا پای چپش لنگ است. وقتی مغز فکر می‌کند که پای چپ همان پایی است که لنگ است، لنگی پای راست متوقف می‌شود. ازاینجا فهمیدم که ذهن چه‌کارهای بزرگی می‌تواند انجام دهد! او یک تمرین دیگر انجام داد. به خواهرم گفت دستش را به‌سمتِ جلو دراز کند، باز

کند. و هرچه به او می‌گفت انجام دهد را من به فارسی ترجمه می‌کردم، چون خواهرم عبری بلد نبود.

وقتی دستش دراز بود به من گفت به او بگویم که حالا دستش آهنی است. بعد دکتر گفت ـ سعی کن دستش را مشت کنی. من نتونستم این کار را بکنم! دستش مثل آهن بود.

از آن زمان، در سفرهای طولانی با ماشین، به نوارهای سخنرانی‌های مربوط به مغز گوش می‌دادم و چیزهای زیادی یاد گرفتم. شخصی یک کتاب خودهیپنوتیزمی به زبان عبری توصیه کرد و من آن را خواندم، باوجودی‌که کتاب خواندن را دوست ندارم.

زمانی که در برلین بودم، وقتی زخم معده‌ام عود کرد، در بیمارستان بودم و آن‌ها می‌خواستند عملم کنند. وقتی پرسیدم که آیا گزینهٔ دیگری وجود دارد، به من گفتند که بدن خودش را درمان می‌کند، فقط بیشتر طول می‌کشد. حتی در آن زمان، فهمیدم که بدن درواقع می‌تواند خودش را درمان کند.

در نیویورک، حدود ۱۳ سال پیش، یک روز با یکی از مستأجرانم در ساختمانی که در محلهٔ بدی قرار داشت درگیر شدم. به پهلو افتادم و ترکی از بیرون در لگنم ایجاد شد. به بیمارستان رسیدم و گفتند کاری نمی‌توانند بکنند، زمان می‌برد و ترک خودبه‌خود خوب می‌شود. دوباره فهمیدم که بدن می‌تواند خودش را درمان کند. حدود یک ماه در رختخواب خوابیدم و واقعاً خوب شد. از جا بلند شدم و همه‌چیز خوب بود.

حدود ۶۱، ۶۲ سالگی روی یک پیاده‌رو یخی لیز خوردم و روی همان طرف افتادم زمین. این بار در داخل لگن، قسمتی که استخوان را نگه می‌دارد، شکستگی ایجاد شد. درد وحشتناکی داشتم و نمی‌توانستم حرکت کنم. با عصا راه می‌رفتم، ناله می‌کردم و فریاد می‌زدم.

همسرم من را برای اِم‌آرآی برد. نشستم و منتظر نتیجه بودم. دکتر بیرون آمد و گفت: «تکون نخور.» پرسیدم: «چی شده؟» گفت: «کل استخوان لگنت ترک خورده و ممکنه از هم بپاشه. اگه این اتفاق بیفته آسیب زیادی می‌بینی. باید برای جراحی اورژانسی بری.»

به او گفتم: «صبر کن، بذار برم خونه و فکر کنم.» گفت: «نه! خطرناکه!» گفتم: «ببخشید، من دارم می‌رم خونه.» دکتری که من را برای اسکن فرستاده بود هم تماس گرفت و همین را به من گفت: «اسکن رو نگاه کردم، وضعیت بده و باید جراحی کنی.» به او هم نه گفتم و تصمیمی مثل دفعهٔ قبل گرفتم، به‌اندازهٔ کافی دکتر رفته بودم.

یک ماه و نیم در رختخواب ماندم. نمی‌توانستم حرکت کنم. مجبور بودم داخل یک بطری مخصوص کنار تخت ادرار کنم. وقتی یک میلی‌متر حرکت می‌کردم درد وحشتناکی

داشتم و جیغ می‌زدم ... تا اینکه خوب شد و از رختخواب بلند شدم.

رفتم دکتر و او دوباره من را برای ام‌آر‌آی فرستاد. چیزی را که می‌دید باور نمی‌کرد. گفت: «نمی‌شه که این‌طوری خوب شده باشه ...» در یک ماه و نیمی که در رختخواب بودم، درمان را با ذهنم، با مغزم انجام دادم. من آموخته بودم که شما می‌توانید بدن را از انواع دردها، مشکلات و بیماری‌ها درمان کنید. بالاخره تمام مشکلات بدن از ذهن سرچشمه می‌گیرد. مغز این کار را با شما می‌کند و خودش هم می‌تواند آن را ترمیم کند، آنتی‌بادی‌های خاصی را ارسال کند و غیره.

ازآنجاکه همه‌چیز از ذهن نشئت می‌گیرد، و من قبلاً توانایی‌های ذهن را دیده بودم و چیزهای زیادی در مورد توانایی ذهن آموخته بودم ـ شروع کردم به در دست گرفتن کنترل ذهن. شروع کردم به تصور اینکه درون مغزم یک مرکز کنترل وجود دارد و یک فرد کوچک در آنجا وجود دارد ـ او را " منِ کوچولو" صدا می‌کنم ـ و در تصوراتم با او بازی می‌کنم و با او صحبت می‌کنم. ما باهم دوستیم و از او می‌خواهم که سربازها را به‌جایی که درد دارم بفرستد و آن را برطرف کند. مدت‌ها از کمردرد وحشتناکی رنج می‌بردم و به چند پزشک مراجعه کردم که بین مهره‌های کمرم به من آمپول زدند. انواع ماساژ، ماساژ با دستگاه را هم امتحان کردم و هیچ کمکی نکرد. شروع کردم به استفاده از مغزم برای کاهش درد. با منِ کوچولو حرف می‌زنم و توضیح می‌دهم که درد کجاست و از او می‌خواهم که سربازهایش را برای مراقبت از کمرم بفرستد. در تصوراتم حتی می‌بینم که تمام سربازهای او چطور دارند در تمام طول کمر من عضله می‌سازند.

می‌توانید بخندید، اما من اهمیتی نمی‌دهم. این کار جواب می‌دهد. سربازها را می‌بینم که درمان را روی کمرم تمام می‌کنند و بعد چراغ‌هایی را در ماهیچه‌هایی که برای من ساخته‌اند روشن می‌کنند، مثل اینکه دارند یک پل جدید می‌گذارند و ما جشن می‌گیریم! اما بسیار دشوار است که یاد بگیرید چطوری واقعاً متمرکز باشید، با ذهن صحبت کنید و از او بخواهید کارها را انجام دهد. باید در حالت مدیتیشن باشید.

حدود سال ۲۰۱۰ یا حتی کمی زودتر، داشتم کمی کچل می‌شدم. بنابراین شروع کردم به کار بر روی آن با منِ کوچولو. مدام با او صحبت می‌کردم: «ترتیبی بده که موهام دوباره رشد کنند.» او را متقاعد کردم و توضیح دادم که چرا این مهم است و چرا باید انجام شود. گفتم: «گوش کن، من دارم دوران سختی رو می‌گذرونم و تو ریشه‌های خوبی در سمت راست و چپ سرت داری. چرا یکم از اونجا نمی‌گیری، امتداد نمی‌دی، تا موهای جدید در جایی که نداره رشد کنن.» و باز هم، باور کنید یا نه، سرم پر از مو شد. هربار که پیش

آرایشگرم می‌روم تعجب می‌کند. «وای، چه موهای پری داری.»

این کار جواب می‌دهد.

وقتی منِ کوچولو را تصور می‌کنم، او را می‌بینم که روی صندلی اداری نشسته است و تمام کامپیوتر بدنم در مقابلش قرار دارد. این‌طوری با کلیه‌ها، قلب، ناخن‌ها، با همه‌چیز در تماس است. او مدام در حال بررسی است و می‌بیند که چه خبر است. بنابراین به او می‌گویم: «تو در حافظهٔ نرم‌افزار اینو داری که بدن من در ۴۸ سالگی چطوری بود. کامپیوتر رو بگذار روی اون زمان، بدنم رو برگردون به حالتی که در ۴۸ سالگی بود، اما به مغز، دانشی که جمع کرده‌م دست نزن.» من دائماً روی آن کار می‌کنم و این شگفت‌انگیز است. در سن ۷۵سالگی، نمی‌توانم ظاهرم را باور کنم. صاف می‌ایستم، چاق نیستم و شکم ندارم. عالی به نظر می‌رسم و احساس خوبی دارم. از درون، احساس می‌کنم می‌توانم به یک کلوپ بروم و با افرادی در دهۀ ۳۰ و ۴۰ سالگیِ عمرشان برقصم.

افراد دیگری ازجمله افراد مشهور می‌گویند که خود را از انواع بیماری‌ها درمان کرده‌اند. اتصال به ذهن از طریق مدیتیشن یا هیپنوتیزم آسان‌تر است. تأثیر قوی‌تری دارد. اگر کسی شما را هیپنوتیزم می‌کند، و بداند که دارد چه‌کار می‌کند، می‌تواند شما را به داخل بدنتان ببرد تا ببینید آنجا چه خبر است و با چشم درونی خود ارتباط برقرار کنید، مثل کاری که من با منِ کوچولو می‌کنم. این کار امکان‌پذیر است.

یک دوره حدود ده‌ساله بود که هنگام راه رفتن درد داشتم و نمی‌توانستم بیش‌از یک طبقه پله بالا بروم. پیش دکترهای زیادی رفتم، آن‌ها آزمایش‌های زیادی انجام دادند و نتوانستند مشکل را پیدا کنند. دخترم یاد گرفت که چطور به مردم یاد دهد که مراقبه کنند تا به تجسم‌های قبلی خود برگردند، و به افراد زیادی کمک کرده است (به‌هرحال، اگر کسی به او مراجعه کند و او نتواند به آن‌ها کمک کند ـ هیچ پولی دریافت نمی‌کند.) بنابراین، مراقبه‌ای را که او به من آموخت را هر شب انجام می‌دهم و «بالا رفتنِ طبیعی» را تجربه می‌کنم.

یک روز او به من گفت: «بیا تو رو هیپنوتیزم کنیم و ببینیم مشکل پات چیه.» او من را هیپنوتیزم کرد. با چشم درونم وارد بدنم شدم و به رگ‌ها رسیدم. ناگهان خودم را در ۱۲سالگی دیدم که در کنار خری پر از سبدهای میوه بودم (قبلاً داستان کودکی‌ام را برای شما تعریف کرده‌ام، در مورد خری که وقتی یک بلال را با چیزی تند داخل مقعدش کردم، جفتک انداخت و همه جنس‌ها از پشتش به اطراف پراکنده شد). بنابراین حالا داشتم نگاه می‌کردم و صورت آن خر را واقعاً از نزدیک می‌دیدم. و دیدم که دارد گریه می‌کند. هرچه

می‌دیدم را با صدای بلند به دخترم می‌گفتم.

او به من گفت: «از اون طلب بخشش کن.» خر را بغل کردم و خواستم من را ببخشد. بعد از انجام این کار من هم گریه کردم. بلافاصله بعد از آن، دیدم که آن خر بال‌هایش را باز کرد و پرواز کرد و دور شد.

چند روز بعد از هیپنوتیزم به یک متخصص پا مراجعه کردم و بعد از چندین آزمایش و عکس‌برداری به این نتیجه رسید که من دچار انسداد شریان در پایم هستم. فهمیدم که کار سختی است و برای درمان آن نیاز به تمرکز و ارتباط بسیار زیاد با منِ کوچولو دارم، بنابراین ترجیح دادم که پزشک آن را مدیریت کند و موافقت کردم یک اِستنت در رگ من گذاشته شود.

برای هر اقدامی با منِ کوچولو، باید با تمرکز بسیار عمیق مدیتیشن کنم، که کار آسانی نیست، چون هر ثانیه می‌توانی تمرکز خود را از دست بدهی.

شاید بعضی از شما تعجب کنید که چطور همهٔ چیزهایی را که در طول سال‌ها از سر گذرانده‌ام با جزئیات به یاد می‌آورم. دانشی که در مورد مغز به دست آوردم به من این امکان را داد که بفهمم همهٔ چیزهایی که در زندگی از سر می‌گذرانیم، در مغز، در حافظهٔ ناخودآگاه ثبت و ذخیره می‌شود. مثل کامپیوتر، تمام مواد در اعماق حافظهٔ کامپیوتر قرار می‌گیرند و تا زمانی که بخشی در کامپیوتر که به آن علاقه دارید را پیدا نکنید، آن را نمی‌بینید ـ و بعد روی مانیتور برای شما نمایش داده می‌شود. مغز هم به همین صورت عمل می‌کند. امروز می‌توانم چشم‌هایم را ببندم و مثل یک فیلم زنده، هر تکه از مغز را که بخواهم ببینم. این کار قابل انجام است.

فصل ۱۳۴

«بشنو، ای اسرائیل»
چطور به بهشتِ اعلا می‌روم

در تمام عمرم، احساس کرده‌ام که خدا یا نوعی قدرت برتر مراقب من است. قبلاً گفته‌ام که قدرت دعای «شما اسرائیل» در تمام موقعیت‌ها من را نجات داد. این قدرت از گفتن هر کلمه با نیت قلبی ناشی می‌شود. روش من این است که هر کلمه را در عمق وجود خودم حس کنم.

من هر روز این دعا را می‌خوانم؛ این یک عادت است. این را درست قبل از اینکه بدنم برای خواب آماده شود، زمانی که آرام هستم، می‌خوانم. مثل خودهیپنوتیزم است. باید بسیار متمرکز باشم چون در غیر این صورت اتصال سخت است.

روندی که در حین خواندن این دعا طی می‌کنم را توضیح خواهم داد: کلمات دعا به زبان انگلیسی این است: «بشنو، ای اسرائیل، خداوندگارِ ما، یک خداوند است، شکوه و جلال پادشاهی تو تا ابد مستدام باد. تو خدای ما و خدای پدران ما، خدای ابراهیم، خدای اسحاق، و خدای یعقوب، خدای قوم اسرائیل و خدای جهان هستی.»

با کلمات «شما اسرائیل» خودم را می‌بینم که دارم قوم اسرائیل را صدا می‌کنم. گاهی اوقات کلمه «شما بنی‌اسرائیل» به ذهن متبادر می‌شود.

هنگامی‌که شما اسرائیل را در کنیسه می‌خوانید، بر روی کلمه «یک» تأکید می‌کنید ـ و وقتی من کلمه «یک» را می‌گویم، همهٔ بنی‌اسرائیل را می‌بینم که دست‌های خود را روی شانه‌های یکدیگر گذاشته‌اند، در یک صف طولانی که به یک نقطهٔ مرکزی در میدان وسترن وال[1] می‌رسد، و من آنجا ایستاده‌ام. ازآنجا ستون روشنی از نور را می‌بینم که به

1. Western Wall plaza.

آسمان بالا می‌رود. آن نور برآمده از روح تمام افراد بنی‌اسرائیل است که همه به‌صورت یک نور بزرگ گرد هم می‌آیند (مثل نور یکپارچه صدها فانوس).

شکوه و جلال پادشاهی تو تا ابد مستدام باد ... ـ در اصل می‌گویند «عظمت او» اما من می‌گویم «عظمت تو» چون این‌گونه به او احساس نزدیکی بیشتری می‌کنم، این‌گونه شخصاً با او صحبت می‌کنم.

«تو خدای ما و خدای پدران ما هستی» ـ نور برمی‌خیزد و قوی‌تر می‌شود.

با صدایی قدرتمند ادامه می‌دهم:

«... خدای ابراهیم» ـ و ابراهیم در مقابل قوم اسرائیل ظاهر می‌شود و دستش را بر روی شانهٔ مقابل خود می‌گذارد.

«... خدای اسحاق» ـ اسحاق ظاهر می‌شود، او هم دستی روی شانه جلویش می‌گذارد.

«... خدای یعقوب» ـ یعقوب ظاهر می‌شود، و او هم همین کار را می‌کند.

من ادامه می‌دهم و می‌گویم: «خدای اسرائیل.» در این مرحله، نور دیگری می‌بینم که از بالا پایین می‌آید و مثل جریان الکتریکی از همهٔ کسانی که دستشان را روی شانهٔ دوستشان گذاشته‌اند می‌گذرد.

نوری که از بالا فرود می‌آید در تمام زمین پخش می‌شود، به قعر کره می‌رسد، بعد دوباره در خطی مستقیم به داخل زمین نفوذ می‌کند و به زیر پای من می‌رسد. من در میدان وسترن وال ایستاده‌ام درحالی‌که پشتم به دیوار است و سرم به‌سمتِ آسمان بلند است و کمی به‌سمتِ راست متمایل شده (زاویه «ساعت یک»)، و وقتی به دعا اضافه می‌کنم: «خدای جهان»، نوری که در پاهایم است من را به‌سمتِ بالا می‌برد.

وقتی پشت به دیوار می‌ایستی و کمی به‌سمتِ راست می‌چرخی، این زاویه‌ای است که دعاها از آن بالا می‌روند و من هم از آن بالا می‌روم. قبل از اینکه به این شکل بالا بروم، وضعیت فرق داشت. کم‌کم تغییر کرد ـ تا اینکه به این وضعیت رسیدم.

این نور من را بالا می‌برد تا جایی که زمین زیر پایم را به‌اندازهٔ یک توپ بسکتبال می‌بینم. بعد در کلبه‌ای در وسط آسمان فرود می‌آیم، کلبه‌ای که از چوب ساخته شده است. در ورودی، دو نگهبان با سرنیزه ایستاده‌اند. درها را برای ورود من باز می‌کنند. در سمت چپ یک سالن کوچک بدون در وجود دارد و داخل آن در سمت راست یک نیمکت چوبی قرار دارد. مقابل من در سالن دو در است و همه را می‌بینم که پشت دیوار ایستاده‌اند. جمعیت زیادی وجود دارد، افراد زیادی که از دنیا رفته‌اند. هر بار یکی از افراد

متوفی را دعوت می‌کنم تا بنشیند و با من صحبت کند. روی یک نیمکت می‌نشینیم و صحبت می‌کنیم. پشت این در دو نگهبان دیگر قرار دارند. آن‌ها فقط به کسانی که من دعوت می‌کنم اجازه ورود می‌دهند. وقتی از در اصلی وارد می‌شوم، سمت چپ یک سالن کوچک دیگر وجود دارد. در روبه‌رو یک فرد مبتلا به سندرم داون[1] است که به من خوشامد می‌گوید. ما همدیگر را بغل می‌کنیم و من به‌سمتِ چپ راهم را ادامه می‌دهم ـ به یک سالن دیگر.

در انتهای سالن رو به‌سمتِ چپ یک میز بلند با ۱۲ مرد قرار دارد و بالای میز، من این‌طور حس می‌کنم که خدا آنجا نشسته است. آن اوایل که به اینجا می‌رسیدم، کناری می‌نشستم، روی یک چهارپایهٔ بلندِ بدون پشتی، کنار میز بلند. کم‌کم با گذشت سال‌ها شروع کردم به نشستن پشت میز، کنارِ خدا.

وقتی آنجا هستم، خم می‌شوم و پاهایش را می‌بوسم، بعد دست‌هایش را و بعد پیشانی او را می‌بوسم. خدا را به خاطر همهٔ چیزهایی که به من عطا کرده شکر می‌کنم: همسر، فرزند، معیشت و سلامتی.

آن ۱۲ مرد نقاب بر صورت دارند. در طول سال‌ها، بعضی از آن‌ها برای من آشکار شده‌اند. من قیافهٔ سه‌چهار نفر از آن‌ها را می‌بینم. احساس می‌کنم دارم مزاحمشان می‌شوم. سعی می‌کنم زیاد نمانم و در عرض چند دقیقه به زمین برمی‌گردم.

یک روز، ویدیویی در یوتیوب دیدم دربارهٔ زن بسیار معروفی که هیپنوتیزم می‌کند و مردم را به زندگی‌های گذشتهٔ خود بازمی‌گرداند. زن داخلِ این ویدئو زن دیگری را هیپنوتیزم می‌کند و او را به تجسم قبلی خود برمی‌گرداند و آن زن گریه‌کنان می‌گوید که او به آسمان می‌رود و کلبهٔ چوبی را می‌بیند، درست مثل من. او به همان سالن با خدا و ۱۲ مرد می‌رود، اما می‌گوید که خدا با ۱۲ زن نشسته است. من از شباهت بین تجربیاتمان شگفت‌زده شدم ...

خاخام من در کنیسه، که از برخی از مراحلی که من طی می‌کردم آگاهی داشت، گاهی فرزندانش را پیش من می‌فرستاد تا آن‌ها را متبرک کنم. ما همچنین یک کابالیست در کنیسه داشتیم که اطلاعات عمیقی از تورات، کابالا و هرچیزِ مرتبط به آن را داشت. از من خواست تا نحوهٔ عروجم را برایش توضیح دهم. همان‌طور که من صحبت می‌کردم، او نشسته بود و با دقت به تک‌تک کلمات گوش می‌داد. تا اینکه یک روز او هم موفق شد بالا برود. کلبه را پیدا کرد و روی پشت‌بام نشست. روز بعد به او گفتم دیدم که او روی پشت‌بام

1. Down's syndrome.

نشسته است. یک بار از من خواست که اجازه بدهم وارد سالن شود. وقتی او را در اتاقی که ۱۲ مرد نشسته بودند قرار دادم، چراغ‌های قرمزِ هشدار روشن شدند و فشار زیادی در اتاق وجود داشت. رنگش پرید و رفت بیرون. او متوجه شد که نباید در آنجا باشد.

یک بار دیگر از من پرسید: «وقتی اون بالا هستی، از اونها بپرس که معبد مقدسِ جدید چطوری داره پیش می‌ره.» وقتی آن بالا بودم این سؤال را پرسیدم. من را به دری نزدیک میز ۱۲ نفره بردند. بیرون به یک‌جور بالکن رفتم. فضای بزرگی پیش روی من بود و آنجا دیدم که ساختمان معبد کامل شده است. فرشتگان کوچکی داشتند اطراف تمام دیوارهای معبد بال می‌زدند. آنها همه‌چیز را تمیز می‌کردند و جلا می‌دادند، انگار که معبد هنوز آماده نیست، درحالی‌که درواقع آماده بود.

من عروج‌های زیادی دارم، تقریباً هر شب و تجربیات مشابه زیادی را از سر می‌گذرانم.

یک بار یک خاخام مهم از اسرائیل برای ملاقات آمد و مردم برای دریافت برکت از او صف کشیدند. وقتی به سراغش رفتم از تجربیاتی که در هنگام عروج از سر می‌گذرانم به او گفتم. خاخام به من گفت: «تو به دعای من نیازی نداری، تو باید منو دعا کنی.»

فصل ۱۳۵

تبلور جلوه‌ها

بارها در زندگی‌ام جلوه‌ای بر من متبلور می‌شود - تصویری از چیزی قبل از وقوع آن، چند دقیقه قبل، و این چیزی نیست که بتوانم آن را کنترل کنم. یک روز داشتم در بلوار کوئینز[1] در نیویورک رانندگی می‌کردم و پشت چراغ‌قرمز در یک تقاطع اصلی توقف کردم. در سمت راست من یک فروشگاه بزرگ به نام فروشگاه الکساندر[2] بود و در کنار آن می‌توانستم یک ساختمان پارکینگِ سه‌طبقه را ببینم. وقتی پشت چراغ‌راهنما متوقف شده بودم و داشتم به آن نگاه می‌کردم، ناگهان جلوه‌ای به من متبلور شد، یک عکس. دیدم که پارکینگ در حال فروریختن است. به رانندگی ادامه دادم و برای خرید وارد ساختمانی در مجاورت آنجا شدم. چند دقیقه بعد بیرون رفتم، سوار ماشین شدم تا به‌سمتِ خانه بروم که صدای ماشین‌ها، ماشین آتش‌نشانی، آژیر پلیس و آمبولانس را شنیدم. سریع رادیو را روشن کردم و در رادیو داشتند اعلام می‌کردند که پارکینگ فرو ریخته است! ناراحت شدم، شروع کردم به داد زدن، گیج شده بودم. بلافاصله به همسرم زنگ زدم تا به او بگویم چه اتفاقی افتاده است.

یک بار هم وقتی‌که در اسرائیل بودم چنین اتفاق مشابهی برایم افتاد. داخل یک داروخانه بودم. یک‌چیزی خریدم و رفتم و می‌خواستم از خیابان رد شوم تا به‌سمتِ ماشینم بروم. قبل از اینکه بتوانم در ماشین را باز کنم، کامیونی روباز را دیدم که به‌سمتِ من نزدیک می‌شد، با انبوهی از قوطی‌های ضخیم و نامرتب با لبه‌های بیرون زده روی آن. در آن لحظه جلوه‌ای دیدم. در کسری از ثانیه دیدم قوطی‌ها پرت شدند و شکمم را پاره کردند. وقت نکردم در

---

1. Queens Boulevard.
2. Alexander's.

ماشین را باز کنم، ایستادم درحالی‌که پشتم را به ماشین فشار دادم و به‌طور غریزی دستم را روی اندام تناسلی‌ام گذاشتم. در آن لحظه، انبوهی از این قوطی‌ها پرواز کردند، روی دستم افتادند و یک لایه از پوستم را خراشیدند. همه با وحشت به‌سمتِ من دویدند. خوشبختانه هیچ اتفاق جدی نیفتاده بود.

این جلوه‌ها خارج از کنترل من هستند. همه نوع تصویری در نظرم متجلی می‌شود. مثلاً اگر بخواهم ببینم شماره‌های قرعه‌کشی چه خواهند بود، این اتفاق نمی‌افتد. این تجلی خودبه‌خود اتفاق می‌افتد.

در سفر دیگری به اسرائیل، شب بعدازدیدار پسرم داشتم به خانه می‌رفتم. در یک سه‌راهی ایستاده بودم که در سمت چپ جادهٔ دیگری وجود داشت که به جاده‌ای که من در آن بودم متصل می‌شد. پشت چراغ‌قرمز متوقف شده بودم. در هر سه لاین ماشین بود و من در لاین وسط بودم. ناگهان ماشینی را دیدم که داشت از پشت نزدیک می‌شد و تصویری دیدم که آن ماشین به من می‌کوبد و من را به جلو در تقاطع پرتاب می‌کند. می‌ترسم ماشین‌ها از سمت چپ بیایند و مستقیم به‌سمتِ من برانند، چون من پشت چراغ‌قرمز بودم و آن‌ها داشتند در جهت من می‌پیچیدند. همه این‌ها در چند ثانیه اتفاق افتاد.

بنابراین به‌سرعت کمی جلوتر به‌سمتِ تقاطع راندم و به‌سمتِ راست پیچیدم، جلوی ماشین در لاین سمت راست. ماشینی که پشت سرم بود با غرش بلندی جلو آمد و صدای کشیدن ترمز را شنیدیم. نتوانست پشت چراغ راهنمایی توقف کند و تا وسط تقاطع رفت. تنها پس از عبور از تقاطع موفق به توقف شد. خوشبختانه من به‌موقع به او فضا دادم. ماشینش را روی شانهٔ راست متوقف کرد و وحشت‌زده پیاده شد. رانندهٔ سمت راست من با انگشت شست به من گفت: «آفرین.» من فقط چیزی که در شرف وقوع بود را پیش‌بینی کردم، به‌سرعت واکنش نشان دادم و خودم را از آسیب نجات دادم.

فصل ۱۳۶

همسرم، یارِ جانی من

من و همسرم کاملاً مطمئن هستیم که نیمهٔ گمشده هم هستیم؛ باهم یکی هستیم. من این‌طوری حس می‌کنم.

من با همسرم بسیار روراست هستم، هرگز به او دروغ نمی‌گویم، بااینکه او گاهی شک می‌کند که ممکن است راستش را نگویم. گاهی جروبحث داریم که در زندگی زناشویی طبیعی است. نکتهٔ مهمی که در زندگی یاد گرفته‌ام این است که اگر با همسرم بحثی داشته باشم اجازه نمی‌دهم موضوع باز بماند. همان شب با او صحبت می‌کنم که چه چیزی باعث آن مشاجره شده است، و به‌جای اینکه مثل دیگرانی که مشکل را در دل خود نگه می‌دارند و بعد یک ناراحتی دیگری به آن اضافه می‌کنند و بعد یکی دیگر تا اینکه منفجر شوند، بلافاصله موضوع را حل می‌کنیم. به نظر من نباید بگذارید مشکلات در درونتان بمانند.

چندی پیش، در حین مشاجره‌ای، او به من گفت: «چطوریه که بااینکه باهات دعوا می‌کنم تو بازم منو دوست داری؟» پاسخ من این بود که من به آن جروبحث‌ها نمی‌چسبم، آن‌ها در مغزم وجود ندارند، آن‌ها را از حافظه پاک می‌کنم. و این حقیقت دارد. در عوض فقط خوبی‌ها و زیبایی‌هایی که باهم داریم را به یاد می‌آورم و این ما را قوی می‌کند و هرازگاهی خاطرات شیرین بیشتری با او می‌سازم.

اگر می‌پرسید چطوری است که من متأهلم و مثل یک مرد مجرد به سفر می‌روم، به این دلیل است که من و همسرم خیلی خوب باهم کنار می‌آییم. او من را درک می‌کند. من مدام می‌گویم که او به خاطر تحمل من شایستهٔ مدال است. بودن با من کارِ آسانی نیست. من به‌راحتی عصبانی می‌شوم و چیزهای دیگری که حتی در مورد آن‌ها صحبت نمی‌کنم. من

بارها کنترلم را از دست داده‌ام و دادوبیداد کرده‌ام.

اول‌ازهمه، او می‌داند که من چقدر او را دوست دارم و این خیلی مهم است. اگر هر اتفاقی بیفتد، من جانم را فدای او خواهم کرد، چون او با من خیلی خوب است و متقابلاً من هم با او خوب هستم. من همیشه می‌گویم که اگر ده تا زن زیبا و موفق مقابلم باشند که از بینشان انتخاب کنم، همسرم را با هیچ‌کدام عوض نمی‌کنم، تمام!

تا همین چند سال پیش، باهم بیرون می‌رفتیم، به کلوپ‌ها می‌رفتیم و به دور دنیا سفر می‌کردیم. وقتی در کلوپ‌ها بودیم، همسرم عادت کرده بود که زنان دیگر شروع کنند به باز کردن صحبت با من، حتی زمانی که او درست در کنار من نشسته بود. من همیشه از این موضوع راحت نبودم، و او می‌گفت: «چراکه نه؟ لذت ببر، چون تو توی زندگی‌ت به حد کافی سخت کار کرده‌ای و زحمت کشیده‌ای.» این سبک نگاه اوست و باعث می‌شود من این زن را حتی بیشتر دوست داشته باشم. مطمئنم مثل او زیاد نیست.

در چند سال اخیر، همسرم چندان دوست ندارد به کلوپ برود، بنابراین به‌تنهایی یا با دوستان می‌روم، اما او همیشه قبل از خروج از خانه مطمئن می‌شود که من خوش‌تیپ باشم. دو دوست مجرد داشتم که خیلی وقت بود ازدواج نکرده بودند. آن‌ها همسرم را خوب می‌شناختند و همیشه به من می‌گفتند که فقط زمانی ازدواج می‌کنند که زنی مثل همسرم پیدا کنند. برای من هیچ تعریفی بالاتر از این وجود ندارد.

حالا متوجه می‌شوید وقتی می‌گویم حاضرم جانم را فدای او کنم، برای همهٔ مردان مجرد آرزو می‌کنم که خدا برایتان زنی مثل همسر عزیز من بفرستد.

یک روز همسرم تصمیم گرفت که ما باید به سفر برویم تا مناطق مختلف ایالات متحده را بشناسیم، و تا به امروز به سی ایالت رفته‌ایم. در خانه هیچ کمبودی نداریم. من حاضرم دستم را دراز کنم و برای همسرم از آسمان ستاره بچینم.

وقتی تنها سفر می‌کردم، همسرم را در خیالاتم تجسم می‌کردم یا با او صحبت می‌کردم و بعد مثلاً به غذایی فکر می‌کردم و وقتی به خانه می‌رفتم، می‌دیدم که او درست همان غذا را درست کرده بود.

یک بار به شعر زیبایی برخوردم که آن را برای پنجاهمین سالگرد تولد او نوشتم. آن را حفظ هستم:

وقتی چشمانم را می‌بندم، تو را می‌بینم
وقتی نفس می‌کشم، عطر تو را حس می‌کنم
وقتی دستم را روی قلبم می‌گذارم، تو را حس می‌کنم

حالا تو می‌دانی که پارهٔ تن منی - و ما یکی هستیم.

همیشه وقتی برای او کارت یا شعر می‌نویسم، چیزهای زیبایی به ذهنم می‌رسد ـ حس می‌کنم که آن‌ها از من نشئت نگرفته‌اند! انگار که ناگهان آدم متفاوتی می‌شوم. حتی او از من می‌پرسد که چنین کلماتی را از کجا می‌آورم. البته من با اشتباه می‌نویسم.

بنابراین این رابطهٔ من با همسرم است، یارِ جانی عزیز من.

یک روز با دو زوج دیگر بیرون رفتیم. رفتیم به یک رستوران خیلی خوب، زیبا و رمانتیک، یک رستوران فرانسویِ مراکشی در منهتن، با غذاهای خوب و جذاب فرانسوی. پس از اتمام غذا، مکان به یک کلوپ شبانه تبدیل می‌شود. یک صحنه بود و یک ارکستر. هر سه زوج برای رقص بلند شدیم و سه دختر داشتند روی صحنه می‌رقصیدند. درحالی‌که من و همسرم نزدیک صحنه می‌رقصیدیم، آن سه دختر دویدند، از ما پیشی گرفتند و همراه با ما می‌رقصیدند. لبخندی به لب همسرم آمد؛ او قبلاً این اتفاق را دیده است. یکی از خانم‌هایی که همراه ما بود، یک‌جوری به ما نگاه کرد! بعداز اینکه نشستیم، به همسرم گفت: «وای، چطوری تو اون اوضاع آرومی؟ من اگه جای تو بودم، چشم اون دخترا رو از حدقه درمی‌آوردم.»

من می‌خندم، همسرم هم همین‌طور. او می‌گوید: «خب که چی؟ شوهرم آخر شب پیش منه، پس چه مشکلی وجود داره؟» و من به او گفتم: «مشکل چیه؟ چی‌ش بده که دخترا بیان و با من معاشقه کنن؟ همسرم می‌بینه که همهٔ دخترها منو می‌خوان اما من مال اونم. چرا این‌طوری به قضیه نگاه نمی‌کنی؟»

فصل ۱۳۷

کلوپ سالسا[1]

وقتی دخترم ۱۹ساله بود، دیوانهٔ موسیقی لاتین بود و در یک کلوپ سالسا ثبت‌نام کرد. هفته‌ای دو بار بعداز مدرسه به آنجا می‌رفت. آخر هفته‌ها، همهٔ افرادی که به کلوپ می‌رفتند می‌توانستند خانواده و دوستان خود را برای یک شب موسیقی و رقص بیاورند. یک بار دخترم از ما خواست که برویم و آنجا را ببینیم و ما رفتیم.

در یک سالن بزرگ، یک ردیف صندلی در کنار دیوار در سمت راست و یک ردیف در سمت چپ قرار داشت که زمین رقص در وسط قرار داشت. در انتهای آن یک‌جور صحنه بود که احتمالاً روی آن اجرا می‌کردند. من و همسرم روی صندلی‌های کناری نشستیم و رقص را تماشا کردیم. عده‌ای روی صحنه مشغول رقصیدن بودند. ناگهان دختر جوانی به‌سمتِ من آمد و از من خواست که با او برقصم. من در آن زمان ۵۸ ساله بودم.

من سرخ شدم، درحالی‌که کنار همسرم نشسته بودم، اگرچه می‌دانم که او اهمیتی نمی‌داد. به آن دختر گفتم: «نه ممنون، من بلد نیستم سالسا و سامبا برقصم.» همسرم به گفت: «چه حیف، چرا بلند نشدی؟ یاد می‌گرفتی.» بعداز چند دقیقه دختر دیگری آمد و از من خواست برقصم. گفتم: «نه ممنوم، من این رقص‌ها رو بلد نیستم.» او گفت: «بیاید، من یادتون می‌دم.» بنابراین همسرم گفت: «خب؟ برو، بلند شو.»

بلند شدم. او من را به صحنه در انتهای سالن برد و شروع کرد کمی به من یاد دادن. در همین حین، دیدم که او دارد به من نزدیک می‌شود. البته من از آن لذت بردم، اما خوشایند نبود و احساس راحتی نمی‌کردم. همه آنجا جوان بودند ـ و این دختر واقعاً به من چسبیده بود. به او گفتم: «گوش کن، نه ممنون، این رقص مناسب من نیست.» و برگشتم و نشستم.

---

1. The Salsa Club.

فصل ۱۳۸

عروسی پسر بزرگم و اولین نوه‌ام

در نیویورک که زندگی می‌کردیم، پسرم با یک دختر اسراییلیِ زیبا آشنا شد که در ایالات متحده از پدرومادری اسرائیلی متولد شده بود. پس‌از مدتی، تصمیم گرفتند ازدواج کنند. من با پدرش به‌قصد برنامه‌ریزی برای عروسی ملاقات کردم. به دفتر او در فلوریدا رفتم و او چیزی نمی‌گفت. معلوم شد که او نه می‌خواهد در عروسی مشارکت کند، نه می‌خواهد پولی برای آن بدهد و نه حتی در جشن عروسی حضور داشته باشد. بنابراین هزینهٔ عروسی آن‌ها را خودم پرداخت کردم. برای نورما دعوت‌نامه فرستادم و او از برلین آمد.

برنامه‌ریزی قسمتی که داماد را به‌سمتِ سایبان عروسی می‌برند را طوری انجام دادم که تقریباً همه در آنجا به گریه افتادند.

این کار را طبق سه مرحلهٔ زندگی پسرم انجام دادم. او ابتدا با من و مادرش نورما زندگی می‌کرد، بعد با من و همسر فعلی‌ام، بعد به خانه خودش نقل‌مکان کرد تا اینکه با همسرش آشنا شد. وقتی وارد سالن شد در مسیر سایبان، من و نورما او را در قسمت اولِ راه هدایت کردیم، بعد نورما از او خداحافظی کرد و او به‌تنهایی به‌سمتِ سایبان راهش را ادامه داد. همسر فعلی‌ام به ما ملحق شد، هر دو قسمت دیگری از راه را با او ادامه دادیم، بعد از او جدا شدیم و او به‌تنهایی، بقیه راه را ادامه داد تا به سایبان عروسی رسید.

سالن زیبایی بود. سایبان در یک سالن بود و بعداز آن همه به سالن دیگری رفتند. مراسم شگفت‌انگیز و شاد بود. چند ماه بعد نورما بیمار شد و از دنیا رفت.

آقای ز به همراه همسر فعلی و همسر سابقش در یکی از سفرهایش به ایالات متحده.

پسرم و همسرش در نیویورک زندگی می‌کردند و همسرش باردار شد. یک روز وقتی‌که از اسرائیل برگشتم، همسرم و دو فرزند دیگر با یک دوربین در فرودگاه منتظر من بودند. وقتی پیش آن‌ها رسیدم، آن‌ها فریاد زدند: «تبریک، تو پدربزرگ شدی!» و از واکنش من فیلم گرفتند. لحظه‌ای بسیار احساسی بود. این زوج یک دختر کوچولو داشتند. من واقعاً با او ارتباط برقرار کردم و از وجودش لذت می‌بردم، تا اینکه آن‌ها به فلوریدا نقل‌مکان کردند. به همین دلیل من یک آپارتمان در فلوریدا خریدم. من زیاد آنجا می‌رفتم. بعدها صاحب یک پسر هم شدند.

پس‌از چند سال پسرم و خانواده‌اش به اسرائیل مهاجرت کردند. امروز آن‌ها در اسرائیل زندگی می‌کنند و ما روابط بسیار خوبی باهم داریم.

دو فرزند دیگرم در نیویورک ماندند. من ارتباط خوبی با دخترم دارم. اما با پسر کوچک‌ترم کمتر در ارتباط هستم.

آقای ز در عروسی پسرش.

فصل ۱۳۹

مادر و پدر

وقتی به ایالات متحده رسیدم، هرچقدر سعی کردم پدرم را متقاعد کنم که به آنجا بیاید ـ او نمی‌خواست بیاید. حتی یک وقتی‌که مادرم قبول کرد بیاید، پدرم نمی‌خواست.

تا اینکه یک روز مثل وقتی‌که در برلین بودم، برایش یک نوار کاست ضبط کردم. هرچه در دلم داشتم را برایش بیرون ریختم. آن را فرستادم، و این او را متقاعد کرد که برای سر زدن بیاید، و این کار را کرد. خیلی خوش‌حال شدم.

در مدتی که او اینجا بود، او را به همه‌جا ازجمله کاخ سفید بردم. در آن سفر او را با ویلچر بردم. او از خدماتی که به دلیل محدودیت‌های حرکتی به او داده شد شگفت‌زده شده بود. همه از پله‌ها بالا رفتند، درحالی‌که من و پدرم را با آسانسوری از آشپزخانه بردند و در راه نگهبان به ما نشان داد که کجا برای رئیس‌جمهور غذا آماده می‌کردند.

با او به آبشار نیاگارا هم رفتم. او در سفر بسیار مشتاق بود و دید که من در زندگی چه می‌کنم و به چه چیزهایی رسیده‌ام. این به او قدرت می‌داد. ناگهان با امید صحبت کرد و به آینده نظر داشت. این به او انرژی می‌داد و خوش‌حالش می‌کرد.

چندین سال بعداز دیدار پدرم، از ایران با من تماس گرفتند. از پله‌ها افتاده بود و سرش زخمی شده بود و بیهوش در بیمارستان بستری شده بود.

من نزد نماینده سفارت ایران در واشنگتن رفتم و خواستم اجازه رفتن به ایران را به من بدهند. آن‌ها آن را کِش دادند و هر بار به من می‌گفتند که منتظر پاسخ ایران هستند. پدر آنجا در بیمارستان فوت کرد و من نتوانستم به او برسم. او ۸۲ سال داشت. همان‌طور که قبلاً اشاره کردم، پس‌از درگذشت او، یک طومار تورات را به‌افتخار او تقدیم کردم.

بعداز فوت پدرم در ایران در سال ۲۰۰۰، مادرم هنوز در آنجا زندگی می‌کرد. تصمیم

گرفتم برایش گرین کارت بگیرم. در ژوئن ۲۰۱۱، این کار به نتیجه رسید. ما مدارک و اسناد زیادی را برای ارائه دریافت کردیم. مصاحبه گرین کارت به دلیل عدم وجود روابط دیپلماتیک بین آمریکا و ایران در ترکیه انجام شد.

بعداز اینکه تأیید گرین کارت مادرم را گرفتم، دادم پاسپورتش و مدارکی که به او اجازه ورود به ایالات متحده را می‌داد را مهر زدند، ابتدا به اسرائیل رفتیم تا او بتواند بقیه اعضای خانواده را ملاقات کند. باید برای اسرائیل هم برایش ویزا می‌گرفتم. ویزای اسراییل در پاسپورت ایرانی‌اش مهر نشده بود اما از او عکس گرفتند و یک مجوز عبور به او دادند.

وقتی به کنسولگری در ترکیه رفتم، با نگهبانان به مشکل خوردم، اما درنهایت درست شد. ویزا را گرفتم و باعجله رفتیم تا به آخرین پرواز برسیم. سوار هواپیما شدیم و او از اسرائیل با من به آمریکا آمد و گرین کارتش را گرفت.

از آن به بعد هر سال برایش بلیت می‌خریدم و او را از ایران می‌آوردم. به ترکیه می‌رسید، ازآنجا برای چند روز به اسرائیل سفر می‌کرد و بعد سفرش را به ایالات متحده ادامه می‌داد.

یک بار وقتی به ایران برگشت مهر پاسپورتش را چک کردند و به خاطر یک هفته حضورش در اسرائیل، دیدند بین رفتنش از ترکیه و ورودش به آمریکا فاصله است. از او پرسیدند آن یک هفته کجا بودی؟ او داستانی ساخت. آن‌ها مشکوک بودند که او به اسرائیل رفته است و به او هشدار دادند که به آنجا سفر نکند. بعداً متوجه شدم که روکش پاسپورت دارای یک تراشه جی‌پی‌اس بوده و از این طریق می‌دانستند که او در اسرائیل بوده است.

پس چه‌کار می‌توانستیم بکنیم؟ در سفر بعدی او، وقتی مدارک خاصی لازم است، وقتی چاره‌ای نیست، آن را جعل می‌کنید. و این کاری است که من انجام دادم. من یک مهر ورود به ایالات متحده را جعل کردم و روز بعداز ورود او به ترکیه در پاسپورتش مهر زدم. بنابراین با توجه به مهر، هفته‌ای که او در اسرائیل بود، انگار که از قبل در ایالات متحده بوده است. و هنگامی‌که او به ایالات متحده رسید، آن‌ها می‌خواستند دوباره مهر ورودی را روی آن بزنند. به مادرم گفتم که اگر از او پرسیدند بگوید که دو روز در کانادا بوده است و در آن صورت هنگام عبور از ایالات متحده نیازی به مهر ندارید و این کار جواب داد.

پس‌از مدتی، او دیگر به اسرائیل سفر نمی‌کرد، بلکه به استانبول و از استانبول مستقیماً به نیویورک پرواز می‌کرد. او هر سال می‌آمد و برایش احترام زیادی قائل بودند، چون او همان موقع هم یک زن مسن بود. زمانی که شروع کرد به آمدن به آمریکا، حدود ۸۰ سال داشت و در ۸۹ سالگی در ایران درگذشت.

او در بیمارستان براثرِ ذات‌الریه درگذشت. قبل از فوت، چندین هفته در بیمارستان

بستری بود. بازهم خیلی تلاش کردم تا اجازه سفر به ایران را بگیرم اما اجازه ندادند. او دیگر هیچ فامیلی در ایران نداشت. جامعهٔ یهودی او را دفن کردند و شخصی که با او در تماس بودم از مراسم دفن فیلم‌برداری کرد و فیلم را برای من فرستاد. درحالی‌که من فیلم مراسم خاک‌سپاری را تماشا می‌کردم، مادرم را تصور کردم که بالای قبرش خندان ایستاده است، به زیبایی، یک پیراهن آبی روشن با گل‌های سفید بر تن داشت، آنجا ایستاده و به خاک‌سپاری خودش نگاه می‌کرد.

تا به امروز، رؤیای من این است که بر سرِ قبر او و پدرم بروم، و امیدوارم قبل از ترک این دنیا این کار را انجام دهم.

فصل ۱۴۰

فهرست آرزوها

یک روز که در خانهٔ خواهرم بودم، در آپارتمان زیرشیروانی در اسرائیل، با پسر خواهرم نشسته بودم و دربارهٔ تمام کارهایی که در زندگی‌ام انجام داده‌ام به او می‌گفتم. او از من پرسید: «چی مونده، چه‌کار دیگه‌ای می‌خوای بکنی؟» و من به او گفتم: «خوب، می‌دونی چیه؟ بیا بشینیم و یه فهرست آرزوها از رؤیاهایی که من هنوز می‌خواهم برآورده کنم تهیه کنیم.»

دیدم که فقط پنج چیز باقی مانده است که می‌توانستم به آن‌ها فکر کنم ...

آن‌ها را یادداشت کردم و زدم زیرِ خنده. از من پرسید چرا می‌خندم. گفتم: «این خیلی خوبه که چیزهای زیادی باقی نمونده که من هنوز می‌خواهم انجام بدم، که قبلاً اون همه کار انجام داده‌م! از یکی دیگه بپرس که هنوز چه کارهای دیگه‌ای می‌خواد بکنه، اون یه فهرست بی‌پایان بهت می‌ده!» این من را بسیار خوش‌حال کرد که فقط پنج چیز در فهرست من وجود داشت، من از آن زمان تاکنون دو مورد از آن‌ها را انجام داده‌ام.

همان‌طور که از برنامه‌ریزی برای آینده لذت می‌برم، از یادآوری گذشته و گفتن داستان‌هایم نیز لذت می‌برم. و همان‌طور که می‌بینید ... داستان‌های من کم نیست. من یک چمدان دارم که تمام اسناد قدیمی و همه کارت‌های تبریک مهمی را که گرفته‌ام به‌عنوان یادگاری نگه می‌دارم. دفتر خاطراتی که در ایران خریدم، کارت شناسایی قدیمی‌ام، کارت شناسایی ارتش و خیلی چیزهای دیگر را نگه می‌دارم. برخی از آن‌ها اینجا در عکس‌ها هستند.

چمدان با تمام یادگاری‌ها.

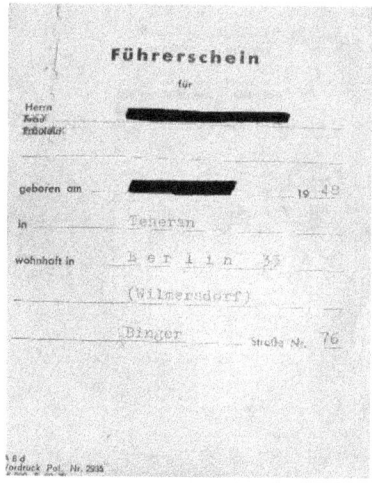

گواهی‌نامه رانندگی آلمانی آقای ز.

فصل ۱۴۱

تایلند با فیفی

یکی از چیزهای فهرست من این بود که یک ماه را در تایلند بگذرانم، درحالی‌که قبلاً یک بار با همسرم به آنجا رفته بودم. در سال ۲۰۱۲ با فیفی دوست آلمانی‌ام رفتم و بازهم شرایطی پیش آمد که خدا نجاتم داد.

من ۶۵ ساله بودم. بلیت هواپیما از نیویورک به لس آنجلس خریدم و ازآنجا با فیفی سوار پرواز‌ی به بانکوک با توقفی در چین شدیم. طبق معمول، مثل همه سفرهایم، بین یک یا دو اونس (۳۰ـ۶۰ گرم) ماری‌جوانا همراهم بود، چون بدون آن دیوانه می‌شوم، و من را آرام می‌کند. پس دو اونس با خودم بردم. من در سفر راهی برای پنهان کردن آن دارم و خدا را شکر تا الان همه‌چیز خوب پیش رفته است و من زیاد پرواز می‌کنم.

وقتی به سفر رفتیم هنوز از انسداد رگ پایم رنج می‌بردم و درد وحشتناکی داشتم. نمی‌توانستم بدون عصا راه بروم و در پروازها ویلچر سفارش می‌دادم. با ویلچر من را از هواپیما پیاده می‌کردند و من با ویلچر از گمرک و کنترل گذرنامه عبور می‌کردم که سریع‌تر از صف معمولی است.

دو تا چمدان داشتیم. وقتی از مغازه‌های معاف از گمرک رد می‌شدیم، فیفی یک کارتن مارلبرو[1] قرمز خرید و من یک کارتن مارلبرو سفید خریدم، اما خانم فروشنده هر دو را در یک کیسه گذاشت. فیفی چرخ‌دستی حاوی چمدان‌هایمان را هل می‌داد و کیسه پلاستیکی حاوی دو کارتن داخل آن بود. رفتیم، از گمرک گذشتیم و وارد سالن پروازهای خروجی شدیم. بعداز گمرک ناگهان دو پلیس ظاهر شدند و به فیفی گفتند که با آن‌ها برود و چرخ‌دستی خرید را بیاورد. او را با چرخ‌دستی داخل اتاقی بردند، درحالی‌که من بیرون

---

1. Marlboro.

روی ویلچر ماندم و شروع به دعا کردم.

بعداز چند دقیقه فیفی بیرون آمد و فریاد زد «عوضی‌ها! هزار دلار جریمه می‌خوان!» پرسیدم: «برای چی؟» «برای دو تا کارتن سیگار».

به او گفتم: «اما هرکدوم از ما یکی داره.» «اهمیتی نمی‌دن. می‌گن هزار دلار جریمه.» «اون‌ها دارن ما رو اذیت می‌کنن، دارن بازیمون می‌دن.» حالا من از اتفاقی که با چمدان می‌افتد می‌ترسم: من دو اونس وید اونجا دارم. از او پرسیدم: «چمدون رو باز کردن؟»

قبل از آن، او از من پرسید که آیا موادی با خود آورده‌ام، و من به او گفتم «نه»، چون نمی‌خواستم او بداند که آنجا مواد هست تا رفتاری عادی داشته باشد. وارد آن اتاق شدم و به او گفتم: «هی، چه خبره، آروم باش، آروم باش.» به عبری گفتم: «خفه شو، من وید دارم.» دیدم که چمدان باز است، و آن‌ها آن را پیدا نکردند، حتی بویش را حس نکردند ـ دو اونس، که خیلی زیاد است. خدا می‌داند اگر آن را پیدا می‌کردند چه اتفاقی می‌افتاد. فکرش را بکن. شاید زندان؟! خدایا. نمی‌دانم من چه مشکلی دارم، اما در تمام زندگی‌ام ـ در ایران، اسرائیل، آلمان و ایالات متحده، هرگز ترس را نمی‌شناختم. من نمی‌ترسم و علاوه بر این، همان‌طور که گفتم، ایمان زیادی به خدا دارم و راهی برای ارتباط با او و کمک گرفتن از او دارم. قبلاً در مورد خواندن «شما اسرائیل» با نهایت تمرکز به شما گفته بودم. وقتی با ویلچر وارد اتاق شدم، گفتم: «باشه، مشکلی نیست، من می‌خوام پول تبدیل کنم.» چیزی در حدود ۱۱۰۰ دلار برای ۳۰/۰۰۰ بات[1]. جریمه را پرداخت کردیم و ما را ول کردند.

در کل سفر، با وید خیلی به من خوش گذشت. نمی‌دانم بدون آن چه‌کار می‌کردم. در پروازهای داخلی، علاوه بر مقدار زیادی که به‌خوبی پنهان شده بود، یک کیف کوچک دیگر برای استفاده روزانه داشتم که آن را پنهان نمی‌کردم. فکر کردم، پروازهای داخلی، چه مشکلی ممکنه وجود داشته باشه، چیو می‌خوان چک کنن؟

مقدار کمی را داخل کیف ماشین اصلاحم گذاشتم و چمدان را تحویل دادیم. کیف ماشین اصلاح داخل چمدان بود و ما نشستیم و منتظر ماندیم. ناگهان اسم ما را از بلندگو صدا زدند تا به فلان میز برویم. گفتم: «وای، گیر افتادیم» اما بازهم، ترس نداشتم، هیجان نداشتم. من در چنین شرایطی به‌شدت خون‌سرد هستم.

به آنجا رفتیم تا بفهمیم موضوع چیست. معلوم شد که شما مجاز به گذاشتن سیگار الکترونیکی در چمدان خود نیستید، چون می‌تواند باعث آتش‌سوزی شود. از ما خواستند

۱. Baht، واحد پول تایلند. (م.)

آن را برداریم. با اشعه ایکس، دیدند که همراه ماشین اصلاح است و از من خواستند کیف را باز کنم. به‌آرامی درِ آن را باز کردم و چشمم به کیسه کوچک حاوی مواد افتاد. با دست چپم یک‌طرف کیف را گرفتم و کیسه کوچک حاوی مواد را در دست راستم روی آن‌طرف کیف پنهان کردم و آن را تکان دادم. خوب، بقیه چیزها خوب بود. زیپ کیف را بستم، اما نتوانستم ماری‌جوانا را دوباره در آن بگذارم. بدون اینکه متوجه شوند آن را در جیبم گذاشتم. سوار پرواز شدیم و دور شدیم. استرس داشتم، اما همه‌چیز خوب پیش رفت.

یک سفر رؤیایی بود. هر سه روز یک بار از جزیره‌ای به جزیره‌ای دیگر پرواز می‌کردیم. در یک ماه، از ۶ جزیره بازدید کردیم. جاهای بیشتری را دیدیم و در مهمانی‌ها اوقات خوشی داشتیم.

فصل ۱۴۲

سفر به کلمبیا

مورد دیگری در فهرست آرزوهای من رفتن به کلمبیا بود. همان‌طور که قبلاً گفتم، بسیاری از دوستانم بسیار کوچک‌تر از من هستند، برخی تقریباً نصف سن من. خیلی از دوستان پسرم دوستان خوب من هم هستند و همیشه دوست دارند با من وقت بگذرانند.

یکی از آن‌ها به من گفت که با یکی از دوستانش به کلمبیا رفته و چه لحظات خوبی را سپری کرده‌اند. گفتم: «می‌دونی چیه، منم می‌خوام برم اونجا، و می‌خوام با کسی که قبلاً اونجا بوده و اونجا رو می‌شناسه، سفر کنم. بنابراین آماده م که با تو به اونجا برم.» بله، باشه، این برای او مناسب بود، و ما برای سفر برنامه‌ریزی کردیم.

من از نیویورک به میامی پرواز کردم. نصف روز در بالکن خانهٔ او با منظره‌ای شگفت‌انگیز از منطقه نشستیم. یک پنت‌هاوس هم در همین محله دارم. پس‌از آن به کلمبیا پرواز کردیم. به آنجا که رسیدیم بدون مشکل از گمرک و کنترل پاسپورت رد شدیم، کسی جلوی ما را نگرفت. یک آپارتمان کنار دریا اجاره کردیم. خدایا عجب ساختمان رؤیایی‌ای، عجب منظره‌ای داشتیم! یک‌طرف دریا بود و طرف دیگر یک دریاچه و ساختمان‌های زیبا، و شب‌ها چراغ‌ها را می‌دیدیم. نشستن در آن بالکن فوق‌العاده بود. یک‌جور حشیش با آبجو یا ویسکی می‌کشیدم، لذتی که آنجا داشتیم ...

دوست جوانی که با او بودم، چون قبلاً چندین بار به آنجا رفته بود این تجربه را داشت که در کلمبیا چه‌کارهایی انجام دهد و چگونه. بعداز ماجراهایی که باهم داشتیم، او قسم خورد که دیگر با کسی جز من به آنجا نرود. ازآنجایی‌که من واقعاً دوست دارم آشپزی کنم، هر شب غذا درست می‌کردم و او مسئول آوردن دخترها به آپارتمان بود. یک تجربهٔ فراموش‌نشدنی ـ خنده و لذتی که می‌توانید بارها و بارها آن را تجربه کنید.

این پسر ۴۲ساله بود و من ۷۱ساله، و آن‌قدر با من به او خوش گذشت که از زمانی که برگشتیم مدام با من تماس می‌گیرد و تمام شوخی‌ها و خنده‌های من در آنجا را به من یادآوری می‌کند. وقتی با یکی دیگر از دوستانش آنجا بود، آن‌قدر که با من خوش گذرانده بود، لذت نبرده بود و مدام دارد من را دیوانه می‌کند ـ «بیا دوباره بریم!»

فصل ۱۴۳

دستاوردهای من

در ایران، من در مدرسه چیزی یاد نگرفتم. بعدها به‌شدت از یادگیری زبان می‌ترسیدم، اما درنهایت به لطف خودآموزی، به چهار زبان صحبت می‌کنم. به هر چهار زبان هم می‌خوانم و هم می‌نویسم، اما با اشتباه: فارسی، عبری، آلمانی و انگلیسی و همچنین کمی فرانسوی.

من به آنچه به دست آورده‌ام افتخار می‌کنم. علاوه بر زبان‌ها، به خودم هم یاد دادم که چگونه یک طرح تجاری برای شرکت‌هایی با چشم‌انداز پنج‌ساله تدوین کنم ـ و در این کار بسیار خوب بودم.

برای هر فرزندم یک آپارتمان خریدم و خدا را شکر که یک آپارتمان در اسرائیل، یک آپارتمان در فلوریدا و یک خانه زیبا هم در نیویورک دارم. من هیچ کمبودی ندارم و بازهم به خاطر تمام دستاوردهایم به خودم درود می‌فرستم. می‌دانم که اگر می‌خواستم، می‌توانستم صدها میلیون دلار هم داشته باشم. اما به آن فکر کردم و تصمیم گرفتم که این را نمی‌خواهم. من روحم را به پولِ بیشتر نمی‌فروشم، چون فشارِ بیشتر و نگرانی‌های بیشتری را به همراه خواهد داشت. من ازآنچه دارم لذت می‌برم چون آزادی انجام هر کاری که می‌خواهم را دارم.

وقتی چند هدف کوچک برای خود تعیین می‌کنید و به آن‌ها می‌رسید، مغز شما یاد می‌گیرد که چگونه کارهای بزرگ‌تر را انجام دهد. ذهن ظرفیتی باورنکردنی دارد.

❋❋❋

من به هر هدف کاری که برای خودم در نظر گرفتم، رسیدم. به همین دلیل است که وقتی می‌گویم اگر صدها میلیون می‌خواستم و آن را هدف قرار می‌دادم، مطمئن هستم که

به آن می‌رسیدم.

توصیهٔ من به همه این است که آنچه لیاقت داشتنش را دارید، رها نکنید. حتی زمانی که یک‌چیز کوچک است. چون این‌طوری است که شروع می‌شود. امروز از یک‌چیز کوچک دست می‌کشی، فردا از یک‌چیز بزرگ چشم‌پوشی می‌کنی.

احساس خوشبختی می‌کنم. با کودکیِ سختی که داشتم، ضرب‌وشتم‌ها و رنج‌ها، و بعداز همه چیزهایی که در آلمان سرم آمد، چیزی که درنهایت از من حاصل شد، به لطف اهتمامِ خودم بود.

چندین بار از گذراندن سال‌ها در زندان در امان ماندم و حداقل دو بار از مرگ نجات پیدا کردم.

وقتی دوباره این داستان‌ها را می‌خوانم، متوجه می‌شوم که نوددرصد افرادی که در آلمان می‌شناختم، مرده‌اند، و هیچ‌کدام از کهولت سن نبوده. برخی براثرِ مواد مخدر، برخی در زندان و برخی نیز براثرِ بیماری جان خود را از دست دادند. چند سال پیش فهمیدم که پیرمرد سرطان دارد. او نمی‌خواست در بیمارستان معالجه شود. پسرش برای تسکین درد به او مرفین تزریق می‌کرد تا اینکه از دنیا رفت.

به نظرم می‌آید که من در تجسم دیگری زندگی می‌کنم. توانستم به هر آرزویی که داشتم برسم. همه به لطف این واقعیت که وقتی هدفی در ذهن دارم، تا زمانی که به آن نرسم، هیچ‌چیز مانع من نمی‌شود!

دو سگ عزیز و دوست‌داشتنی آقای ز.

فصل ۱۴۴

جمع‌بندی ـ نود درصد موفقیت

پسرم گهگاه برای من یک سی‌دی همراه با موسیقی می‌فرستد. من دوست دارم به آنچه برای من ارسال می‌کند در رانندگی‌های طولانی گوش کنم. در آخرین سی‌دی که از او دریافت کردم، پس از چند آهنگ، ناگهان صدای صحبت کردن را می‌شنوم. یک کتاب صوتی بود. همان‌طور که گوش می‌کردم، فهمیدم که آن‌ها در مورد «قدرت جذب» صحبت می‌کردند. یکی پس از دیگری را گوش می‌کردم و می‌شنیدم و احساس می‌کردم دارند در مورد من صحبت می‌کنند! چون تمام عمرم را طوری زندگی کرده‌ام که آن‌ها توصیف می‌کردند.

همان‌طور که تا به اینجا خوانده‌اید و متوجه شده‌اید که در زندگی من چه اتفاقی افتاده است، طبق تعریف من، میزان موفقیت من نوددرصد است. به نوددرصد هرچیزی که از کودکی برای خودم تعیین کرده‌ام رسیده‌ام. در مورد ده‌درصد باقی‌مانده، مطمئنم که این‌ها چیزهایی هستند که آن‌کسی که مراقب من است مانع آن‌ها شده، چون می‌دانست که برای من خوب نبودند. هرگز از هدفی که تعیین کرده بودم دست نکشیدم. من چیزی جز نتیجهٔ نهایی را نمی‌بینم. آن‌ها می‌گویند همه‌چیز به اراده بستگی دارد و من با آن موافقم. هرچه اشتیاق من برای رسیدن به یک هدف خاص قوی‌تر بود، رسیدن به آن برای من آسان‌تر می‌شد.

بگذارید واضح بگویم: اگر ارادهٔ شما به‌اندازهٔ کافی قوی نباشد، اگر چیزی را به‌اندازهٔ کافی نخواهید، به آن نخواهید رسید. وقتی هدف یا نیتی داشتم به آن می‌رسیدم چون هدف را واضح و آشکار در انتهای یک تونل می‌دیدم. منظورم این است که در مسیر چیزی نمی‌دیدم، بلکه فقط خودِ هدف را می‌دیدم. به‌این‌ترتیب می‌توانی آن را به واقعیت تبدیل کنی.

اگر دربارهٔ هدفی با مردم و دوستان صحبت کنی، همه نظرشان را بیان می‌کنند. یکی می‌گوید: «تو توانایی‌اش رو نداری»، یکی می‌گوید «زبونش رو نداری»، سومی می‌گوید «بودجه‌ش رو نداری.» ـ و همهٔ این چیزهای منفی باعث تردید و ترس می‌شود که تو را از رسیدن به هدف بازمی‌دارد. اما وقتی به هدفِ خود نگاه می‌کنی، فقط به هدف در انتهای تونل، به همهٔ کسانی که در حاشیه ایستاده‌اند و نظرات منفی خود را بیان می‌کنند توجه نخواهی کرد.

وقتی روی هدف تمرکز می‌کنی، ذهن تو به‌خودی‌خود به‌طور خودکار کار می‌کند و به تو در رسیدن به آن هدف کمک می‌کند. شاید این پدیده را تجربه کرده باشید که عمیقاً در مورد چیزی فکر می‌کنید و ناگهان ایده‌ای به ذهن شما می‌رسد که به شما کمک می‌کند به آنچه می‌خواهید برسید. همیشه به احساس درونی خود توجه کنید.

نظرات اطرافیان می‌تواند مانع از رسیدن شما به هدفتان شود. این اتفاق شخصاً برای من افتاد ـ وقتی‌که تصمیم گرفتم در سن بیست‌سالگی اسرائیل را ترک کنم و تمام خانواده‌ام مخالف آن بودند. هرکسی دلیل متفاوتی برای اینکه چرا من موفق نخواهم شد داشت و این حتی من را برای رسیدن به اهدافم مصمم‌تر کرد. مواقعی بود که چیزی برای خوردن یا جایی برای خوابیدن نداشتم، اما این مانعِ من نشد. من به راه خود ادامه دادم و به اسرائیل برنگشتم، بلکه روبه‌جلو ادامه دادم.

❋ ❋ ❋

یادداشتی شخصی از طرفِ آقای ز:

امیدوارم از خواندن زندگی‌نامهٔ من لذت برده باشید و از تجربهٔ وسیع من چیزی یاد گرفته باشید. برای شما آرزوی موفقیت، رضایت و لذت در زندگی دارم، چون زندگی کوتاه است. چیزهای سمی و منفی را در قلب خود نگه ندارید. آن‌ها برای ذهن و بدن مضر هستند. با دیگران خوب باشید ـ چون این برای خودتان نیز خوب خواهد بود.

و شاهنامه آخرش خوشه!
بسیار خوش‌حال می‌شوم که نظر خود را در مورد داستان زندگی من برایم بنویسید.
با احترام،
آقای ز
در اینجا برایم بنویسید: www.thelifestoryofmrz.com

www.ingramcontent.com/pod-product-compliance
Lightning Source LLC
Chambersburg PA
CBHW070442090526
44586CB00046B/1539
9781595848802